Tanith Lee

Meester van de Dood

*M*EULENHOFF SF, FANTASY & AVONTUUR

Eerste druk juli 1981
Tweede druk oktober 1986

Vertaling Jaime Martijn
Omslagillustratie Don Maitz

Copyright © 1979 by Tanith Lee
Copyright Nederlandse vertaling © 1981 by Meulenhoff
    Nederland bv, Amsterdam
Oorspronkelijk verschenen als *Death's Master*
    bij DAW Books, New York 1979
Published by arrangement with DAW Books,
    Inc., New York

ISBN   90 290 1485 7

Eerste boek

1 Narasen en de Dood

Een

Narasen, de luipaardkoningin van Merh, stond achter haar raam te kijken hoe de Pest door haar stad waarde. Vrouwe Pest droeg haar gele gewaad, want de ziekte was een gelige koorts, geel als het stof dat opwolkte van de vlakten en de stad Merh omzwachtelde en verstikte, geel als de stinkende modder waarin de brede rivier van Merh veranderd was. En machteloos en woedend zei Narasen in gedachten tegen de Pest: 'Wat moet ik doen om van jou verlost te worden?' en de nauwelijks zichtbare gele vrouw grijnsde haar tanden bloot en het leek of ze antwoordde: 'Je weet het, maar kunt het niet.' En toen borg de stofstorm haar in zich weg en Narasen smakte de luiken dicht.

Het slaapvertrek van de koningin van Merh zag er aldus uit: aan de muren hingen glimmend gepoetste strijd- en jachtwapens en de muren zelf waren beschilderd met oorlogs- en jachttaferelen. De vloer was belegd met de gevlekte en gestreepte huiden van de dieren die Narasen gedood had en in het bed lag bij nachte dikwijls een knap jong meisje, de huidige minnares van Narasen. De koning van Merh, Narasens vader, had haar opgevoed en onderwezen alsof zij eer een zoon was dan een dochter, hij had haar voorbereid om na hem te regeren en dit stemde heel goed overeen met haar verlangens. Maar zij bezat de schoonheid van een vrouw.

Op een middag een jaar eerder reed Narasen met haar uitverkoren metgezellen over de vlakte op jacht naar luipaarden. Haar jachtwerktuigen waren goud en wit en haar witte honden draafden als rennende sneeuw naast haar wagen. Een hoofdtooi van gouddraden en paarlen hield haar roosrode haar uit haar gezicht weg en haar ogen waren als de ogen van haar prooi. Maar die dag zouden er geen luipaarden gespeerd worden. De wagens kwamen aan een bocht in de rivier die toen koel en donker was en op de oevers stonden grote bomen. Terwijl de honden hun dorst lesten, ontdekten Narasens jachtgenoten een jongeman die onder een boom zat. Hij was knap en plezierig om naar te kijken, en hoewel hij daar alleen zat, zonder knecht of wachter, was hij rijk gekleed en naast hem stond in de bodem gestoken een staf van wit hout met twee groene smaragden in de knop.

'Breng hem bij mij,' zei Narasen toen ze haar dit vertelden en de jongeman talmde niet. 'Zo, wat betekent dit nu?' vroeg zij. 'Je bevindt je binnen de grenzen van Merh maar je bent geen inwoner van Merh, denk ik, en je zit hier alleen in je opschik. Heeft niemand je dan gewaarschuwd? Wilde dieren komen drinken uit deze rivier en ze kunnen mensenvlees ruiken, en er wonen rovers in dit land, zoals in alle landen, die edelstenen kunnen ruiken.'

De jongeman boog en hij keek haar aan op een bepaalde manier die ze wel eens eerder had meegemaakt, en die niet mis te verstaan was, en zijn ogen werden donker. Maar hij sprak op wellevende manier: 'Mijn naam is Issak; ik ben magiër en de zoon van magiërs. Ik vrees beesten noch mensen, want ik ken spreuken om hen te verschalken.'

'Dan ben je een gelukkig man,' zei Narasen. 'Of een opschepper. Kom, toon je kunnen.'

Opnieuw boog de jongeman. Toen lichtte hij de staf op, die veranderde in een witte slang met groene ogen, die zich driemaal om zijn nek slingerde. Daarna floot hij en plots werd het water van de rivier doorsneden door duizend schitterende lemmeten toen alle flitsende vissen opsprongen. En toen floot hij nog een keer, anders, en de vogels vielen als bladeren uit de bomen en zetten zich neder op zijn schouders en zijn handen.

Narasens begeleiders vonden het mooi en ze klapten. Maar Narasen, die zag hoe hij haar nog steeds aankeek, en wie dit niet beviel, zei: 'Laat mij nu een luipaard verschijnen.'

Ogenblikkelijk vlogen de vogels weg en de vissen zonken als stenen. De jongeman die Issak geheten was, vestigde zijn blik op haar ogen, fronsend, en hij floot voor de derde keer. Door de schaduw van de bomen kwamen tien gouden luipaarden aangelopen, vol schaduwvlekken en hun eigen vlekken, en stuk voor stuk hadden ze de ogen van Narasen. Narasen lachte en riep om haar speren. Maar toen zij haar arm naar achter bracht voor de worp, trok de jongeman de slang van zijn nek los en wierp hem van zich af. Meteen werd de slang een staf die met de punt omlaag rechtop stond in de aarde van de rivieroever. De tien luipaarden verdwenen.

'Dus het was alleen maar een illusie,' zei Narasen. 'Een kunstje. Ik houd er niet van om bedrogen te worden met kunstjes.'

Toen glimlachte Issak. Heel rustig zei hij: 'Wat het ook was, zeer schone koningin van Merh, ik geloof dat u het niet zou kunnen.'

Dat was nu helemaal niet naar Narasens zin, iemand die haar vertelde wat zij kon en niet kon. Zich afwendend zei ze tegen een van haar wachters: 'Geef de potsenmaker wat munten. Hij ziet er uitgehongerd uit en zijn fraaie kleren zullen ook wel gezichtsbedrog zijn.'

Issak weigerde het geld. 'Met geen munten ben ik te betalen. Ik verlang een andere beloning, want het is iets anders waarnaar ik dorst.'

'En wat dan wel?'

'De koningin van Merh.'

Nooit in haar leven had iemand zo tegen Narasen durven spreken. Het maakte haar boos, en diep van binnen werd ze onrustig.

'Welnu,' zei zij desondanks luchtig, 'aangezien jij zichtbaar afkomstig bent van een barbaars volk, en onze beschaafde manieren niet begrijpt, zal ik je niet laten geselen.'

'Narasen mag mij geselen,' zei hij, 'maar geen ander.'

Nu een van Narasens honden haar woede aanvoelde, begon hij tegen Issak te grauwen. Maar Issak de magiër wees met gestrekte arm naar de hond en die ging onmiddellijk liggen en viel in slaap.

'Nu,' zei Issak, 'moet Narasen de Schone dit leren: ook zij is zo makkelijk te betoveren als haar hond. Ondanks uw woorden, vrouwe, en ondanks wat u bent, roert de liefde zich in mij bij uw aanblik. Vannacht zullen wij samen liggen, en er bestaat geen manier waarop u dit kunt voorkomen.' Terwijl hij dit zei, kreeg de jongeman een uitdrukking van droefenis en pijn op zijn gelaat, eer dan een van arrogantie en wellust.

Narasen beet haar wachters bevelen toe. Dezen stortten zich op Issak de magiër om hem te overmeesteren. Maar toen hun handen toesloegen, was hij er opeens niet meer –

hij leek te verdwijnen als de luipaarden, en hoewel Narasens wachters geruime tijd de omgeving afzochten, werd hij niet meer gevonden.

Narasen keerde met onrustig gemoed terug naar de stad. Onrechtvaardig was zij niet, al kon ze wreed zijn; nu snakte ze ernaar om de vreemdeling zijn brutaliteit betaald te zetten. Zij geloofde ook stellig dat hij oprecht was in zijn belofte, en misschien was het welslagen van zijn plan niet helemaal ondenkbaar als ze rekening hield met zijn vaardigheid in de magie. Zij kende geen liefde voor het lichaam van mannen, en toch, had hij haar op een andere manier benaderd, misschien had zij medelijden met hem gekregen. Toen schoot haar weer de bizarre tragedie op zijn gezicht te binnen, die uitdrukking van wanhoop en gekweldheid... Narasen smeet de bronzen deuren met veel geraas open en schreeuwde dat haar tovenaars moesten komen.

De nacht opende haar zwarte bloemen, de bloementuinramen van het lamplichte Merh ontloken in de diepte. In het paleis van Narasen was de wacht bij de poorten verdubbeld en de soldaten hadden bevel op vreemdelingen te letten. Buiten de vertrekken van de koningin stonden twee reuzen van mannen met koperen knuppels. Ze keken elkaar begerig aan, hopend op een aanleiding om geweld te kunnen plegen. Op de binnendeur hingen de schedel van een hyena en andere onsmakelijke amuletten bedacht door de paleistovenaars. In de kamers lagen zeldzame aromatische stoffen te roken.

Maar terwijl de nacht vorderde, dieper en stiller werd, werd ook Narasen stil en ze begon aan zichzelf te twijfelen. Uit de hoge ramen keek ze hoe de bloemenlampen van Merh uitdoofden, nu een vuurrode bloem, dan een gouden, door blauwe vingers van het vredige duister geplukt. Ze dacht aan de tovenaars die hun spreuken zaten te mummelen en neuzelend zongen in een voorkamer. Ze dacht aan het eten dat ze met een vloek weg had laten sturen, en aan het meisje met vlasblond haar dat deze maand haar bed deelde. En toen dacht ze aan Issak de magiër, en ze lachte zichzelf en hem uit, ze lachte om zijn slimme illusies, zijn gepoch, zijn hartstochtelijke verlangen. Bijna kreeg ze medelijden met hem.

Toen liep ze de voorkamer in, en achter de purperen rook van de branders zag zij dat de tovenaars boven hun werk in slaap waren gevallen en dat de vloer bezaaid was met hun instrumenten, hun stukjes bot en hun zilveren vlegeltjes en glimmende kralensnoeren. Toen liep zij naar de bronzen deuren en opende deze, en daar stonden de twee reuzenmannen, stokstijf als oude bomen en hoewel hun ogen wijd opengesperd waren, zagen ze niets. In de gang vloog een groene vogel heen en weer. Een ogenblik nadat Narasen de deuren had geopend, vloog de groene vogel langs haar heen en recht de voorkamer in. Daar liet hij zijn veren vallen en werd een groen juweel, dat op de vloer viel, en het juweel barstte open en daaruit spatte een glanzende lichtstraal. En toen het licht vervaagd was, stond daar Issak de magiër.

Hij keek Narasen aan en zijn gezicht was bleek. In zijn hand hield hij één zeldzame blauwe roos, van de soort waarover men dikwijls sprak doch die men zelden zag, en deze roos bood hij Narasen aan, en toen zij hem niet aannam, zei hij: 'Als je liever saffieren hebt, het zij zo.'

Narasen was bijkans sprakeloos, toch bracht zij woorden uit.

'Jouw magie is werkelijk heel bijzonder. Ben ik de volgende die betoverd wordt?'

'Als je je niet in liefde aan mij overgeeft.'

Narasen nam hem eens op, zijn witte gezicht en de hand die trillend de steel van de roos vasthield.

'Ik lig niet met mannen samen,' zei zij.

'Vannacht wel.'

'Misschien en misschien,' antwoordde zij. 'Drink wat met mij en we zullen erover praten.' Toen hij geen aanstalten maakte om haar tegen te houden, liep ze naar de kast met wijnen en schonk voor hem met gulle hand in, doch vulde haar eigen beker slechts met een onschuldige dadelsorbet. 'Zo,' zei zij toen, terwijl zij hem langzaam zag drinken, 'zeg mij één ding. Jouw toverkunst is formidabel, maar, liever dan er gebruik van te maken, probeer je mij te bepraten. Je spreekt over je verlangen, maar je bent bleek als iemand die bang of ziek is. Je maakt mij het hof met geschenken, maar bent van zins mij te overweldigen als je dat kunt. Waarom niet of het een, of het ander?'

Issak nam een diepe teug en zijn bleke gezicht kreeg een blos.

'Ik zal het je vertellen, Narasen de Schone,' zei hij. 'Ik ben magiër, zoals je heel goed weet, en ik heb omgang gehad met de demonensoort, in het bijzonder met de Drin, die lelijke dwergjes van de Onderaarde. Ik wilde mijn vermogens vergroten, en deze Drin leidden mij naar het huis van een bedreven tovenaar, die veel ouder en geslepener was dan ik, en zij zeiden dat hij mij onderricht zou geven. Maar de Drin gaven meer om deze oude magiër dan om mij, omdat hij een groter schurk was. Hij sloot een overeenkomst met mij voor mijn lessen, namelijk dat hij iedere nacht eenmaal met mij wilde slapen. Nu was ik jong en dom en ik smachtte naar macht en wijsheid, en het leek mij dat de geneugten en het misbruik van het lichaam niets waren vergeleken met deze macht en wijsheid. En zo, hoewel hij goor, oud en bestiaal was, stemde ik in met de overeenkomst. Daarna verdroeg ik hem nacht na nacht. Een volle maand was ik overdag zijn leerling, na donker zijn hoertje. Dit reeds leek mij een zware prijs, maar toen wist ik nog niet hoe zwaar. Want iedere keer wanneer zijn wapen mijn schede vond, kwam zijn geile zondigheid mee, drong met zijn zaad in mijn ingewanden en vandaar in mijn nietsvermoedende vlees, mijn lichaam en mijn ziel. En iedere keer dat dit zich voltrok, werd ik belast met een jaar van zijn boze bestaan en in ruil onttrok hij aan mij een jaar van mijn leven om daarmee het zijne te verlengen. Zo was de aard van zijn betovering, en dat zei hij mij toen ik uiteindelijk niet verder wilde gaan. "Nu verlaat je mij, Issak," zei hij, "begaafd met een klein deel van mijn briljante kunst. Maar hoewel jij een gezonde knaap lijkt en dat ook jouw aard is, bevinden mijn grillen en zonden zich in jou en van tijd tot tijd zul jij je overgeven aan de handelingen waaraan ik genoegen beleef, jij zult vrouwen dwingen en mannen plunderen. Maar weeklaag niet, want lang zul je er geen last van hebben. Dertig jaren heb jij toegevoegd aan mijn levensspanne; nog drie jaren heb jij voor de boeg. Doch reken maar dat het vrolijke jaren zullen zijn." En zo,' besloot Issak, terwijl hij de halfvolle beker wijn liet vallen, 'is het met mij gesteld, precies zoals hij zei. Toen ik jou eenmaal had gezien, dwong de erfenis van zijn wellustige ijver mij hier naar toe. Alleen de blauwe roos is mijn geschenk voor dit bezoek.' Toen liet hij als een kind het hoofd op zijn arm zakken en huilde.

Narasen zei streng: 'Je moet je verzetten tegen deze beheksing.'

'Dat heb ik geprobeerd,' zei Issak kreunend. 'Ik schiet er niets mee op.'

'Kom, huil niet,' zei Narasen. Erbarmen en verachting

voelde zij in gelijke mate en het gevaar was ze vergeten. Ze ging naar hem toe en legde haar hand op broederlijke wijze op zijn schouder. Te laat zag ze dat zijn tranen plotseling gedroogd waren. En op dat ogenblik greep hij haar.

Narasen was geen zwakkeling, en ze was lenig, maar de jongeman was buitengewoon sterk. Hij dwong haar op de vloer. Zijn gezicht was anders geworden, bloosde vlammend als het gezicht van een dronkaard of een gek en achter de heldere ogen leken die van een ander te loeren.

Met één ijzeren hand hield hij haar vast en met de andere scheurde hij haar klederen van haar lijf of ze van papier waren. En nu hijgde hij als een hond en zijn speeksel druppelde op haar borsten.

Maar Narasen was bij de wijnkast niet zo onschuldig te werk gegaan als wel had geleken, want in die kast bewaarde zij een scherp klein mes waarmee ze de zegels van de wijnflessen verbrak. En toen de jongen zich nu op haar lichaam stortte om toegang tot haar te krijgen, deed Narasen alsof zij zich overgaf.

'Ah, maar zo zie ik je liever,' zei zij, 'niet jankend maar als een meester. Kom, overmeester mij, lieveling. Laat alleen mijn handen los, dan loods ik je naar de poort.'

Maar Issak liet alleen haar linkerhand los en bleef de andere stevig vasthouden. Toen kuste zij zijn gezicht en liefkoosde hem en weldra vergat hij haar in bedwang te houden. Meteen trok zij het mesje uit haar mouw en stak het door zijn oor.

Krijtend van pijn liet hij zich van haar afrollen, maar Narasen kende nu geen genade. Ze holde naar de muur, ze griste een van de jachtsperen los en priemde die door zijn hart met zo'n kracht dat de punt van de speer zich in de vloer onder zijn lichaam boorde.

Hij stierf niet meteen. In plaats daarvan kwam er een onplezierige verandering over hem. Hij verschrompelde en werd als aangevreten, en zijn schoonheid smolt weg als water uit een gebarsten kruik. Hiertoe had zijn leermeester hem gereduceerd: alleen met de listige betoveringen die Issak had geleerd, had hij het voorkomen van de knappe jongeman kunnen bewaren dat zijn rechtmatig deel had moeten zijn. En nu hij lelijk was om te zien, scheen de lelijke aard van die ander hem geheel in bezit te nemen. Alsof hij geen pijn leed, kraaide hij grijnzend tegen Narasen: 'Zo, dus mijn drie ellendige jaren eindigen op jouw paleisvloer. Je beschikt onvriendelijk over mijn lot. En nu zal ik je je eigen lot openbaren, Narasen van Merh, want ik heb nog net voldoende kracht om jou te verwensen en je kunt mij niet het zwijgen opleggen. Jij houdt er niet van om met mannen te slapen, en die afkeer zal jou nog veel plezier opleveren. Ja, voor het jaar om is, zal het land Merh vele soorten plezier kennen. Eerst zullen de stormen komen en over Merh zullen zij de drie droogten blazen die de mensheid het meest vreest: droogte van de wateren, droogte van de uiers van de kudden en droogte van de schoot in alle vrouwelijke schepsels. Een onvruchtbaar land zal dit dan zijn, uitgehongerd en dor, de rivieren veranderd in modder en het gele stof zal op de lippen en in de ogen liggen en er zal geen kind geboren worden en geen dier. Dor als de schoot van de koningin van Merh zal Merh zijn. Hongersnood en de pest zullen in de straten zitten dobbelen om mensenlevens. De mensen zullen roepen om voortekenen, de goden aanroepen om hen te verlossen, om hen te leren hoe zij de rampen moeten keren die hen teisteren, om hen te zeggen wanneer de droogte zal eindigen. En het orakel zal hen antwoorden: Merh zal Narasen zijn. Wanneer Narasen de Schone een kind baart. Wanneer Narasen niet langer onvruchtbaar zal zijn, zo zal het land vrucht dragen. En dan, O koningin, zullen zij op de poorten van het paleis roffelen en eisen dat u met mannen slaapt. En dan, O koningin, tot uw vernedering en uw schande en uw walging, zult u onder alle mannen liggen, u zult uzelf geven, in uw wanhoop, zoals een hoer, aan alle mannen, aan iedere man, de prins, de burger, de zwijnenhoeder, de passerende vreemde. Allen zullen aan uw deur komen en daar binnengaan, maar niets achterlaten. Want dat is het venijn in de staart van deze vervloeking. Uw weerspannige schoot zal nimmer opbloeien met het zaad van een levend man. Onvruchtbaar zult u blijven, en met u zal het land onvruchtbaar blijven. Nimmer van het zaad van een levend man zult u vruchtdragen, en uw koninkrijk zal tenondergaan, Merh zal Narasen zijn. En als uw volk u niet doodt, dan zult u als uitgestotene over de aarde zwerven. En terwijl u zwerft, zult u aan Issak denken.'

Toen leek hij achterover te zinken in de vloer zelf en in zijn ogen ontlook een onverwachte bitterheid en hij fluisterde: 'Maar het was het gif van mijn vroegere leermeester dat jou vervloekte. Issak alleen zou jou nooit vervloekt hebben, beminde, zelfs niet met jouw speer door zijn hart.'

Daarop liep er bloed van zijn lippen in stede van woorden, en toen was zijn leven ten einde.

Toen de vervloeking uitgesproken werd, werd Narasen koud tot op het merg. Maar weldra begroef ze de herinnering diep in haar binnenste, zoals het lijk van Issak weldra begraven werd in de aarde. Het was een naamloos graf in een stuk grond buiten de stadsmuren waar de lijken van misdadigers eindigden. Maar de begrafenis van de vloek in Narasens ziel vergat zij nooit helemaal, en al spoedig had zij alle reden om de vloek te gedenken.

Binnen een maand arriveerden de wilde stormen, gehuld in het okergele stof van de vlakte en de stad Merh veranderde in een kleine hel. En na de winden kwam de droogte die de rivier opdronk, en de kudden konden daar niet meer gedrenkt worden, en de uiers van de koeien werden slap. En daarna konden de vrouwen hun pasgeborenen geen melk meer geven, en toen waren er geen meer die deze melk nodig hadden, want alle kinderen werden doodgeboren, en daarna werd nergens in Merh een vrouw meer zwanger. Regen viel er ook niet meer. De hitte van het jaar nam steeds toe en de oogsten mislukten. De hongersnood deed haar intrede in het land en de pest danste in Merh, nu eens in haar gele kleed, dan weer in haar zwarte.

De mensen smeekten hun goden, zoals Issak had voorspeld. En ook zoals hij had voorspeld, leken de goden te antwoorden, maar misschien was dit slechts de intuïtie van de priesters. Uiteindelijk spraken de orakels uit hun smeulende grotten of hun droge bronnen waar eens het water groen en soepel had gestroomd. Dit zeiden de orakels: 'Merh zal Narasen zijn. Als eenmaal de koningin van Merh een kind baart, zal de droogte eindigen. Als Narasen zwanger is, zal het land vrucht dragen, maar zolang zij dor is, zal droog als een bot het land zijn, en droger nog dan een bot.'

En daarna roffelden de mensen op de poorten van het paleis en hun gezichten waren als gloeiende stenen en ze ontblootten hun tanden als wolven.

Het was merkwaardig, een onderdeel van de verwensing zelf, misschien, dat de straf precies zo moest zijn als Issak – of het wezen dat hem bezeten had – had voorzegd. Ze moest alles doen wat hij gezegd had. Deels geloofde zij dat er een zwakke plek in de vloek school, als zij maar te weten kon komen welke, een kleine onvolkomenheid waarmee zij zich kon verlossen van de dood van haar land en de haat van haar onderdanen. Want als zij ergens verliefd op was, dan op het ambt van koningin van Merh. En als zij zich te schande moest maken teneinde Merh te behouden, dan zou zij zich te schande maken, en zich niet schamen voor die schande.

Narasen opende haar deuren. Nu stonden er geen reuzen op wacht om haar te bewaken. Nu stond er een rij mannen, sommigen nog pas jongens, sommigen in de bloei van de mannelijkheid, en sommigen waren schuchter en anderen vermetel en deze laatsten monsterden haar zoals de stier naar de koe kijkt. Een straf was het zeker, maar zij wenste er niet over na te denken. Ze knikte hen hoffelijk toe. Stuk voor stuk bezaten zij een bijzondere reputatie. Ze leidde hen naar binnen en zij kwamen de kamer in en Narasen in. Zij verdroeg het, en haar volk prees haar, en toen zij niet in verwachting raakte, stuurden zij vanuit hun midden hun meest potente en beste mannen om haar te dienen. Nog later werden ook vreemdelingen toegelaten.

Het jaar verschroeide tot een lege gele huls. En kronkelend in de vlam van dat jaar, werd ook Narasen verschroeid en verschrompeld. Maar slechts haar ziel brandde. Haar schoonheid bleef; zij ketende haar schoonheid aan zich vast. Hoe zou zij het zaad van mannen verlokken zonder haar schoonheid? En haar trots bleef. Zij was trots, hoewel men in verre landen haar nu de Hoer van Merh noemde – want geen was er die geloofde dat zij niet genoot van haar taak, of zich er in ieder geval voor liet betalen. De pijn die haar had verscheurd, vervaagde. Ze was van brons. Ze hulde haar brons in zwart, want het was als schaduw tegen een onverbiddelijke zon. 'Pas op,' zeiden de reizigers, 'wanneer je door Merh trekt, anders zal de Hoer je fallus opeten. Het is welbekend,' zeiden zij, 'dat zij immer honger heeft en het land verhongert met haar.'

De winter kwam. Het werd een harde bruine winter. Overal leek het land als het wrak van een verloren oord, aan land geworpen door een zee van vuur en achtergebleven. De sneeuw lag hoog op de bergen, maar de sneeuw werd zwart. Zelfs de winter was ziek in Merh.

Narasen dwaalde over het hoogland. Ze legde zich neder met de schaapherders en de mannen van de veedorpen. Als zij bloot voor hen stond, betoverden haar honingkleurige huid en haar roosrode haren hen. Ze verbeeldden zich dat ze bezocht werden door een godin en ze droomden van zonen die in haar schoot zouden ontstaan. Zonen kwamen er niet, maar dat wisten zij niet. Ze legde zich neder met bandieten. Een van hen stak haar met zijn mes, en zij doodde hem. Het was een kleine voldoening om zich te kunnen wreken op deze ene man. Nu lagen er geen vrouwen meer in haar bed, nu reeg zij geen luipaarden meer aan haar speer. Mannen lagen in haar bed, zij was de luipaard gespietst op hun speer. Ze voelde niets voor hen. Ze leefde in een trance. Zij was slechts dit: trots, schoonheid, het schaamteloos verdragen van schaamte. Maar ze was ook onvruchtbaar, en het land kwijnde weg en stierf.

De winter verliet Merh, en blij toe. Het voorjaar bestond uit stormen, de zomer uit geel stof. De Pest, die enige tijd had gesluimerd, hulde zich in een kleed van gele koorts en wandelde op en neer door de straten en klopte op de deuren.

En toen op een dag, zonder dat zij er een reden voor kon aanwijzen, ontwaakte Narasen uit de trance die haar had geketend. Ze staarde uit haar raam naar het gedrocht dat Merh was geworden en zij dacht: *Alles wat ik heb gedaan was voor niets. Ik had mijn lichaam niet hoeven laten schenden; het heeft niets gebaat. Ik ben de prooi geweest, nu moet ik op jacht.* En zij keek de Pest in het gelaat en zij dacht: *Wat moet ik doen om van jou verlost te worden?* En de Pest zei: 'Je weet het, maar kunt het niet.' Toen smakte Narasen de blinden dicht tegen het stof en de stank van Merh.

En terwijl zij dit deed, hoorde zij dat ergens in het paleis een vrouw begon te huilen en te jammeren: 'O, mijn beminde is dood door de koorts! Mijn beminde is dood!'

Toen ze dit hoorde, voelde Narasen zich gestoken door de scherpe scherven van wat zij geweest was, en ze balde haar vuisten, want eindelijk had zij de zwakke plek in de vervloeking ontdekt waardoor zij wellicht zou kunnen ontsnappen.

Twee

's Nachts schreed Heer Uhlume over een slagveld. Het was een grotendeels rustig terrein omdat de slag al een poos afgelopen was (zoals met alle spelen, zelfs de beste, eens moet gebeuren) en de overwinnaars waren met hun oorlogsbuit naar het noorden weggereden en alleen de doden bleven achter. Het was er grotendeels rustig. Na het gevecht was de achterhoede gekomen: in het donker hadden de kraaien zich verzameld. Nu kwamen de jakhalzen aanrennen om hun eigen oorlog te beginnen tussen de bergen en stapels van sprakeloos en roerloos vlees. Hier en daar verlichtte een vuurtje de duisternis, maar ook deze enkele verspreide bakens stierven weg. Alleen de sterren gaven hun vaste, zelden veranderend schijnsel.

Dichtgezaaid waren de sterren boven de nachtelijke vlakte, en stil, en bewegingloos. Alsof ook daarboven strijd geleverd was en de lijken in het rond lagen, behalve dat deze lijken mooi waren en glansden.

Het waren de sterren die Heer Uhlume het slagveld toonden, en die ook hem toonden, als er iemand was die keek.

Hij was zwart, Uhlume, satijnzwart als pantervel, of glanzend zwart als een zwarte edelsteen. Uit louter zwart leek hij gebeeldhouwd, in de vorm van een lange slanke man. Maar zijn haar was lang en wit als ivoor en zijn kleren waren ivoor en zijn witte haar en zijn witte mantel wapperden flakkerend achter zijn duisternis als hij liep, als rook achter een ijle zwarte vlam. Zijn gelaat was buitengewoon, onverklaarbaar en troosteloos. Zijn ogen, die de kleur hadden van glanzend niets, waren troosteloos. Mensen die hem in zijn troosteloze gelaat zagen, herinnerden zich er later niets van. De herinnering gleed uit hun geheugen als water tussen de vingers door, als de branding van het strand als het getij keert. Maar wie ook hem zag, zonder zich zijn aanblik te herinneren, herinnerde zich toch dat er iets was dat hij vergeten was. Heer Uhlume.

Over het slagveld dwaalde een ondiep beekje. Hier waren sommige gewonden naar toe gekropen om te drinken voordat ze stierven en nu lagen ze met gezicht en handen in het water en het stroompje was donker van het bloed dat zij vermorst hadden. Een paar voet van de beek lag een soldaat die niet dood was. Het was zijn doel geweest om bij het water te komen en te drinken, maar hij bezat de kracht niet. Door het waas van zijn pijn zag hij Uhlumes lange schim tussen hemzelf en de sterren voorbijgaan en hij riep hem aan.

Zijn stem was zwakker dan ieder geluid van de vlakte, maar Uhlume gaf er gehoor aan.

Deze laatste soldaat was heel jong; zijn ogen hadden het

al bijna begeven, maar Uhlume leek hij helder te zien. De jonge soldaat fluisterde zijn smeekbede. Uhlume boog zich naar hem toe om te luisteren.

'Als u erbarmen kent, breng mij dan water.'

'Ik ben niet noodzakelijk barmhartig,' antwoordde Uhlume. 'Bovendien is het water van de beek vuil.'

'Zoekt u een verwant?' fluisterde de knaap. 'In de morgen komen de schreiende vrouwen om onder ons te zoeken. Dan zullen onze vijanden het toestaan. Mijn moeder komt dan, en mijn zusters komen. Zij zullen wat de jakhalzen hebben overgelaten mee naar huis nemen. Ik zal de oogst niet meemaken.'

'De oogst ligt hier,' zei Uhlume. Zijn grote ogen waren droevig, hun bleke licht was als een bron van onvergoten tranen.

'Breng me water,' zei de jongen, 'of iedere andere drank, zoet of bitter.'

'Ik heb één drank die ik je geven mag,' zei Uhlume zacht, 'maar die zou je misschien niet bevallen. Denk goed na. Misschien blijf je tot de morgen in leven.'

'De nacht is koud en ik heb dorst.'

'Goed,' zei Uhlume. Uit zijn mantel pakte hij een fles en een beker van glad, geelwit been. In de beker schonk hij een drank. De drank had geen kleur en geen geur, en evenmin een bepaalde smaak. Uhlume steunde het hoofd van de knaap op zijn arm en toonde hem de beker. 'Over drie uur,' zei hij, 'is het licht.'

'De beesten zouden mij eerst vinden,' zei de jongen, 'en deze dorst kan ik niet verdragen.'

'Drink dan,' zei Uhlume en hij hield de beker tegen de lippen van de knaap.

Hij dronk, de soldaat. Hij zei: 'Het heeft de smaak van zomergras.' Daarna zei hij: 'Nu heb ik geen dorst meer.' Toen sloot hij zijn ogen voorgoed.

Terwijl Uhlume verder liep, kwam er een groepje vrouwen over een heuvel. Ze droegen geen lantaarns, want ze waren te vroeg van huis geslopen, bang voor de vijand uit het noorden en in strijd met zijn gebod. Ze hadden zich in de duisternis gewikkeld als in mantels en toen ze Uhlume zagen, dromden ze op elkaar en ze kreunden. Maar toen hij langsliep verloor een van de vrouwen haar vreselijke angst en ze riep hem na: *'Jou* ken ik, jakhals!' En ze spuwde op de grond waar hij had gelopen.

Drie

Vijf mijlen oostelijk van de stad Merh lag een muur van bergen; het kostte zeven dagen om deze over te steken. Erachter lag een onvruchtbaar dal en aan het eind daarvan een woud van oude, dode ceders. Dit deel van de reis nam twee dagen. Voorbij het woud spreidde zich een woest land uit waar talrijke planten groeiden, maar teugelloos, uit pure drift om geboren te worden. Hier bloeiden de van reusachtige doorns voorziene rozen gevlekt als katten, de appels waren zout, en het fruit van de kweepeer was als alsem. Felgekleurde vogels woonden in de struiken, maar liederen kenden ze niet. De inheemse dieren waren strijdlustig maar ze joegen niet vaak op mensen, want hier kwamen niet vaak mensen om hun terwille te zijn. Drie mijl naar het oosten stond een boomgaard van wilde granaatappels. De vruchten waren giftig en hadden de koortsige kleur van rood gif en middenin deze boomgaard stond een blauw huis. Dit onderkomen, dat bekend stond als het Huis van de Blauwe Hond, was het huis van een heks.

Op zoek naar specifieke kennis had Narasen haar eigen tovenaars ondervraagd en ook alle beoefenaars van dat beroep die op doortocht waren. Haar onderdanen hadden geen geduld meer met haar. Ook zij waren begonnen haar de Hoer te noemen. 'Zij kan niet zwanger worden omdat haar wellust haar schoot heeft doodgebrand.' Sommigen renden als hyenameutes door de straten van Merh, anderen kladden haar naam met gore leuzen op de muren. Sommigen braken 's nachts in het paleis binnen en poogden haar te doden. Maar Narasen nam haar zwaard en doodde hen. Ten leste, toen ze begon te begrijpen dat ze haar heil buiten de stad moest zoeken, vermomde zij zich en nam omwegen, met slechts tien wachters bij zich. De rest bleef in Merh om de orde te bewaren en het paleis in handen te houden. Met haar kleine escorte stak zij de bergen over, en het stenen dal, en ze reed door het versteende cederbos en het woekerende land erachter in. Op de elfde dag van de reis bereikten ze de weiden die de boomgaard omzoomden. Op deze plek steeg Narasen af en ging alleen verder. Ze liep een halve mijl over het lange gras en tussen de granaatappelbomen door tot ze bij het huis van de heks kwam.

Hoewel het middag was, was de boomgaard schemerig van schaduwen. Het Huis van de Blauwe Hond rees plotseling uit dit halfdonker op, alsof het had liggen slapen. Twee indigoblauwe zuilen flankeerden een koperen deur, waarvoor een hoge blauwglazen lamp met een roze vlam erin brandde.

Narasen ging naar de deur en sloeg er met haar rijzweepje op. Ogenblikkelijk opende de deur zich. In de opening stond een hond. Hij was zeven handen hoog, deze hond, en gemaakt van blauw email. Hij opende zijn kaken en blafte tegen haar, maar zijn blaffen was spraak.

'Wie ben je?' blafte de hond.

'Iemand die jouw meesteres nodig heeft,' antwoordde Narasen.

'Dat spreekt vanzelf. Maar ik werk met namen.'

'Luister dan naar mijn naam. Ik ben Narasen, koningin van Merh.'

'Degenen die hier liegen, blijven hier soms liggen,' grauwde de hond.

'Vertel dan geen leugens en blijf leven,' snauwde Narasen. 'Breng me nu naar je meesteres de heks. Ik laat me niet uithoren door een hond.'

Toen kwispelde de hond alsof haar hooghartigheid hem plezier deed en hij likte haar hand. Zijn tong was als warm, droog glas.

'Ik smeek u mij te volgen,' zei de hond en hij huppelde het huis in.

Binnen was alles blauw. De hond leidde Narasen over een trap van azuurblauwe steen naar een kamer waar talrijke blauwe lampen met roze vlammen stonden.

'Gaat u zitten,' zei de hond. 'Zal ik een verfrissing brengen?'

'Ik zal hier niets eten en niets drinken,' zei Narasen. 'Degenen die over jouw meesteres spreken, zeggen dat zij zo wijs is dat weinigen haar huis durven betreden. Toch gaan er meer in dan uit.'

Daarvan schoot de hond in de lach, en dat was een merkwaardig geluid, alsof keramische stenen in een schoorsteen stonden te klapperen.

Op dat moment waaide er een draperie opzij en de heks zelf kwam de kamer binnen.

Nu had Narasen met velen gesproken over de bewoonster van het blauwe huis, want velen wisten van haar, maar slechts zelden had iemand haar gezien. De een zei dat zij de vorm van een basiliscus aannam en dat haar ogen vuurstenen waren, een ander zei dat zij een oud wijf was van duizend jaar oud of ouder. Maar wat Narasen zag was dit: een jong meisje van vijftien of minder, tenger als een zijden koord, en slechts gekleed in haar moutbruine haar dat tot haar enkels viel, hoewel er af en toe, zoals ook niet anders kon, een slanke witte arm uit deze sluier van haar te voorschijn kwam, of een witte voet of heup, of twee borsten als de knoppen van een waterlelie. En al begreep Narasen dat ze misschien niet meer zag dan het effect van een betovering, toch raakte zij in beroering. En de jonge heks liep door de kamer en ging aan Narasens voeten zitten en staarde glimlachend naar haar op, met een mond als de eerste roze zonnestraal van de dageraad.

'Vertel mij nu alles, oudere zuster,' zei de heks, 'want je hebt een aanzienlijke afstand gereisd om mij op te zoeken.'

Narasen vermande zich. Ze negeerde de blauwe hond, die belachelijk zat te kluiven op een blauw porseleinen bot in een hoek van de kamer, en blijkbaar met smaak; ze negeerde de zilveren huid van de heks die vanachter de sluier van haren naar haar knipoogde. Narasen sprak over haar probleem, over Issak en de wellust van zijn leermeester, en over de vloek en de pest en de dorre dood van Merh, over hoe Merh pas weer vrucht kon dragen wanneer zijzelf, die daar niet naar verlangde, een kind droeg.

'Maar je zult toch met mannen geslapen hebben om een kind te verwekken,' veronderstelde de heks.

'Dat heb ik, ook al ben ik niet verzot op de armen van mannelijke dieren. Ik heb mij gegeven aan de stierman en de geitman, aan de kinkel van het platteland, aan de stinkende bandiet – met allen heb ik mij neergelegen, en ik heb mezelf niets bespaard. Maar nog altijd ben ik niet zwanger. Want zo was de schorpioenenstaart van de vervloeking: nimmer zal mijn schoot opbloeien met het zaad van een levend man.'

'O, dat is een gemene vloek,' zei de heks. 'Je de weg laten zien, én hem dan versperren. Maar een vloek is een vloek, en een vloek van een magiër als deze Issak zal moeilijk te verbreken zijn. Waarom kom je naar mij, O koningin?'

Ondanks wat de heks zei, zag Narasen een lepe schittering in de ogen van het meisje. Ze dacht: *Zij denkt hetzelfde als ik.* 'Ik heb jou opgezocht omdat ik hoorde dat de vrouwe van het Huis van de Blauwe Hond soms omgang had met een machtig personage, een van de Heren der Duisternis en niet minder.'

'En als dat zo is, wat baat het dan Narasen van Merh?'

'Dit: omdat ik om Merh te redden een kind moet krijgen, moet ik wederom met een man samen liggen. Maar dat hoeft slechts één enkele keer en met één enkele man. Als hij maar niet leeft.'

Een poos lang sprak de heks niet, maar opnieuw lachte ze geluidloos.

'De koningin van Merh is wijs,' zei ze ten slotte. Ze stond op en streek haar haren naar achter en openbaarde zo voor Narasen de totale bleke schoonheid die achter dat haar schuil was gegaan. Tegelijk werd nu zichtbaar dat zij rond haar middel een gordel van kleine vingerkootjes geregen aan een gouden ketting droeg. 'Welnu,' zei de heks. 'Ik geef toe dat ik de hulp kan inroepen van een Heer van het Duister, iemand die je zou kunnen helpen als hij dat wenst. Ik kan hem smeken, en misschien komt hij, of niet, want ik heb geen macht over hem, ik ben niet belangrijker dan zijn bediende. Toch zou hij kunnen komen. Zo ja, reken er dan op dat je bang zult zijn, want zij die ver van hem staan, vrezen hem gewoonlijk. Het is niet niks als hij uitgenodigd wordt en gehoor geeft aan die uitnodiging. En natuurlijk, dat begrijp je, moet er een pact gesloten worden.'

'Daarover heb ik iets gehoord,' zei Narasen.

'Je mag weigeren,' zei de heks, 'zelfs waar hij bij is mag je weigeren, want hij dwingt niemand. Niettemin is het niet eenvoudig om hem te weigeren. Wil je nog dat ik hem roep?'

'Dat wil ik,' zei Narasen.

Toen begon de heks te beven, van angst of vreugde was niet duidelijk, misschien allebei of geen van beide. Ze floot en de hond holde weg en de vlammen in de lampen zonken neer. Toen ging ze naar een tafel en opende een ivoren kistje dat op die tafel stond. In het kistje lag een trommel, klein als het speelgoed van een klein kind. Maar de trommel was van been gemaakt en het trommelvel waarmee het instrument bepannen was, was gemaakt van de huid van een prachtig, maagdelijk, dood meisje.

De heks ging weer aan Narasens voeten zitten en begon snelle patroontjes op het meisjesvel van de trommel te roffelen. Zo kon Narasen, voor het eerst, zien dat het bovenste kootje van de derde vinger van de linkerhand van de heks ontbrak. En Narasen dacht weer aan de vingerbeentjes rond het middel van de heks, maar precies op dat ogenblik ging het vuur in alle lampen uit.

Meer dan duisternis viel neer in het huis. Het was het duister van een immense zwarte schelp binnenin de aarde, een hol donker. En het weergalmde van holle fluisteringen, van ademtochten en zuchten en van het onverbiddelijke roffelen op de heksentrommel.

Het was zonsondergang en in het rode licht stond Uhlume naast de deur van een stulp en een jonge vrouw maakte een buiging voor hem.

'Wees zo vriendelijk mijn huis als het uwe te beschouwen,' zei zij. Maar er was niet veel dat iemand als het zijne zou willen beschouwen. Het was een ellendig krot, en op één lappendeken van een bed zaten een paar kleine kinderen plechtig als uilen. Op het andere bed lag een meisje van drie of vier.

'Mijn man is een dokter gaan halen,' zei de jonge vrouw, 'maar hij is niet teruggekomen. Bent u vast vooruit gegaan, meneer?'

'Inderdaad,' zei Uhlume terwijl hij over de drempel stapte. Hij leek een reusachtige stilte met zich mee te brengen. De stilte viel op het zieke kind, en haar oogleden werden rustig. Maar de moeder rilde.

'Het spijt me dat wij u niets kunnen betalen,' zei zij. 'Maar ik beloof u al het geld van de opbrengst van de jonge varkentjes als de zeug ze eenmaal geworpen heeft.'

Uhlume boog zich over het zieke kind. De muffe, zielige kamer was vervuld van een koude sfeer, als grijze schemer, maar de hemel buiten de deur was rood.

'Wacht,' zei de moeder. 'Meneer, zeg mij wie u bent?'

'U weet het,' zei Uhlume.

De moeder wrong zich de handen. 'Ik dacht dat u de dokter was,' zei zij. 'Ik vergiste me. Ik smeek u te gaan.'

'Maar dat meent u niet,' zei Uhlume. 'De laatste drie nachten heeft u gesmeekt dat u verlost moge worden van minstens een van deze monden die gevoed moeten worden, van een van deze miniatuurlichaampjes die gekleed en warm gehouden moeten worden.'

'Dat is waar,' zei de moeder zacht. 'De goden zullen mij straffen voor mijn slechtheid.'

Maar ze weende en verborg haar gezicht achter haar handen. En Uhlume boog zich dicht over het kind op het bed en hij raakte licht haar hart aan en wendde zich weer af. En toen hij de stulp verliet, vielen twee van hartstocht gespeende ijskoude tranen van zijn witte wenkbrauwen op de wilde bloemen die bij de deur bloeiden, en de wilde bloemen stierven.

Maar de kinderen babbelden met elkaar, want voor hen leek het of de avondwind binnen was gewaaid en kouder was vertrokken. Het zieke kind was stil.

Uhlume volgde de zon, volgde het pad van de zon terwijl deze onderging. Hij beperkte zich niet tot de uren van het duister, ondanks zijn heerschappij en zijn rang. Snel schreed hij voort, sneller dan een mens. Zijn schreden verslonden het land, zodat de zon altijd voor hem onderging, altijd wegzonk, rood als henna, op de rand van de wereld maar niet helemaal verdwenen. Maar uiteindelijk, omdat de aarde toentertijd plat was, en hoewel het lang duurde, won de zon het van hem en viel uit het gezicht.

Uhlume wachtte even terwijl de nacht zich samenbalde uit de hoekpunten van de wereld. En terwijl de nacht hem bereikte, ontstond er een geluid uit, een zachte sprenkeling van geluid, nu als regenkralen op zongebakken grond geworpen, dan als vlindervleugels die in de vlucht in elkaar slaan – een te zwak geluid voor stervelingenoren, maar Uhlume hoorde het. Nu was het geluid als twee duimen en zeven vingers die op een trommelvel roffelden.

Uhlume dacht na. Zijn ogen met hun voorraad emotieloze tranen draaiden naar het oosten. Van zijn gezicht viel niets te lezen. Hij kende geen gelaatsuitdrukkingen. Zijn hele persoon drukte zijn stemming uit, zijn rol. De goden hadden hem misschien geschapen, eens, lang geleden in de dagen van ongevormde dingen en chaos. Of misschien was hij alleen ontstaan omdat er behoefte aan hem ontstond, of aan zijn naam. Daar was hij, en hij stond daar op de rug van de wereld en luisterde naar de smeekbede en overwoog deze.

De jonge heks hapte één keer naar adem, maar hield niet op met trommelen. Om haar smalle middel begonnen de botjes aan hun ketting te rammelen. Toen, in het lichtloze hol dat het Huis van de Blauwe Hond was geworden, stroomde er een schaduwlicht dat alles zichtbaar maakte, maar niets verwarmde.

Aan het verste eind van de kamer stond een bleke, magere hond met een blauwwitte kleur. Zo zag Narasen dat waar het huis in werkelijkheid naar was genoemd.

De heks zette haar trommel neer. Ze rees overeind en de botjes om haar middel rinkelden. Ze knielde voor de hond en haar haren waaierden uit over de vloer.

'Mijn Heer,' zei zij, 'vergeef uw dienstmaagd dat zij om uw aanwezigheid heeft gesmeekt.'

De hond drentelde naar haar toe. Hij had een edel maar vreselijk voorkomen. Sommigen hadden deze hond ontmoet en waren bevreesd geweest, maar Narasen voelde geen angst. Toen was de hond verdwenen en in zijn plaats stond er een man die knapper was dan alle mannen die Narasen ooit had gezien, en vreemder was hij ook, gehuld in zijn witte mantel, met witte haren maar een zwarte huid en ogen als fosfor. En nu werd Narasen bang. Niet voor de man, niet speciaal voor hem. En haar angst leek niet op andere angsten. Haar angst leek op de naargeestige treurnis die zich in de laatste uren van de nacht aandient, vrees die eer wanhoop was; een afgrond, onvermijdelijk, alomtegenwoordig, pijnloos.

De man keek niet naar Narasen, hij staarde neer in het gezicht van de heks. Hij zag eruit als een blinde. Met een stille, heel stille stem zei hij: 'Ik ben er.'

'Mijn Heer,' zei de heks, naar hem starend, 'ik heb iemand in deze kamer die u om een gunst moet smeken.'

'Breng haar bij mij.'

De heks stond weer op. Ze wenkte Narasen, en Narasen liep naar voren tot ze heel dicht bij de man in de witte mantel stond. En toen staarde zij hem stoutmoedig aan, ondanks dat zijn bodemloze ogen, die zich nu op haar vestigden, haar naar zich toe leken te trekken en op leken te drinken.

'Zoals u ziet, heer,' zei Narasen, 'ontmoet ik u niet met angst en beven, want uiteindelijk is er niemand die u kan ontlopen. Eer en gegroet, Heer Dood.'

De Dood – wiens zelden uitgesproken naam Uhlume was – een van de Heren der Duisternis, zei slechts: 'Zeg mij wat je wilt.'

Narasen zei hem: 'Om mijn land en mijn kroon te behouden, moet ik een kind krijgen. Ik ben vervloekt, ik kan geen kind krijgen van een levend man. Ik moet bevrucht worden in de omhelzing van een dode man. En de doden zijn uw onderdanen, mijn Heer.'

De heks klapte eenmaal in de handen. Er verscheen een stenen zetel, bekleed met wit fluweel. De armleuningen waren van goud, en op de uiteinden grijnsden twee hondeschedels, maar die waren ook van goud, met paarlen in de oogkassen. De Dood zette zich neder in deze zetel. Hij leek na te denken over wat Narasen hem had verteld. Weldra zei hij: 'Het kan geschieden. Maar kun jij zo'n aanraking verdragen?'

'Het is mij een gruwel om met welke man ook neer te liggen,' zei Narasen. (Zij zei dit, ook al had de Dood de gedaante van een man.) 'Neerliggen met een dode maakt geen verschil, is misschien zelfs prettiger.'

'En ken je de prijs?'

'Dat wanneer ik sterf, ik een wijle uw slaaf moet zijn. Ik had gedacht dat het de hele mensheid aldus verging.'

'Nee,' zei de Dood, Heer Uhlume. 'Ik ben koning van een leeg rijk. Maar dat zal ik je laten zien. Dit moet je meteen weten: jij moet duizend stervelingenjaren bij mij blijven. Ik vraag niet meer, en niet minder.'

Narasen verbleekte, en ze was al bleek. Maar verbeten zei zij: 'Dat is inderdaad niet gering. En voor wat wilt u mij hebben, dat u duizend jaar nodig heeft voor u tevreden bent?' De Dood zag haar aan. Narasens hart zonk in haar schoenen, maar ze was niet echt bang voor hem, hoewel haar angst totaal was. 'Nou,' zei ze, 'aarzel niet mij op de hoogte te stellen, mijn Heer, als het u behaagt.'

Er voer iets over het gelaat van Uhlume, Heer Dood; geen uitdrukking, geen schim van iets, maar iets.

'Het leven heeft jou niet vertrapt,' zei hij. 'De meesten die mij zoeken zijn het slachtoffer van hun leven, ze leveren zich uit aan de doodsnood voordat ze zich aan mij overgeven. Maar jij bent brandend te voorschijn gekomen uit het vuil en de ellende die op je vuur zijn geworpen. Met jouw gezelschap zou ik blij zijn. Want dat is wat je aan mij verkoopt, vrouw, voor die duizend jaar. Niet je lichaam. Je lichaam is toch al van mij, zodra je dood bent. Het is van mij, je lichaam, en in de aarde blijft het liggen tot het aarde is geworden. Evenmin verlang ik je vrouwelijkheid, want ik verlang naar mannen noch vrouwen. De Dood slaapt met niemand, de Dood paart niet. Denk je in, vrouw, wat een scherts het zou zijn wanneer de Dood scheppend zaad zou voortbrengen. Nee. Je ziel is wat ik zou houden, je ziel zou ik in je lichaam bewaren en die twee samen zou ik duizend jaar bij me houden. En als de duizend jaar afgelopen zijn, staat het je ziel vrij om mij te verlaten.'

'Waarheen?' wilde Narasen meteen fel weten.

'Vraag mij niet om nieuws over een leven na het leven,' zei hij.

Narasen zei: 'Toon mij uw koninkrijk, en toon mij een manier om een kind in mijn binnenste te krijgen, dan zal ik u zeggen of ik instem met uw voorwaarden of niet.'

Uit de schaduw achter de zetel klonk de sissende stem van de heks: 'Je bent te veeleisend! Verontschuldig je!'

Maar Uhlume mompelde enkele woorden tegen de heks die Narasen niet verstond, en de heks zuchtte en sprak niet meer.

Toen rees Uhlume op uit de zetel van steen. Zijn witte mantel leek op te bollen als een witte golf en Narasen werd erin gewikkeld. De kamer van de heks werd klein en was verdwenen. Gehuld in het witte blad van de mantel van de Dood, vond Narasen zichzelf terug terwijl zij in zwarte lucht hoog boven de aarde hing. De lampen van de mensen brandden in de diepte en de lampen van de sterren daarboven. De mantel van de Dood was heel wijd. Hij hield haar vast, maar zij kwam niet in aanraking met de persoon van de Dood.

'Waarheen nu?' vroeg Narasen.

'Naar de Binnenaarde,' antwoordde de Dood, 'wat mijn rijk is.'

De Dood en zijn mantel wervelden in de richting van de grond. Voor hen lag een breed dal dat omhoogstormde in het duister en terwijl ze vielen, stak de Dood zijn hand uit en het dal spleet voor hen open. Zoveel was waar, dat waar de Dood ook geweest was, daar kon hij terugkeren en daar kon hij bevelen. En de hele wereld was een kerkhof, want op iedere centimeter ervan was te eniger tijd wel iets gestorven, vogel of dier, man of vrouw, of een boom of een bloem of een grashalm. Zelfs in de zeeën, die hun eigen wetten en heersers hadden, welken zonder vergoeding zelfs de vaardigste tovenaars van het land niet wilden helpen, zelfs daar stierven wezens, de vissen van de hogere oceaanlagen en de monsters van de diepten, en dus kon de Dood ook daar komen en gaan naar hem behaagde, en niemand kon hem dat beletten. Het dal gaapte dan ook gehoorzaam open en de rotsen persten zich naar weerskanten en de Dood zonk erdoor met Narasen van Merh in zijn mantel gewikkeld.

De weg was onzichtbaar, en deels als de overgang naar de slaap, want voor Narasens geestesoog stroomden gezichten en begoochelingen langs, hoewel niet voor haar echte oog. Maar eenmaal, leek het, kolkten de wateren van een loodgrijze rivier om haar heen en in het water zwommen menigten schimmige schepsels rond en verdrongen elkaar, maar deze indruk vervaagde en de mantel van de Dood voerde haar dieper en dieper omlaag totdat zij langzaam tot stilstand gleed en toen was er alleen stilte en geen licht.

Narasens angst, waaraan ze al bijna gewend was geraakt, sloeg naar haar als een zweep en veranderde in dodelijke zekerheid.

'Is dit een graf waarin ik lig?' riep ze schel.

'Heb geduld,' zei Uhlume, Heer van de Dood. 'Weldra zul je zien en horen wat er te zien en te horen is in dit rijk van mij. Het komt doordat je hier levend binnengaat dat je er aanvankelijk blind voor bent. Zoals de geest van een dode die zich niet van de wereld kan bevrijden teruggaat naar de aarde en daar geen substantie bezit, zo ben jij hier in de wereld van de doden een geest.'

Hierop herkreeg Narasen het gezicht en het gehoor. Maar ze rook niets, en ze voelde niets met haar handen, en als ze iets in haar mond zou hebben gestopt, had ze niets geproefd. Zoals hij zei, was zij een levende geest in de dode landen.

Maar voor Narasen was het genoeg dat ze zag en hoorde, en het was teveel. Ze sidderde tot in de kern van haar hart, zij die luipaarden aan haar speer had gehad, zij die onbevreesd strijd had geleverd in de wereld van de mensen.

Ze stonden bovenaan een rotswand en rondom de rots lagen golvende dalen en heuvels met hier en daar nog een klif, en aan de linkerkant een schemerige bergketen. De kleur van het land was grijs; de klif leek lood, en er groeiden dunne bosjes gebladerte uit die niet als gras waren, maar dun en broos als het haar van een oude vrouw, terwijl mossen van een donkerder grijs uit spleten naar buiten kwamen. De vlakte in de diepte was een woestenij van grijs stof, de heuvels waren van steen, en waar hun schaduwen vielen, waren ze zwart. De hemel van de Binnenaarde was een dof wit en troosteloos. Zon of maan of sterren brandden hier niet. De hemel veranderde niet, alleen woei er af en toe een wolk over als een handvol koude as. Dat was wat er te zien was. Te horen was een dove leegte, bij wijlen verstoord door een donderende wind. En hoewel de wind donderde en de wolken voor zich uit duwde, had hij geen kracht, want de wolken bewogen slechts langzaam en de grashalmen verroerden zich helemaal niet, en zelfs de wijde mantel van de Dood hing slap neer alsof de plooien vol gewichten waren.

Toen hij haar zag rillen, zei de Dood tegen Narasen: 'Dit is jouw land niet. Waarom zou je het vrezen?'

'Hier wilt u dat ik kom wonen. Hier moeten alle mensen gaan wanneer ze sterven.'

'Wandel met mij door dit land,' zei de Dood, 'en als je iemand ziet, zeg het mij dan.'

Uhlume daalde van de rotswand af en Narasen ging met hem mee. De Dood wierp een schaduw zwart als pek, maar Narasen niet. Ze bewogen zich voort door het naargeestige landschap, over de stofwoestijn, over de stenen heuvels. Aan de andere kant doemde een bos op, maar de bomen waren zuilen van grijze lei. Het mos droop eraf. De wind knetterde langs zonder iets te beroeren. Ze kwamen aan een rivier. Hij weerspiegelde de hemel en was wit, en Narasen kon er niet in kijken, alleen naar het oppervlak, maar niets beroerde het oppervlak of de diepten.

Ze liepen lange tijd. De hemel veranderde niet, er was geen besef van tijd. Als geest van het leven voelde Narasen geen vermoeidheid. Toch liepen ze lange tijd, en langer nog. En overal keek zij en tuurde en luisterde, maar ze hoorde geen kreet van mens of dier. De stenen bomen kenden geen vogels. De wind droeg geen stemmen mee. Het was onloochenbaar, onmiskenbaar dat hier niemand woonde.

'Eén woont hier,' zei Uhlume, die haar gedachte las. 'Ik. Soms nog anderen. Anderen die een overeenkomst met mij hebben gesloten, duizend jaar in ruil voor een gunst die alleen de Dood kan geven.'

Narasen keek de Dood aan.

'Dan is het waar dat de zielen der doden naar elders gaan en niet tegengehouden kunnen worden. Als dat het geval is, beklaag ik u,' zei zij koud, 'want zelfs Merh is mij deze gevangenis niet waard.'

'Wacht,' zei Uhlume, 'tot je alles gezien hebt.'

Ze liepen verder en Narasen, de luipaardin, de durfal, bezag Uhlume ondanks haar angst met verachting en hoon.

Er was een granieten paleis. Schoonheid bezat het niet.

Hoge zuilen van rotssteen steunden een dak van schaduw. Ramen waren er niet en lampen niet, maar binnen was het niet donker, in ieder geval was het alleen een lauw donker. In een zaal stond een grote granieten stoel zonder versiering op de Dood te wachten. De Dood ging erin zitten. Hij steunde zijn kin op zijn hand. Hij staarde in de leegte van de zaal en zonder treurnis of geluid vielen de tranen van zijn wimpers. Dit was het symbool van zichzelf dat hij was geworden. Zo hadden de goden, of de nachtmerries van de mensheid, hem gemaakt. Melancholieke wanhoop te midden van de stenen woestenij.

En toen hoorde Narasen muziek. Ze schrok; ze draaide zich snel om. Door de vele bogen die uitkwamen op de zaal, naderden mannen en vrouwen en de muziek glipte met hen mee en verdronk het gebulder van de zwakke wind. Terwijl de mannen en vrouwen de zaal vulden, greep daar in een oogwenk een verandering plaats en niets was meer hetzelfde.

De zaal was behangen met purper, scharlaken, magenta en goud. Kaarsen bloeiden op, de vloer was belegd met mozaïeken van draken, gouden lampen hingen tussen de zuilen van gebeeldhouwd, verguld cederhout. Het dak was een koepel bestaand uit een miljoen fragmenten van doorschijnende edelstenen, blauw en rood en groen en violet, en zwart en wit gestreepte duiven vlogen eronder rond, door de kleuren van de koepel in vliegende regenbogen veranderd. Op tafels van beschilderd glas lag een overvloed aan voedsel en drank. De Dood had zich niet verroerd in zijn zetel, maar nu was het een zetel van goud. Achter hem hing een bloedrode banier. De talrijke lampen glansden op zijn gouden halsketting en ringen en zijn witte gewaden schitterden met zilver en edelgesteente. Zijn lange witte haar was versierd met een robijnen band en op zijn knieën rustte een ivoren scepter waarvan de kop een zilveren schedel was. De Koning van de Dood, die was hij nu helemaal. Narasen zag het aan en hij zei tegen haar, en alleen tegen haar, en alleen zij hoorde hem: 'Het is de illusie die zij scheppen, deze mannen en deze vrouwen. Ze spelen dat zij mijn hofhouding zijn en ik hun keizer. Niets ervan is echt, alleen maar brokken uit hun herinnering aan de wereld en de rijkdommen van de wereld, die zij hier herscheppen door hun aanwezigheid en omdat zij de Binnenaarde zoals die is niet kunnen verdragen.'

'En hoe krijgen zij zulke magie voor elkaar?' vroeg Narasen koel.

'Doordat hun ziel leeft, al is hun lichaam dood, en doordat hun ziel nog in hun lichaam is. Allen hier zijn degenen die met mij overeengekomen zijn om duizend jaar te blijven. De ziel is een magiër. Alleen het levende lichaam staat in de weg.'

'En u, Heer,' zei Narasen scherp, 'die hen hier houdt om zich door hen te laten vermaken. Kunt u dit alles op aarde niet vinden?'

'De aarde is de mijne niet,' antwoordde Uhlume, 'hoewel ik van de aarde ben. Ik verkeer er dikwijls, maar voor zaken.'

Narasen bewoog zich tussen de mannen en vrouwen door wier lichamen dood waren, maar wier ziel de Dood in hun lichaam gevangen had. De lichamen waren intact gebleven omdat zelfs de worm, het verval, die de doden in hun graven aanvrat, zich niet in het persoonlijk domein van de Dood waagde. De lichamen hadden ook hun jaren behouden, de leeftijd die ze bezaten op het moment van hun sterven, maar dat scheen hen niet te hinderen en ze waren levendig genoeg. Sommigen waren jong, waren jong gestorven aan een ziekte of aan een verwonding – en die wonden waren nog te zien, zij het volmaakt gecamoufleerd. Een jonge soldaat die zijn leven had verloren aan de punt van een zwaard, droeg een gouden roos voor zijn hart. Een ander die bezweken was toen een steen door zijn oog drong, had een oog van saffier – en leek er even goed mee te zien als met het andere. Onder een zuil zat een vrouw die heel bleek was, want zij had haar leven tijdens de baring verloren en was veel bloed kwijtgeraakt. Op haar schoot liefkoosde zij een tijgertje dat niet groter was dan een kind, en weldra gaf ze het de borst. De kleine tijger dronk voldaan en zij glimlachte. Op het midden van de vloer zaten twee oude mannen met baarden te drinken en te dobbelen; hun lachen was als dat van jongemannen.

Uhlume was naast Narasen komen staan.

'Er is hier geen pijn, en ondanks de leeftijd van het lichaam geen ouderdom en geen vermoeidheid. Wijn is er ook niet; dat hebben zij uitgevonden, en ze proeven het en genieten ervan en over een poosje zijn ze dronken. Dit land is een blank perkament waarop iedereen kan schrijven wat hij wenst.'

34

Narasen geloofde hem. De wijn en het voedsel waren niet echt, zielen hadden er geen behoefte aan en lijken ook niet, en het weelderige meubilair was er ook niet. De vogels onder de regenboogkoepel bestonden niet, het tijgerjong was een verzinsel van de vrouw die om haar kind treurde dat ze in het leven achter had moeten laten.

'En denkt u dat ik net zo'n weke gek ben als dezen hier?' zei Narasen. 'Denkt u dat ik ga zitten smachten naar de wereld die ik zal hebben verloren, en dat ik me zal laten bedwelmen door afgietsels ervan of u met zulke afgietsels zal vermaken tot mijn duizend jaren voorbij zijn? Nee. Ik zeg u nu meteen al, waar uw hele naargeestige rijk bij is, dat u geen mooie luchtspiegelingen zult krijgen uit de geest van Narasen wanneer ik hier ben.'

'Anders zou je het hier niet verdragen,' zei Uhlume.

'Dat zullen we nog wel zien,' zei Narasen. 'Misschien begin ik u wel de keel uit te hangen, als zangvogel die niet zingen wil. Misschien laat u mij wel vrij voor die duizend jaar voorbij zijn.'

'Droom dat nooit,' zei de Dood.

'Ik droom wat ik wil,' zei Narasen, 'en nimmer voor uw plezier, mijn Heer.'

Het gelaat van de Dood kende geen uitdrukking. Maar, zoals eenmaal eerder, er leek iets over dat gelaat te snellen.

'Desondanks begrijp ik dat je akkoord bent gegaan met de overeenkomst,' zei hij.

'Zoveel heeft deze illusie wél bereikt: ik werd herinnerd aan Merh en het fijne van het koningschap. Ja, ik ga akkoord.'

Narasen aanschouwde een raam als in een hallucinatie. Het gaf uitzicht op een park met bloemen en bomen en avondheuvels en glimmende rivieren onder een nieuwe maan als een lichtgroene boog. En Narasen barstte in lachen uit terwijl ze dacht aan de troosteloze dode woestenij waar ze zich in werkelijkheid bevond, en waarvan ze voorzag dat ze die nu kon verdragen, omdat het een gevecht tegen de wil van Uhlume betekende, die de vorm had van een man.

Het volgende ogenblik was alles verdwenen als rook in het donker. De Dood en zij keerden snel terug naar de aarde.

Vier

De heks was haar huis uitgelopen en sloop nu door de gaarde van giftige granaatappelbomen. Ze was rusteloos van jaloezie omdat Narasen zo uit de hoogte had gedaan en omdat Narasen op dit ogenblik op reis was met Uhlume.

Op de leeftijd van twaalf jaren was deze heks met het blauwe huis bedreven en geslepen geweest. Twee jaar lang leerde zij van magiërs en wijzen en onderwijl verhuurde ze haar lichaam op straat om aan munten te komen, of ze verhuurde het rechtstreeks aan haar leermeesters. Geen van hen bedroog haar zoals Issak bedrogen was, zij was sluwer en vlugger dan vossen. Ze nam de naam Lylas aan. Toen ze veertien was, en een keer op het uur voor de dageraad naar huis liep na een orgie van een duistere sekte aan de andere kant van de heuvels, had Lylas de heks de Dood ontmoet. Dat gebeurde op een gemeden plek waar de bodem bedekt was met doorns, en daar vlakbij waren drie mannen opgehangen. Lylas was goed onderwezen en ze wist meer dan de meesten. Ze bleef onder de krakende galgen staan toen ze de ebbezwarte Heer in zijn witte gewaad ontdekte, en in haar schrandere en jeugdige geest ontstond een geniaal idee, een idee van het soort waarvan het hart gaat bonzen, de tanden klapperen, waarvan de handen koud worden en de mond droog. Een idee van het soort dat men slechts eenmaal in zijn leven krijgt, en waarop men dan moet handelen of anders betreurt men het zijn hele leven.

Lylas handelde. Ze ging naar de Dood toe en sprak hem nederig aan.

Ze spraken een poosje, zij en hij, tot de hemel aan zijn oostelijke randen begon te branden en de schommelende schaduwen van de gehangenen een gebroken rood werden. Toen sloten de Dood en het meisje een pact en hij nam iets van haar dat haar gelofte vertegenwoordigde, en hij beloofde haar iets, en toen ging zij uit zijn naam op reis en daarna deed ze verder wat ze wilde en ze had daar alle tijd voor. Want de heks in het blauwe huis leefde al behoorlijk wat langer dan tweehonderd jaar en zou nog veel langer leven, en ze was geen dag ouder geworden, geen uur, geen minuut ouder dan haar vijftiende verjaardag.

Maar nu in haar jaloezie liep ze boos door de boomgaard en ze scheurde het fruit van de wilde bomen. Totdat plotsklaps een boom rechts van haar openbarstte alsof hij door een reuzenbijl gespleten was, en daaruit stapte Uhlume met Narasen achter zich.

De heks boog voor Uhlume zodat haar haren over de wortels van de granaatbomen streken.

'De koop is gesloten,' zei hij. En tegen Narasen zei hij: 'Je begrijpt welk symbool je mij moet geven.'

Narasen antwoordde niet en de heks zei lief, om haar boze afgunst te verbergen: 'Mijn geëerde oudere zuster moet mij in bewaring geven voor deze machtige Heer de derde vinger van haar linkerhand, of tenminste het bovenste kootje.'

'Ik ben gereed,' zei Narasen, en zij nam de ringen van haar vingers.

Inderdaad had zij aan de bezielde lijken van de hofhouding van de Dood gezien dat elk van hen dit kootje miste, net als de heks van het blauwe huis. (Lylas droeg deze botjes aan de gouden ketting om haar middel en wanneer de ziel en het lichaam naar de Binnenaarde waren afgedaald, stond het de heks vrij het vingerkootje te nemen en dit tot poeder te vermalen en met wijn op te drinken. Het was de magische eigenschap van deze stukjes ivoor, deze bindende zegels op het verdrag met de Dood, welke de jeugd van de heks zo lang had bewaard. Zij fungeerde als tussenpersoon en wierf klanten voor de geheime handel van de Dood.) De heks holde gretig naar Narasen toe om haar kootje in ontvangst te nemen.

Uhlume raakte de derde vinger van Narasens hand aan en tot aan het tweede kootje verdween alle gevoel uit de vinger. Toen het mes van de heks begerig door de schemering flitste, voelde Narasen geen pijn. En de wond bloedde niet.

'Het is geschied,' zei Lylas.

'Zo is het,' zei Narasen. 'En hoe lang moet ik nu wachten?'

'Wat is ze ongeduldig, mijn Heer,' giechelde Lylas.

'Ik heb betaald voor de waar en nu moet de waar geleverd worden. En ik zal u nog iets vragen, machtige Heer van het Duister. Namelijk dat hij niet al te lang in de grond heeft gelegen, deze bedgenoot die ik zal krijgen.'

'Ik ben rechtvaardig in zulke zaken,' zei Uhlume, 'en ik houd rekening met je voorkeur. Ga terug naar de zoom van het cederwoud en niet verder. Morgenavond kom ik mijn deel van de afspraak na.' Toen keek Uhlume naar de heks, die tegen een boom leunde en achter haar hand grijnsde terwijl ze de bloedloze vinger van Narasen met haar andere hand stevig vasthield. 'Breng de koninklijke vrouw op de hoogte van wat zij moet doen, zoals je geleerd is.'

Lylas boog weer diep tot aan de grond van de boomgaard. 'Uw dienstmaagd gehoorzaamt u, Heer der Heren.'

De Dood wendde zich af en toen verdween hij; als damp zonk hij in de aarde.

Lylas kroop naar de plek toe waar hij had gestaan en kuste de bodem, goed oplettend dat Narasen het zag. Maar Narasen schonk er geen aandacht aan, want haar armen en benen waren plots als water en haar geest vol slaande vleugels en ijzer – koud tot op haar merg en geest wreef ze haar zevenvingerige handen over elkaar om het warm te krijgen.

Vijf

De zon was opgekomen boven het woud van versteende ceders. Zijn pijlen hadden het zwarte, breed vertakte bladerdak niet doordrongen; de zon was vertrokken en was opgevolgd door de blauwe schemer. En de schemer doordrong het woud zoals de zon niet had gekund.

De vuurrode tent van Narasen was opgezet op een glooiing tussen de buitenste bomen. Voor de tent flakkerde een toorts en niet ver weg brandde het kampvuur van Narasens soldaten. Hier zaten zes mannen. Het vuur glinsterde op hun ogen en tanden, en op de spellen die ze speelden met plakjes geverfd hout. Ze waren niet op hun gemak. Als ze vloekten, deden ze dat op gedempte toon, en zelden spraken ze andere woorden. De overige twee soldaten patrouilleerden als schildwachten rond het kamp. Maar de laatste twee van de tien waren de vorige avond gedeserteerd, weggeslopen van de weiden om de boomgaard van de heks omdat ze niets ophadden met de glimmerende lichten en de fluisteringen die uit die richting kwamen.

In de tent wachtte Narasen. Ze had alles gereed staan. Zelfs haar lichaam had zij voorbereid, de afschuw van zich afgezet en hardnekkig denkend aan Merh. Voor haar stond een beker met een sterke, donkere likeur, waarvan ze ternauwernood geproefd had. Naast de beker stond een houten kistje.

In het cederwoud schrok een van de schildwachten op en

staarde om zich heen. Maar hij zag alleen drie haastig rennende zwarte hagedissen.

Bij het vuur mompelde een van de soldaten: 'Ik weet niet zeker of ik haar wel als mijn koningin en heerseres beschouw. Eerst gedraagt ze zich als man en slaapt met vrouwen, dan speelt ze de hoer en spreidt haar benen voor alle rammen van Merh. En nu maakt ze de *doden* het hof.'

Maar de aanvoerder van de soldaten sloeg hem op de mond en verzocht hem deze gesloten te houden.

'Ze heeft gedaan wat ze moest om ons land te redden,' zei hij.

En zijn ogen zeiden: 'Ze is een hoer en een kreng en een tovenares, maar ze betaalt mij nog altijd mijn loon.'

De jongen was amper zestien toen hij stierf. Zijn broer doodde hem op dezelfde dag dat Narasen terugreed naar het cederwoud. De slag die hem doodde was niet dodelijk bedoeld geweest; de broers hadden ruzie. De oudste was stoer en ruw en werkte hard als een paard in de looierij van hun vader. De jongste broer was lui, beweerde de oudste, en hij drentelde liever langs de rivier waar de bloemen over het water hingen en daar tuurde hij in hun weerspiegelingen, die hem leerden hoe hij ook naar zichzelf kon kijken. 'Jij bent een meid, en je gedraagt je net zo stom als een meid,' zei de oudste broer woedend, en, vergetend – of wellicht niet – dat hij een scherp mes om huiden mee te snijden in de hand had, sloeg hij zijn broer op de arm. Het mes sneed diep en boorde een levensader aan. Het bloed stroomde over de vloer van de looierij. De jongste broer sloot meteen de ogen en viel neer en binnen de kortste keren was hij dood en wit als koud marmer.

De dorpsvrouwen snikten toen ze de zoon van de leerlooier klaarmaakten voor het graf. Nooit was er zo'n knappe jongen geweest, zeiden ze tegen elkaar. Ze wasten zijn bloedloze lichaam en kamden zijn gele haar. Ze verborgen de wond in zijn arm onder een zijden band. 'De dood is wreed,' zeiden de vrouwen, onterecht.

De dorpelingen droegen de dode knaap naar het ommuurde graventerrein op de heuvel. De oudste broer sjokte achter de baar aan. Hij had citroensap in zijn ogen gewreven om ze rood te maken en te laten tranen. Niemand had hem de dodelijk slag zien toebrengen. Hij had het dorp verteld dat zijn broer tegen een werktafel was gestruikeld en zich gesneden had aan het mes dat daar lag.

Ze legden de jongen op zijn baar in de graftombe en sloten de deur. De priester en de verwanten bleven, voor de eerbiedige wake van een nacht.

Twee uur voor middernacht ging de deur van de graftombe open en daar kwam de dode zoon van de leerlooier naar buiten. Bloedloos was hij nog steeds, en op zijn hoofd droeg hij de krans van bloemen die de dorpsvrouwen voor hem hadden gevlochten. Links noch rechts blikkend schreed hij heen over het pad tussen de ontstelde toeschouwers door. Hij liep regelrecht naar de stenen muur om het kerkhof en daar werd hij gegrepen door een zwarte windvlaag uit de nacht die hem meedroeg. De verwanten begonnen te bidden, de priester bezwijmde. De oudste broer vluchtte gillend en verdronk zichzelf in een van de looierskuipen.

Het was middernacht. De soldaten zaten er nu bij als stenen, alsof ze tegelijk met de ceders versteend waren. Het vuur was klein gebrand en de fakkel voor de tent stond te sputteren.

Een wind blies door het woud, uit het woud en door het kamp en verspreidde de roze sintels van het vuur en hergaf beweging aan de kleren en het haar van de versteende soldaten. Toen was de wind weer verdwenen.

Uit het woud, achter de wind aan, kwam langzaam een gestalte gelopen.

Langzaam, even langzaam als de gestalte naar hen toe liep, kwamen de soldaten overeind. Ze gingen achteruit, verder dan nodig om deze tengere jongen met de krans op zijn hoofd en de zijden band om zijn arm te laten passeren. De soldaten gingen achteruit tot hun ruggegraat de koude stam van een ceder raakte of tot ze het houvast voor hun voeten verloren. En daar waar zij niet verder konden, bevroren zij. De jongen liep door tot hij bij de tent van de koningin was.

Narasen, die voor de nauwelijks geproefde drank en het houten kistje zat, keek op toen de vuurrode tentflap bij de ingang bewoog. Maar ze bleef zitten waar ze zat en ze kneep haar ogen halfdicht om goed te kunnen zien wat Uhlume, Meester van de Dood, haar had gezonden.

Na een ogenblik ademde ze uit en glimlachte tegelijk.

Toen stond ze op en terwijl ze naar de verschijning toeliep, bestudeerde zij hem angstvallig, en vervolgens raakte ze hem aan.

'Zo,' zei ze verwonderd. 'Je meester behandelt mij goed.' Ze leidde hem naar het midden van de tent en gezeglijk als een heel klein kind liet hij zich leiden. Hij bezat geen eigen wil, alleen die van de Dood, en nu haar wil, omdat zij zijn dienst had gekocht van de Dood. Narasen bestudeerde hem opnieuw, en cirkelde om hem heen en keek weer aandachtig.

Uhlume had inderdaad nauwkeurig rekening gehouden met haar voorkeur, zoals hij had beloofd, en rechtvaardig was hij ook geweest. Hier was niets doods aan. Alles was lief en intact, een genot voor de zintuigen zelfs, voor het gevoel, de reuk en het gezicht. De blauwe ogen waren open, een weinig verglaasd, maar alleen als door slaap of wijn, vloeibaar eer dan leeg, loom en buitengewoon inschikkelijk. Maar niet alleen in dit opzicht was Uhlume rechtvaardig geweest. De knaap, die tijdens zijn leven meer meisje dan jongen was geweest, had de schoonheid van een meisje bezeten. Zijn omtrekken waren tenger, maar eerder afgerond dan hoekig; ruw of grof was hij nergens. Ondanks zijn dodelijke bleekheid, hadden de twee knoppen op zijn borst nog altijd een lichte kleur, de kleur van de mond van de heks, de eerste warme tint van het ochtendgloren, en dat was ook de kleur van zijn mond. Zijn gezicht was waarlijk als van een meisje, het gezicht van een maagd, helemaal glad en teergevormd als iets dat eer geschapen is dan geboren. En langs het gezicht hing het fijne lange haar als een topaaskleurige bloesem van zijn ivoren huid, en het bloeiende haar was bekroond met bloemen alsof hij op weg was naar een feestmaal of een bruiloft.

Narasen vertelde het lichaam van de jongen door duwen en leiden dat het op de tapijten moest gaan liggen. Toen dat gebeurd was, pakte ze het houten kistje dat de heks haar had gegeven en opende het. Erin lag een gevlochten koord en dit koord trok Narasen nu over het sluimerende jongenslichaam voor zich, over schouders en romp, tussen de vingers van de tengere handen en over de passieve lendenen. Daarna wierp ze het koord snel van zich af.

Het raakte de vloer van de tent even voorbij de lampen en uit het halflicht daar, kwam een flikkering als van een lemmet dat uit de schede wordt genomen.

Narasen strekte zich uit naast het lichaam van de prachttige knaap en drukte haar lippen tegen het gezicht dat als het gezicht van een maagdelijk meisje was.

'Als je lichaam zich nog iets herinnert,' zei Narasen, 'beeld je dan in dat ik een man ben die je bemind hebt. Stel je voor dat ik hem ben. Ik misbruik je niet. Het is je minnaar die je nu kust.'

Toen knielde zij boven hem en liefkoosde zijn lichaam met haar handen en mond op de huid die nog geurde naar verse oliën en de nog dralende geur van het leven zelf.

In het halflicht achter de lamp spande en trilde iets. Gedempt licht speelde over een netwerk van kleine vuurtjes. Een slang met amberkleurige schubben, uitgeput, op zijn buik met zijn kop in de schaduw – een slang, het koord uit het houten kistje.

Narasen maakte de bewegingen van een rivier met haar handpalmen over het lichaam van de jongen. Haar losse rode haar hing over hen beiden, omhulde hen met rood, zoals de rode tent hen beiden omhulde. Haar handen glipten in de ondiepe rivierbedding, tussen het dunne gouden riet. Haar handen volgden de loop van de rivier, als daar een rivier gekomen was.

In het halflicht achter de lamp rilde de amberen slang over zijn glinsterende volle lengte, het licht weerkaatsend, hoewel zijn kop in de schaduw bleef.

Narasens vingers omvatten de wortel van de rivier, zijn bron. Ze liet het hoofd zakken om van de wateren van de bron te drinken, als er water was geweest.

In het halflicht gaf de slang een ruk. Hij golfde. De slang werd een rivier, de rivier die zwol en stuwde in de rivierbedding. De kop van de slang ranselde op de bodem. Uit de schaduw rees de kop van de slang op. De kop van de slang stond recht. De slang danste op zijn staart.

Narasen richtte zich op. Ze omhulde de jongen in een derde rood paviljoen. Het licht gleed over haar rug als zilveren dolken, zoals het over de rug van de kronkelende slang gleed. Narasen staarde in het gelaat van een maagd, met de fallus van een man binnenin zich, en ze dacht aan Merh. En Merh was een luipaard en de strijd van de luipaard op de speer. En Narasen kromde haar rug van het plezier waarmee ze deze luipaard afslachtte, en ze voelde de dood van het dier als haar eigen dood.

En de slang richtte zijn kop op en sperde zijn kaken wijd open en spuwde sissend een regen van vurige naalden uit.

2 Het wenend kind

Merh was wederom groen van de lente, groen en goud. Haar brede rivier, als donkere jade, slingerde zich koel en helder onder de grote bomen. De kudden van Merh dronken aan de boorden van het water en daar waadden ook de langpotige vogels. Jong graan rijpte in de aarde, jong fruit zwol ongezien in de bloeiende gaarden. De Pest had afscheid genomen en de onvruchtbaarheid was gevlucht. Er was water in de putten, en melk in de ronde borsten van de vrouwen en in de volle uiers van de dieren. Nu lieten jonge dieren hun kreten horen uit de stallen, en borelingen huilden uit de huizen. Zoveel jong goed werd er dit voorjaar na de onvruchtbaarheid geboren, dat men het later de tijd van het Wenend Kind noemde. En ook om nog een andere reden noemde men die tijd zo.

Narasen was teruggekeerd uit het oosten over de bergen naar Merh. Ze had gezien dat het land veranderd was, al genas, zijn glans van gezondheid herkreeg. Narasen had een maand en nog iets langer in het cederbos gewacht. Toen ze terugkeerde, wist ze waarom Merh weer vruchtbaar was, want Merh was Narasen en de koningin van Merh had de vervloeking van Issak tenietgedaan: ze was zwanger.

De mensen knielden voor haar op de paden in het land. Ze brachten haar wilde bloemen en kruiken wijn; ze brachten haar manden met korenzaad om te zegenen. Zij was hun vruchtbaarheidsgodin, zij die hier prins en koning was geweest. In de stad legden ze zich voor haar op de weg neder. Daar waar ze zich niet voor haar neerlegden, goten ze parfum over de straat. Op het plein voor de paleispoort hadden ze een paar mannen opgehangen die haar naam belasterd hadden in de dagen van de pest – gevoeglijk vergetend hoe zijzelf en iedereen haar toen had uitgescholden en vervloekt. De bevelhebber van Narasens wachters die tijdens haar afwezigheid het paleis bewaakt had en een schijn van orde in de straten had bewaard, kwam naar buiten gewaggeld en boog en hield zijn blik verre van haar buik.

Narasen verdroeg de zwangerschap even koppig als al het andere dat ze had ondernomen om Merh te behouden. Maar zij was een slaaf geketend aan een molensteen en de molensteen lag in haar schoot. Het kind hunkerde er ook niet naar om haar te verlaten. Het lag opgerold in haar te slapen en zijn ziel spoorde het niet aan om op het juiste tijdstip te voorschijn te komen.

Narasen dacht met weerzin aan het kind. Het was een sloom kind, deze baby van een dode. Misschien was hij ook wel dood. Ze kon niet rijden en niet jagen; ze had geen trek in voedsel of drinken of lichaamsbeweging. Ze voelde geen liefde meer voor haar vrouwen. Dik als een reuzenwalvis die gestrand is op het genadeloze land, zag ze tot haar spijt dat allen behalve zij lenige rennende hinden waren. 'Kom op, molensteen, laat mij vrij. Je hebt je werk gedaan.' Ze speelde met het idee dat ze het kind zou kunnen doden als het eenmaal geboren was.

Ze was een soldaat en een man die gedwongen was het moederschap te spelen. Ja, ze zou dit kind heel goed kunnen doden.

Het kind scheen haar eindelijk te horen. Het doorstak haar met een zwaard.

Jij krijgt mij niet aan het huilen, dacht Narasen. *Jij zult gillen, niet ik.*

En Narasen gaf geen kik, al verscheurde het kind haar van binnen als een doek.

'Ze zal sterven,' zeiden de dokters droevig mompelend tegen elkaar terwijl ze zich over Narasen bogen. 'Zelfs haar baarmoeder weigert te geloven dat ze een vrouw is, en wil het kind niet naar buiten laten. Ach, ze zal sterven.'

'Ik zal niet sterven,' antwoordde Narasen gekweld en woedend. 'Maar ik zal mij elkeen herinneren die gezegd heeft dat ik moet sterven.'

Twee dagen gingen voorbij, twee nachten. De dagen waren gesmolten zilver en de nachten heet zwart bloed, beide over Narasen uitgegoten. Ze dacht aan Issak, hoe hij gesproken had over zijn onbezonnen omgang met de Drin, de dwergen van de demonenlanden. Ze begon te geloven dat deze Drin hun intrek hadden genomen in haar buik en daar zaten te hameren en hun smidsvuren stookten, want ze waren smeden, maar het rode metaal dat ze hier smeedden was folterende pijn en de edelstenen waarmee ze dit metaal bezetten, waren de diamanten van geluidloos pijngeschreeuw.

'Ja,' zeiden de heelmeesters. 'Zij zal sterven.'

Narasen kon niet meer spreken. Ze dacht: *Ik niet. Maar*

*morgen zal ik alle mannen doden. Alle mannen, die met
hun lusten dit veroorzaken.*

De derde dag brak aan. Op sloffen van zijde snelde deze
dag door de paleisdeur naar binnen. En vlak achter de dag
snelde een ander, minder zachtzinnig en door een andere
deur.

'Zegen de goden, vrouwe, want het is een zoon,' riep de
stem van een meisje.

Narasen fluisterde: 'Als het een man is, worg het kreng
dan.'

'Tsk tsk,' zei de eerste arts, 'het wicht is niet goed, vrouwe.
Het is een kind van het vrouwelijk geslacht.'

Narasen vermande zich. Ze bestond uit pijn, maar ze lag
in haar bed onder de glanzende wapens en de geschilderde
oorlogs- en jachttaferelen. Zij was Narasen van Merh en ze
leefde.

De eerste arts en zijn helpers waren bij het raam gaan
staan en hielden het kind in het licht en staarden er blijkbaar vol verwondering naar. Maar een enkele dokter bleef
naast Narasens kussen staan en hij boog zich naar haar toe
en hield een bekertje aan haar lippen. De vloeistof liep haar
mond in. Zij slikte. De dokter met zijn beker richtte zich
op en sloop weg door de deur.

Zonder te kijken voelde Narasen dat een spin in haar
hart beet. Ze deed haar ogen open en toen zag ze achter de
golvingen van een vuurrode sluier, een vrouw in een blauwe
mantel die iets in een vijzel vermaalde. De sluier begon te
verzwemmen, geen gaas maar wijn, en Narasen dreef als een
vermalen bot in die wijn en ergens lachte een blauwe hond.

*Ben ik niet sterk genoeg om deze idiote handeling van het
baren te overleven?* vroeg Narasen zichzelf, haar lichaam
en haar lot. Maar ze voelde een koud getij opkomen, een
koude vloed die haar uithoudingsvermogen en haar hoop
wegspoelde.

Ze dacht aan de beker tegen haar lippen, aan deze ene
geneesheer die weggeslopen was en de beker had meegenomen. Ze had vijanden, velen die haar haar verheven positie
benijden, verscheidenen die haar haatten. Had zij, kwetsbaar, juist terwijl zij zich verblijdde om haar greep op het
leven, dat leven laten wegglippen op het onbewaakte moment, door zonder tegenwerpingen die ene mondvol te
drinken? Nee. Maar het koude getij in haar bloed, de op-
komende vloed zong als de zee, ja, en ja.

Bij het raam stonden de genezers te praten. Het kind dat zij opgeheven hielden, glansde als melkglas en het daglicht leek door zijn ledematen te schijnen. Het trappelde maar huilde niet. *Ook jij blijft zwijgen*, dacht Narasen. Ze was boos. Ze had erop gerekend nog zestig jaar of langer in Merh te regeren en om die zestig jaar te krijgen, had zij zich als hoer laten gebruiken, toverij ondergaan, de ketening van haar ziel en ten slotte deze geboorte die ze vastbesloten was te overleven. Nu werd haar alles afgenomen. Ze zou nog een dag regeren, of korter en de vrucht van haar strijd was wrang.

Maar zelfs haar woede was flets en nors. Ze had geen energie over om haar woede te voeden. Zelfs toorn werd haar ontzegd.

Toen bespeurde zij een schim, tussen de lucht en de muur van het vertrek. Zwart was de schim, niet de Dood maar de voorbode van de Dood.

'Zo,' zei Narasen in gedachten. 'Ik ben bedrogen.'

'Niet waar,' leek de schim te antwoorden. 'Uhlume bepaalt niet het uur van je dood. Je lot bepaalt dat. Je tegenstanders of je ongeluk eisen je op. De Dood is als de nacht. Hij komt wanneer hij moet, maar hij kiest het ogenblik van zijn komst niet. Ook hij is een slaaf.'

Narasen lachte bitter.

'Ik ben te zwak om te tieren,' zei ze. 'Zeg je meester dat hij voor mij moet oppassen wanneer ik bij hem ben en weer sterk ben, in zijn ellendige land van stof.'

'Dat zal weldra zijn.'

'Ik weet het.'

De dokter die de koningin van Merh had vergiftigd repte zich door de gangen van het paleis en betrad de kazerne en bevond zich even later in de kamer van de wachtcommandant. De commandant lag op een bank. Hij was loom en knap en hij was bezig een paarse vrucht op te eten.

'Mijn Heer Jornadesh,' zei de arts, 'de koningin is, helaas, heel ziek.'

'Helaas, zeg dat wel,' zei Jornadesh de commandant en hij nam nog een hap.

'Zo'n barensnood, zulk verlies van bloed en kracht. En dan nog een kind verwekt met hekserij, met perverse en necrofiele handelingen – wij moeten rouwen, want de dood is nabij.'

'En wanneer, op het uur af, is dit droevige, onvermijde-lijke sterfgeval te verwachten?' informeerde Jornadesh.

'Bij zonsondergang,' zei de arts. 'Met alle eerbied herinner ik uwe excellentie eraan dat het drankje dat ik zo schrander heb bemachtigd, bijzonder accuraat en doelmatig werkt. Met alle wellevendheid wijs ik uwe excellentie er tevens op dat ik bijzonder listig dit drankje heb toegediend. Geen spoor ervan zal ontdekt worden, vooropgesteld dat de koningin terstond begraven wordt.'

'En het kind?' vroeg Jornadesh ongeduldig. 'Ook dood?'

'Niet dood, maar naar verluidt een gedrocht,' antwoordde de dokter. 'Het kan het best tegelijk met de moeder begraven worden.'

'Zonder twijfel,' zei Jornadesh terwijl hij de zaden van de vrucht uitspuwde. Hij had de mannelijke koningin van Merh altijd al verafschuwd en zich altijd verwonderd dat zij de troon moest bezitten. Zijn tijd als alleenheerser in het paleis, toen de luipaard afwezig was, had hem aan het denken gezet. Nu lag Narasen op haar doodsbed te wachten en zijn mannen stonden gereed om de macht in Merh te grijpen. Daarna zou Jornadesh heersen met de zegen van de goden en op grond van zijn verstand. Om die zelfde goden niet tot toorn te bewegen, was hij niet van plan het pasgeboren kind te doden. Zelfs voor een man met bloed aan zijn handen was het een stigma om het bloed van een kind te vergieten. Maar het kind levend begraven was een heel andere zaak. Dat gaf de goden de kans om tussenbeide te komen, als ze dat wilden, en dat zou wel niet. Jornadesh was heel verrukt van zichzelf. Hij had aan alles gedacht. Hij betaalde de dokter en stuurde hem weg, en toen stuurde hij iemand achter hem aan om de dokter nog een keer te betalen met andere munt: de punt van een mes. En toen riep Jornadesh om een kruik gele wijn en een meisje met wijngeel haar en aldus voorzien, wachtte hij op goed nieuws.

Toen de zon uit de rand van de hemel viel, viel Narasen in de dood. De schaduwen kwamen en gingen in haar kamer, maar op de straten vlamden rode toortsen en galoppeerden paarden. Drie uur voor middernacht was Jornadesh koning van Merh en Narasen slechts koningin van een zilveren doodsbaar.

Over de rivier brachten ze haar in het donker.

Het was een maanloze nacht. De zwakke lampen druppelden een fletse kleur in het water, de priesters mompelden hun lijkzangen, de omfloerste roeiriemen vouwden de stroming als fluweel opzij en de grote schuit zweefde langs de oevers als een spook gewikkeld in een lijkwade. Weinigen zagen de langzame schuit passeren, want het bericht van Narasens dood reisde even langzaam. Sommigen die de boot zagen, zagen hem aan voor een bovennatuurlijk verschijnsel. Want uit de duisternis van de boot, gedragen op de wind die de geur van wierook van de doodsriten naar de oevers droeg, zweefde een gehuil zo ijl als kristal, witte mesjes van geluid, scherp genoeg om de huid van de nacht te doorboren.

Het kind had niet gehuild toen het geboren werd. Het betrad de wereld zonder angst, met weinig om om te huilen behalve het verlies van zijn ongastvrije kooi. Maar nu ging de vrijheid over in gevaar. Het kind snikte en geen was er die het troostte. Ze vreesden het kind, durfden het niet te doden noch het in leven te houden. Ze hadden het in een kom van gedreven koper gelegd en daarin kroop het rond, zijn best doend om houvast te krijgen op de gladde wand, om de borst te vinden waaraan het zich zou kunnen laven. Maar de kom had nog minder met het kind op dan Narasen en was nog droger. En buiten de kom regenden de zwarte druppels van de nacht in de ogen van het kind en de rivier wiegde het hardvochtig, ironisch.

Een zijstroom van de rivier liep door het noorden van Merh. De zijden bomen bogen zich over de lijkboot, de intkzwarte wilgen vlochten hun tressen met de groene stenen van vuurvliegen. En op de zwarte grasvelden boven de rivier doemde na verloop van tijd een stenen muur met bronzen deuren op.

Ze gingen aan land. De priesters zwaaiden hun wierookbranders heen en weer, de soldaten droegen de baar met Narasen en de schaal met de baby die er hulpeloos in rondkroop. Ze marcheerden door de bronzen deuren en door de straten waar nimmer lampen werden aangestoken, omdat die daar niet van node waren, en waar niemand naar buiten keek of een groet riep: de necropolis van Merh. En aan het eind van een bomenlaan klommen zij op een marmeren platform met een mausoleum van rode steen, waarin de heersers van Merh sedert drie eeuwen te ruste werden gelegd, en hier zetten ze Narasen op haar zilveren baar neer.

De priesters haastten zich om de rite tot een eind te brengen. Overal in het rond glansden doffe stapels beenderen in het lamplicht, en soms schitterde er een edelsteen; maar als het gebeuren hen stoorde, deze koningen, dan lieten hun beenderen daarvan niets merken.

En nog steeds huilde het kind, alsof het de koningen juist wilde storen, alsof het een reactie wilde wringen uit het dove blinde duister. Een wezel van honger knaagde aan zijn ingewanden en tussen zijn luide kreten door, jammerde het kind. Zijn rumoer overstemde met gemak het gemompel van de priesters. Het kind strekte zijn armen en benen uit en probeerde iets te grijpen dat het gerust zou stellen, maar alleen de kou en de schaduw waren nabij en zelfs de zwarte min die het kind zo ruw had gewiegd, was daarmee opgehouden. Uiteindelijk verdwenen het schemerige licht en het flauwe geruis die het kind tot dan voortdurend omgeven hadden. Toen volgde er nog de klap waarmee een enorme deur werd dichtgeslagen. En toen was het kind, verwekt in de dood, alleen met de dood in het oord van de dood.

En op dat ogenblik arriveerde de Dood.

De ogen van de baby konden zich nog niet richten en waren zwak, maar in die dagen toen de aarde vlak was, konden zelfs de pasgeborenen de Heer van de Dood herkennen. Het kind staarde en zag hem en kende hem.

De Dood boog zich over het kind. Zijn lange slanke hand, als een vliegende zwarte vogel, zweefde boven het kind, maar de Dood raakte het niet aan. Iets in de ogen van het kind, die een vreemd heldere, geelgroene kleur hadden, als zekere stenen die men diep in de lendenen van bergen treft, hield de Dood tegen, weerhield hem. Iets in die ogen vonkte met een zielige, zwakke maar onverzoenlijke wil om te leven en Uhlume was toen geen moordenaar en geen rover.

Weldra keerde hij zich af. Van haar zilveren bed tilde hij het lichaam van Narasen van Merh. Ze hadden haar gekleed in een zwarte mantel met een gordel vol robijnen en om haar polsen en haar hals hadden zij gouden banden gehangen, en topazen oorringen aan haar oren, omdat zij de heerser van Merh was geweest en Jornadesh had haar daarom met tegenzin enige kostbaarheden gelaten. Maar aan haar haar was niets gedaan en dat viel nu als een onverzorgde tuin van rood onkruid om haar heen en de kleur ervan was veranderd, meer blauw geworden door wat zij had gedronken. En ook haar huid droeg deze zachte blos van blauw, en zelfs het wit van haar gouden ogen, die nu openvlogen onder Uhlumes aanraking.

'Ik verzet mij niet,' zei Narasen met een stem die nu helemaal geen stem meer was. 'Kijk, ik ben gereed, en ik hoop dat je veel plezier aan me beleeft.' En zij legde haar handen op de schouders van de Dood en het kind zag dat ze dwars door de vloer van de grafkelder wegzonken, de zwarte man en de vrouw met de blauwe huid, en toen waren ze verdwenen.

Toen begon het kind te gillen. Zijn gegil was afschuwelijk. Uit een of andere psychische bron dregde het een onuitputtelijke kracht om te gillen alsof het begreep dat alleen deze kreten het nog onderscheidden van de doden.

Maar wie, die 's nachts wild gejammer van een kerkhof hoort komen, zou zich erheen haasten om het te onderzoeken?

Achter de stad van graven, aan de andere kant van de wilgenbanken van de rivier, lag een bos. Op deze nacht zonder maan was het een dansvloer van zwarte schaduw, waar nachtelijke bloemen bloeiden met de kleur van lichtgeel papier met een hagel van minuscule lichtende insekten erover. En in deze middernachtelijke zaal van bomen waren twee demonen van de Eshva gedwaald en nu dansten zij daar op de muziek die de bladeren op de wind maakten.

Het demonenland van de Onderaarde kende drie klassen: de dwergachtige Drin, die dingen maakten, de prinselijke Vazdru, de elite, en de Eshva die de Vazdru dienden, en die van het dromen droomden en in een droom leefden en graag 's nachts in deze droom over de wereld wandelden, zonder te spreken, wonderschoon en slinks.

De twee Eshva in het bos waren vrouwen. In hun zwarte haar kronkelden loom zilveren slangen en twee zwarte katten, aangetrokken door de Eshva magie, cirkelden om hun voeten en dansten ook.

Todat, dwars door de stilte, de wilde stekels van het gehuil van het kind sneden.

De Eshva balanceerden zich in de lucht. Erbarmen kenden ze niet, maar ze bezaten wel een enorme nieuwsgierigheid, een bodemloze klare bron van verlangen om zich te bemoeien met de zaken van de mensen.

Samen en gelijk schichtten zij tussen de bomen door en de twee zwarte katten renden achter hen aan. Ze kwamen aan de helling boven de rivier, aan de muur van steen. Eshva gingen waar ze wilden; ze vlogen over de muur en zweefden voort als twee bladeren. Ze zweefden door de straten van de dodenstad, volgden de kreten van het kind, die nu zwakker werden, uitflakkerden. De Eshva vreesden de dood niet. Alleen de zon moest vermeden worden, en het ongenoegen van hun Vazdru Heer, de Prins der Prinsen van de Onderaarde. Ze kwamen bij het marmeren platform en zweefden erover naar de deur in het mausoleum van rode steen.

Een van de Eshva ademde tegen de deur en streelde hem met haar vingers en de deur kreunde zacht tegen zichzelf. De twee zwarte katten slopen over de marmeren trap en speelden met een bloem uit het bos. De tweede demonenvrouw zuchtte en sloot de ogen.

Toen ging de deur open, omdat hij de liefkozing van het inwendigste van zijn sloten niet kon weerstaan.

Het kind had zich uitgeput met schreeuwen en huilen. Het lag in de koperen schaal en bewoog niet meer, zelfs niet om weg te kruipen van de wezel van honger die in zijn ingewanden beet. De Eshva die de deur had geopend, gleed naar het kind toe en legde haar hand erop om zijn warmte en menselijkheid te voelen. En zo voelde ze hoe vreemd het kind was.

De Eshva boog zich naar het kind toe en haar van slangen krioelende haar kietelde het, zodat het huiverde. Gefascineerd likte de Eshva de oogleden van het kind, proefde het zout van zijn tranen, en zij ademde in de neusgaten van het kind de demonenadem die als een welriekende droge was. Toen pakte het kind haar hand en het stopte een van haar vingers in zijn mond en zoog erop.

De demonenvrouw lachte met haar ogen. Ze tilde het kind op en droeg het naar buiten, in haar armen en omkranst met haar haar, en de slangen lieten hun kop zakken en tuurden in het gezicht van het kind, maar het stoorde zich er niet aan.

Toen snelde de vrouw naar het oosten naar de vlakten van Merh en na haar kwam de tweede Eshva, en de katten renden mee tot ze de twee demonen niet langer konden bijhouden.

Een vrouwtjesluipaard had haar hol in een grot boven een hoge richel op een halve mijl afstand van de rivier. Op deze luipaard had Narasen nooit gejaagd, hoewel ze de paargenoot ervan had gedood. Nu had de luipaard met een ander gepaard en buiten het seizoen geworpen, want toen de onvruchtbaarheid die over Merh was neergedaald, weer optrok, waren de tijden van dit soort dingen veranderd. De luipaard sliep in haar grot en haar jongen sliepen bij haar. Het was twee uur na middernacht, twee uur voordat de zon opkwam en voordat zij tegelijk met de zon op moest staan om op jacht te gaan. Maar in haar slaap sloop iets binnen dat glansde en haar plezierig sarde en plaagde, totdat ze wakker werd.

De vrouwen van de Eshva riepen de luipaard uit haar grot en toen ze het sterrenlicht in kwam sluipen, ademden zij op haar ogen en streken met hun handen over haar sproetenpels totdat zij zich tussen hen neerlegde. Toen legden zij het mensenkind tegen haar buik, en ze duwden de amberen kralen van haar tepels de een na de ander in zijn mond. Het kind dronk en klemde zich vast. Zijn lijfje kronkelde zich zacht, spande en ontspande zich met iedere zuigende beweging van zijn mond. De muskuszoete melk vulde het kind en toen het genoeg had, rolde het zich opzij en viel in slaap.

Twee

Hoewel de demonen zich af en toe wel voortplantten, deden zij dat met ongebruikelijke methoden. Liefde was hun genot en hun kunst, maar hun zaad was steriel en vrouwelijke demonen hadden geen baarmoeder, al hadden ze al het andere wel, en in overvloed. Misschien kan men daarom zeggen dat de Eshva die het kind van Narasen uit het mausoleum namen, moederlijke roerselen voelden. Maar misschien namen ze het kind alleen als speelgoed mee, zoals ze het jong van een panter of een serpent stalen. Hoe dan ook, vele maanden brachten zij door met dit mensenjong, deze twee voogdessen, en hoewel de tijd der demonen niet van dezelfde duur is als de tijd der stervelingen, en de jaren van de wereld in de Onderaarde voorbijgingen in dagen, of korter, of misschien net iets langer, duurde het toch een hele tijd, in aanmerking nemende hoe de Eshva waren.

Overdag lieten ze het kind alleen, maar altijd op een veilige plek, of wat voor hen een veilige plek was: de hoge verlaten woningen van uilen, de holten onder bomen. Maar als ze het kind verlieten, bedwelmden ze hun pupil met hun onweerstaanbare magie, met de strelende vleugels van hun haar en hun zuchten tot hij sliep. Het kind werd nooit wakker en niemand vond het. Als een wild dier zijn slaapplek mocht naderen, rook het daar duisternis en ging verder. 's Nachts droegen de Eshva het kind met zich mee. Ze voedden het met de melk van luipaarden, vossen en wilde herten, en later met kruiden en bloemen en dingen die uit de aarde sproten. En het zo vreemd geboren kind groeide op tussen vreemdheid, deelgenoot aan de omzwervingen en de vliegtochten van de Eshva en hun woordeloze taal die in duistere lichtjes op de lucht geschreven leek. In deze sfeer kreeg de eigenaardigheid van het kind iets normaals, of in ieder geval leek die eigenaardigheid juist. Nog voordat het kind één mensenwoord kon uitspreken, kon het de vogel uit de wolk toveren en de slang vanonder de steen. En hoewel geen enkel sterfelijk brein ooit precies het sissen van het gepeins der demonen kon nabootsen, bezat deze sterfelijke baby er toch kennis van, terwijl het zijn eigen wonderlijkheid beheerste en voor niets van zichzelf bang was. Was het onder de mensen grootgebracht, dan was het een heel ander verhaal geworden.

Het kind had beide ouders in zich vermengd: een alchemie van het bizarre. De haarkleuren van zijn ouders waren gemengd, het rood en het blond, zodat het kind haren had in de kleur van abrikozen die aan de boom hangen te rijpen. De kleuren van de ouderlijke ogen waren eveneens gemengd, geelbruin met azuur, zodat het kind saffraangroene ogen bezat. Het kind was knap, omdat zijn moeder en zijn verwekker knap waren geweest. Maar Narasen, de mannelijke koningin van Merh, had gepaard met een knappe, vrouwelijke en dode jongen en dit was geen combinatie die veelvuldig voorkwam, en ook hier had een vermenging plaatsgevonden, want in zijn lichaam was het kind geen jongen en geen meisje, maar beide. Een toepasselijk speelgoed voor de Eshva.

Het was niet zo dat ze het kind lesgaven, de demonische vrouwen, dat was niet hun bedoeling. Maar het leerde van hun aanwezigheid. Het instinct, de vader van alle menselijke toverij, rees ongeketend naar het oppervlak van zijn ziel als luchtbellen vanaf de bodem van een meer. Al die tijd waren zijn dagen onrijp ontwaken, dromen en slapen, zijn nachten vluchtige uitstapjes door de schaduwen van de wereld en de brandende droom van de Eshva. Het kind zag steden bestèrd met lichten en zeeën van glas onder een maan van wit zout; het zag een woestijn als sneeuw onder deze zelfde betoverde maan, het zag een berg die de maan rood schilderde met zijn vuur. (Ze waren ver van Merh gereisd. Het was een bereisde zuigeling.) Het kind ving ook af en toe een glimp op van de domeinen van de mens, maar het zag de mensen door demonenogen, of bijna. Het danste zijn eigen tuimelende dans met de zwartfluwelen zoons en dochters van de panter, op de middernachtelijke open plekken waar de Eshva wiegden op de muziek van bladeren en wind.

Zonder twijfel zouden ze op een gegeven moment hun pupil moe geworden zijn, deze demonenvrouwen. Of ze zouden hem vergeten zijn. Op een nacht, gegrepen door een andere gril, zouden ze er niet aan gedacht hebben terug te gaan naar de beschutte plek waar ze het kind achter hadden gelaten voor de dag – hoewel ze van het kind hielden, was dit niet het soort liefde dat duurt, omdat de Eshva Eshva zijn. Maar voordat dit onvermijdelijke vergeten plaats kon vinden, riep een prins van de Vazdru hen bij zich voor een boodschap in Druhim Vanashta, de stad van de demonen onder de grond. Daar konden talrijke sterfelijke nachten verstrijken in een uur, of minder, of iets meer. Of als het gecompliceerde boodschappen waren, konden de snelle jaren van de aarde voorbij drijven als zand over een strand. Nu begrepen zelfs de dromerige Eshva dat ze een mensenkind niet zo lang in de steek konden laten, want dan zou het sterven, en omdat zij nog belangstelling voor het kind hadden, deden ze er iets voor.

Ze hadden het onlangs verborgen in een oude tuin. In de blauwe schemer zweefden witte bloemen uit de bomen als een poederlaag naar de vijver. Het kind zat naast het bemoste beeld van een jongen. Onder het mos speelde deze jongen van steen op een fluit, maar de mieren hadden een nest gebouwd in zijn stenen handen en liepen op en neer over de fluit om brutaalweg een luchtje te scheppen. Geïntrigeerd door de stenen knaap, en in reactie op hem, had het kind haar vrouwelijke gedaante aangenomen. Als klein meisje liet het haar hoofd op de heup van de stenen knaap rusten en haar abrikooskleurige haar krulde om zijn voeten.

'Kijk nu eens,' zeiden sommige van de mieren, en het kind hoorde hen bijna. 'Hier heb je weer zo'n beeld. Het is droger. Maar het beweegt.'

Net op dat ogenblik kwam er uit de bloeiende bomen naast de vijver een afzichtelijke dwerg. Zijn o-benen gaapten wijd, zodat zijn buik bijna over de grond schuurde, en rond zijn lendenen droeg hij een arrogante beschermkap van glanzend metaal met luisterrijke stenen bezet. Zijn gezicht was als een verschrikkelijk masker dat kapotgesmeten was en vervolgens zonder de nodige zorg met lijm hersteld. Alleen zijn zwarte haar was prachtig. Nu zou ieder sterfelijk kind dat dit monstertje in het oog had gekregen, jankend weggehold zijn en terecht. Maar dit kind, dat anders werd opgevoed, kende geen angst. Want het gedrocht was geen ander dan een van de lagere demonen, een Drin.

'Ha!' zei de Drin, met zijn lippen smakkend tegen de mieren. 'Als ik jullie beneden bij me had en jullie waren iets groter, wat zouden we dan niet een fijne tijd met elkaar hebben, jullie en ik, jullie lekkere sletten!' (Want de Drin genoten dolgraag de liefde van de insekten van de Onderaarde.)

Maar de Eshva vrouwen kwamen eraan. Ze gleden over de vijver als twee donkere zwanen. Toen het kind hen zag, veranderde het opnieuw. Haar minuscule geslachtsorganen maakten plaats voor die van het andere geslacht. Het proces ging heel snel in zijn werk, even snel als een kameleon zijn kleuren aanpast, of een bloem zich dichtvouwt bij het verdwijnen van de zon; evenwel niet zo ongemerkt en moeiteloos, maar voor het kind was het een natuurlijke verandering, een reflex, niet erger dan geeuwen of niezen.

Maar de Drin merkte de verandering van vrouwelijk in mannelijk op met een waanzinnig schunnig gelach. Hij boog diep voor de Eshva en likte hun enkels, feliciteerde hen met hun ongewone vondst, betuigde zijn deelneming dat zij de vondst weer moesten opgeven.

Het kind kende de spraak van de Drin niet, toch voelde het iets aan van wat er gezegd was. Het kind begreep dat zijn metgezellinnen het zouden verlaten. Het menselijke verdriet was het tijdelijk kwijt. De geijkte reacties, angst en snikken, lagen niet voor het grijpen. Maar het staarde met zijn goudgroene ogen tot de dwerg een zilveren ketting, met een steen erin die overeenkwam met de kleur van die ogen, om zijn nek hing.

'Zie, meesteressen,' zei de Drin tegen de Eshva vrouwen, 'een volmaakte gelijkenis. Nu heeft hij drie ogen, dit mormel van u. En daar heb ik zijn naam erin gesneden, zoals u mij opdroeg.'

Het kind keek naar het symbool dat in de schitterende edelsteen was gebeiteld. Het kon het schrift van de demonen niet lezen, een van de zeven talen van de Onderaarde, noch kon het de naam uitspreken in een van de talen van de aarde of daaronder, toch begreep het de naam. Simmu, was die naam,wat in de demonentaal Tweemaal Mooi betekende.

De Eshva gingen naar het kind en kusten het. Hun kussen waren zachte vuurtjes en het kind kreeg een zwaar hoofd en sloot de ogen. De Drin sprong in het rond en schreeuwde: 'Kus mij ook! Kus mij ook!' Maar de Eshva schonken geen aandacht aan hem. Ze droegen het kind mee en lieten de Drin brommend en dansend achter in de tuin.

Enkele mijlen daarvandaan stond een tempel. Overal in het rond lagen bossen en weilanden; binnen de hoge muren lagen tuinen en talrijke binnenhoven. Witte vogels nestelden op de daken en deze vogels plachten bij het eerste licht van de morgen op te vliegen, als rook van de brandende zon. De tempel was het domein van een priesterorde. Hun idealen waren armoede en kuisheid, maar het gebouw bezat gele pilaren met ringen van goud en hier en daar stonden beelden van goden en wijze mannen met ivoren handen en gezichten en versieringen van zilver.

Op de treden van dit gebouw, een uur voor het ochtendgloren, legden de Eshva het kind. Ze glimlachten zacht, met hun nevelige, slechte gedachten aan het kwaad dat hier in de persoon van het kind gearriveerd was. Toen staarden ze naar het kind, en ze schreiden hun prachtige Eshva tranen, een vaarwel.

Toen het hen zag wenen, begon het kind ook te huilen, voor het eerst sinds het gehuild had in de graftombe van Narasen.

Maar het oosten was bleker dan het geweest was, de komst van het licht was daar geschreven en op de daken openden en sloten de vogels hun vleugels als waaiers. De Eshva verwijderden zich van het wenende kind. Ze wervelden rond tot een vlugge kolk van donkere patronen, de patronen van haren en kleren en ze losten zich op en waren terug in de Onderaarde voordat de laatste ster uit de hemel smolt.

De zon rees op. Weldra kwamen er vier jonge priesters uit de tempel en zij vonden een kind op de stoep zitten, een naakte jongen van nog geen twee jaar oud met een groene edelsteen om zijn nek. En het kind weende. Het hield ook niet op met wenen om hen aan te kijken, het reageerde niet toen ze het toespraken, en toen ze het meenamen in de tempel, weende het nog steeds. En nog dagenlang daarna vergoot het tranen en liet het zich niet troosten.

3   De Heerser van de Nacht

Een

Voor Simmu brak er nu een tijd van bijna-menselijkheid aan,
een tijd van bijna-vergeten. Zoals de boom in de winter
slaapt, ontdaan van fruit en blad, zo was Simmu. De lente
wekte de boom; er zou ook een lente komen om Simmu te
wekken, maar Simmu's lente bevond zich nog ver in de toekomst.

De Eshva waren verdwenen. De herinnering aan hen
volgde hen, verdween uit het geheugen van het kind. De
Eshva en de maanden die het samen met hen had gereisd,
bijna als een van hen, meegenomen in hun schemerige bloei,
vergetend, vergat het kind veel, hoewel niet alles, van wat
het was geweest en had kunnen zijn. Het werd schijnbaar een
eenvoudige sterveling, omdat allen die het om zich heen zag
eenvoudige stervelingen waren. Hij was al mannelijk geworden en dat bleef hij, omdat allen om hem heen nu mannelijk waren. En hij vergat tijdelijk de kennis dat hij anders
dan mannelijk kon zijn. Hij was een klein mensenjongetje, al
was hij dan een ongewoon jongetje, in de steek gelaten door
mensen die hij zich niet herinnerde, als veel ongewenste zui-
gelingen een extra mond die niet gevoed kon worden. Zijn
demonennaam vergat hij. Het symbool op het Drinse juweel
was een in de talen der mensen onbekend teken. De priesters die hem in hun vrome liefdadigheid in huis namen, gaven hem een naam die Schelp betekende, omdat ze zeiden dat
hij in een zee van tranen was gevonden. Ze hadden wel fantasie, deze priesters. Het schitterende groene juweel vonden
ze ook fantastisch, en ze aanvaardden het hoffelijk als be-
waarloon afkomstig van degenen die het kind te vondeling
hadden gelegd. Ze borgen het op in de schatkist van de tempel bij de rest van de buit.

Zo groeide Schelp, die Simmu was, in de tempel op als
vondeling. Hij was niet de enige daar wonende vondeling,
want de priesterorde nam iedereen op die niet ontsierd was
en prettig om naar te kijken (van de goden kon men niet
verwachten dat ze kreupelen en verminkten opnamen), en
vooropgesteld dat het kind vergezeld ging van een symbo-
lische betaling als teken van eerbied en dank. En al deze

jongens werden onmiddellijk gewijd aan het dienen van de goden, en aan de idealen van armoede en nederigheid tussen de pilaren met de ringen van goud.

De kinderen van de tempel hadden hun eigen binnenpleinen. Hier speelden en huilden en holden de kleinsten rond, in het oog gehouden door verscheidene lekebroeders wier taak dit was, want binnen de gewijde gebouwen werd geen vrouw geduld. Ondanks de bijzonder prille leeftijd van dit babynest, werden deze kinderen onderworpen aan discipline, zoals met betrekking tot de uren waarop er geslapen, opgestaan en gegeten werd en zelfs de allerkleinste werd voor de beeltenissen van de twee goden gebracht die over de kinderpleinen uitzagen en daar werd hem geleerd te knielen en het hoofd te buigen, en gegiechel en gesnik werden bestraft. De twee goden zagen er voor de kinderen nogal angstaanjagend uit. De ene had een blauw gezicht, de andere een rood. Ze droegen zilveren diademen op het hoofd en hun onderste delen waren dierlijk. De blauwe god was een tijger vanaf zijn heupen, de rode een ram. De functie van deze goden had te maken met het weer. De blauwe tijger regelde de stormwinden en de rode ram de temperatuur van de zomer. Ze maakten deel uit van een ouder pantheon dan dat wat nu algemeen vereerd werd in de tempel, en ze waren vanuit een vreemde mengeling van voorzichtige eerbied en minachting behouden als voogden voor de kinderen.

De oudere jongens woonden in het hogere deel van de kinderverblijven tot ze twaalf waren en ingewijd werden in de priesterorde. Vanaf hun zesde jaar leerden ze lezen en schrijven. Vanaf hun tiende studeerden ze in de bruine schriftrollen en de stoffige boeken uit de grote bibliotheek. Deze jonge priesters verwierven veel kennis aangaande de geschiedenissen van de aarde, van oorlogen en sagen; van het wezen van de aarde, van haar eigenaardige platheid, als een schotel van bergen en zeeën, omgeven door een niet in kaart gebrachte substantie – oceaan of lucht; van de mineralen van de aarde en de wetten van de aarde en haar volkeren en schepselen. Zij leerden deze zaken althans op de wijze waarop de boeken daarover verslag uitbrachten. Het ritueel en de kennis van de tempel bestudeerden ze ook. Ze lazen de testamenten van vereerde profeten en messiassen, hoe ze ernaar moesten streven om bescheiden te zijn voor het aangezicht van de machtige goden, hoe zij waarde moesten hechten aan eenieder en tegen iedereen vriendelijk moesten zijn.

Een halve mijl ten oosten van de ommuurde tempel stond het Dienstenhuis. Hier mochten wel vrouwen komen; hier kwamen ze de mantels van de priesters wassen en nieuwe naaien, hier kwamen ze koken en bakken voor de priesters. Hier dichtbij stond het Geschenkenhuis. Door de poort van dit huis overhandigden jagers een tiende deel van wat zij gevangen of gedood hadden, en de boeren brachten een twintigste deel van de opbrengst van het land, en kooplieden een vijfde van de winst die ze op hun handelswaar maakten. Soms brachten de rijken een gift om een gebed te laten zeggen in de tempel, een schotel van malachiet of een parelsnoer. Ieder rijk meisje dat ging trouwen, vroeg om de zegen van de goden in het Heiligdom der Maagden dat stond in een bosje op een halve mijl afstand ten westen van de tempel en de prijs hiervoor was het gewicht van haar rechterhand in goud. Van iedere vrouw die een kind moest baren, kwam de echtgenoot de goden bedanken en hij bracht hen een kruik wijn, en als het kind geboren was, en in leven bleef en van het mannelijk geslacht was, wijdde de vader, als hij kon, uit naam van het kind een klein altaar aan de goden, en de kosten daarvan bedroegen een zak zilver, of zeven schoven tarwe, of drie schapen.

Tijdens de vijf feestdagen van het jaar werden enkele jongere priesters uitverkoren om her en der door het land te trekken. Zij zegenden eenieder die tot hen kwam en ze genazen de zieken, en er reden twee of drie wagens achter hen aan om de geschenken te vervoeren die deze priesters kregen. Ter gelegenheid van het feest van de oogsttijd, ging de hogepriester zelf naar buiten, rijdend onder een baldakijn op een wagen die getrokken werd door vier witte ossen. Dan reden er vijf schatwagens mee in de stoet.

De gewaden van de hogepriester waren van gele zijde gemaakt. Dit duidde op de macht van het licht en de helderheid van de dag. Op zijn gewaden waren robijnen genaaid en smaragden, die op wijsheid en liefde duidden. De jongere priesters hadden gele kleren van fijn linnen, iedere dag een schoon gewaad. 's Winters trokken ze daaroverheen kleren van wol aan die gevoerd waren met het gele bont van woestijnvossen. Ze droegen hun haar lang, want ze dachten dat het een zonde was om het haar te knippen (dit gold ook voor vrouwen), en je baard afscheren was een nog ergere zonde. Maar ze knipten hun baard wel bij en gebruikten daarin de geparfumeerde oliën die in grote massa aange-

voerd werden in het Geschenkenhuis. Iedere avond werd de
reusachtige binnenste zaal van de tempel gedekt als voor een
feestelijk banket. Dan aten en dronken de priesters vlees en
wijn en wit brood en bonbons. Hun geloof verbood hun
slechts één vleselijk genot: zich met vrouw of man neerleg-
gen. Aan al het andere mochten zij zich wel overgeven. Toch
achtte men de priesters hoog omdat zij slechts één maaltijd
per dag tot zich namen, en 's ochtends en 's middags niet
meer dan een portie fruit. En eenmaal per jaar, met mid-
winter, vastten zij met vis en koeken en dronken dan geen
rode wijn, maar witte.

Nu en dan werd er een zieke naar de tempel gebracht,
naar het Buitenste Plein als het een man was, naar het
Vrouwenhuis bij het Heiligdom der Maagden als het geen
man was. Voor deze zieken zorgden de priesters, en hun
kennis en toepassing van de geneeswijzen waren voortreffe-
lijk. Maar het kwam wel voor dat de zieke midden onder
het eten arriveerde, en dan trad er wel eens vertraging op,
en soms stierf de zieke dan. 'Helaas, de goden zijn streng en
veeleisend,' zeiden de priesters dan. En tweemaal per dag
knielden de priesters voor de goden, en aanbaden dezen om
hun edelmoed en vergevensgezindheid.

Het was een godsdienstig land, en een rijk land, en dat
was maar goed ook, want de tempel melkte het zoals men
een koe melkt.

En tussen deze weelde en deze rituelen en deze godsdienst
groeide Simmu, die Schelp genoemd werd op, bijna alles vergeten, in een soort winterslaap, maar knap en onbestendig
als de winterboom.

Twee

Toen Simmu die Schelp genoemd werd tien was, deed een
nieuwe knaap zijn intrede in de kinderverblijven, een knaap
die een jaar ouder was dan hij en deze jongen was hierheen
gezonden door zijn vader, een van de nomadenkoningen van
een ver naar het zuiden gelegen woestijnland.

De knaap heette Zhirem en hij was door de koning verwekt bij zijn dierbaarste vrouw, maar Zhirem was niet met
open armen verwelkomd.

De nomaden waren een bruin volk, met haar in de kleur
van klei en roestbruine ogen, maar de knaap die de vrouw

ter wereld bracht had donker haar, donker als de schaduw van de vroege nacht en zijn ogen hadden de kleur van groen water dat een blauwe hemel weerspiegelt.

'Wat heeft dit nu te betekenen?' brulde de koning terwijl hij met stevige passen door zijn vuurrode tent ijsbeerde. Hij dacht dat zijn vrouw spelletjes had gespeeld met een buitenlander, maar dat had zij niet, en dat zei zij hem ook, en bovendien vroeg ze haar echtgenoot of hij ooit zo'n buitenlander in deze streken had gezien. 'Mijn moeder was donker,' zei zij, 'en mijn grootmoeder had zulke ogen.'

'Moet ik dan geloven dat een zoon niets anders is dan een lappendeken van de vrouwelijke voorouders van zijn moeder?' vroeg de koning gekwetst.

'Nou,' zei de vrouw nederig, 'in ieder geval is hij knap, net als zijn vader.'

Hierop bond de koning een beetje in en hij sprak niet meer over de kwestie, toen niet. En het kind was inderdaad knap en het werd nog knapper. De vrouwen van de tenten waren gek op zijn zeldzame verschijning en op een zekere lieve ernst in zijn gedrag, en op zijn prachtige groen-blauw-waterogen. Maar de oude mannen letten wel op dat ze niet naar hem keken. 'Zo'n donker uiterlijk brengt ongeluk,' zeiden zij. 'De donkerharigen dragen het teken, zoals de geit het brandmerk van de koning draagt om hem te onderscheiden van de geiten van andere kuddes; getekend en gebrandmerkt en nu al beloofd aan de demonensoort en aan de Zwarte Jakhals, de Heerser van de Nacht.' En als zij zo spraken, spuwden ze daarna om hun mond te reinigen van deze woorden. Degeen die zij de Zwarte Jakhals en de Heerser van de Nacht noemden, bezat vele namen en titels, en hoe abstracter en minder algemeen bekend de naam, des te beter. Zijn ware naam spraken zij niet uit, hoewel ze hem kenden: Azhrarn, Prins der Demonen, een Heer van de Duisternis.

Maar de dierbaarste vrouw van de koning hield hevig van haar zoon, de jongste zoon van de koning, en naarmate hij ouder en knapper werd, werd zij steeds bevreesder voor hem.

'Aan alle kanten loeren de vijanden,' fluisterde zij in haar hart. 'De jongemannen benijden hem nu reeds, en de oude haten hem. Goed, we weten dat demonen 's nachts rondzwerven, maar doet mijn zoon dat? Wat is er in hem te vinden behalve het goede en onschuld? En binnenkort nemen de jongemannen hem mee op jacht, en ze brengen hem waar de leeuwen zijn, en daar laten ze hem zonder speren achter, en

dan wordt hij gedood. Of anders snijdt iemand zijn slagaderen open wanneer hij 's middags in de schaduw van een
palm ligt te slapen. Of anders trouwt hij een of andere meid,
en haar broeders zullen haar in het oor sissen dat zij paart
met de duivel en dan doet zij gif in zijn beker.' Toen schreide
de vrouw, maar ze kon het niemand zeggen en van niemand
hulp vragen, en zelfs haar echtgenoot keek niet met welgevallen naar Zhirem.

Op een dag toen Zhirem vijf was, waren de mannen op jacht
en toen kwam er een eng oud wijf tussen de tenten. Ze droeg
stinkende huiden en haar verknoopte haren zaten vol metalen ringen en glanzend opgepoetste botjes. Maar om haar
arm kronkelde een levende gouden slang en haar ogen waren
scherp en helder als die van een meisje.

De vrouwen waren bang en durfden haar niet te naderen,
maar de dierbaarste vrouw van de koning, die het te moeilijk had om ook nog de last van angst op haar schouders te
nemen, ging naar haar toe en vroeg haar wat zij wilde.

'In de schaduw zitten en koel water drinken,' zei het oude
wijf. Toen kreeg ze de jongen Zhirem in het oog en ze zei:
'En daar zie ik beide.'

De vrouw van de koning fronste. Ze haalde de heks in
haar eigen tent en liet haar plaatsnemen. Met haar eigen handen gaf ze de vrouw voedsel en drank, het beste uit de voor-
raden van de koning, en een schoteltje melk voor de slang.
Toen ging de vrouw van de koning naar een kist van rood
zandsteen en haalde daaruit haar oorringen van turkoois,
haar armbanden van goud en haar enkelbanden van amber,
en een vogel van onyx die van haar moeder was geweest, en
drie zeer grote paarlen, en die legde ze allemaal naast het
oude mens.

'Heel mooi,' zei het oude mens, dat met haar schrandere
jeugdige ogen knipperde.

'Neem ze,' zei de koningsvrouw.

Het oude wijf lachte met de negen zwarte tanden die ze
nog had. 'In deze wereld krijg je niets voor niets,' zei zij toen.
'En wat wil jij?'

'De veiligheid van mijn zoon en zijn leven,' zei de vrouw
van de koning, Zhirems moeder, en ze stortte haar verhaal
uit zoals ze de juwelen had uitgestort.

Toen ze uitgesproken was, zei de oude vrouw: 'Jij denkt
dat ik een heks ben, en dat is slim gedacht van je. Ik zal

doen wat ik kan voor je zoon, maar misschien is hij mij niet zo dankbaar als jij, want er bestaat geen weldaad die geen zuster in het ongeluk heeft. Als het schemert, breng dan je kind en ga met hem naar gindse purperen richel en wacht daar. Iemand zal je komen halen om je bij mij te brengen.'

'Als ik dat nu niet kan doen?'

'Dan kan ik ook niets doen,' antwoordde de heks en ze stond op met krakende gewrichten. De vrouw van de koning wees naar de juwelen, maar de heks zei: 'Ik wil daar niets van hebben. Vannacht zal ik je mijn prijs zeggen.'

Toen de koning en zijn jagers terugkwamen, ging zijn dierbaarste vrouw naar hem toe en kuste hem en zei: 'Mijn heer, vergeef mij als ik vannacht niet hier bij u blijf, maar de hele dag reeds doet mijn hoofd mij pijn en ik snak ernaar alleen te gaan liggen in de stilte van mijn tent.'

De koning gaf haar zijn toestemming, want hij mocht haar nog steeds heel graag. En zo nam zij Zhirem in het geheim mee naar haar tent en toen de schemer viel, sloop zij met hem door het palmenbos en samen holden ze naar de verre purperen richel, de knaap lachend, want hij dacht dat het een spelletje was.

Ze waren er nog niet lang, en de einder was nog groen van de nagloed, toen er een wolk uit het westen kwam geblazen, hoewel er geen wind was. Deze wolk nu viel neer uit de hemel en bedekte Zhirem en zijn moeder. De vrouw schrok en ze klemde haar kind tegen zich aan, maar het volgende ogenblik was alles in beweging en het ogenblik daarna was alles stilte, en de wolk was opgetrokken. De vrouw en haar zoon bevonden zich op een heel andere plek en begrepen niet hoe ze daar gekomen waren.

Het was een soort tuin. Hoge stenen muren toonden niets dan de hemel, die verdonkerd was door sterrenloos zwart. De bodem bestond uit fijn groen zand en op de vier hoeken van de tuin brandden koperen lampen, die de zwarte bomen met oranje vruchten vertekenden, en ook de struiken die een vreemde geur afgaven, en bovendien een stenen put in het midden van de tuin helder verlichtten. Nerveus als ze was, voelde de vrouw toch een sterk verlangen om in de put te kijken. Maar in de diepte daarvan leek eer vuur dan water te gloeien. Op dat ogenblik verscheen de heks door een smalle deur in de muur. Nadat ze de deur zorgvuldig achter zich had gesloten, liep ze naar de vrouw van de koning toe.

'Zo, daar zijn jullie,' zei zij. 'Nu zal ik jullie een paar dingen vertellen. Diep onderin de put waarin je keek, brandt een oud vuur van de aarde. Mocht je in het vuur springen, dan verbrand je tot as, en dat zou met iedereen gebeuren behalve met een klein kind, want dit vuur brandt des te sterker wanneer het kennis en verdorvenheid krijgt om zich mee te voeden, en in deze wereld leren wij al gauw listig en wreed te zijn. Maar een kind weet niet veel en is gewoonlijk niet erg verdorven. Hoe jonger het kind, hoe beter. Nu is het bijzondere van dit vuur dat het alles wat erin brandt, bestand maakt tegen ieder kwaad. Geen wapen en geen ziekte kan dat wat het vuur verdragen heeft nog beschadigen. Alleen ouderdom en de natuurlijke dood hebben nog vat op zo iemand, en die worden vertraagd. Iemand die uit dit vuur opstaat, kan tweehonderd jaar oud worden, of ouder.' De koningsvrouw luisterde met grote ogen in een bleek gezicht. De heks zei: 'Ik wil wel dit zeggen: jouw zoon is al vier of vijf. Het zou beter zijn geweest als hij jonger was, een pasgeboren baby. Nu zal het vuur hem pijn doen. Kun je het verdragen om zijn geschreeuw aan te horen als hij in het vuur is, opdat hij er onkwetsbaar uitkomt zodat hij nooit meer gewond kan worden?'

De vrouw van de koning beefde. Ze klemde haar kind fel tegen zich aan en hij, die niet begreep wat er gezegd werd, tuurde verbaasd om alles in het rond naar de tuin.

'Ik kan het verdragen,' zei de vrouw van de koning. 'Maar als u mij bedriegt en hij heeft er niets aan, dan zal ik u doden.'

'O ja, wou je dat?' kakelde de heks die zich enorm amuseerde.

'Ja, ondanks uw toverij en alles wat u zou kunnen doen. Ik zal u met mijn blote handen verscheuren en uw keel met mijn tanden uitrukken.'

De heks grinnikte. 'Bedrog hoef je niet te verwachten,' zei ze, 'maar ik ben blij dat je over je tanden begint.' Ze sloop naar Zhirems moeder toe en haar lichtende ogen straalden helder. 'Kijk hier,' zei ze, op haar ogen wijzend. 'Mijn ogen lieten me in de steek, omdat ik een oud wijf ben, dus kocht ik met een betovering een nieuw paar. Deze ogen waren het eigendom van een jongeman die op het punt stond te sterven, en om vrij te komen gaf hij ze aan mij. "Beter blind dan dood," zei hij. "Zo is 't maar net," bevestigde ik. Kijk nu wat een prachtige ogen ik heb. Maar o, die ellendige tanden van mij, die maar pijn doen en zwart worden en uit mijn mond vallen. Jouw tanden daarentegen, zie ik, zijn scherp en wit en gezond. Scherp, wit en gezond genoeg om de keel van een arme oude vrouw uit te rukken, o zo. Geef mij je heerlijke tanden. Die prijs vraag ik voor deze dienst aan je zoon.'

De vrouw van de koning rilde. Maar toen keek ze naar de kleine Zhirem naast zich en ze kuste zijn gezicht en zei: 'Akkoord. Zo'n prijs moet betekenen dat de koop eerlijk is.'

Ogenblikkelijk griste de heks het kind weg. Ze knoopte een koord in zijn krullende donkere haar en ze tilde hem op de rand van de put. Zhirem draaide zich om, wanhopig bang, maar voordat hij kon ontkomen duwde de heks, die het koord stevig bleef vasthouden, hem over de rand. En zo, aan het koord dat aan Zhirems haren was gebonden, liet zij de jongen in het verschrikkelijke vuur van onkwetsbaarheid bengelen, want elk deel van hem moest gewassen worden door de vlammen.

Maar in de put hing hij te krijsen, zoals de heks had voorspeld, en zijn geschreeuw was erger dan voorspeld. De vrouw van de koning bedekte haar oren en zij krijste ook, tot haar keel rauw was, want alle pijn van haar kind leek ook haar te doorsteken.

En toen hielden de afschuwelijke geluiden eindelijk op en de heks trok aan het koord omhoog, uit de put, een verbrand en geblakerd, onherkenbaar ding en dit legde zij op het groene zand van de tuin.

Toen ze dit zag, begon de vrouw van de koning te snauwen als een wild dier en ze stormde op de heks af. Maar de heks lachte alleen. 'Je hebt nu geen tanden meer om mij te bijten,' lachte zij en ze liet zien hoe haar mond opeens vol witte tanden zat en toen de koningsvrouw het controleerde, merkte ze dat haar eigen mond leeg was, al deed hij geen pijn. 'Een ogenblik geduld,' maande de heks. En tegelijk begon het verbrande ding op het gras te wriemelen en het zwarte ervan schilferde weg als vuil van een ivoren vaas. En weldra lag de ivoren vaas van het kind intact en onverbrand op het zand en zwart waren alleen nog het glanzende haar, en de zwarte wenkbrauwen. Hij straalde ook een soort gloed uit, een glans als het licht op goud.

'Is hij dood?' fluisterde de moeder, want de knaap was roerloos.

'*Dood!*' zei de heks honend. 'Kijk dan, hij ademt.' Ze trok de vrouw dicht bij haar zoon en plotsklaps trok de heks een mes en stiet het uit alle macht in Zhirems hart.

Zhirems moeder krijste het uit.

'Wat ben je toch stom,' lachte de heks, en ze toonde de vrouw van de koning hoe het lemmer van het mes verbogen en gebroken was, alsof het een stalen wand had geraakt, en hoe er geen wond was in de onkwetsbare huid van Zhirem.

Ze was heel voorzichtig geweest, de moeder van Zhirem, toen ze het kamp van de rode tenten verliet. Maar, zoals ze onder de woestijnbewoners zeiden, er is geen pot die zo goed afgesloten is dat er geen zandkorrel meer in kan. De koning had nog meer vrouwen en die hadden ook zoons. Een van deze zonen was van het avondeten weggegaan om tegen een palmboom te wateren en terwijl hij dat deed, ontdekte hij Zhirems moeder die in de schemer wegglipte met haar kind. Er was heel wat afgunst tussen de vrouwen en tussen de zonen van de koning, en deze knaap was geen uitzondering. Hij besloot dan ook de wacht te houden en hij bleef bij de tent van de vrouw rondhangen. Tegen middernacht zag hij haar terugkomen en hij werd bang van haar uiterlijk. Haar gezicht was wit en haar haar verslonsd, en ze haastte zich voort met Zhirem in haar armen, die blijkbaar sliep. En terwijl zij zich voorthaastte, ademde zij door haar mond, en het kwam de spionerende jongen voor dat zij geen tanden meer in haar mond had. Niet zodra was zij in haar tent verdwenen of hij rende heen om alles aan zijn moeder te verklikken, en zijn moeder haastte zich naar de koning om hem dit te vertellen: dat Zhirems moeder 's avonds heengegaan was om pret te maken met demonen, en ze had haar demonenzoon meegenomen, en ze had haar tanden verkocht in ruil voor bezweringen.

Nu werd het de koning onbehaaglijk te moede. Hij was meteen bang voor toverij, want met Zhirem met zijn donkere haren was hij nooit helemaal gelukkig geweest. De koning begon te ijsberen en toen het ochtendgloren de nacht van de woestijn veegde, ging hij naar de tent van zijn dierbaarste vrouw.

Daar sprak hij harde woorden, hij beschuldigde haar van wat hij had gehoord, en toen hij uitgesproken was, zei hij dat hij haar in de mond wilde kijken.

Zhirems moeder realiseerde zich dat zij zich met geen enkele leugen kon redden, noch met de waarheid, maar heel vlug maakte ze er een mengsel van en om de nodige tijd te winnen, barstte ze in huilen uit.

'Mijn heer,' zei zij toen, 'ik durf niet te zeggen wat ik gedaan heb, maar ik begrijp nu dat het stom van me was om te denken dat ik iets voor uw wijsheid verborgen zou kunnen houden. Wees mij genadig. Toen ik tegen u klaagde dat ik leed aan pijn in het hoofd, leed ik in werkelijkheid aan een afschuwelijke pijn in al mijn tanden. Ik had hier al een wijle last van, en ik heb mijn best gedaan om het geheim te houden, en de goden gesmeekt mij ervan te verlossen, maar vergeefs. Uiteindelijk kwam hier een vrouw die kennis van kruiden had, en ik vertelde haar van mijn nood. En deze vrouw zei dat niets mij zou baten, behalve wanneer al mijn tanden en kiezen getrokken werden, want al leken ze gezond, aan de wortels waren ze ziek en mettertijd zouden ze mijn hele lichaam vergiftigen. En daarom, mijn heer, sloop ik stiekem in mijn schande naar deze zelfde vrouw, en liet haar haar werk doen, en uw zoon nam ik mee als mijn enige troost in deze nacht. En nu zult u mij verstoten omdat ik lelijk ben, en ik zal sterven van ellende.'

De koning was tot medelijden geroerd en hij geloofde alles. Hij verzekerde zijn dierbaarste vrouw dat hij van haar zou blijven houden, dat haar schoonheid niet alleen in haar gebit had gelegen. Hij berispte haar zacht voor het waanidee dat zij gedacht had hem te slim af te kunnen zijn en omdat zij zichzelf en het kind in gevaar had gebracht door alleen de woestijn in te gaan. Later liet hij zijn spionerende zoon bij zich komen en ranselde hem af en de vrouw die hem het hele verhaal had verteld, gaf hij weg aan een andere koning als teken van vriendschap, met deze waarschuwing erbij: 'Pas op de mond van dit felle wicht, die zowel tanden als onwaarheden bevat.'

Er gingen vijf jaren voorbij, want de jaren gaan altijd voorbij, ongeacht wat blijft. De bewoners van de tenten verplaatsten zich over de woestijn, lieten hun kuddes grazen op de groene plekken en trokken verder wanneer het groen wegkwijnde. Soms viel er een droog, mager seizoen en baden ze om regen, en soms vielen de regens in overvloed en dan zwollen de karige, magere rivieren van de woestijn op en stroomden over hun boorden en dan was het een seizoen van overvloed, een poos.

Zhirem, die de jongste zoon van de koning was geweest, was nu tien en niet helemaal de jongste meer, al had de dierbaarste vrouw van zijn vader geen kinderen meer gebaard. De waarheid was dat zij de dierbaarste vrouw niet meer was. De koning had een nieuwe vrouw getrouwd; deze had ogen als rossig amber en zij kende verscheidene kunsten en schonk de koning verscheidene zonen en nu was zij de dierbaarste. Maar de koning had geen zoon die in schoonheid met Zhirem kon wedijveren.

De oude mannen waren opgehouden met hun beweringen dat zijn donker uiterlijk het brandmerk van de nacht en de Heerser van de Nacht was, de Demon. Ze spraken nu zelfs met de jongen. Ze waren seniel aan het worden. Maar achter hun gezicht loerde nog altijd een schim, iets dat niet gezegd werd maar gereed lag, een roestig mes dat schoongemaakt kon worden.

Onder de mannelijke kinderen van de koning woelden afgunst en afkeer voor Zhirem, ook onuitgesproken, ook gereed. Een van hen, die afgeranseld was, was nu vijftien en hij ging op jacht. 'Laat deze jonge welp ook komen jagen,' zei hij, Zhirems haar strelend. 'Wij zullen wel voor hem zorgen. Hij zit te vaak bij de vrouwen en hij heeft nog nooit leeuwen gezien.'

Zhirem was meestal alleen, een dromer. Eens, vijf jaar tevoren, had zijn moeder hem gewiegd en haar tranen waren op hem gevallen. 'Wat herinner je je, beminde?' had zij toen gevraagd. 'Herinner je niets. Geen vuur, geen pijn, geen tuin van groen zand. En zelfs als je eraan denkt, zeg niets, niets.'

Het was haar magie die hem deed vergeten. Hij had deze vage herinnering, minder dan een herinnering, meer een illusie van schroeiend licht en brandende pijn. Het was een nachtmerrie uit de tijd toen hij een zuigeling was. Hij had de nachtmerrie afgeschud. Toch, onmogelijk genoeg, wist hij dat de gebeurtenis zijn stempel op hem had gedrukt, hem sterker onderscheidde van de anderen dan zijn kleuren, dan zijn schoonheid – waarvan hij zich niet bewust was. Hij begreep dat hij anders was, en hij vroeg zich niet af waarom, want hij veronderstelde dat er geen antwoord bestond. Hij woonde in een land waar allen vreemden waren. Hij ontmoette hen die zich zijn broeders en zijn verwanten noemden, maar hij ontmoette daarbij niemand die als hij was of die de taal van zijn ziel sprak. En daarom beroofden de gemene daden en de inconsequente daden van de mensen om hem heen hem niet van zijn zelfvertrouwen, en ze ontstelden hem zelfs niet echt. In dit hem vreemde land verwachtte hij niet anders.

Ze gingen op de leeuwenjacht, drie van 's konings zonen, hun drie vrienden en Zhirem.

Hoog in de rotsheuvels lagen de leeuwen met hun gouden ogen en hun lichaam met de kleur van het zand in het zonlicht van de middag. Het waren er vier, drie vrouwtjes en een leeuw wiens manen zwart waren alsof de hitte van de dag ze had verschroeid. Ze hadden mensenvlees geproefd, de hele troep, en als ze mensen roken op de wind, dan sperden hun neusgaten zich ver open en hun ogen werden klein en ze kwamen overeind en zwiepten met hun staart.

Dit gebeurde er.

De jagers waren op een plek in de rotsen gekomen waar een vijgeboom zich over een vijver boog. Ze wisten dat er leeuwen in de buurt moesten zijn, want dit was een drinkplaats waar leeuwen kwamen.

'Nu gaan jullie die kant uit met de honden,' zei de afgeranselde zoon van de koning, wiens moeder weggegeven was aan een andere koning als diens slavin. Hij sprak tegen de drie vrienden en hij stuurde hen naar het noorden. Vervolgens overlegden de drie koningszonen. 'Wat is het jammer,' zei de geslagen zoon, 'dat wij geen lekker mals geitejong bij ons hebben, om de leeuwen hierheen te lokken.' Hij en zijn twee broers beklaagden zich om dit gemis en sloegen zichzelf voor het hoofd dat ze zo stom waren geweest om er niet een mee te nemen. En toen leken ze een idee te krijgen. 'Wat denken jullie hiervan,' zeiden ze, 'als we nu eens kleine Zhirem namen en hem achterlieten waar de leeuwen hem wel moeten vinden? Even mals en sappig als het beste geitejong is onze lieve kleine Zhirem. Kom, je vindt het toch niet erg, nietwaar, broeder Zhirem? Wij zijn vlakbij met onze speren.'

Zhirem staarde hen slechts aan. De broers lachten en leidden hem omhoog over de rotspaden.

'Zo,' zeiden ze toen, 'je wordt toch niet treurig als we je aan deze steen vastbinden, lief klein broertje Zhirem?' En ze bonden hem vast en lieten hem daar en toen gingen ze op veilige afstand tussen de rotsen zitten kijken.

Weldra kropen er vier lichtgouden schaduwen naar beneden over de heuvels. Daar kwamen de leeuwen aan met hun zwiepende staarten en hun brandende ogen.

Zhirem keek naar de leeuwen. Hij was niet bang, maar hij had toch niet kunnen zeggen waarom niet, want de leeuwen waren heel vreselijk om te zien en wat hij over leeuwen had horen vertellen, strekte deze dieren allesbehalve tot eer.

De leider van de leeuwen rende het eerst naar hem toe. Hij sprong als een pijl uit een boog en zijn klauwen krasten over Zhirem. Er klonk een geluid als scheurend papier, alsof de lucht zelf gescheurd werd. Maar de lucht was het enige wat scheurde. De leeuw brulde en grauwde en sprong opzij. Van verslagenheid en verbijstering veranderde hij zijn vorm en nu was hij niet langer een actief, springend dier maar eerder een marmeren dier, met hangende kop. De leeuw probeerde het niet nog een keer. Maar de leeuwinnen deden ettelijke uitvallen, slaand en scheurend. Hun adem leek rood uit hun rode muilen te stromen, en stonk rood. Uiteindelijk dropen ook zij af, op een na die aan Zhirem rook en zijn huid likte. Hij voelde haar ruwe tong, maar niet haar tanden of klauwen. Haar ogen schroeiden gaten in zijn lichaam, maar zijzelf kon dat niet. Ze likte hem verlekkerd af, snakte ernaar hem te verslinden, al likkend en zuigend, proevend van wat ze niet kon opeten.

Op hun afstand, en zonder dat ze de verklaring wisten, kwam het likken de verbouwereerde broers van Zhirem voor als een eerbetoon. Ze beefden van angst. Niet alleen waren de leeuwen niet zo gedienstig om Zhirem te verslinden, ze aanbaden hem juist, beminden hem.

De drie broers bleven uitgeblust op de stenen liggen. Daar zagen zij dat de leeuwen ophielden met hun eerbewijzen en met de buik over de grond en slepende staart wegkropen. Toen stoven ze naar Zhirem toe en sleurden hem op een paard – dat hevig zweette en met zijn ogen rolde, want de leeuwenstank was overweldigend – en stormden terug naar de tenten van hun vader.

Het was het ogenblik van de dood van de zon en het hele kamp leek met bloed overgoten. In de rode gloed haastten de drie broers zich naar hun vader de koning, en toen ze hem gevonden hadden gooiden ze het kind dat naar de leeuwen rook voor hem neer.

'In de bergen,' riepen de broers, 'zwierf deze Zhirem van ons weg en toen we achter hem aan gingen, vonden we vier leeuwen die hem aflikten en hem aanbaden. Zeker zijn de demonen wegens zijn donkere haar zijn vrienden. Zeker wordt hij beschermd door de Heerser van de Nacht zoals onze wijze oude mannen altijd al zacht hebben gezegd.'

In zijn bijgeloof was de koning geneigd hieraan geloof te hechten; tegelijkertijd voelde hij dat dat niet kon, want de werking van afgunst kende hij ook.

'En wat heb jij hierop te zeggen?' schreeuwde hij tegen Zhirem. 'Doen leeuwen jou geen kwaad?'

'Het is waar,' zei Zhirem, 'hoewel ik niet weet waarom.'

Dit antwoord vatte de koning als een brutaliteit op. Hij hief zijn arm en sloeg Zhirem op de mond. Dat wilde hij tenminste, maar de slag kwam niet aan, of landde in een ander oord, en 's konings hand werd schroeiendheet alsof hij een vuur had geslagen. Dat was voldoende. Meer had hij niet nodig.

De koning riep een vergadering bijeen tussen de tenten, van de wijzen van de nomaden en de ouden wier leeftijd geëerd diende te worden. Ze namen plaats in de tent van de koning en de koning zat op een stoel van zwart hout op een rood en geel kleed en ze spraken over Zhirem en hoe hij was geworden. De drie broers kwamen over de leeuwen vertellen, en ze dwongen hun drie vrienden het verhaal te bevestigen, alsof ook zij getuigen waren geweest, wat niet het geval was. Toen maakten de oude mannen hun roestige messen van boosaardigheid schoon en ze spraken over schimmenhaar en ongeluk en de Prins der Demonen. Zhirems moeder riepen ze er niet bij; zij was een vrouw en ze vergaten haar. Zhirem vroegen ze ook niet te spreken, ze pootten hem alleen aan de rand van het tapijt neer en een van de mannen gooide een kluit aarde naar hem toe, die zonder hem te raken op de grond viel, en toen gooide iemand een steen en ook die viel opzij neer. En ten slotte pakte de koning een speer en smeet die naar Zhirem, en de speer viel in de lucht in honderd splinters uiteen. Toen zuchtten ze allemaal van opluchting en plezier. Alleen Zhirem staarde met afgrijzen in zijn ogen naar de verbrijzelde speer.

Drie

Bij een drinkplaats in de woestijn woonde een groep heilige mannen. Hun huis was een vervallen fort dat ze deelden met haviken, uilen en hagedissen.

De koning had zijn zoon Zhirem op een zwart paard gezet en hem op het zadel vastgebonden en hij behing het paard met amuletten en bellen om de kwade geest die Zhirem in zich herbergde of waarin hij veranderd was, in bedwang te houden. Toen gingen de koning en enkele van zijn krijgers door het vroege duister op weg naar de ruïne van het fort en het zwarte paard dreven ze voor zich uit.

Op het paard gebonden was Zhirem vervallen tot een wild stilzwijgen. Hij wilde niets zeggen, maar zijn ogen krijsten. Niet langer was hij slechts omringd door vreemden en vijanden, hij was ook een onbegrijpelijke vreemde voor zichzelf en een vijand van zichzelf geworden. Ze noemden hem een demon, en een demon moest hij zijn. De speerworp raakte hem niet zo erg als het feit dat de speer hem niet had kunnen verwonden. Daarvan deinsde hij terug. Zelfs in dit uur herinnerde hij zich de put van vuur niet. Als je vijf bent, is alles een wonder en een mysterie, en die put was er maar een van, een woest wonder. Nu hij door zijn vaders mannen voort werd gedreven, en hun verbeten haat zag, was het alsof hij terloops in een spiegel had gekeken en zichzelf, zonder waarschuwing, veranderd zag in een beest.

Ze bereikten de ruïne onder een maanheldere hemel. Uilen zaten in hun witte vodden op de torens en de heilige mannen zaten eronder her en der verspreid in hun bruine vodden. Trots was een zonde, zeiden zij, en ze droegen rafelige lompen en wasten zich niet, om te bewijzen dat ze niet trots waren, maar wanneer ze tegen anderen spraken, zeiden ze: 'Wij zijn de zuivere kinderen die voor onszelf het eeuwige leven verdienen, wie de goden waarderen. Wanneer jullie stof zijn, zullen wij glorieus leven.' En als iemand hun goud bood, dan wierpen de lompendragers smeulende blikken langs hun neus tot het goud verschrompelde in de hand van de gever. 'Wij zijn te nederig,' verklaarden de rafelmannen arrogant, 'om de rijkdommen van de aarde te aanvaarden. Bouw geen paleis in de wereld,' bulderden zij, door hun smerige ruïne ploeterend. 'Verzamel schatten in het land van de goden.' En iedere keer als ze ziek werden, of pijn voelden, verklaarden zij: 'De goden verkiezen mij te beproeven,' alsof de goden slechts aan hen dachten en voortdurend bezig waren methoden te verzinnen om hun deugd op de proef te stellen. Maar als een ander, geen lid van hun orde, ziek werd, schreeuwden zij: 'Dit is de straf voor jouw afzichtelijke verdorvenheid en je moet berouw tonen en boete doen!'

Maar desondanks, of juist hierom, beweerden zij magiërs te zijn en ze hadden een reputatie voor duels met demonen – of met zekere bizarre verschijningen die de mensen voor demonen aanzagen.

De koning schreed naar de treden van het bordes voor het fort en verklaarde tegen niemand in het bijzonder, want de heilige lieden kenden geen leider: 'Hier is mijn zoon. Hij wordt bezeten door een duivel, die niet toestaat dat men hem pijn doet, en die zelfs leeuwen ertoe drijft hem eer te bewijzen.'

Toen rezen de gerafelde bruine uilen op van hun zitplaatsen en ze naderden Zhirem zonder een woord. Zonder een woord sneden ze zijn boeien door en hielpen hem van het paard, en zonder een woord, terwijl alleen zijn ogen om hulp of uitleg riepen, liet Zhirem alles toe.

'Hij zal één maand onder ons blijven,' zei een stem van tussen de heilige mannen.

'Kom terug wanneer de maan opnieuw vol is,' zei een andere stem.

De koning knikte verbeten en reed heen met zijn soldaten. Zhirem werd in de ruïne van het fort gedragen.

Eerst hoorden zij hem uit, en als hij niet kon of wilde antwoorden, brandden ze een blauwe wierook die zijn tong losmaakte. Dankzij de wierook filterde er in zijn antwoorden iets door over de put van vuur. Bedwelmd als hij was, begreep Zhirem amper wat hij gezegd had, en zijn ondervragers begrepen er ook niets van, maar ze dachten wel dat ze demonen roken. En daarom sloten ze Zhirem op in een kleine cel zonder ramen en daar lieten ze hem zeven dagen zitten zonder voedsel en alleen met een kom smerig water als drinken. 'Als er een gewone duivel in hem huist, en als dat huis gerief mist, vertrekt de duivel,' zeiden de mannen. Maar toen ze op de achtste dag Zhirem uit zijn cel sleepten, ontwaarden zij in zijn ogen dezelfde waanzin die ze eerder al ontdekt hadden. Daarom geselden ze hem om het voor zijn duivel onprettig te maken, maar de gesels rafelden en braken in hun handen. Het was inderdaad een sluwe en volhardende duivel!

Hierna probeerden de heilige mannen het met een list. Ze gaven de knaap te eten en lieten hem dwalen waar hij wilde rond de ruïne en de oase, en al die tijd hielden ze hem nauwlettend in het oog om te zien wat hij of zijn duivel zouden doen.

Maar Zhirem ging naar de groene oever van de vijver en zat daar neer, en hij staarde blind in het water. Veertien of vijftien dagen lang deed Zhirem alleen dit. Als ze hem voor het eten riepen, kwam hij gehoorzaam; als ze hem in zijn cel sloten als het bedtijd was, protesteerde hij niet. Als hij vrij was, zat hij bij het water en een onschuldiger of lieflijker beeld zou men niet licht vinden.

De heilige mannen voelden ontroering toen ze dit zagen, en dat in weerwil van zichzelf. Het daagde hen allengs, zoals de dag aan het donker daagt, dat het jongetje dat daar op klaarlichte dag zat te mediteren, helemaal niets slechts had – demonen meden overigens de dag.

Uiteindelijk gingen enkele heilige mannen naar de jongen toe en stalden voor hem verscheidene artikelen uit die naar verluid het vermogen bezaten om de machten van de nacht angst aan te jagen. Zhirem toonde geen angst; hij nam de magische voorwerpen in zijn handen en legde ze weer neer. Zelfs zijn ogen waren nu rustig, omdat de waanzin en de zielsnood te diep waren gejaagd om nog aan het oppervlak te blijken. Als de mannen tegen hem spraken, antwoordde Zhirem ernstig.

'De duivel is vertrokken,' verklaarden de heilige mannen. 'En nu, koningszoon, hoef je nog slechts de goden trouw te blijven. Denk eraan: de wereld is een en al dwaasheid, ijdelheid en zonde. De weg naar de goden voert over een steile en glibberige trap, bezaaid met vallen, met stenen en ontblote lemmeten.'

'Wensen de goden dan,' zei Zhirem rustig, 'dat de mensen hen niet bereiken, dat zij de weg volstrooien met vallen?'

'Het zijn de mensen zelf die de vallen maken,' antwoordden de heilige mannen. 'En er is er een die volgt met zijn zwarte en rode honden om te verslinden wie er struikelt. Hoed je voor de Heerser van de Nacht, de Verlokker. Vergeet niet dat hij immer dichtbij is en jou al bijna gevangen had.'

Toen vulde het gezicht van Zhirem zich met troosteloos kolkende paniek.

'Daar, daar, vertrouw op de hemel,' zeiden de heilige mannen, terwijl ze hem streelden, zich niet bewust van hun lusten die door het onkruid van de vroomheid wel verstikt waren, maar niet geheel geworgd. 'Hoed je voor het vlees en de geneugten van het vlees. Het zijn de vrouwen voor wie je moet oppassen. Je eigen moeder heeft je in gevaar gebracht, door omgang te hebben met het duister. Wijd je met lichaam en ziel aan de goden, dan zullen de goden je redden van hem die bij nachte op jacht gaat.'

Toen de koning terugreed naar de ruïne, zeiden de heilige mannen hem alles wat ze ontdekt hadden en ze verklaarden dat de knaap opgenomen moest worden door een godsdienstige orde om zijn veiligheid te verzekeren.

'Maar is hij genezen van deze onkwetsbaarheid, deze eigenschap die hem naast de mensheid plaatst?'

'Nee,' was het antwoord. 'Hij is bestand tegen wapens, misschien zelfs tegen alle onnatuurlijke vormen van de dood. Dit is een facet van de betovering van zijn moeder dat niet uitgewist kan worden. Maar hijzelf begrijpt niet goed wat hij is. Als hij een nederig leven leidt, komt hij daar wellicht ook nooit achter en dan zoekt hij nooit te profiteren of vuile winst te slaan uit zijn gave. Laat hem bij ons, dan leren wij hem de rechte weg.'

Maar tot hun teleurstelling wilde de koning dat niet. Hij was tenslotte een koning van de woestijnvolkeren en daarom stuurde hij Zhirem op een jaar-lange reis naar het noorden, naar de grote tempel die daar stond. En hij werd vergezeld door twee paarden met koffers vol parels op hun rug en ook nog goud en andere dingen die de tempel graag in ontvangst nam en die de heilige mannen niet wilden hebben omdat ze te nederig waren.

'Als hij priester moet worden, dan meteen een goede, want de mensen mogen best weten dat hij mijn zoon is,' zei de koning.

Maar Zhirems moeder, zijn echtgenote, verstiet hij en hij joeg haar de woestijn in wegens haar aandeel in het volvoeren van de betovering. Sommigen beweren dat een ander volk haar opnam, en sommigen dat zij daar stierf en dat er midden tussen de kale duinen een boom uit haar beenderen sproot.

75

Op een dag hielden een koopman en zijn bedienden rust onder deze boom, waar ze hadden gehoopt water te vinden, maar dat was er niet.

'Hoe kan hier een groene boom gedijen zonder dat er mijlen in de omtrek water is?' vroeg de koopman aan de lucht.

Hij verbleekte toen de lucht antwoordde: 'Ik word gevoed door mijn eigen tranen.'

'Wie zei dat?' vroeg de koopman geschrokken. Om zich heen kijkend, merkte hij dat zijn bedienden allen ver van hem waren, zodat alleen de boom gesproken kon hebben. 'Was jij dat?' vroeg hij, 'en zo ja, dan moet je een boomfee zijn.'

Maar de boom fluisterde in de wind en het enige wat de boom zei was dit: 'Breng mij nieuws van mijn zoon.'

'Zeg mij zijn naam,' zei de koopman.

Maar of de boom wist het niet meer, of zij wilde niets meer zeggen.

Jaren later, verhaalde men, vond een andere man de boom en hij groef een gat aan de wortels om de bron van het water te zoeken, en eindelijk vond hij een beetje water, maar het was zout.

Vier

'Let op, O door de goden geadopteerden,' riep de dikke priester die Zhirem naar het bovenste gedeelte van de kinderverblijven bracht. 'Hier is er een, van name Zhirem, voormalig koningszoon, nu gewijd aan de tempel en dus jullie broeder.'

De kinderen gaapten hem aan, zoals kinderen van ieder ras, van iedere plaats of tijd zouden doen. Mager en donker staarde het nieuwe kind terug met een eigenaardige, glanzende, melancholieke blik.

De dikke priester was lelijk. Net als Zhirem was zijn plaats in de orde gekocht, zodat hij niet smetteloos had hoeven zijn als de vondelingen. Nu werd zijn lelijke blik weggetrokken, weg van het schimmige kind dat naast hem stond in het zonlicht, naar een kind als een stukje zonlicht dat glinsterde in de schaduw aan de overkant van het binnenplein. Het was de jongen met het rossig gele haar, de vreemde jongen die Schelp werd genoemd, een van de smetteloze vondelingen.

De dikke priester hield niet van Schelp.

De blikken van Schelp waren als helgroene splinters, afgeschoten uit de ogen van een lynx. Heel stil was Schelp, amper een woord verliet zijn mond, alleen gelach, soms, en soms een woordeloze, bevelende schreeuw of een melodieus gefluit. Huilen en janken, dat had Schelp als baby gedaan, toen hij op de trap gevonden was en in huis genomen. Maar de wezens die hem te vondeling hadden gelegd, hadden hem geen spreken geleerd en evenmin het verlangen om te spreken. Het had een half jaar geduurd, zeiden de priesters, voordat het mormel zich verwaardigde om een woord uit te brengen, en nu, hoewel hij snel las uit een boek in zijn eigen hersens, wilde hij niet hardop lezen – ze hadden hem geslagen en hij wilde het nog steeds niet – noch hardop bidden, en zelden antwoordde hij met meer dan 'ja' of 'nee' of 'misschien'. Tegelijkertijd was het hele wezen van deze Schelp een soort spraak. Zijn armen en benen en lichaam spraken met hun beweging; hij rende als een hert, liep als een danser met een evenwicht en een gratie die in tegenspraak waren met zijn prille leeftijd. Hij kon hoog genoeg springen en snel genoeg grijpen om damastpruimen te stelen van de boom die zich boven het Jadeplein verhief, en geen enkel kind had dat ooit klaargespeeld; de anderen moesten tevreden zijn met het fruit dat van de boom viel of losgeschud werd. Zelfs als hij lag te rusten, communiceerde Schelps lichaam. Al was het maar met één lynxenoog, een trekking van zijn mond of neusvleugel, een trilling van zijn handen, als een dier of een instrument dat zichzelf bespeelt. En er waren nog andere vreemde dingen. Hoewel de tempelpoorten 's nachts vergrendeld waren, ging Schelp naar buiten. Op de een of andere manier kwam hij over de hoge steile muren, naar de bossen erbuiten. De nacht leek hem te ontbieden, de nacht en de maan, en niets hield hem binnen. Zelfs twee priesters die op wacht stonden bij de slaapzaal merkten niet dat hij hen voorbijliep; ze zagen slechts dat zijn bed verlaten was. Als Schelp binnen bleef, was dat niet uit gehoorzaamheid of omdat ze zijn vluchtweg hadden afgesneden, maar alleen omdat hij die bepaalde nacht geen zwerflust voelde.

En als hij zwierf, wat zocht hij dan?

Een gerucht: Schelp lag op de tak van een boom en floot en in het bos sloegen de nachtegalen aan. Een ander gerucht: Schelp rende mee met vossen en toonde ze hoe ze op het erf van boerderijen moesten komen. Een feit: een zwarte cobra kwam het schoollokaal binnen en zaaide paniek, maar Schelp stak zijn hand uit en tilde de slang op, tegelijkertijd een suizelend geluid makend, en de cobra ging over zijn schouders liggen en zij wreven hun gezichten teder tegen elkaar, totdat de knaap de slang naar buiten droeg en hem hoffelijk de weg wees door het zomergras. Slechts één schepsel scheen Schelp te vrezen, namelijk ieder schepsel dat dood was. Voor het kadaver van de muis en de hagedis vluchtte hij, maar hij scheen niet te weten waarom, en nimmer sprak hij hardop over deze angst van hem. Hij had nooit een man of een vrouw zien sterven.

De priesters bezagen Schelp met zinnelijk onbehagen, boosheid en onrust, maar aangezien het beneden hun waardigheid was om te veronderstellen dat een ouderloos kind dergelijke emoties in hen wakker kon roepen, vertaalden zij deze gevoelens die zij bezaten als toegeeflijkheid en afkeuring.

Voor de overige jongens van de kinderhoven had Schelp heel makkelijk slachtoffer of held kunnen worden, het een of het ander. Maar zijn onbegrijpelijkheid, zijn werkelijke *onmenselijkheid* – die zij heel goed aanvoelden, anders dan de troebel voelende volwassen priesters – schiep een te grote afstand tussen hen om hem een rol te geven. Schelp was een raadsel.

De kinderen aarzelden aan de randen van zijn leven en zijn aura, gereed om te vereren of te haten, zonder ooit tot het een of het ander te komen.

En nu aanschouwden deze kinderen een nieuwe rite waaraan zij geen deel konden hebben, aanschouwden deze even feilloos als zij het vreemde van Schelp waarnamen. De waarheid is dat zelfs de lelijke priester het zag, en wat hij zag beviel hem niet.

Hier was er een als een vlam, en daar een als een verduisterde lamp, het lichtende kind en het schaduwkind. Zoals twee ongelijke magnetische polen een invloed op elkaar uitoefenen, zo leken ook deze twee tegengestelden gevangen in een spanning als van onzichtbare koorden die de een aan de ander bonden.

'Zo,' zei de priester, terwijl hij dit en dat beval te doen. 'Let op!' snauwde de priester, wiens gewichtige bevelen heen en weer gesmeten werden als papiertjes in een onverschillige storm. 'Gedraag jullie,' commandeerde de priester. 'Vereer de goden.'

78

Het gezicht van het schaduwkind, Zhirem verstarde en werd gesloten. Hij was eraan herinnerd welke jager hem op de hielen zat.

Vijf

Het was zonsondergang, de zon was een kruik van roze-bronzen olie uitgegoten over de tempeldaken. De oudere jongens zaten aan het avondmaal in het hoogste verblijf waar de weergoden stonden, de blauwe tijger en de rode ram. De baby's waren een uur eerder naar boven gebracht voor de eredienst en weer weggehaald. Nu stond de tafel er en de oudere jongens piepten en snaterden terwijl ze aten als een apenstam en soms moest een lekebroeder aan hun oor draaien om ze tot betere manieren te bewegen. Dit alles observeerden de blauwe tijger en de rode ram onbewogen, en de koelte van de avond zonk neer toen het licht verdween en er een geur van wierook en bomen binnendrong.

Schelp zat onder de rode ram. Dat was nu altijd zijn plaats en niemand die hem deze durfde betwisten, hoewel ze niet echt bang voor hem waren. De zetel van de rode ram stond tegen de muur waarin een kapotte steen zat. Als je daardoor naar buiten keek, kon je de rooskleurige hemel rokend zien uitdoven in de bossen op een halve mijl afstand, en ook de lampen die het Heiligdom der Maagden en het Vrouwenhuis verlichtten. Waar het om ging was dat je, misschien, als je heel goed in die richting keek, een verboden glimp van een vrouw kon opvangen, als je de ogen van een adelaar bezat. Maar Schelp scheen alleen de nacht te willen zien komen en meer niet. Bij het avondmaal at hij fruit en weinig anders, maar bij verschillende gelegenheden had men waargenomen dat hij gras, bladeren en bloemen uit de tempelvijvers at. Aan de overkant van de lage tafel zat, zonder iets te eten, Zhirem.

Zhirem zat met gebogen hoofd. Hij tuurde in zijn water-beker. Zijn donkere haar krulde om zijn gezicht als geheimen.

'Nou,' zei een jongen bij hem in de buurt, 'als jij de zoon van een koning bent, waarom ben je dan hier? Houdt hij dan niet van je, je vader?'

'Zijn moeder heeft met een slang gedanst in een grot,' zei een andere jongen. 'Ze tilde haar rok op en de slang wriemelde erin. Een maand later legde ze een ei en daar was

Zhirem.' De knaap giechelde. De lekebroeders bevonden zich op enige afstand, anders had hij het hardop verzinnen van zo'n verhaal wel achterwege gelaten.

'Nee, het is nog erger,' zei de eerste knaap. 'Ik heb ze horen praten. Zhirems moeder heeft haar lichaam aan demonen verkocht. Zhirem lieten ze achter. De Prins der Demonen had ook geen trek in hem.'

Zhirem keek niet op. Op een of andere manier, en al heel vroeg, had hij eindelijk de werkelijke boosaardigheid van anderen leren begrijpen. Hij dacht in het vage aan zijn moeder, veronderstellend dat zij nog in de tenten van de koning woonde. Hij dacht aan zijn broeders die hem als hartig hapje voor de leeuwen hadden neergelegd. Terwijl hij zo zat te denken, probeerde een van de knapen de nieuweling stiekem een schop te geven, en toen begon deze knaap te piepen, omdat hij – dacht hij – in plaats van Zhirem een of andere gloeiendhete steen had geraakt, die hij niet onder de tafel had verwacht.

Schelp stond op. Ogenblikkelijk daalde er een soort rumoerige stilte neer – het gesnater en de bedrijvigheid gingen door, maar gedempt, behoedzaam. Zelfs de volwassenen keken toe, verstoord, het tegendeel veinzend.

Schelp liep naar de overkant van het verblijf. Hij stak zijn hand omhoog naar de muur die zich daar welfde en griste er met zijn holle hand iets af. Als een kat liep hij terug naar de tafel en de andere jongens schuifelden uit de weg. Een van hen koesterde zijn pijnlijke been. Schelp boog zich langs Zhirem en zette voor hem een witte vogel neer die op de muur had zitten slapen. De vogel zette zijn veren overeind; hij floot een enkele toon en boog zijn kopje om in het brood op Zhirems bord te pikken.

'Schelp is een tovenaar,' mompelde de jongen die de schop had gegeven, slinks.

Schelp keerde zich naar hem toe en keek hem aan, hield niet op met kijken, totdat het gezicht van de knaap vertrok en hij met zijn voeten stampte en wegholde.

Zhirem keek alleen naar de witte vogel. Schelp doopte zijn vingers in de beker water en met deze natte vingers betastte hij het gezicht van de andere treiterende knaap. Deze kromp ineen, wilde gaan brullen, maar bedacht zich. Normaal deed Schelp zulke dingen niet. (Eenmaal had een pestkop een steen naar hem gegooid. Schelp had de steen opgeraapt en die steeds bij zich gedragen, en hij had het vervelende kind overal gevolgd waar het ging, terwijl hij hem voortdurend de steen liet zien, zonder iets te zeggen. Uiteindelijk was de andere jongen hysterisch geworden, maar dat was al twee jaar geleden.) Nu rende de jongen met het natte gezicht weg en toen ging Schelp weer terug naar zijn plaats bij de rode ramsgod.

Na enige tijd had de witte vogel al het brood van Zhirem opgegeten en vloog toen weg door de donkerende lucht.

Niemand sprak meer tegen Zhirem, vriendelijk of anderszins.

Daarna werden er drie dagen geboren in de tempel en gingen er drie dagen dood. 's Ochtends bogen de jongens op de Hof van Wijsheid voor het altaar en verzorgden de vuren voor de godenbeelden daar. (Nu waren het geen weergoden om hen ontzag in te boezemen. Die waren om onder te eten wanneer je negen of ouder was.) Later leerden ze uit de boeken van de bibliotheek of zaten onder de rood-bloeiende bomen om de riten van de tempel te zingen. Ze voerden de vissen in de Gewijde Vijver en dromden naar hun middagmaal. 's Middags liepen ze met hun leermeesters rond de binnenste grasvelden.

'Laat je niet in de war brengen door de rijkdommen van de tempel,' bevalen de leermeesters. 'De lelie moet mooi zijn opdat de bij haar bezoekt, en de tempel moet schoon zijn om de gunsten van goden en mensen gelijk te ontvangen. Kleed je in schoon linnen en draag ringen, maar wees nederig. Nederigheid bevindt zich in het hart, niet aan de hand.'

Tussen de wenkbrauwen van Zhirem ontstond een dubbele groef, maar de leraars vonden niet dat kinderen van tien en elf hoorden te discussiëren, en ze deden of ze niets merkten.

Schelp patrouilleerde als een lynx over de grasvelden. Hij at een bloem op, wreed, liefhebbend, prachtig, alsof het een klein dier was dat hij had gevangen. Soms liep hij langs Zhirem, en soms niet. Zhirem keek vluchtig naar hem. Het bijgeloof van de woestijn gaf hem een por. Vlug keek hij of Schelp wel een schaduw had. Die had hij. Schelp zag hem kijken, en lachte als een vos die lacht.

De schemer overviel de derde dag en doodde hem met een blauw zwaard. Het was altijd hetzelfde, en de dag, die altijd bij verrassing genomen werd, ontkwam nooit, maar bloedde en bezwijmde en deed zijn ogen dicht op het duister.

Zhirem werd wakker omdat een gedaante zijn voorhoofd aanraakte met twee vingers en zei: 'Kom.'

'Waarheen?' vroeg Zhirem, die dit zelfs slapend min of meer had verwacht.

'De nacht in,' antwoordde Schelp.

Zhirem dacht na over de nacht. Een bot mes schraapte langs zijn geest: een tocht naar een tuin van zand, iets verschrikkelijks zonder naam, een terugtocht in de armen van een vrouw, en overal lag de nacht in, als gif in een beker.

'Nee,' zei Zhirem.

En Schelp wendde zich zonder een woord af, en verdween. En toen, voordat hij erover nadacht, stond Zhirem overeind en ging hem na.

Schelp bewoog zich zachtjes, maar Zhirem niet veel minder zacht, want de woestijn had hem les gegeven.

Buiten was de hof halfdonker, hoewel de maan opkwam, een enorme late gele maan met een enkele wolksluier ervoor die zij opzijgooide. Niemand hield meer de wacht. Ze negeerden tegenwoordig de zwerftochten van Schelp omdat ze deze toch niet konden verhinderen.

Over de muur gleden ze, de amberen kat en de schaduwkat, omhoog via kleine gaten, smalle lussen klimop die sterk genoeg waren om een lenig, mager kind te steunen, over de rand van de muur waar de ijzers hen nog hielpen, en ze sprongen eraf, met vleugels van haar, in het fluwelen niets van het duister.

Ze vielen neer op het zwarte tapijt en stoven door de gordijnen van bladeren.

'Ik zal je het huis van een vos laten zien,' zei Schelp.

Ze dwaalden door de bossen en het struikgewas. Alleen zij en de wezens van de nacht waren op pad. Voor Zhirem was het een boeiende, afwisselende nacht, maar voor Schelp was het allemaal even vertrouwd als de klaarlichte dag, en dat was te merken.

Ze zaten onder een boom en aten het fruit ervan, dat naar de nacht smaakte, een zwarte, verborgen smaak.

'De nacht is het best,' zei Schelp, 'en het is nog beter wanneer de maan opkomt.' Zelden, heel zelden zei hij zoveel. 'Maar ik herinner me niet waarom.'

'Ook ik heb een herinnering die ik me niet meer herinner,' zei Zhirem. 'Ik heb het gevoel dat het veiliger is om het te vergeten.'

'Ik zou het me graag herinneren,' zei Schelp, 'en toen ik je haar zag, dat donker is, wist ik het bijna weer.'
'Zijn de priesters leugenaars?' vroeg Zhirem.
Schelp lachte zacht. 'Ja.'
'Alle mensen, misschien wel.'
'Allemaal.'
Ze dronken uit de beek, en elk zag de ander weerspiegeld terwijl hij dronk, elk keek naar de ander in plaats van naar zichzelf, voor het eerst zich werkelijk bewust van een ander menselijk wezen dan zichzelf, een ander die even werkelijk was als hijzelf.

Zes

De jaren, die in de kindertijd en de jeugd het langst schijnen te duren, brachten in dat trage seizoen snelle veranderingen in lichaam en hart en hersens. Zes jaren waren voor de bejaarde priesters statisch, maar vergleden snel als adders. Maar in die zelfde zes jaren, kon een kind veranderen in een man.

De oude priesters zaten bijeen op de middaghof. Ze aten het ene maal en droomden van het volgende. Als het arriveerde, was er altijd iets dat niet deugde: te veel rode peper, te weinig zwarte, de walnoten waren niet goed gestoofd en het gevogelte wat adellijk. Het was een liefdesaffaire tussen iedere man en een vol bord. Maar voor de jongemannen was het voedsel niet anders dan het stillen van de honger, brandstof, en voor sommigen zelfs dat niet.

De oude priesters roerden zich en mompelden tegen elkaar toen een van de jongeren passeerde, want de jeugd deugde nu eenmaal nooit, en dit exemplaar wel helemaal niet.

De jongen was zeventien, recht van lijf en leden en slank tussen zijn goed gevoede broeders. Niemand zag hem over het hoofd, want zijn donkere haar hing krullend op zijn rug over zijn gele gewaad. Bovendien liep hij op blote voeten, waarvan de zolen hard waren van de woestijn, en hij versmaadde de sandalen en sloffen van de tempel en imiteerde de ellendige armen van buiten. Als hij zich omdraaide, was zijn gezicht als de kop van een god op een munt, koperkleurig goud als een munt gemaakt van zon, en zijn ogen waren als koel water, een kleur om de dorst te lessen.

'Ze zeggen,' zei een van de oude priesters, 'dat hij maar drie gewaden wil aanvaarden, en die zelf wast.'

'Ze zeggen,' zei een tweede, 'dat de zilveren halsband die de Hogepriester alle jongens aanbiedt wanneer ze worden ingewijd, door deze ondankbare weggegeven is aan een idiote boer die zijn hand kwijt was geraakt en bij de poort stond te bedelen.'

'Ik zeg,' zei een derde, 'dat hij onbescheiden is met zijn buitensporige manieren. Hij stelt zichzelf tot taak het werk van de hemel te doen.'

'Precies,' zei de eerste oude priester, 'en hij is al berispt. "Matig je niet aan het werk van de hemel te doen dat geschieden zal als de tijd daar is," hebben ze hem gezegd. En het brutaaltje antwoordde: "Als de hemel dan lui is, ik ben het niet." '

'Ah!' riepen de bejaarde priesters, en: 'Schande! En daar heb je dat andere mispunt,' voegden ze eraan toe.

Die ander was net op de terugweg van het Uur van de Plicht dat alle jonge priesters van zestien iedere dag aan de goden moesten offeren – het oppoetsen van de goden-beelden en de beelden van hun profeten, het in schoonschrift kopiëren van schriftrollen en boeken, toezicht houden op de koks en tuinlieden van de goden, de gewijde duizend kaarsen van de Altaren verzorgen. Het andere mispunt ging ook barrevoets, was ook tenger gebouwd en recht geschapen. De gele mantel en het geelrode haar maakten van deze knaap een glanzende vuur-elementaal, feller dan de juwelen die hij niet droeg.

De oude priesters likten hun dorre oude lippen af toen ze zagen dat de twee jonge priesters elkaar begroetten en samen verder liepen op hun blote voeten.

'Dat is iets dat eens uitgezocht moet worden,' mopperden de oude priesters, en de laatste gloeiende kooltjes smeulden iets heter in de muffe kamertjes van hun begeerte terwijl zij zonder veel verstand van zaken voor hun geestesoog de fallische beelden toverden van wat er tussen Zhirem en Schelp voorviel, die zondige en verboden dingen welke de tempel zijn zonen onthield. Waaraan overigens geen van beiden schuldig was.

Vreemd, misschien, bij twee zulke knappe jongens op die dubbelzinnige leeftijd, opgesloten in een soort gevangenis zonder vrouwen, die, als ze er wel waren geweest, geen van allen schoner zouden zijn geweest dan zij. Ze hielden van

elkaar, dat zeker. Maar bij hen zat het zo: zij waren voortdurend in elkaars gezelschap geweest terwijl ze van kinderen
veranderden in mannen. Ze voelden zich bij elkander op hun
gemak, en bij geen ander, en momenteel vroegen zij niet
meer van elkaar dan dat. Bovendien was Zhirem noch
Schelp helemaal menselijk.

Voor Schelp was het paradoxaal genoeg de verdorven
onschuld van de Eshva die nog aan hem kleefde, welke hem
weerhield van de zonden van de tempel. Voor de Eshva was
alles zinnelijk, seksueel: de maansopkomst was een orgasme
van het hart, het oog. Een aanraking was liefde, was vuur.
Bovendien was alles boeiend, onderdeel van de droom. Ze
kenden begeerte, maar ze leefden niet alleen via deze
begeerte. De Eshva hunkerden wellustig naar de muziek
van een blik, en nimmer twijfelden ze aan de gewaarwor-
dingen die zich over hen uitgoten of trachtten zij deze te
analyseren, ze streefden er slechts naar ze lang te laten
duren en ervan te genieten. Als er vlammen oplaaiden in
het wezen van Schelp, en dat gebeurde waarschijnlijk wel,
zonder problemen en zonder haastgevoelens, dan poogde
hij niet ze te blussen of uit te vinden wat daarvan nu de
bron was. Voor de Eshva bezat de tijd geen echte betekenis;
Schelp had zich nog niet herinnerd dat voor de mensen de
tijd alles was.

En wat Zhirem aangaat, het was zijn eigen begin dat
hem ommuurde. De pijn en het gekrijs die hij zich niet
herinnerde, de gebroken speer, de maand bij de heilige
mannen; hun advies. Hij vreesde de herinnering. Iemand
maakte jacht op hem en zat hem immer op de hielen,
mocht hem niet inhalen. Genot van het vlees, ieder genot,
schrok hem af, hoewel hij dit niet geheel besefte. De over-
daad van de gele priesterorde wees hij af met een ver-
achtelijkheid die ontsproot aan die heimelijke angst. Hij
wilde boos zijn, zich reinigen met boosheid en ontzegging,
soms wilde hij ook de rust, zich als een steen neer laten
zinken in de donkere vijvers van zijn eigen gedachten en
daar op de bodem blijven liggen, verdronken en vredig,
zonder de woorden en de gewoonten van de mens om hem
eraan te herinneren dat hij ook een mens was. En deze
beide dingen, het forum voor boosheid en handelen, de
vredige rust, die kreeg hij van Schelp. Schelp die zelden
sprak maar luisterde, die niet in te perken was maar voor
hen beiden de schaduw van de nacht vond waarin ze vrij

konden zijn en stil konden zijn. Schelp, die zoveel gaf, kon niet een gedaanteverwisseling ondergaan tot de antithese van Zhirems wens – een symbool van de glibberige trap die leidde naar de muilen van de honden waar de Heerser van de Nacht, die Heer van de Duisternis, de Demon, wachtte.

'Morgen is het de eerste dag van het Feest van de Lentemaan,' zei Zhirem toen ze tussen de zuilengangen liepen. 'Ik ben uitgekozen als een van hen die de reis naar de dorpen in het oosten moeten maken. Ik geloof dat ze mij dit niet durfden weigeren. Ik ben van plan iets goeds te doen, en dat zei ik. Waarom heb ik anders al deze oefening als bezweerder en genezer gehad als ik het niet mag gebruiken? Wat is dit voor oord behalve een huis voor rijke lieden die hier als zwijnen liggen te rollen? En lijken de goden op de mensen?'

Schelp opende zijn vuist en toonde Zhirem de rode kraal die beduidde dat ook hij uitverkoren was voor de reis naar het oosten. Zijn ogen die de ogen van Zhirem ontmoetten, zeiden ironisch: 'Jij en ik buiten de tempel? Ze hebben ons nooit binnen kunnen houden.'

Er wandelde een derde langs, een dikke jongeman die Beyash heette. Hij droeg een oorbel van jaspis die hij gekregen had omdat hij twintig fraaie kopieën van een heilige tekst had geschreven.

'Naar het oosten? Ik ook,' zei hij. 'Eindelijk krijgen we dan eens een paar vrouwen te zien, al zullen het slechts de zieke zijn. Maar ja, jullie mooie vogels smeren hem altijd en zullen wel vaker vrouwen hebben gezien. Wie ontmoeten jullie 's nachts in de bosjes altijd? Dat wil zeggen, wanneer jullie geen mooie wijsjes voor elkaar verzinnen.'

Zhirem staarde hem aan tot hij niet meer wist waar hij kijken moest. Het was een smeulende stalen blik die de heilige mannen van de woestijn in hem hadden gesmeed. Hij zei niets – wanneer hij niet alleen was met Schelp, sprak hij net als Schelp zelden. Zijn boze tirades bleven binnen zijn schedel gesloten en werden in koude, neutrale tonen verwoord als ze ooit werden uitgesproken. Waarschijnlijk geloofde hij zelfs nu nog niet in degenen om hem heen. Hij had de gewoonte gekregen om hen bij wijze van verdediging de schuld te geven van hun vreemdheid tegenover hemzelf, om zijn boosheid door hen te laten opwekken zodat hij op hun bestaan kon reageren.

Maar de dikke jonge Beyash sloeg zijn ogen neer en zei: 'Neem me niet kwalijk, Zhirem, ik maakte maar een grapje. Maar het is beter als je gewaarschuwd bent. Ze praten over een verschrikkelijke vrouw die in de oostelijke dorpen is komen wonen. Een vrouw die haar lendenen verkoopt voor geld.'

'Dan beklaag ik haar,' zei Zhirem.

'O, moet je niet doen. Ze is een verlokster en een godslasteraarster. Ze verft haar gezicht. En ze is gek op het verleiden van jonge en knappe mannen. O, Zhirem, Zhirem—'

Ongemerkt had Schelp een geluidje tussen zijn lippen gemaakt. Een overvliegende vogel opende plots de ingewanden boven het geschrokken hoofd van de dikke jonge priester.

Zhirem en Schelp lieten de piepende jongeman achter.

'Wat geeft jou macht over dieren?' vroeg Zhirem. Ze liepen over de weg naar het oosten in het begin van de middag, in een wolk van wit stof dat opgeworpen werd door de wagens en de ezels waarop de andere jonge priesters reden. Hier en daar ging er een jongen te voet, maar alleen om de stijfheid van zijn lichaam kwijt te raken. Alleen de twee barrevoetse onwijzen waren van plan de hele weg te lopen. 'Maar nee,' vervolgde Zhirem. 'Ik vraag het je altijd, en je weet niet echt waarom of hoe.'

Schelp glimlachte, een dromende Eshva glimlach. Hij keek Zhirem aan met het onschuldige, maar overlopende totaal van liefde in zijn ogen. Zijn ogen zeiden: 'Als ik het wist, zou ik het jou wel zeggen.'

Spoedig daarna kwam het eerste dorp in het zicht.

De boeren kwamen aanhollen van de velden en de wijngaarden en de vrouwen en kinderen uit de huizen. Ze bogen diep voor de jonge priesters. Ze brachten hun wijn met honing erin en speciaal gebakken witbrood. Ze hadden alle beetjes opzijgelegd en gespaard en een zilveren bord voor de tempel gekocht. De priesters namen alles met koninklijke beleefdheid in ontvangst. Plichtmatig zegenden ze het dorp. Waren er nog zieken? Nee, gezegend zij de goden, alleen de oude man met zijn zweren. Die genazen wel. Ze verwachtten niet van de jonge priesters dat zij hun handen vuil maakten aan zo'n vies karwei.

Zhirem schreed als rook op de wind gedreven door rijpend graan.

'Waar is deze man?' vroeg hij met een stem van ijzer.

Zenuwachtig wezen drie of vier vrouwen de richting aan. 'Kijk, die jonge smeerkees wil tussen de teven,' kakelden de jonge priesters achter hun hand. Maar de vrouwen waren geen schoonheden. Hard werk en hete zomers en koude winters hadden daar wel voor gezorgd. En de meisjes werden op last van de tempel buiten het gezichtsbereik van de jonge priesters gehouden.

Zhirem ging de hut binnen waar de oude man lag te huilen van pijn. Zhirem absorbeerde deze pijn in zichzelf. Het ontroerde hem. Ook hij herinnerde zich pijn, hoewel hem geen pijn meer werd gedaan. Zachtzinnig en verstandig ging hij aan het werk, jubelend om deze werkelijkheid, vastbesloten erin op te gaan.

Schelp was hem niet gevolgd. Schelp was geen genezer. Schelp zat onder een boom en speelde met zijn ogen halfdicht op een houten fluit die hij had gemaakt. In hem steeg ook een nieuw gevoel op, terwijl hij door zijn wimpers naar de hut staarde. Op de manier van de Eshva zwom Schelp rond in dit nieuwe gevoel, hij baadde in het bitterzoete. Jaloezie.

De jonge priesters vertrokken weer, omhangen met bloemenkransen van dit eerste dorp. Zhirem was de hut niet meer uitgekomen, dus lieten ze hem achter. Toen hij zich weer vertoonde, was alleen Schelp achtergebleven. De verbaasde kinderen loerden naar hem uit de struiken terwijl hij op zijn fluit speelde; de mannen waren weer aan hun werk gegaan en de vrouwen waren tezeer onder de indruk om met deze ene priester te praten.

Zhirem en Schelp liepen verder over de weg, achter de stofwolk aan.

Zhirem liep te peinzen met lichtende ogen. Na een poos zei hij: 'Ik denk erover dat ik de tempel moet verlaten. Ik geloof dat ik heb gevonden wat ik moet doen.' Schelp nam hem aandachtig op. 'Toen ik had gedaan wat ik kon voor die oude man,' zei Zhirem, 'voelde ik een schaduw achter mij neervallen, een last mij verlaten. En er sloeg iets tussen ons over, tussen de zieke en mij.'

'Ja,' zei Schelp met zijn stem.

Een uur later arriveerden ze in het tweede dorp. De overige priesters waren al verwelkomd. Er werd een middagmaal opgediend van fruit en koeken en opnieuw ging er wijn rond. Een vrouw had haar kind met toevallen gebracht, maar ze had moeten wachten. Het duurde niet lang of het kind, dat angstig in de zon moest wachten, kreeg een aanval. De priesters wendden zich misnoegd af. Zhirem, die net aan kwam lopen, ging regelrecht naar het kind toe en stak zijn wijsvinger tussen de tanden van het kind zodat het op die vinger zou bijten en niet in zijn tong. Toen de aanval voorbij was, tilde Zhirem het kind op en wiegde het. Er lag een vreemde tederheid op zijn gezicht. Niet echt medeleven met het kind, maar met iets dat in hemzelf ontwaakte. Deels verbijstering, deels gelach, deels pijn. Hij nam de moeder apart en onderrichtte haar in de waarde van kruiden, en toen bracht hij haar naar de wagens waar hij haar door de tempelbedienden deze artikelen liet uitreiken. De vrouw, die even verdroogd en bruin was als de andere vrouwen, begon te huilen. Alsof een bron in hemzelf volliep met haar emotie, vielen er ook tranen uit Zhirems ogen.

De overige zieken van dit dorp werden naar hem gebracht. Zo ook in de volgende drie dorpen.

De jonge priesters bespotten hem, maar de mensen renden naar hem toe, nog voor hij een mond had opengedaan of naar voren was getreden, alsof zij aanvoelden, of aan hem zagen, dat hij voor hen was gekomen, niet om aanbeden te worden en met geschenken overladen.

In de schemer betraden de priesters het laatste dorp van die dag, waar ze die nacht in een klein tempeltje onderdak zouden vinden. Op alle vensterbanken brandden lampen en mannen met fakkels en bellen escorteerden hen. Het tempeltje was schoongebezemd en versierd met bloemen, er was wierook gebrand en aan de muren hingen geborduurde kleden. De herders hadden een schaap en een koe geslacht voor het avondmaal van de jonge priesters en nu roosterden ze dit vlees op het binnenplein onder de kaneelbomen. De rode vuren sprongen naar de blauwe nacht en de dorpsvrouwen stonden achter de muur te zingen alsof ze blij waren dat hun voedsel opgegeten ging worden en dat hun gouden munten meegenomen zouden worden.

Op straat, bij het licht van de raamlampen, had Zhirem zorgvuldig de oogleden van verscheidene kinderen met ontstoken ogen schoongemaakt. Een oude vrouw strompelde naar hem toe met pijn in de rug. Ze vertelde Zhirem dat het al beter was zodra hij haar aanraakte. Misschien had ze gelijk.

Schelp, die op zijn fluit zat te spelen, zag Zhirem langzaam terug op de binnenplaats komen. Hij had een bad in de rivier genomen en de waterdruppels hingen in zijn haar.

'Ja,' zei Zhirem, terwijl hij bij Schelp onder de kaneelbomen ging zitten. 'Ja.'

'Nu wilde ik,' zei Schelp onverwacht, zoals al zijn spreken onverwacht was, 'nu wilde ik dat ik ziek was geworden.'

Zhirem zuchtte en sloot zijn ogen.

'Vannacht zal ik drie nachten slapen,' zei hij, alsof hij het niet had gehoord.

Precies op dat ogenblik ontstond er enige opwinding bij de ingang van de tempel. Mannen ruzieden terwijl de dorpsvrouwen aan de andere kant van de muur ophielden met zingen en verwensingen brulden. De herders bij hun vuren verschoven zenuwachtig. De priesters staarden.

Want er was een vrouw naar binnen gelopen. Ze droeg een vuurrode en saffraangele jurk, een halsketting van wit email en aan haar armen had ze ringen van glas, groen en rood en lichtpaars, maar om haar enkels had ze ringen van goud. Haar haar had de kleur van nieuw brons en krulde als nieuwe wol, en het hing tot haar middel; ze was bruin en tenger als de vrouwen van het dorp, maar ook knap, en dat waren zij niet. Aan haar oren hingen zilveren bellen die zacht rinkelden als ze zich bewoog. Ze had haar gezicht met rouge veranderd in een jonge zonsopgang en haar ogen had ze donker gemaakt met kohl. Talrijke mannen van het dorp, op het plein en daarbuiten, stonden te schreeuwen, maar geen probeerde haar tegen te houden. Weldra hield het geschreeuw op.

Toen keek de vrouw in het rond naar de jonge priesters, die haar aanstaarden, en ze wiegde licht met haar lichaam zodat het licht van de vuren op haar jurk weerkaatste, en de vlammen glansden door haar dunne kleren zodat men kon zien welk model haar borsten hadden, en dat was een goed model.

'Ik ben de hoer,' zei zij. 'Wie koopt er?'

Geen woord. Hoewel de herders en de mannen in de poort woest en nors keken. Hoewel de jonge priesters verbleekten of bloosden of met hun vingers wriemelden. De ogen werden warm, en niet alleen van weerkaatst vuur.

'Kijk,' zei de hoer en ze pronkte nog wat. 'Net als de tempel wordt mij eer bewezen en krijg ik rijke geschenken.'

Toen liep ze naar de jonge priesters toe en langs de hele rij en door de groepjes. Ze roken de wierook in haar jurk, die anders was dan de wierook van de tempel. 'Ah,' zei ze, 'schande, ik dacht dat de priesters mij zouden zegenen. Ik dacht dat zij genezers waren, en mij zouden genezen van de wonden die ik oploop onder de handen van deze dorpskinkels wanneer ze bij mij liggen. Let op! Allen zijn nu bang om mij aan te raken. Eén aanraking en daar steekt de begeerte de kop op.'

Iemand rees overeind en schreeuwde. Het was Beyash, de dikke jonge priester met de oorring van jaspis. 'Een hoer noem je jezelf, en een hoer ben je.'

'Zo is het,' lachte de hoer. 'Eerlijk ben ik altijd geweest.'

'Welaan, hoer, pak je dan weg,' tierde Beyash. Zijn gezicht en zijn lippen waren vochtig; hij ademde snel en hij loerde naar haar met zijn ogen wijd open, en nog sneller ademend zei hij: 'Jij schendt de heiligheid van deze gewijde plaats.'

'Nee, nee,' zei de hoer. 'Ik kom hier om genezen te worden.' En langzaam duwde zij de dunne zijde van haar jurk omlaag en ontblootte één gebruinde schouder en één boze borst. Daar op de golvende rijping van haar borst zat een donkerblauwe kneuzing die de tanden van een man hadden gemaakt.

'Kijk hoe het met mij gesteld is,' zei de hoer. 'Heb medelijden – wil jij in deze kneuzing niet een zalf wrijven, wil jij me niet inwrijven met je vrome vingers, menslievende priester?'

Beyash' ogen werden in zijn vet gepoft.

De hoer lachte. 'Maar nee. Ik heb gehoord dat er hier een ander is die vriendelijker is dan jij. Een man met donker haar, slank en knap als de schaduw op aarde van de nieuwe maan. Deze man zal ik smeken. Deze man zal zachtzinnig met mij zijn.'

Ze had al ontdekt waar Zhirem zat onder de bomen en zij fixeerde hem met haar blik. Nu ging zij naar hem toe en bleef voor hem staan, en vervolgens knielde ze voor hem en met een ruk van haar hoofd schudde zij haar prachtige haren los.

'Weet je,' mompelde zij, 'ze zeggen dat de aanraking van jouw hand al geneest, beminde. Laten we het uitproberen.' En ze nam zijn hand en legde die op haar borst. 'Ah, beminde,' zei de vrouw, 'de mannen brengen mij goud, maar om naast jou te mogen liggen zou ík betalen. En als ik bij jou lag, zou ik mijn zondige leven opgeven. Je ogen zijn glad als vijvers in de schemer, maar je beeft. Beef dan voor mij, beef voor mij, lieveling van mijn hart.'

Zhirem trok zijn hand terug. Er was iets verschrikkelijks, iets desolaats in zijn gezicht dat zij niet goed kon zien, hoewel zijn ogen nu een smachtende vorm hadden gekregen. Hij zei zacht tegen haar: 'Je bent te mooi om te leven zoals je leeft. Welke duivel heeft je tot dit leven gedreven?'

'Een duivel die man heet,' antwoordde zij. 'Kom, verander mij.'

'Je moet jezelf veranderen.'

'In wat mijn heer maar wenst.' En zij leunde dicht naar hem toe en fluisterde: 'Tweehonderd passen zuidelijk buiten het dorp, vind je de populieren bij de oude put. Mijn huis staat daar. Ik zal een lamp laten branden terwijl ik op je wacht. Breng mij niets dan je schoonheid en je lendenen.'

Zhirem antwoordde niet. De hoer rees overeind en trok haar jurk dicht. Met een ruk van haar manen stak ze het binnenplein weer over en met een glimlach verdween ze door de poort. Buiten laaide het kabaal weer op. Allengs stierf het weg.

'Dit is afschuwelijke nalatigheid!' jankte Beyash. 'Dit dorp zal ter verantwoording worden geroepen dat het toestaat dat zo'n vrouwelijk beest hier woont!'

'Haar huis staat tweehonderd passen van hier,' verontschuldigden de herders zich. 'De rijke mannen gaan naar haar toe en het is moeilijk voor ons om ons tegen de rijke mannen te verzetten.'

'De tempel zal hen aanpakken. Haar huis zal verbrand worden en de vrouw zelf gestenigd. Zij is een gruwel.'

In de zwarte schaduw van de kaneelbomen speelde Schelps fluit nog een ogenblik door. Hij had de hele tijd gespeeld. Alle aanwezigen waren eraan gewend geraakt, als aan het geruis van de avondwind in de bladeren. Nu hield het fluitspel abrupt op.

'Wanneer ga je naar haar toe?' vroeg een stem uit de schaduw, Schelps stem, alleen voor Zhirem. Maar misschien was het geen stem, alleen de stilte, alleen het ritselen van bladeren.

Zhirem antwoordde: 'Ik ga niet.'

Hij leunde tegen een boomstam. Zijn ogen hadden nog steeds die bijzondere vorm. Zijn hand die op de vrouwenborst had gerust, lag nu als van hout op de grond.

'Beyash zal gaan,' zei Schelp, of het gebladerte. 'Iemand zou naar haar toe moeten gaan en haar moeten verheffen uit de put waarin zij zich bevindt, niet samen met haar in die put gaan liggen.'

'Ga dan, verhef haar.'

Zhirem keerde zich naar hem toe, maar Schelp zat bewegingloos, zijn lippen op elkaar als de lippen van een beeld dat nooit spreekt, zich nooit ergens mee bemoeit.

Een herder bracht een bord met voedsel. Zhirem at er lusteloos wat van, zoals altijd. Schelp at het rode fruit van het bord, hij beet wreed in het merg ervan.

Beyash was nog niet uitgemopperd maar zijn klachten werden zwakker. De andere jonge priesters sloften de een na de ander de kleine tempel in, moe van het eten en de wijn en de reis. Ze verlangden ernaar te gaan liggen en dan aan de vrouw te denken...

Zhirem en Schelp bleven alleen achter en de roostervuren doofden tot rode sintels en grijze rook; de herders trokken geluidloos af. Een nachtvogel zong onder de uitstekende dakrand van het tempeltje. De wassende maan kwam op als een gebroken ring.

'Ik herinner me,' zei Zhirem, 'hoe wij over de muur klommen toen we kinderen waren en rondrenden in de nacht. In de woestijn is de nacht naakt, als de dag, maar hier is alles geheim tussen de bomen en de grassen.'

Zhirem ging op weg naar de poort van de binnenplaats. Schelp rees op, rekte zich uit als een kat, volgde hem.

In het dorp bewoog zich niets. De vensters waren zwart en niemand keek naar buiten. De dorpelingen waren bang iemand voorbij te zien komen, jongemannen in gele tempelgewaden die voorbij kwamen over de weg naar de oude put tussen de populieren.

Waar het dorp ophield, liep er een karrepad naar het zuiden voordat de weg begon. Op deze plek vroeg Zhirem: 'Waarom wil je mij deze kant uit leiden?'

Schelp keek hem vluchtig aan. Zijn blik zei: 'Niemand leidt jou; je bent zelf op weg.'

'Nee,' zei Zhirem. En hij draaide zich om en toen liep hij naar het noorden, de heuvel achter het dorp op tussen de bloeiende wilde olijfbomen daar.

Schelp ging niet met hem mee. Schelp draafde over het pad naar de put.

Het was niet dat hij de vrouw begeerde. Het was dat

hij gezien had dat Zhirem haar begeerde, dat de mannelijke lust in Zhirem, al die tijd onderdrukt, nu ontwaakt was.

Schelp stond in brand. De zachte vlammen die hem altijd hadden gelikt, zonder dat hij het merkte, beten en snauwden nu. Nog steeds als een Eshva rende hij naar het vuur toe in plaats van ervandaan. De jaloezie was een groen lemmet in zijn zijde; hij kronkelde zich om van de scherpe steek te genieten. Liefde was een violette sluier over zijn ogen, bedroefdheid veranderde de kleur van de wereld. Eerst was het de ziekte en de zwakte van mannen geweest die zijn beminde hadden weggetrokken, nu deed een vrouw het. Maar een vrouw was minder abstract, makkelijker te bestrijden. En dus: ga naar de vrouw, bestudeer haar, draai het groene mes in de wond rond, leer alles en meer nog.

Haar huis, dat dicht bij de put stond, was weelderiger dan de dorpshuizen. Het was van steen gebouwd en de deur was van hout. Door het sierlijke smeedijzeren onderste deel van een raam scheen het zwakke schijnsel van een lamp.

Schelp gleed van de schaduw naar het raam, geruisloos, en hij staarde zonder met zijn lynxenogen te knipperen door het ijzerwerk.

De prachtige slet zat achter haar tafel met kosmetica, voor een bronzen spiegel, en ze kamde parfum door haar haren terwijl ze lachte tegen haar spiegelbeeld, loom door het kammen en door dat waaraan ze dacht.

De vlam knaagde binnenin Schelp. Hij zag hoe de lamp de vrouw schilderde, hij zag het lichte trillen van de slanke spieren in haar armen, de glinstering van goud dat van de gouden kam in de nieuwe wol van haar haren viel.

Schelp ging bij het raam weg. Hij cirkelde om het huis heen. Eenmaal, tweemaal, driemaal cirkelde hij rond, zoals het dier het huis van een mens omcirkelt, behoedzaam, nieuwsgierig, gefascineerd, zonder goede bedoelingen en toch zonder echt het plan om kwaad te doen.

Nu hoorde de hoer hem niet, en ze zag hem evenmin. Maar ze voelde wel dat hij, of een ander, er was.

Ze ging naar de houten deur en opende die en stapte onbevreesd naar buiten met het licht van de lamp.

'Wie is daar?' riep zij. 'Kom nader. Ik zal je niet verwonden.'

Schelp was een schaduw, een boom, onzichtbaar.

Maar tussen de populieren antwoordde iemand. 'Ik ben het,' en daar in het lamplicht sloop Beyash.

'O, ben jij het?' zei de hoer. 'Ik hoopte op een ander. Nou, wat moet je? Wou je me nog een beetje komen uitschelden?'

'Ik was te hardvochtig,' zei Beyash, terwijl hij naderbij schuifelde. 'Hoe weet ik wat jou tot deze zonde heeft gedwongen? Misschien hebben de goden je naar mij gezonden opdat ik je kan verlossen.'

'Precies en vanzelf,' zei de hoer. 'Mijn prijs is hoog. Bezit je mijn prijs?'

Beyash sloop naar haar toe met kleine pasjes. Helemaal tot aan de hoer.

'Laat kijken,' fluisterde hij, 'laat me je borst weer zien.'

'Wat, eentje maar? Ik heb er twee, hoor.'

'En zijn ze allebei gekwetst?' fluisterde Beyash, huiverend en zijn lippen aflikkend.

'Dat hangt ervan af wat je me geeft.'

Beyash rommelde in zijn mouw rond. Hij haalde een glanzend voorwerp te voorschijn – een zilveren beker die door een van de dorpen aan de tempel was aangeboden en in de beker lag een handvol kleine stenen die het geschenk van een ander dorp waren.

'Offerandes,' zei de hoer. 'Zullen die niet gemist worden?'

'We krijgen er zoveel,' mompelde de schorre Beyash. 'Ik kan de bediende die de stand bijhoudt onder druk zetten. Hij heeft een zonde met zijn zuster gepleegd en ik heb hem in mijn macht, want ik weet ervan.'

'Zoveel offerandes, zeg je,' zei de hoer peinzend. 'Misschien zul je mij morgen iets anders brengen.'

'Als je wilt,' zei Beyash.

De hoer wees naar de deur. 'Kom dan maar binnen.'

Beyash deed wat zij zei. Hij waggelde alsof hij dronken was.

Toen de deur achter het tweetal sloot, sloop Schelp weer naar het venster. Beyash had de borsten van de slet te pakken en hij betastte ze alsof hij hun vorm in zijn geheugen wilde griffen. Wat later duwde zij hem weg en liet zich uit haar jurk glijden. Haar kleur was die van donkere honing en zij bond haar tressen op met geëmailleerde spelden en haar hele lichaam was te zien, haar smalle middel en wijde heupen die sterk en glad en hard waren als die van een leeuwin. Uit een kast haalde ze een zweepje van paardehaar en hiermede kietelde ze Beyash nadat ze zijn toga geopend had, en toen gaf ze hem er een mep mee. Beyash gaf een gil en zijn lid rees als een paal uit zijn lendenen. Toen dwong de vrouw hem op de bank te gaan liggen en zij deed haar benen uiteen en knielde op zijn schoot zodat zij hem in zich opnam. Vervolgens begon zij op hem te dansen als een serpent en Beyash kneedde haar met zijn handen en lag te kronkelen alsof hij daarover geen macht had, totdat opeens zijn gezicht boven haar schouder verscheen. Hij zag eruit of hij net gek geworden was, bijzonder rood en alleen het wit van zijn ogen was nog te zien. Zijn mond stond wijd open en het speeksel liep eruit, en uit deze open mond brak een kortstondig gehuil los. Meteen daarna viel Beyash voor dood achterover. De vrouw verliet hem ogenblikkelijk en verdween uit het gezicht, en Schelp hoorde water in een bassin plenzen.

Hij leunde tegen de muur trillend van een vreemde weerzin en ook van de wellust die nu in hemzelf een naam had gevonden. Hij maakte geen aanstalten om bij het raam weg te gaan. Hij observeerde Beyash, die weer bijkwam, die ging zitten en zijn gewaad dichtmaakte. Zijn rood aangelopen, opgewonden gezicht had nu een nerveuze bleke tint. Uiteindelijk zei hij: 'Je zegt het niemand?'

'Ik?' zei de vrouw, onzichtbaar vanaf het raam terwijl ze zich waste. 'Wie zou ik het moeten zeggen behalve die tempel van je? Wat zou ik kunnen zeggen dan dat je hier kwam om mij te verlossen?'

'Zeg het niet,' zei Beyash.

'Ik zeg het niet,' zei de vrouw, 'als jij naar de schatwagens gaat en mij iets van goud brengt, dat niet minder weegt dan jouw twee dikke vette handen samen.'

'Geen goud,' zei Beyash, 'goud durf ik niet te nemen.'

'Je durft het best,' zei de vrouw, 'je bent heel dapper. Je hebt ook zilver en edelstenen durven stelen. Je durfde naar het huis van de hoer te gaan en je instrument in haar te stoppen. Jij brengt mij goud, dappere priester.'

Beyash kwam overeind.

'Jij bent een snol en je loopt over van het kwade,' zei hij. 'Jij hebt mij hierheen gelokt. Ik wilde jou helemaal niet bezoeken. Jij bent een tovenares en je hebt mij betoverd. Ik ben niet verantwoordelijk.'

'Als ik iemand hierheen kon toveren,' zei zij, 'dan zou ik wel een ander laten komen dan jou, dik zwijn. Morgen ga ik naar de tempel.'

Door het raam zag Schelp hoe Beyash naar de toilettafel

kroop, hoe hij de bronzen spiegel oppakte die daar lag, en daarmee naar de kant van de kamer rende die vanaf het raam niet te zien was. Ongezien kwam er een geluid, dof en onbeschrijflijk, toen een gekletter van vallende kleine voorwerpen en toen nog een val, als zware zijde die op de grond wordt gesmeten.

Nog een ogenblik en Beyash verscheen weer. Zijn gezicht stond weer opgewonden maar het was nog bleek. De spiegel had hij niet meer, maar hij pakte de zilveren beker en de stenen die hij de hoer had gegeven en stopte ze weer in zijn mouw. Hij tuurde om zich heen als om zich ervan te vergewissen dat hij niets vergat. Toen opende hij de deur en trad heimelijk naar buiten, en sloot de deur heimelijk. En toen zag hij Schelp bij het raam tegen de muur geleund staan.

Beyash riep de goden aan. Zijn benen werden week en hij zonk op de knieën.

'O mijn broeder, Schelp – heb je het gezien? Ze was een tovenares. De goden leidden mijn arm, ik had geen keus. Ik was bezeten van de wraak van de hemel. O Schelp, zeg niets. Wij zijn vrienden geweest – uit naam van onze vriendschap, zeg niets.' Schelp keek hem alleen maar aan, ondoordringbaar, leek het, genadeloos. 'Waar is Zhirem?' brabbelde Beyash. 'Ja, hij moet in de buurt zijn als jij hier bent. Zeg het niet tegen Zhirem. Tegen niemand.'

Afziend van zijn normale behoedzaamheid, opgewonden en tegelijk uitgeput door de daad die hij had aanschouwd, en verward en geagiteerd door de daad die hij niet had zien gebeuren, keek Schelp onverstoorbaar naar de sidderende geleimassa die Beyash was, totdat deze zich overeind sleurde en wegwankelde.

Toen hij weg was, ging Schelp het huis van de hoer binnen, recht op het vuur af in plaats van daarbij weg, nieuwsgierig als de Eshva, maar eindelijk ook vagelijk beangst, als een mens.

Hij zag een scherm van beschilderd hout en achter het scherm een warreling van geëmailleerde spelden op het tapijt. Tussen de spelden lag de vrouw, en op haar haren lag de bronzen spiegel waarmee Beyash haar de nek had gebroken.

Schelp stond daar naar de dood te staren. Schelp vreesde de Dood, wie wist dat niet? De levende cobra liefkoosde hij, de dode muis ontliep hij. Nog nooit had Schelp een mensenlijk gezien. Maar nee, dat was niet waar. *Eens* had

97

hij het lijk van een mens gezien. Koud en recht had ze daar gelegen in haar zwarte kleed. Haar huid was blauw geworden en ze had geen aandacht geschonken aan het kind dat bij haar in de graftombe opgesloten was. Het kind had geweend, en de Dood was in eigen persoon gekomen. Het kind had de Heer van de Dood aanschouwd. Het kind had het uitgeschreeuwd.

Schelp herinnerde het zich. Zijn ogen werden bestrooid met duisternis en zijn ziel met doodsangst. Halfblind rende hij het huis uit en doorkliefde de nacht terwijl hij voortrende in een poging zichzelf kwijt te raken. Hij was alles vergeten behalve de Dood. Hij rende langs het dorp en de heuvel op, even dol als het dier dat voor vuur vlucht.

Zeven

Tussen de wilde olijfbomen lag een vijver te glanzen. Sommige groenwitte bloesems waren in het water geregend. Aangetrokken door het water, zoals velen geboren in een woestijnvolk, was Zhirem hier gekomen en hij had zich aan de rand van de plas neergezet. Terwijl hij erin staarde, tussen de bloemen, dacht Zhirem aan de ruïne en de heilige mannen en de vijver waarnaast hij toen had gezeten, al worstelend met zijn geest, worstelend om de herinnering uit te wissen of anders terug te winnen, worstelend om bevrijd te worden van een duisternis of een licht. Hij dacht ook aan de vrouw, en aan dat wat hij niet mocht hebben en aan de Heerser van de Nacht – die niet langer reëel voor hem was, alleen een symbool van de duisternis die in zijn ego op de loer lag.

Plotseling kwam er een gedaante uit de bomen aan de overkant van de plas gestormd. De gedaante verscheen bijna helemaal geluidloos, en maakte hem extra hevig aan het schrikken doordat hij de gedaante kende, terwijl deze uit niets liet blijken dat hij Zhirem kende. Tegenover Zhirem staand, staarde Schelp hem aan met wijd opengesperde ogen die niets zagen. Zhirem stond op en de mantel van zijn zelf viel even van hem af. 'Wat is er?' vroeg hij. Precies als bij de zieken in de dorpen, ontroerde deze hulpeloze paniek hem. Schelp, die altijd echt voor hem was geweest, werd nog echter. 'Wat is er, mijn broeder?' zei Zhirem teder.

'De Dood,' zei Schelp. De woorden verbrijzelden iets in

98

hem. Hij drukte zijn handen tegen zijn gezicht en begon te huilen.

Dit was Schelp niet. De aura van Schelp had altijd iets vervliegends gehad, of iets van een onmenselijke introspectie, wel zo gereserveerd en op zo'n afstand dat hij niet kon huilen of wanhopen of zichzelf verscheuren.

Zhirem liep rond de vijver.

'Misschien waren er vannacht inderdaad demonen rond,' zei hij.

Schelp nam zijn handen van zijn ogen. Hij weende zoals de Eshva weenden, en nu met hun zinnelijke overgave. Instinctief voelde Schelp hoe hij op kattevoeten op een of ander doel afkoerste; hij liet de tranen stromen en sprak niet.

'De Dood, zei je,' zei Zhirem. 'Wiens dood?'

'De Dood is overal,' antwoordde Schelp. Hij ging naar Zhirem toe en liet zijn hoofd op Zhirems schouder rusten, tussen het donker krullende haar dat hem, net als de woestijnbewoners, vanaf het begin aan de demonensoort had doen denken. Zelfs nu troostte de aanwezigheid van Zhirem hem. Hij voelde dat de doodsangst hem verliet, voelde dat de Dood zich terugtrok met een werveling van een substantie als witte vleugels. Hier was leven. Schelp sloeg zijn armen om Zhirem heen. Het contact van hun twee lichamen, soortgelijk in hun mannelijke bouw, kwam elk vertrouwd voor, zonder vertrouwd te zijn.

Zhirem omhelsde Schelp niet. Ze hadden elkaar zelden aangeraakt, en wanneer dat gebeurde, waren het de aanrakingen van Schelp geweest, gewoonlijk de Eshva liefkozing van ogen of adem. Voor Zhirem was deze gewaarwording van huid tegen huid een bedreiging en niet anders. De zieken had hij vlot aangeraakt. Ze hadden hem niet verleid, waren daartoe niet in staat. Bij hen was hij veilig geweest. Hij dacht aan de vrouw, de huid van Schelp leek haar huid te worden, en nagels van koude of hitte doorschoten hem.

'Genoeg,' zei Zhirem. Hij maakte zich los. 'Ben ik de stok van een wijnrank, waar je tegenaan kunt hangen? Vertel je me nog wie je bang heeft gemaakt, of niet?'

Schelp knipperde met zijn ogen. Daarin was weer herkenning te lezen, en meer dan dat.

'Ik zal het je vertellen – later,' zei hij. Hij liep weer naar de bomen. 'Wacht op mij,' zei hij. Hij verdween tussen de schaduwen. Zhirem zou wachten, omdat hij eeuwig wachtte totdat zijn eigen ziel hem zou vinden.

Tussen de bomen begon Schelp te rennen. Hij sprong en strekte zijn lichaam. De Dood en zijn angst waren bijkomstig geworden. Hij liep over van een heerlijke waanzin van leven en kennis. Hij wist dat hij voor een magische grens stond, een grens waarachter wonderen gebeurden. Hij hoefde zich slechts voorover te gooien om erin te tuimelen. En dus wierp hij zich voorover. Hij rende, en hij herinnerde zich de Eshva onder de olijfbomen, herinnerde zich hun schimmige gedaanten en de maanden die hij met hen had doorgebracht. Zoals Zhirem zichzelf niet had herinnerd.

De gestalte klemde zich tegen de boom. De lente was in de boom en in de zich vastklemmende gestalte. De bast was nat van tranen die de gestalte vergoten had, want er was ditmaal pijn geweest, na zo lange tijd, pijn in de overgang maar ook genot.

Geleidelijk, zuchtend, wikkelde de gestalte zich los van de boom.

De maan was onder, maar de sterren gaven licht.

Het haar met de kleur van abrikozen, de ogen van katten, die waren hetzelfde. De jongensbaard was weggewaaid als fijn gouden stuifmeel. Het gezicht was nu glad, glad alsof het geen poriën bezat. De handen doken neer, landden, gleden over de zilveren huid. Het was nu anders, het lichaam.

Niet het lichaam van een jongen. De geslachtsdelen waren ingetrokken en passief geworden, de tors die oprees van de tengere insnoering van het middel, was opgebloeid met de prachtige hoge borsten van een maagd. Het lichaam van een meisje, het gezicht van een meisje.

Het meisje bukte zich om het gele priestergewaad op te rapen dat zij als man afgeworpen had en ze wikkelde zich erin als de witte tong in het hart van de vlam.

Het was lente, en Simmu herinnerde zich zichzelf weer.

Er waren al uren voorbijgegaan. Zhirem sliep tussen de wortels van de bomen naast de vijver en wanneer de zachte wind blies, vielen de groenwitte bloemen ook op hem. Hij was eraan gewend buitenshuis te slapen. Onder het tentenvolk, en samen met Schelp, deed hij dit bijna altijd. Gewend was hij ook aan de lichte tred van Schelp, want Schelp kwam en ging in de nacht als de anderen die nachtwezens waren. En dus werd Zhirem niet wakker.

Hij werd pas wakker, verstoord maar ook gesust, toen een koele mond aan de zijne kwam drinken.

Toen volgde er een tweede ontwaken op het eerste. Zhirem verhief zich op zijn elleboog en staarde. Een meisje lag naakt naast hem, ook op haar elleboog, en ze staarde hem aan. Een meisje gemaakt van zijde en zomergras en glanzend ivoor, maar een meisje met haar en ogen die aan een ander hoorden. Zhirem werd bang. Maar hij was in beroering, al voordat ze hem wakker maakte – zijn lichaam dorstte naar het hare, tegelijk terwijl zijn geest dit ontkende. En nu legde zij haar hand licht op zijn ribben, een stille en bijna argeloze aanraking, maar het schoot door hem heen als een speer.

'Ik ben een droom,' zei het meisje, met de heldere stem van een meisje. 'Ik ben *jouw* droom. Hoe kan ik iets anders zijn, als je ziet dat ik de jongen ben, Schelp, en ook een maagd. Als ik bij je kom als de vrouw, maar zonder haar te zijn. Dus, Zhirem, pak wat van jou is. Mensen kunnen hun dromen niet beheersen. De goden nemen je je dromen niet kwalijk. Je kunt niet zondigen met een droom, daarin is er geen kwaad.'

Toen ging ze op haar rug liggen, en ze sloot haar ogen en ze sprak niet meer en ze raakte hem ook niet meer aan.

Zhirem kon nergens anders kijken. Hij stierf van dorst en nu was hier drinken. Een groene bloem zweefde omlaag en daalde op haar borst. Zhirem stak zijn hand uit om de bloem weg te strijken, en toen lag zijn hand waar de bloem had gelegen. Hij zag dat zij Schelp was en ook een meisje, en hij voelde het slaan van haar hart onder zijn hand, en dat sprak zijn naam en riep hem. Daaraan wist hij dat zij een droom was, en hij zette alle dorre raadgevingen van zich af en alle waarschuwingen en drukte zijn mond op de hare.

En het meisje omcirkelde zijn middel met haar armen en trok hem neer.

Acht

In zijn angst en verwarring was Beyash waggelend een heel eind in de richting van het dorp gevorderd voordat hij een beter idee kreeg.

De kleine dorpstempel was niet langer een toevluchtsoord voor hem, voor Beyash die gepaard had met een onreine vrouw, voor Beyash die deze vrouw vermoord had. Beyash wiens daden – erger dan alle andere – door een getuige waren gadegeslagen.

Maar, redeneerde Beyash in gedachten, er was maar één getuige geweest, en niet meer dan één, en dat was de onbegrijpelijke en door velen gewantrouwde knaap Schelp geweest.

Beyash had gemerkt dat het hem geen enkele moeite kostte om de vrouw te doden; het ging hem bijna vanzelfsprekend af. Hij had haar in rechtmatige toorn geslagen en aldus haar nietige dreigementen het zwijgen opgelegd. Nimmer eerder had hij zich gerealiseerd dat hij in staat was tot zulke slagvaardige beslissingen, zulk vastberaden, meedogenloos handelen. Hij vroeg zich af hoe het zou zijn om Schelp te doden. Tenslotte was Zhirem niet bij hem geweest en waarschijnlijk ook niet dicht in de buurt. En Schelp dwaalde doelloos door de bossen. Ja, het kwam goed uit en de goden gaven Beyash raad. Zoek Schelp en dood hem – hij zag eruit als een broos, krachteloos knaapje en hij was trouwens toch maar een ergernis, opgeruimd staat netjes – en daarna zou hij het lijk kunnen verbergen. Als morgen Schelp verdwenen was en de hoer dood werd gevonden, lag de conclusie voor de hand.

Schelp had met het kreng gepaard, haar vervolgens vermoord en was toen gevlucht.

En zo keerde Beyash op zijn schreden terug.

Hij zocht een wijle, vergeefs. Toen ontdekte hij in de vochtige aarde in de omgeving van de put een afdruk van de blote voet van Schelp, die in noordoostelijke richting wees. Nu kon Schelp niet terug zijn gegaan naar het dorp, dan had hij Beyash moeten passeren. Dus moest Schelp de heuvel op gegaan zijn tussen de wilde olijven. Beyash ging dan ook die kant uit, en zo geluidloos als hij kon.

De onder het sterrenlicht glanzende vijver trok zijn aandacht. Hij zag daar meer dan alleen de vijver. Maar hij keek van een afstand, en de afstand verborg veel voor hem. De afstand verborg Schelps verandering, het onmogelijke. Beyash kroop tussen de bomen, in de waan dat hij Zhirem en Schelp bespioneerde, en denkend dat Schelp niet meer alleen was en dus geen makkelijke prooi meer, maar kwetsbaar was hij wel. Binnen enkele ogenblikken had Beyash zijn plan aangepast aan de nieuwe ontdekking. Het nieuwe plan beviel hem beter, hij vond het subtieler.

Weldra haastte hij zich naar het slapende dorp en kroop hij in de wagen waar de teller lag te snurken, degeen die eens gezondigd had met zijn zuster.

Toen Zhirem ontwaakte, was dat met een gevoel van troost en rust. De bleke nieuwe zon straalde groen en groenachtig goud tussen de olijftakken, de wereld rook lekker. Aanvankelijk herinnerde Zhirem zich zijn droom niet. Maar toen zweefde de droom naar hem toe, meer vanuit de morgen dan vanuit zijn eigen geheugen. Bij de herinnering zat hij meteen recht overeind, met grote ogen, terwijl een soort misselijkheid hem overviel. Toch was het een droom geweest en niet meer dan dat, daarvan verzekerden hem de bizarre details van de droom – die zo reëel had geleken. En niemand lag nu naast hem, zelfs Schelp niet. Mooi was de aarde, en fris en volmaakt. Zijn bijgelovige ziel maakte Zhirem wijs dat als hij 's nachts al zijn geloften geschonden had, hij nu zeker een smet in het landschap zou opmerken, of in de lentelucht.

Gekalmeerd, maar toch niet geheel zichzelf, ging Zhirem op weg naar de dorpstempel. Onderweg kwam hij Schelp niet tegen, en gedeeltelijk hoopte hij ook dat dit niet zou gebeuren. Schelp was het onderwerp van de droom geweest. Zhirem dacht dat hij Schelp nu niet in de ogen zou kunnen kijken. De schaamte voor zichzelf die de heilige mannen in de woestijn in Zhirem hadden gezaaid, begon tot bloei te komen.

Zo liep Zhirem het dorp in, en dit wachtte hem daar in de koele gouden morgen: toch een smet.

De jonge priesters krioelden in de straat bij de poort van de tempel, net als de tempelbedienden die met hen meegereden waren. De dorpelingen waren vlak in de buurt, en hun gezichten keken scherp en gretig en bang alsof ze op een wonderbaarlijke vertoning wachtten. Vooraan in de menigte, op een open plekje op het pad, stond de tempelbediende die de geschenken noteerde welke de dorpen aan de tempel aanboden. De man beefde en rilde en wrong zich de handen. Zijn ogen waren groot van droefenis. Niet ver van hem af stond Beyash te praten met zijn broeder-priesters, maar toen hij Zhirem zag komen, zweeg hij. En Beyash' gezicht was als dat van de dorpelingen, gretig en bang. Het was een ander die het eerst sprak, een roodharige jonge priester die een jaar ouder was dan de anderen, die zich verbeeldde dat hij hun leider moest zijn, en tegenover wie Beyash zich graag, en vleiend, als de mindere had opgesteld.

'Zhirem,' riep deze roodharige priester, 'luister naar iets vreemds. Er is iets gestolen uit de wagen met geschenken.'

Zhirem stond stil. Hij stond daar op de straat, zonder iets te zeggen, naar hen te kijken.

'Het is algemeen bekend,' vervolgde de roodharige jonge priester, 'dat zelfs de rovers van dit vrome land de goden vereren en niet van de tempel durven stelen. Wie dan, Zhirem, zou jij denken, zou zo'n lasterlijke daad durven plegen?'

Zhirem zei nog altijd niets. Maar nu voelde hij plotseling een steen in zijn rug, en touwen die hem aan die steen bonden, en hij rook leeuwen.

'Hij wil niet antwoorden,' zei Beyash pienter.

'De bediende zal spreken,' zei de roodharige.

De bediende liet het hoofd hangen.

'Sidder niet,' maande Beyash hem. 'Het is jouw plicht tegenover de eerlijkheid en de vrome toewijding van je familie, van je bejaarde vader en je kuise zuster. Vertel alles.'

'Ik,' begon de bediende. Smekend flikkerde zijn blik over Zhirem. Toen sloot hij zijn ogen en begon snel te praten: 'Ik werd wakker en zag iemand voor de opening in de wagen waarin ik sliep. Hij had een zilveren beker gepakt, een offerande, en nam er de benen mee. Ik volgde hem, maar bewaarde schuchter een afstand van enige passen. De man – die heel duidelijk een priester was – liep het dorp uit en naar de oude put in het westen. Daar staat een huis. Naar ik later hoorde, het huis van een vrouw – een vrouw die niet beter is dan ze hoort te zijn. Bij het huis was nog een man, en de twee mannen omhelsden elkander en kusten elkaar op de lippen, en het was een lange kus. En terwijl zij kusten, scheen het licht uit het raam van de vrouw op hen, en ik zag dat de ene vossig geel haar had en de ander was donker. Toen klopte de donkere aan en de vrouw deed haar deur open en de twee mannen gingen naar binnen.'

'Zo, kalm maar, wees gerust,' mompelde Beyash terwijl hij de bediende op de schouder klopte. 'Ik vertel de rest wel. Deze arme man,' zei Beyash, 'kwam naar mij toerennen en verhaalde wat hij had gezien. En hoewel ik hem ken als een deugdzaam en vroom man, toch twijfelde ik aan wat ik hoorde, en wie zal mij dit kwalijk nemen. In grote angst, zonder een ander te wekken, zo hevig waren mijn ongerustheid en onzekerheid, liet ik mij door deze bediende leiden naar het huis van de slechte vrouw. Toen wij dit huis naderden, zagen wij beiden, de bediende en ik, de twee knapen die naar buiten kwamen en lachend wegliepen tussen de olijfbomen op de heuvel. En tot mijn afschuw en ellende, herkende ik beiden. Toch volgden wij hen nog enige afstand, de bediende en ik. En midden tussen de bomen zagen wij – o, wees ons genadig, koninklijke goden – dat deze twee, nog niet tevreden met hun koppeling met de vrouw, zich met elkander nederlegden en de kunst van de gemeenschap beoefenden.'

Uit de schare van dorpelingen steeg een dor geritsel op.

'Maar ben jij daarvan heel zeker?' vroeg de roodharige priester dringend, even vaardig als een beroeps-aangever.

'Helaas, maar al te zeer,' kreunde Beyash. Hij bedekte zijn ogen. 'Want zij rezen en daalden samen als de golf op het strand totdat beiden bijkans bezwijmden van extase en verder roerloos lagen.'

'En hun namen?' riep de roodharige.

'Wee en walging, niemand anders dan Zhirem en Schelp.'

Voor de aandachtige ogen van dorpelingen en priesters was het al zichtbaar geworden dat Zhirem, die aanvankelijk onvermurwbaar was geweest als een rots, tegen het eind wit als een bot was geworden.

'Wat zeg jij?' schreeuwde de rode priester.

'Ik zeg niets,' zei Zhirem. Maar de zachte lijnen van de jeugd in zijn gezicht waren plots diep en hard.

'Waar is je vriend, Schelp?'

Maar Zhirem had alles gezegd wat hij wilde zeggen en zweeg weer.

'Misschien,' waagde Beyash, 'moesten wij iemand naar het huis van de vrouw sturen en haar vragen of zij het weet.'

En zo rende daarheen een groep dorpelingen en ze bonkten op de deur van het hoerenhuisje en toen ze geen antwoord kregen, braken ze binnen en zagen al gauw dat zij dood was. Hun boze gescheld ten spijt, hadden velen van hen haar een smakelijke en nuttige dame gevonden en haar dood viel bij hen niet goed. Allemaal goed en wel was het als een gewoon man zich te pletter moest sparen om het geld bij elkaar te krijgen voor een knappe hoer – en deze liet niemand aan haar borsten komen tenzij hij drie zilverstukken meebracht. Maar deze twee priesters, die een kuisheidsgelofte hadden gedaan, stalen hun toegangsprijs van de goden en dan doodden ze de vrouw ook nog. Jaloers en woedend twijfelde niemand eraan dat Zhirem en Schelp de moordenaars waren.

En toen Zhirem niet wilde spreken, en Schelp niet te vinden bleek, net zomin als de zilveren beker en de edelstenen, toen verdween bij priester en dorpeling de laatste twijfel.

Zelfs zij wier kinderen de zieke ogen gebaad waren door Zhirem, kwamen hem bespuwen. Zelfs de oude vrouw zei dat de pijn in haar rug weer terug was, en zij verwenste hem.

En waar was Schelp?

Schelp-Simmu, een meisje, was in het uur voor de dageraad wakker geworden. Ze had zich opgericht om het slapende, knappe gezicht van haar minnaar te bestuderen. Met het puntje van haar tong had zij zijn oogleden nagetekend, waar zijn wimpers in de schaduw lagen, zwart en lang alsof ze met een penseel waren gevormd. Haar vreugde en haar verrukking om Zhirem waren zo enorm versterkt toen ze naar hem keek, dat ze hem niet langer nodig had om haar emoties mee te delen. Ze was tussen de bomen verdwenen om in haar eentje te zwelgen in haar genot.

Er was helemaal geen gedachte aanwezig in Simmu (magie, een vrouw, in haar vormingsjaren opgevoed door demonen), geen gedachte aan logica of de patronen der dingen. Ze was een knaap, een jonge priester geweest. Wel, dat was voorbij. Ze wimpelde het alles van zich af. Later, wanneer zij deze eenzame hartstocht ten volle had geproefd, zou ze teruggaan naar Zhirem en hij zou met haar meegaan, of zij met hem, waar de twee maar naar toe wilden. Nu zij zich haar verleden en haar vermogen herinnerde, en dat zij als zuigeling had samengeleefd met die onverbeterlijke zwervers, de Eshva, stelde Simmu zich instinctief voor dat het bestaan hierna een voortdurende zwerftocht zou zijn.

Na de wilde olijven maakten de hellingen plaats voor hogere, donkerder bomen waartussen bleke bloemen als vlekken op het gras lagen – waarlijk een herinnering aan de geliefde plekken van de Eshva. Toen de zon opkwam, en Simmu geamuseerd terugdacht aan de baby die tussen hoge takken opgeborgen werd, klauterde zij lenig als een kat in een van deze hoge bomen en installeerde zich in de zwartgroene kamers in de hoogte. Hier legde zij zich neder, slechts dromerig aan Zhirem denkend, nog niet geheel gereed om naar hem terug te gaan, zichzelf zoet kwellend met zijn afwezigheid. Uiteindelijk streek de herinnering aan de door de Eshva geïnspireerde slaap, die het kind van de dageraad tot de schemer veilig hield, over Simmu. Ze had er niet op gerekend dat ze zou slapen, maar ze sliep. Toen Zhirem zijn ogen opsloeg en zijn twijfels van zich afzette en zich naar de val in het dorp wendde, lag Simmu in de armen van de boom te dromen van liefde.

Wat haar wekte was de storende kakofonie van een jacht op de grond.

Simmu reageerde op het omringende kabaal zoals een dier zou doen: ze verstarde, geluidloos, roerloos, werd een deel van de boom, maar een deel dat oplette en luisterde.

Een aantal ruwe mannen van het dorp stampte door het bos en passeerde vloekend onder de boom. Twee bleven even staan, tegen de stam geleund.

'Volgens mij is het zinloos,' zei de een. 'De schurk is al ontkomen. Alles wijst erop dat hij niet goed bij zijn hoofd was. De tempel zou beter op moeten passen en niet zulke lieden aanvaarden als dienaars van de goden. Het zou me niks verbazen als we nu met goddelijke wraak te kampen krijgen, hongersnood of een besmettelijke ziekte.'

'O, hou toch op met dat gezeur,' zei de ander. 'We hebben al problemen genoeg. In ieder geval is de donkere veilig gevangen en al op weg naar de tempel – ze zeggen dat hij heel gedwee meeging. Maar met een hoer vrijen, en haar dan vermoorden – natuurlijk om haar de mond te snoeren. En ze mag dan slecht zijn geweest, ze zeggen dat ze in haar vak uitstekend was. En welk ander dorp had zo'n dure hoer als wij, waar de rijke mannen wel zeven mijl of meer voor wilden reizen om met haar pret te kunnen maken? En nu hebben die twee priesters haar nek gebroken, en die met de gele haren is glad ontsnapt, en die andere, die donkere demon, die krijgt natuurlijk een of andere onbenullige straf van de tempel – misschien mag hij drie dagen per week alleen maar koek eten, of zo–'

'Nee, nee,' zei de eerste man, met leedvermaak. 'Omdat hij met een broeder-priester heeft gevrijd, zullen ze hem geselen. En ik heb horen zeggen, door een bediende van de tempel, dat omdat de donkere ook iemand heeft vermoord, hij gegeseld zal worden tot hij dood is.'

'Ik wou dat ik de zweep mocht vasthouden,' zei de ander woedend.

Toen, het gemoed verkwikt, vervolgden ze hun speurtocht naar Schelp in de bossen.

Simmu was verblind door een onbeschrijflijke vloed van verwarring en ellende. Een hele minuut was zij verblind. Maar ze had niet met demonen geleefd en er niets van geleerd. Haar geest herstelde zich vlug, vulde zich met beelden. Bijna meteen werd de chaos vervangen door begrip en orde, en haar ogen waren koud als groene ijssplinters toen ze dacht aan hen die Zhirem kwaad wilden doen.

Want het sluwe plan van Beyash en zijn leugens, dat alles begreep zij, alsof ze zijn gedachten had gelezen. Ze herinnerde zich zijn opmerking over een bediende die hem vreesde – ze loste de hele zaak binnen luttele seconden volledig op, want intuïtief redeneren kon ze heel snel als het nodig was. Voor de dode vrouw had ze geen enkel gevoel. Als bij demonen, was er in Simmu geen ruimte voor anderen dan die haar dierbaar waren.

Ze gleed uit de boom omlaag en koos een verborgen paadje dat uit het bos naar de olijfbomen liep. Op de laagste zuidelijke helling werden schapen geweid, want ze had hun uitwerpselen in die richting zien liggen. Nu duurde het niet lang voordat ze bij de kudde was en, tegen de dieren neuriënd, liep ze door de kudde heen zonder meer op te vallen dan een zomerbries. Tussen de schapen zat een herderinnetje van een jaar of vijftien. Simmu besloop haar van achter en terwijl ze licht haar handen op het voorhoofd van het meisje drukte, voordat dit een gil kon geven, bracht zij een betovering van de Eshva in het spel. Het meisje liet het hoofd zakken. Ze lachte dwaas en klaagde niet toen Simmu haar jurk van grof geweven linnen afnam en ook de band om haar haar.

Weldra verscheen er op de weg naar het westen, die een dagreis verder de tempel bereikte, een dorpsmeisje op blote voeten. Haar haren gingen schuil in een geborduurde sjaal; ze liep met gebogen hoofd.

Na een uur kwam ze bij een weiland waar jonge paarden liepen te grazen. Ze bleef bij de muur staan en floot. Er kwam een paard naar haar toe draven. Zonder een woord sprak Simmu tegen het paard.

'Draag mij, broeder, draag mij, want ik moet sneller zijn dan mijn eigen voeten.'

Het paard drukte zijn neus tegen Simmu en sprong toen over de muur.

Er stoof iets door de dorpen en langs de hoeven, gesluierd in het witte stof. De bewoners van de dorpen vroegen elkander met open mond: 'Wie rijdt daar zo snel?'

Het stof benevelde ook de hemel, de zon. Simmu reed voort in een duizeling van lichten, en de zintuigindrukken van de dingen langs de weg passeerden haar maar belemmerden haar niet en vingen ook haar oog niet. Haar aandacht was totaal geconcentreerd op een enkel doel.

Op de weg kon ze hen niet inhalen, de priesters en hun gevolg, daarvoor was ze te laat aan de achtervolging begonnen. Maar het paard stormde voort, aangevuurd door haar neuriën. Ze zou niet veel later bij de tempel arriveren dan de priesterstoet.

Toen de schemer kwam, zag Simmu de tempellanderijen gevlekt met lichten en de grote tempel zelf, een paleis van lampen. Ze liet het paard vrij; het was moe maar niet gebroken. Het drentelde het zich verzamelende indigo van de nacht in, zijn manen schuddend en zacht zijn adem uitblazend.

Simmu rende verder, lichtvoetig als een luipaard.

Er brandden meer lampen dan gewoonlijk langs de wegen en tussen de bomen – dat zag ze wel onder het rennen. Velen waren samengekomen om te horen over Zhirem de slechte en zijn lot. Simmu hoorde alles in brokken en flarden terwijl ze snelde langs de deuren van de kleine wijnverkopers en tussen de bewimpelde speren op de velden, waar zelfs de gelieven die zich hier verstopt hadden om hun zonden tegen de vroomheid te bedrijven, naderhand praatten over Zhirems godslastering. De Hogepriester had Zhirem geoordeeld en de bewijzen aangehoord. Van afschuw was hij flauw gevallen.

Zhirem had zich niet verdedigd, noch om genade gevraagd. Toen hij weer bijgebracht was, had de Hogepriester verklaard dat Zhirem bij zonsopgang de volgende dag het leven moest laten onder de zweep.

Simmu was gearriveerd op de uiterste plek die zij in haar vrouwengedaante mocht betreden, het Heiligdom der Maagden, een halve mijl westelijk van de tempel.

Vrouwen en meisjes waren samengedromd op het grasveld voor het Heiligdom, waar ze het nieuws uitplozen en uitroepen slaakten. In hun liefdeloze leven deed de ondergang van een man hun genoegen, maar ze kwamen niet op het idee zich af te vragen waarom.

Simmu verdween uit hun gezicht. Ze stond onder een boom. Plots fladderde er een vogel uit de boom in Simmu's handen.

'Zie Zhirem met mijn ogen en ken hem. Vlieg over de tempelmuur, zoek de hoven af, drink de woorden op van degenen die daar rondgaan. Vind Zhirem. Kom dan terug bij mij en vertel mij ervan.'

De vogel flitste omhoog in het donker.

Simmu ging gehuld in zwarte schaduw onder de boom zitten. Ze zag de sterren die hun licht tussen de takken schreiden. Een ster viel in haar schoot: de teruggekeerde vogel.

Simmu las de vogel, een klein mozaïekboek van schelle vogelwaanzin, nu gemengd met een vogelenblik op de tempel.

Hier loopt een dikke sloffer. Plens op zijn toga. Daar nog een, bekogel hem ook. Koud is de steen onder mijn voeten met de zonnehitte weggezonken. Luister! Een worm die onder het gras glijdt. Klop-klop met mijn snavel! Nee, weg is-ie. Ah! Een vogel in de lucht, een vogel geverfd op het raam – ik! Maar daar is een hof waar een gedraaide dode boom staat en in een stenen kamer zit iemand. Geen lamp die de mooie vlinders aantrekt zodat ik ze op kan eten. Hij zit met zijn hoofd in zijn handen. Dat is hem. Wanneer hij dood is zal ik mijn neven roepen en dan trekken we zijn haar uit en bekleden onze nesten ermee. Mijn verwant, de kraai, zou zijn ogen wel graag willen hebben die als twee juwelen zijn. Maar de kraai is in het noorden, eer betuigen bij de begrafenis van een koning.

Stil, zei Simmu's geest. Is Zhirem geboeid? Wie bewaakt hem?

Geen boeien. Een afgesloten deur, ijzer voor het venster. Buiten deze drie. Zij hebben een lamp maar de geur ervan jaagt insekten weg. Ze goochelen met zeskantige witte larven die rammelen. Eens zag ik zulke larven in het gras liggen. Ik pikte erin, maar ze waren hard. Ik denk toch dat ik zelf de ogen van Zhirem opeet. Waarom moet de kraai eigenlijk alles hebben?

Simmu's geest schoot een pijl van boosaardigheid af waardoor de vogel doodsbang opvloog.

De vrouwen bij het Heiligdom zagen ditmaal wel de vogel. Ze wezen.

'Een mus in de nacht – het moet een voorteken zijn.'

Simmu zagen ze niet, een witte flikkerende glans die door de bomen slipte, naakt als in de tijd met de demonen met alleen de doek om haar haren.

Enkele uren wachtte Simmu bij de muur van de tempel. De nacht werd diep en nog dieper als een gehandschoende hand die de adem van de aarde afkneep en verving door de purperen adem van het mysterie. Eenmaal liep er een lekebroeder voorbij. Hij urineerde verlegen tegen een struik. Tegelijk mompelde hij een gewijd lied om zich voor de goden te verontschuldigen. Simmu haatte hem, en de haat bleef als een mes tussen zijn schouderbladen steken en de man rende gauw verder, zonder te beseffen waarom hij rende.

Toen de nacht gereed was, rees Simmu erin op en ergens onderwijl was hij weer een man geworden. Hij plaatste zijn handen en voeten tegen de muur, en klom zoals hij in zijn jongensgedaante zo vaak had gedaan.

Hebben ze je opgesloten in de tempel, beminde? Wanneer hebben zij ons ooit binnen weten te houden?

Negen

Simmu wist niet dat Zhirem onkwetsbaar was en niet gedood kon worden. Zhirem wist dit ook niet. De leeuwen, de gebroken speer, het belang van deze dingen was uit hem vervaagd, al was de ermee verbonden angst gebleven. Dus geloofde Zhirem, terwijl hij eenzaam in de onverlichte cel van steen zat te wachten, in zijn dood de volgende ochtend. Hij geloofde erin met een soort walging. Maar hij was weer een stom kind geworden, niet in staat uit te drukken hoe verbijsterd hij was door de valse beschuldigingen en aan welke verschrikkelijke, onbegrepen misdaad hij zich werkelijk schuldig voelde.

Op de hof van de dode boom (dit was de Hof van de Boosdoener, zelden gebruikt, een akelig symbool) zaten twee lekebroeders, die tot taak hadden de gevangene te bewaken, te dobbelen. Het spel was toelaatbaar omdat de inzet niet uit munten bestond doch uit snoepgoed. Een priester van middelbare leeftijd keek toe. Maar hij was te zeer met zorgen belast om mee te spelen. Het kwaad van Zhirem verscheurde hem innerlijk. Hij had getracht een kreet van spijt uit het hart van Zhirem te wringen, een teken van berouw om tegelijk met zijn bloed aan de goden op te dragen. Maar Zhirems hart antwoordde niet.

De volgende morgen wilde de priester zeggen tegen de mannen met de gesels: 'Sla streng, sla zijn ziel zelf. Hoe erger de pijn, hoe waarschijnlijker dat de goden hem vergiffenis schenken.' Er waren drie gesels. De eerste had tanden van ijzer, de tweede van brons; de derde bestond uit metalen stroken en werd voor het gebruik roodgloeiend gestookt.

De lekebroeders dobbelden. Die aan de linkerkant van de tafel fluisterde: 'De gekonfijte kweepeer is voor Zhirems kreten. Ik zet er zes in dat hij bij de eerste slag begint te schreeuwen. Hij heeft geen vet dat de klappen opvangt.'

'Ik zeg dat hij pas bij de tiende slag gaat janken. Bij de vijftiende valt hij in zwijm.'

De dobbelsteen ratelde over de tafel. De blanke kant van de steen kwam boven te liggen, waar de vier was weggesleten. 'Bij de vierde slag dus.' 'Of helemaal niet.'

De priester verplaatste zijn blik en dacht heel even dat er iets op de muur zat, een magere bleke kat met glinsterende ogen. Maar nu zag hij niets meer.

'Zeg, wat is dit nu wat je om mijn enkels hebt gewikkeld?' mopperde de lekebroeder aan de linkerkant van de tafel.

'Ik wilde je net hetzelfde vragen.'

Beiden tuurden onder de tafel. In het schemerige licht van de geurende lamp ontwaarde elk een koord dat straktrok, een koord met diamanten schubben. Beiden deden hun mond open om te gillen dat ze gevangen zaten in de lussen van een slang, maar hun weeklachten bestierven hen in de mond toen ze de cobra zagen die recht voor hen op de tafel stond te wiegen.

'Verroer geen vin,' fluisterde de priester, wiens voeten eveneens geketend waren. 'Het is de gruwel, Schelp, die ons dit aandoet.'

En zwetend van ellende zagen de drie gevangenbewaarders nu Schelp, met alleen een doek om zijn haren, die lichtvoetig over de hof naar hen toe kwam stappen. Hij had slechts een enkele blik van afkeer en weerzin voor de dode boom over. Toen gleed hij om de tafel heen en in drie zich spitsende oren siste hij. De roes die de drie vrome mannen overviel was als een troebele sluimer, vol gore dromen.

Terwijl zij machteloos lagen te trekken en te kreunen liefkoosde Simmu als een Eshva het slot van de deur van de kamer van steen en vleide het tot het zich opende.

Zhirem hief het hoofd niet op. Hij deed niets. Simmu ging naar hem toe en stak zijn hand in Zhirems donkere haar, en toen trok hij het hoofd wreed omhoog totdat Zhirem hem wel aan moest kijken. Zhirem was eerder aan zijn haar vastgehouden, toen hij in een put van vuur hing.

In Zhirem vond een transformatie plaats. Geen opluchting, geen vreugde. Het was een masker van razernij en foltering waarin Zhirems gezicht veranderde. Zijn ogen laaiden in het halfdonker. Hij sprong op, hij wrikte Simmu's hand los met een stalen greep. En toen Zhirem de woorden weer machtig was, waren het geen woorden van dank of liefde die hij sprak.

'Jij hebt mijn leven verkocht, jij hebt gedood wat goed in mij is of goed had kunnen zijn. Jij vuile en smerige, jij hebt mij in het slijk getrokken. Ik voelde geen smart toen je mij verlaten had na de daad. Ik voelde geen smart toen de mensen leugens vertelden, en ook niet voor de dood. Maar jij, jij vervloekt en wanstaltig ding, ik weet niet hoe je mij bedrogen hebt, maar dit weet ik – ik wil jou niet in mijn buurt hebben.' En toen ging hij weer zitten en liet het hoofd zakken en hij mompelde: 'Maar het was niet alleen jij. De fout lag ook bij mij. Laat mij alleen, laat mij met rust. De oude mannen zeiden dat ik aan een demon van het duister zou behoren, aan een Heerser van de Nacht.'

'Wees dan blij,' zei Simmu, de vondeling van de Eshva,' met een scherpe kant in zijn stem als een glanzend mes. 'De demonen zijn voor de mens als de zee is voor het zand. En hij die de Heer van de demonen is, Azhrarn, hij is de gist in het brood van de wereld.'

Zhirem staarde toen hij dit hoorde. Een nieuwe foltering nam de plaats in van de oude. 'Bestaan er dan werkelijk demonen?'

'Geloof het maar.'

'En jou beschouwde ik als een vriend, en jij bent hun boodschapper. Geen wonder dan dat je mij in een grot van de nacht hebt gesleurd.'

Simmu gaf het spreken op. Zijn ogen begonnen te spreken. Er sprongen tranen in zijn ogen, maar zijn gezicht stond verachtelijk en koud. Hij ging weg in de schaduwen buiten de kamer, zoals eenmaal eerder.

En Zhirem, nadat hij een poos naar de open deur had zitten staren, naar de hof met alleen de drie bedwelmde mannen erin, voelde zich als eens eerder gedwongen om Schelp te volgen.

Maar Simmu was verdwenen. Zhirem klom op de muur en erover, alleen. In de schaduw aan de voet van de muur viel hij neer, zwak door wat hem was aangedaan en nu ook huilend.

'Blijkbaar is het nog niet mijn uur om te sterven,' zei hij, 'maar ik deug voor niets. Maar misschien, zoals het wezen zei, ben ik wel geschikt om de slaaf van de demonen te worden. Dan zal ik hem zoeken, deze Heerser van de Nacht. Als hij bestaat, laat hij mij dan in dienst nemen, want al het andere is voor mij voorbij.'

En zo verdween ook Zhirem in de schaduwen, zonder in het minst beducht te zijn voor gevaar, maar ook niet vol vertrouwen, niet blij, maar mistroostig en zonder hoop.

Simmu was niet echt ver weg. Hij was bezig een eigendom terug te halen, te laten halen.

De geelgroene steen die de Eshva hem gegeven hadden, de steen met het teken erin dat Simmu's naam in de taal van de demonen voorstelde, lag in een kist in de schatkamer van de tempel. Hier was veel rijkdom opgestapeld, goud en zilver en allerhande edelstenen. Maar Simmu wist waar de groene steen lag, want in zijn kinderjaren had hij hem gezien en de priesters hadden hem gezegd: 'Met deze simpele doch aardige steen zijn de goden bedankt voor jouw plaats onder ons.'

Alle kisten in de schatkamer stonden open, opdat ieder die hier kwam zijn ogen kon laten smullen. Ditmaal was het een rat die het allemaal zag. Met zijn roze ogen repte hij zich van het hoge venster omlaag langs de draperie en in de kist. Hij groef met zijn pootjes in de kist tot hij de Eshva steen had en toen bracht hij deze naar Simmu.

Simmu hing hem aan zijn Drinse zilveren ketting om zijn nek. Naakt op de band om zijn haren en de steen om zijn nek na, ging hij toen heen achter Zhirem aan, de weg kennende aan bovennatuurlijke aanwijzingen en pure liefde.

Maar onder het lopen dacht hij er weer aan dat hij door het land van de mensen liep. Weldra kwam hij bij de hut van een herder. Buiten op een struik hingen gewassen kleren te drogen en hiervan trok Simmu er een aan.

Zhirem beende naar het zuiden. Hij deed dit zonder plan en zelfs zonder het vaagste idee om alzo uiteindelijk de verre woestijn te bereiken. Zhirems pad was willekeurig gekozen en hij reisde blind en doof en bijna stom en dat Simmu hem volgde wist hij niet, en als hij het gemerkt had, zou hij Simmu vervloekt hebben, zoals hij later ook inderdaad deed.

Toen de zon in het oosten opkwam, lagen er vele mijlen tussen Zhirem en de tempel. Voldoende mijlen dat de mensen die hem zagen langsgaan, nog niet gehoord hadden van zijn ontsnapping uit gevangenschap, al wisten ze wel van zijn misdaad en herkenden ze zijn donkere haar.

'Daar heb je de priester die met hoeren slaapt en ze dan vermoordt!'

'Net wat ik je zei. De tempel wil hem niet terechtstellen, ze hebben hem alleen verstoten.'

'Kom, laten wij het werk voor ze opknappen!'

Maar al noemden ze hem een uitgestoten priester, een priester was hij nog steeds en de verreisde gele toga droeg hij nog. Ze hadden net niet voldoende moed om hem te doden en de stenen die ze wierpen, ketsten af alsof de goden hem beschermden, en hij werd er niet door gewond, wat deze mensen aan het denken zette.

Later passeerde er nog iemand, maar dit was een meisje, want ze herkenden de hoge borsten van een maagd in haar armelijke kledingstuk.

Simmu (nu een meisje, sluw veranderd om de mensheid te bedriegen) verzamelde inlichtingen over Zhirems reis door het land. De geplette bloemen vertelden hoe ze door zijn voeten vertrapt waren. Het stof droeg zijn geur mee, de bomen die zijn schaduw hadden weerkaatst, onthulden dit aan Simmu's hand.

Tegen de middag ontving een zwarte vogel op een steen de onuitgesproken vraag die Simmu stelde: 'Is Zhirem hierlangs gelopen?' en hij kraste met een harde stem: 'Is Zhirem hierlangs gelopen?' Simmu aarzelde en riep toen de vogel en hield deze een paar minuten tegen haar keel terwijl ze hem instrueerde. Daarna ging ze verder.

Van alle demonen lieten de Eshva zich zelden in met wraak. Hun wreedheden waren die van hetzelfde ogenblik, en het verleden vergaten zij. Maar Simmu was ook een vrouw en een man, en zij herinnerde zich Beyash.

Dagenlang nadat de tempel ontdekt had dat zij bezocht was door toverij, hadden de inwoners gejammerd en gebruld en offers en gebeden van het ganse land geëist. De tempel had ploegen mannen van de hoeven en de wijngaarden uitgestuurd, gewapend met messen en de insignes van de tempel, om Zhirem in te halen en terug te brengen, maar deze groepen mannen waren doodsbang om ook maar in de buurt van Zhirem te komen – die beslist een tovenaar was en samenwerkte met duivels – en ze vonden zijn spoor dan ook nergens. Uiteindelijk zette de tempel een geweldige ceremonie op touw om hem en Schelp tot in alle eeuwigheid te vervloeken uit naam van de goden. Toen werd het de rust toegestaan weer te keren, en de priesters deden hun best om hun mislukking en hun angst te verdonkeremanen.

Het was de maand daarna dat Beyash 's ochtends vroeg wakker werd omdat een schelle, afschuwelijke stem riep: 'Beyash doodde de hoer. Beyash en geen ander.'

Nu sliep Beyash alleen in een cel, zoals alle priesters, en er was niemand in de buurt. Maar toen hij dodelijk geschrokken naar boven keek, zag hij daar een grote zwarte vogel die heen en weer huppelde op de vensterbank. En weer schreeuwde de vogel: 'Beyash doodde de hoer. Beyash en geen ander.'

Beyash wist heel zeker dat de hele tempel het gehoord had. Maar geen hoorde het dan hij. Hij begroef zich onder zijn kussens en wachtte tot ze hem kwamen halen. Maar niemand kwam zijn cel in, en toen hij onder de kussens uit gluurde, was de vogel verdwenen.

'Een nare droom,' zei Beyash. 'Ik heb een onrechtmatige daad gepleegd en ik moet de goden die alles zien, verzoenen. Ik moet de goden overtuigen dat het goed was wat ik deed.'

En dus stond hij voor zijn doen vroeg op en hij nam zijn ontbijt en legde het op de altaars van verscheidene goden en bad tot hen en kuste de ivoren voeten van hun beelden. Maar toen hij opkeek, zag hij dat de zwarte vogel, geen droom, op de kop van een zilveren profeet prijkte. En de vogel bulderde: 'Beyash doodde de hoer. Beyash en geen ander.'

Beyash wierp zich jankend in het stof en toen vluchtte hij. En op de vlucht botste hij tegen een paar broeder-priesters op, die hem vasthielden en hem vroegen wat er was. Terwijl hij stond te brabbelen, kwam de vogel aanvliegen en ging op

Beyash' schouder zitten. Beyash werd wit als krijt en wachtte wanhopig op de beschuldiging van de vogel. Maar ditmaal zei de vogel niets, hij keek Beyash alleen met één oog aan. Toen hij de vogel van zijn schouder probeerde te schudden, wilde de vogel hem niet loslaten. Het dier klemde zich aan hem vast alsof het verliefd was op Beyash.

'Beyash heeft een beestje,' grapten de andere priesters.

En daarna liet de vogel Beyash niet meer alleen.

De hele dag zat hij op zijn schouder. Onder het eten pikte hij van Beyash' bord en dronk uit Beyash' beker.

'Kijk hoe die vogel dol is op Beyash,' zeiden de priesters verwonderd tegen elkaar.

's Nachts reed de vogel mee naar Beyash' cel. Hij zat op zijn kussen, hij was daar niet weg te slaan. Stijf en hulpeloos strekte Beyash zich uit terwijl hij voortdurend dacht aan de scherpe snavel en klauwen van de vogel. Als hij, uitgeput, eindelijk en zijns ondanks wegdoezelde, schreeuwde de vogel in zijn oor: 'Beyash doodde de hoer. Beyash en geen ander.'

Maar als er anderen bij waren, uitte de vogel geen beschuldigingen.

Misschien zal hij dat ook nooit doen, hoopte Beyash.

Maar de kraalogen van de vogel, soms het ene en soms het andere, genoten van zijn zenuwachtigheid. *Misschien,* zeiden de ogen, *op een goede dag, doe ik dat wél.*

Beyash kon niet meer eten. Hij werd mager als een lat en zijn huid hing slap om hem heen als een tweede gele mantel. Beyash zocht nu voortdurend, naarstig de eenzaamheid; wanneer hij met anderen samen moest zijn, droop het zweet van zijn gezicht.

'Beyash, mijn zoon,' gispte de Hogepriester hem vriendelijk, 'het is niet gepast dat jij deze vogel meeneemt voor het aangezicht van de goden. Je moet een eind maken aan dit dwaze gedoe.'

'Ik kan het niet, Vader,' mompelde Beyash. En de Hogepriester nam hem om deze brutaliteit zijn oorring van jaspis af.

Tien zonnen kwamen op en tien zonnen gingen onder, en nog immer troonde de vogel op Beyash' schouder. En als het hem eens lukte om het dier los te stoten, dan vloog het ogenblikkelijk terug en als straf pikte de vogel hem.

Op de elfde morgen rende Beyash, nu helemaal stom van angst en zwakte en slapeloosheid, plotseling de Hof van de

Salamander op waar een trap van vele treden omlaag leidde naar een watertuin en daar greep Beyash een grote stenen vaas die bovenaan de trap stond. Nadat hij de vogel een klap had gegeven, zodat deze opvloog, smeet Beyash de kruik achter het dier aan. Maar de vogel schoot opzij, de stenen vaas kwam neer op Beyash' schedel en toen hij de trappen afrolde, brak hij zijn nek.

Elf

Zhirem liep naar het zuiden tot hij aan een brede groene rivier kwam. Er woonden geen mensen in de buurt en er was geen brug of andere manier om over te steken. Hij vatte dat op als een slecht teken, dat hem verbitterd moest stemmen en hij liep verder langs de rivier, naar het westen. Hij had twee maanden gelopen, alleen, zonder achterom te kijken, en eigenlijk keek hij helemaal nergens naar. Hij werd niet meer met stenen bekogeld. Hij merkte amper dat geen van de stenen hem trof – misschien dacht hij dat dat ook niet de bedoeling van de werpers was geweest. Later, toen hij kwam waar ze hem helemaal niet kenden, maar wel begrepen dat zijn kledij betekende dat hij van een of andere priesterorde was, gaven vreemden hem soms eten en onderdak. Zhirem aanvaardde alles en niets met gelijkmoedige, wellevende onverschilligheid. Deze wereld was mist voor hem, en door de mist trok hij voort, op zoek naar een zwarte schaduw die hem zou opeisen, de schaduw van de nacht die de mensen Azhrarn noemden. En zelfs terwijl hij zocht, geloofde hij er niet echt in. En zelfs terwijl hij sceptisch bleef, bevroor zijn bloed van angst dat het misschien waar was.

De bedding van de rivier rees omhoog naar zijn bron, werd hoog en smal tussen steenachtige hooglanden. Zhirem klom met de rivier mee, en de lucht werd helder als kristal, en gele adelaars cirkelden in de hemel boven hem en het land was ook geel, en alleen de rivier nog groen.

Tijdens de dag dat hij klom, kwam Zhirem door vier dorpen. De mensen zagen hem en wezen hem na. Daar was alles een sensatie, want er gebeurde zelden iets. Een uur na Zhirems doortocht konden de dorpelingen opnieuw wijzen, want daar ging een meisje met abrikooskleurig haar voorbij, dat een handvol riviergras liep te eten, en ze plaatste haar voeten in het stof waar Zhirems voetafdrukken nog zichtbaar waren.

Tegen het vallen van de zon holde er uit een verlichte deuropening in het vierde dorp een vrouw naar Zhirem toe.

'Ga niet verder, reiziger. Hierna begint een vreemd, woest oord waar niemand zich na donker nog waagt.'

Zhirem bleef staan. Hij keek naar de vrouw. Haar woorden schenen een weerklank in zijn innerlijk te vinden. Ontroerd door zijn blik en zijn schoonheid, smeekte zij hem het huis van haar vader binnen te gaan en met hen te eten. Als een blindeman die geleid wordt, liet Zhirem zich door haar in het huis voeren.

Veel was er niet te eten. Gestoofde vis uit de groene rivier, zwart fruit van de karig dragende, onwillige bomen. De vader was bejaard en hield van praten, en de vrouw staarde Zhirem aan met haar hongerende ziel zichtbaar in haar ogen. Ze waren vriendelijk tegen hem om hun eigen zelfzuchtige redenen.

Zhirem at bijna niets. Hij luisterde naar het hak op de tak-gepraat van de oude man. Na een poos vroeg hij waarom ze bang waren voor het terrein ten westen van het dorp.

'Men vertelt er grimmige dingen over,' zei de oude plechtig, 'en grimmige wezens gaan erheen. De beesten daar zijn onnatuurlijk. In de tijd van mijn vaders vader, verdwaalde er een kind daarginds en drie mannen gingen het na. De nacht kwam en de nacht vertrok, en maar één man keerde terug, en die was tot de dag van zijn dood een idioot.'

'Het is een land van valkuilen en moerassen,' zei de vrouw. 'Er is een meer, zeggen ze, helemaal van zout. En de gehoornde paarden komen daar dansen; maar dat is nog vele mijlen reizen verder. Bovendien is er een muur en daar kan niemand overheen, behalve demonen.'

'Demonen,' zei Zhirem, zo zacht dat alleen zij hem hoorde, want zij hing aan zijn lippen.

Toen Zhirem gaan wilde, probeerde de vrouw hem in het huis te houden. In de deur staand beloofde zij hem talrijke dingen, maar hij duwde haar opzij en trok de nacht in. Terwijl zij tegen de deurpost stond te snikken, glipte er een ander voorbij, iemand die al deze tijd op straat gezeten had en naar het lichte venster had gestaard. Simmu die al twee maanden op zo'n manier van een afstand toekeek, naar Zhirem in de huizen van mensen, of Zhirem wanneer hij slapend op de grond lag.

Er liep geen pad uit het dorp. Alleen het magere restant van de rivier ging verder, en dit kwam al spoedig aan zijn eind, of eer zijn begin, dat bestond uit drie slanke watervallen boven de rots. De maan was nog niet opgekomen, en voorbij deze plek was alles onduidelijk, een scherpgetande vlakte die weghelde en nogmaals helde naar een verre hemel als zwart bloed.

Hiertegenover staand, zonder zelfs de maan, aarzelde Zhirem. De mist voor zijn geestesoog trok op; hij realiseerde zich hoe ver hij gekomen was, en met welk doel. Het lichtloze land voor hem leek plotseling als de poort tot een hel, tot de Onderaarde zelf, het domein van de demonen.

En terwijl hij zo aarzelde, voelde Zhirem iemand in zijn buurt. Toen hij omkeek, zag hij achter zich op het hogere terrein een gedaante met de vorm van een meisje en het haar van een meisje.

Zhirem werd boos. Hij veronderstelde dat de vrouw uit het dorp hem achterna was gelopen. Hij maakte een afwijzend gebaar met zijn hand dat zei: 'Ga terug en laat mij alleen.' Maar de meisjesgedaante verroerde zich niet. Toen keerde Zhirem op zijn schreden terug. Hij liep de helling op om haar te zeggen dat zij naar huis moest gaan. In het trage donker, was hij heel dicht bij haar voordat hij de waterval van haar herkende, als van iemand die hij beter kende.

'Ik rekende erop dat ik van jou af was,' zei Zhirem. 'Ik schertste niet toen ik je vroeg een andere weg te nemen dan de mijne. Ik kan niet ademen als jij nabij bent, alle winden worden een gif. Jij bent mijn schande en mijn nederlaag. Ik wil jou niet zien. Ik zal mijzelf aan het verdorvene aanbieden, maar ik wil jou niet verdragen als herinnering. Mogen de booswillende goden jou vernietigen, want ze hebben gif in overvloed als ze bestaan. Zoniet, draag dan mijn eeuwigdurende vijandschap met je mee. Verschrompel en wees vervloekt en verdwijn uit mijn ogen.'

Al deze tijd, terwijl hij deze dingen zei met troosteloos geweld, zag Zhirem alleen wat hij verwachtte, het raadselachtige gezicht van Schelp.

Maar net op dat ogenblik begon er een amberen maan op te komen en Zhirem zag dat het een vrouw daar voor hem was, het meisje met wie hij tussen de bloeiende olijven had gelegen, het meisje uit zijn droom van zonde, dat ook Schelp was.

Zhirem werd bang, bang omdat hij het niet begreep. Hij snauwde van angst en hij rende weg naar de poort van de hel.

Er was een muur. Hij lag drie mijl gaans in de eigenaardige doodse landen na de rivier. De blokken van de muur waren van glad gekapte steen. In een tijd voor mensenheugenis had een heerser opdracht gegeven voor de bouw en hier en daar was er tussen de stenen een schedel gevoegd, want de heerser was van het soort geweest dat dergelijke versieringen waardeerde en zijn slaven doodde om aan de benodigde schedels te komen. Dit onplezierige aspect van de muur had de reputatie van het gebied niet verbeterd.

Honderden of duizenden jaren geleden had een kanker het landschap opgebrand tot het zwart was. Zwart overdag, zwarter 's nachts. Mistwolken meanderden hier, komend van en gaand naar de moerassen, en dieper het land in, acht mijlen naar het westen, lag een meer van zout roze te glinsteren onder de roodbruine maan. Hier gedijden exotische misvormde bomen met vruchten die glansden als geelkoper, en hier, op de brede donkere oever van het meer, was bekend, hadden eenhoorns gedanst, gevochten en gepaard. En ook deze nacht kwamen de eenhoorns, alsof zij de zegels waren van de angst en het smachten van een man, slechts aspecten van Zhirem en zijn koortsige overgave aan het duister.

De eenhoorns waren wild en woest, niet wit als duiven maar met de kleuren van vuurrode gom en oud geel bot en ze hadden gedraaide hoorns van aangeslagen, smoezelig goud. Het waren er drie. Ze kwamen uit de bizarre wouden waar de koperen vruchten rinkelden. Er schoot een haas uit een bosje. Een van de eenhoorns stampte hem met een voorpoot de grond in, rukte en scheurde eraan met zijn wrede gouden tanden en schopte toen het lijk opzij en liep verder.

Op de oever van het meer renden en cirkelden de eenhoorns en hun hoeven knersten over het glitterende houtskoolzwarte zand. Een ervan had een zilveren litteken op zijn flank alsof hij door een ster gebrand was. Hij kruiste zijn enkele hoorn met de enkele hoorn van een ander. Terwijl ze hun koppen naar de grond bogen, en in het zand krabden, en elkaar woedend aankeken vanonder een onmogelijke hoek, begonnen ze een duel. De gedraaide hoorns raakten elkaar, botsten, gierden, sloegen vonken, maakten zich schurend van elkaar los en kwamen weer terug als twee wazige zwaarden. De derde eenhoorn, die geen partner had, steigerde om de maan te geselen en te doorsteken.

Zhirem zat op een kei nog geen honderd passen verderop.

Hij staarde naar de eenhoorns, gehypnotiseerd door hun aangeboren gruwelijkheid.

De verbrokkelende schedelmuur was toch makkelijk te beklimmen geweest. Omdat hij geen bepaalde richting voor ogen had gehad, nam Zhirem aan dat iets hem hier naar de dansvloer van de eenhoorns had geleid. Zij waren na hem gearriveerd. Hij vroeg zich terloops, onbevangen af of ze hem zouden ruiken en op hem af zouden galopperen om hem te verscheuren zoals de aanvoerder de haas had verscheurd. Maar hij wist ook dat een of andere duistere entiteit hem voor zichzelf bewaarde. Of hij dacht dat hij dat wist.

De door de ster gebrande eenhoorn had zich opgericht en sleurde ook zijn tegenstander omhoog. Ze leunden samen tegen de hemel, de degens verstrengeld en rollend met de ogen. De derde eenhoorn gaf een schreeuw, draafde als een circuspaard door de boog die de twee duellisten vormden en boog zijn kop naar links en rechts om beide te schrammen met zijn verschrikkelijke hoorn, maar de steken waren licht, bijna liefkozend. In die seconde, terwijl het zwarte bloed stroomde, verscheen er een vierde gedaante op de oever van het meer.

Simmu liep daar naakt met haar haren en de groene vuurvlek voor de holte van haar keel. Ze liep als een van de dwalende moerasnevels, even bleek, schijnbaar even gewichtloos.

De eenhoorns maakten zich los van elkaar en begroetten de nieuwe uitdaging. Ze groeven het zwarte zand op met hun voorhoeven, ze lieten hun kop weer zakken met hun zwaard gereed om te steken en te snijden. De geur van hun eigen bloed wond hen op, de herinnering aan de verscheurde haas was nog vers. Maar het meisje dat naar hen toeliep, liep door, en de wind tilde strengen van haar lange haar over de maan en zij hief haar armen op alsof de wind ook die optilde, en zij danste. Niet de dans van de eenhoorns, maar van de Eshva. Een mooie dans.

Nu was er geen geluid op de oever behalve dat van de grashalmen die door de wind getokkeld werden. Simmu danste en de eenhoorns smolten, als rode en gouden was, tot roerloze vormen. Weldra knielden zij en lieten hun kop op het zand rusten, hun wrede bekken gleden halfopen en hun lang-gewimperde oogleden sloten. Nog danste Simmu.

Ze danste tot het meer en de hemel en de hele wereld voor haar ogen verwaasden. Ze danste in de sluiers van haar haar. Ze had deze betovering, deze dans van de Eshva, niet gekend tot dit moment. Het kwam uit de groene steen, het kwam uit haar lendenen en haar hart.

Eindelijk werd ze moe en kon niet meer dansen, maar nog draalde de dans in haar. Ze ging tussen de eenhoorns, maar alleen hun oogleden trilden, als gras. Ze ging naar de plek waar Zhirem, onbeweeglijk, op de steen zat. Hij scheen haar niet te kennen, maar hij keek alleen waar zij stond.

'Ik heb je geboeid,' zei zij, 'met toverij. Zal ik je laten gaan?'

Langzaam schudde hij zijn hoofd.

'Nee. Hou mij geboeid.'

'Toen je me zag, haatte je mij,' zei zij, 'maar toen de eenhoorns mij wilden doden, werd je bleek.'

'Jij bent een demon,' zei hij. 'Ik zal je niet meer loochenen. Breng je soortgenoten.'

'Ik ben niet van de demonen,' zei Simmu, 'maar deze steen om mijn nek brengt misschien enkelen die eens samen met mij waren. Misschien. En zij zijn demonen.'

Toen ging zij naar hem toe en kuste hem.

Op de oever kwamen de eenhoorns bij elkaar, een voor een, en hun koppen rezen naar de maan en zonken terwijl ze over elkaars rug zwommen.

De man en de vrouw zwommen diep in de diepe schaduw van de steen, in elkaars gezicht starend, totdat elk zag hoe de ander blind werd en op zijn beurt blind werd.

Later viel de maan. En Zhirems grote ogen werden verdonkerd toen het licht uit de hemel vluchtte.

De heilige mannen van de woestijn hadden hem grondig geleerd bang te zijn voor zichzelf en zijn vreugde; de heilige priesters van de tempel hadden hem zonder dat te willen geleerd de goden te minachten. De mensheid onderrichtte hem in haar trouweloosheid. Toen hij aldus met niets overbleef, had alleen Simmu hem liefde geboden. Op dat moment kon Zhirem zichzelf er niet toe brengen te zeggen, of te denken: Liefde is niet genoeg.

Voor alle demonen die over de aarde zwierven was het parfum van een betovering, de speciale reuk van menselijke hekserij, een dwingende geur. Zoals zij het niet konden nalaten zich met de bezigheden van mensen te bemoeien, zo konden zij ook deze verlokking niet weerstaan. Gewoonlijk kwamen ze om te spioneren, nooit om deel te nemen, zelden om te helpen; hoewel de Drin – en hun mindere neven, de dwaze en bestiale Drindra – soms een menselijke tovenaar bijstonden in een of andere veile onderneming, voor de sport.

De Eshva vrouwen die Simmu bijna twee jaar lang hadden verzorgd, waren deze zuigeling vergeten, zoals zij van tevoren hadden geweten. Kort van memorie waren de Eshva. En naderhand had geen andere bewoner van de Onderaarde Simmu ontmoet, wat vreemd was, want de reuk van toverij vergezelde de knaap die hij aanvankelijk was geweest. Maar nu, terwijl zij op vrije voeten was in een wetteloos land en zich als een Eshva gedroeg, en gekleed was in een geschenk van Eshva, een juweel dat geslepen en gegraveerd was door Drin, en innerlijk veranderd was van mannelijk in vrouwelijk, nu straalde Simmu als een baken voor alle demonen, wat zij instinctief ook wist.

Zij kon geen aanspraak op hen maken. Alleen om Zhirem hoopte zij dat haar geadopteerde verwanten haar zouden opzoeken. Als een kind dat opgroeit in een slangenkuil, gestreeld door hun huid en bestand tegen hun gif, had Simmu geen idee van het gevaarlijke van de demonensoort. Even intuïtief als zij het onmogelijke bewerkstelligde, haar eigen seksuele metamorfose, zo bestudeerde zij haar edelsteen, fluisterde ertegen en ademde erop, danste op de oever van het meer en wachtte, zonder angst, hoopvol, op vreemden.

Het was de tweede nacht op die plek. De eenhoorns waren verdwenen en niet teruggekomen; zelfs de maan naderde in een andere gedaante. De hele dag, niet in de ruwe zon die het zoutmeer vol blaren trok, hadden Zhirem en Simmu – hij kende nu haar ware naam – in de grillige schaduwen van het bos geslapen. Hun nacht was zonder slaap voorbijgegleden, een nacht van zinnelijkheid en pijn, maar deze nacht was Zhirem alleen weggedwaald, met gebogen hoofd lopend, mediterend over zijn schande en hoe heerlijk die was. Hij was rusteloos van een ellendig plezier om zijn bezoedeling. Als de maan wat verder gezonken was, zou hij gretig en wanhopig terugkeren bij Simmu.

Nu alleen keek Simmu op van haar getover en zag een ander.

Het was een demon, een Eshva, aangetrokken door dingen van de Eshva, en niemand die demonen had ontmoet, zou Zhirem er voor een houden, ondanks zijn haar en zijn schoonheid. Deze Eshva was mannelijk. Zijn haar was ebbezwart, zijn ogen glanzend zwart en zijn huid had een sterrenkleurige bleekheid. Alles aan hem straalde van subtiliteit, het wonderlijke en een zuivere, onwereldlijke schoonheid die in zijn wezen besloten lagen.

Door Simmu voer een onweerstaanbare opwinding, want wezens van deze soort waren de verrukking van haar vroegste jaren geweest. Zonder dat van plan te zijn, boog zij zich naar hem toe, maar de demon boog zich naar achter, speels en boosaardig. In zijn ogen kon Simmu dit lezen: *Jij kent onze gewoonten, enkele ervan, maar je bent niet een van ons. Je leeft ook in het ruwe zonlicht. Je vlees is klei, het zal zwak worden en uiteenvallen. Wat jij met onze betoveringen doet is heel aardig voor een sterveling, maar onder ons zou het armzalig geoordeeld worden. Jouw geruisloze voetstap is als een donderslag, wij zijn de lucht.*

Simmu voelde zich hierdoor gekwetst, maar ze koesterde de kwetsing niet. Het bewoog haar tot spreken, wat een soort trotseren was.

'Je bent gekomen om dit groene juweel en zijn aura. Dat brengt *jou* hier. Wat zou de Heerser van de Nacht brengen, Azhrarn de Schone, jouw Prins, een van de Heren der Duisternis?' Ze gebruikte zoveel van zijn titels uit eerbied en de ongevormde verering die een erfenis waren van haar omgang met de demonessen van haar eerste jaren. Maar de Eshva deinsde achteruit.

Zijn ogen zeiden: *Toon berouw.*

Simmu lachte hardop.

'Azhrarn,' zei zij, 'Azhrarn, Prins der Demonen. Bestaat er geen manier om hem te roepen?'

Weer deinsde de Eshva weg. Uit zijn geest sprong een beeld over naar de ontvankelijke geest van Simmu. Een zilveren fluit, gemaakt voor Azhrarn, zou Azhrarn kunnen roepen – soms. Maar als hij zou komen, pas dan op. En nu lachte de Eshva met zijn ogen, met grote angst achterin die ogen.

Simmu voelde misschien een moment van trots en de ondermijning van die trots. Zhirem verwachtte wonderen van haar, rekende erop dat haar vermogens gelijk waren aan die van de lagere demonen.

'Luister, beminde,' zei Simmu tegen de Eshva. 'Zoek Azhrarn voor mij. Zeg hem dat iemand knielend op hem wacht. Smeek hem.'

De Eshva glimlachte. Dit zei de glimlach: *Ik ben jouw slaaf niet, sterveling.*

Simmu streelde de steen voor haar hals. Nu sprak zij zonder woorden.

De Drin hebben dit gemaakt. De Drin onderhandelen wél. Ik zal de Drin lokken. De Drin zullen op hun buik naar Azhrarn kruipen. Het is denkbaar dat Azhrarn jou zal berispen dat je hem niets hebt verteld van Zhirem, die voor Azhrarn wil knielen.

De Eshva sloeg de ogen neer. Hij huiverde en vouwde zich toen op in de nacht zonder te antwoorden.

Toen Zhirem uit die zelfde nacht terugkwam, zei Simmu: 'Het kan zijn dat hij hier gezien zal worden.'

'Wie?' vroeg Zhirem, maar hij werd doodsbleek, zelfs zijn prachtige ogen werden wit. Alles was verwarring voor hem, het onwerkelijke vermengd met het werkelijke, vuur met water. Hij trok de vrouw naar zich toe en zocht een toevlucht in haar lichaam, hoewel ook dat een wonderlijk en verdorven ding was. Er was geen rede meer in de wereld.

Na de liefdesdans lagen ze samen te wachten.

De nacht en de nachtwind bewogen zich over de oever. Het meer likte zijn grenzen. Het harde metalen fruit van de bomen rammelde. Verder niets, en het donker begon te vergaan. Daarom verplaatsten de minnaars zich, ze kreunden en klampten zich aan elkaar en verdronken zich kortstondig en rezen weer naar het oppervlak van die diepte, waakzaam, verkwikt, nog wachtend.

Een tweede dag, een derde nacht. Aan een struik hingen paarse bessen en die aten ze op. De avond was koud; ze maakten een vuur dat groen brandde van het wilde hout waarmee ze het voedden. Er was een bron; ze dronken daar als dorstige herten. Ze konden elkaar niet lang met rust laten, want de wellust was nieuw voor hen en het was alles wat ze hadden. Ze begonnen doel en angst en liefde en logica te verliezen: ze werden twee gedeeltelijk verhongerde dieren die eindeloos paarden, die al eeuwig op deze oever waren en daar eeuwig zouden blijven, wachtend op een gebeurtenis die ze hadden verzonnen, iets dat nimmer bewaarheid zou worden.

Tijdens de vierde nacht maakte Simmu, makkelijker verloren dan Zhirem en makkelijker gevonden, al voor twee-derde een elementaal wezen en thuis bij het vreemde, zich los uit Zhirems armen en ging naar het griezelig brandende vuur. Ze wiegde haar lichaam boven de katteoogvlammen en wierp daarin het Eshva juweel. Niets dat in de Onder-aarde was gemaakt, werd daarboven vernietigd zonder dat de demonen er notitie van namen. Simmu grijnsde als een wolvin toen de groene steen zwart werd in het groene vuur.

Maar 's ochtends was het vuur zwart en de steen weer groen.

Zhirem zat naast het meer. Hij staarde naar de zoute glinstering. Hij keerde zich niet naar Simmu. Hij probeerde vissen te zien op de bodem van het meer, waar er geen konden zijn. Hij was leeg, dodelijk vermaakt door zijn neerslachtigheid. Demonen bestonden niet, of bemoeiden zich niet met mensen. Hij was in een zwarte mijnschacht ge-gooid die Niets bevatte.

De zon zonk weg. Een enkele vogel zeilde snel over het meer met scherp gehoekte vleugels in de nagloed. Het meer verglaasde en begon te glimmen als een roze spiegel.

Simmu, terwijl ze bij het vuur hurkte, Zhirem bij het meer gezeten, hoorden beiden een zacht gekners van het houts-koolzand. Beiden rezen overeind en keken achter zich. Hun nekhaar prikte. Uit de avondschemer in het westen leek zich een gedaante te weven, maar niet een gedaante waarop zij wachtten.

Een gebogen oude man strompelde moeizaam, voetje voor voetje rond het meer. Zijn vormloze zwarte kleren flapperden om hem heen, zijn haren hingen neer in ijzeren strengen.

Hij arriveerde eerst bij Zhirem, deze oude man. Hij richtte zich op en zag Zhirem aan met een gezicht als een door vuur geteisterde, uitgedroogde steen en in dit verwoeste ge-laat brandden twee ogen met een licht dat Zhirem voor seniliteit en waanzin hield.

'De zwarte landkrabben,' siste de oude man, met een stem die vreemd krachtig en indrukwekkend was. 'Ik zoek de zwarte krabben die op het land kruipen om te paren.'

Half versuft van dodelijke angst en een verwachting die niet uitgekomen was, zei Zhirem niets.

De oude man maakte een dwalend gebaar met zijn hand, eng en sierlijk. 'Hoe zou je mij noemen? Gek, zou dat het zijn?'

Zhirem staarde. Hij zei: 'Er leeft niets in dit zoutmeer.'
'Gek, zou je mij noemen,' herhaalde de oude. Zijn stem rees en daalde als een onheilspellende en onwaarschijnlijke muziek. 'Niet zo gek als zij die hier komen met de bedoeling de Heerser van de Nacht te roepen.'
Zhirem pakte de oude bij zijn schouder. Maar toen hij hem aanraakte, leek er een bliksemschicht onder zijn hand af te gaan.
'Dan bent u een magiër,' zei Zhirem.
'Zelfs magiërs sidderen bij het horen van de naam van Azhrarn.'
Zhirem wendde zijn blik af. Hij keek in de lucht zelf, zoekend. De oude man vervolgde zijn gekromde koers over het zand naar waar het groene vuur brandde en waar Simmu, nu gekleed in haar boerenvodden, naar hem stond te turen. Toen de oude dichtbij kwam, hief Simmu haar armen op. Het was alsof zij een poort opende om hem binnen te laten.
Bij het vuur gekomen, spuwde de oude opeens in de vlammen. Daaruit flitste een blauwe tong en Simmu viel op haar knieën, zonder te begrijpen waarom ze dat deed. Haar ogen werden wazig toen ze de waanzinnig brandende blik van de oude man ontmoette. Maar voor haar was de brand geen waanzin. Het was een scherpzinnigheid, een diepzinnigheid die te ontzagwekkend was voor woorden.
'Jij hebt naakt gedanst,' zei de magiër. 'Ik heb je dans aanschouwd. Ik heb andere dingen gezien. In het noorden is een dikke priester overleden. Beyash, op de vlucht voor een sprekende zwarte vogel, viel van een trap naar zijn dood. Wat jou niet verblijdt, kleine, daar je de Dood haat, en zelfs je vijanden niet in zijn hoede wilt overgeven.'
Simmu huiverde. Ze zag niet dat de magiër over zijn schouder keek, en niet dat Zhirem ook omkeek alsof hij geroepen was, en nu terugliep langs de oever naar het vuur.
'Als u een magiër bent,' zei Zhirem, 'leer mij dan de Prins der Demonen ontbieden.'
'Ontbieden?' zei de oude man, en nooit droeg zo'n zacht gemompel zo'n grote dreiging. 'Hem ontbied je niet. En je roept hem ook niet aan, als je wijs bent. En waarom zou jij jezelf in zijn aanwezigheid willen riskeren? Misschien heeft iemand je het verhaaltje verteld dat degenen die hem aanroepen, hem één enkele gunst mogen vragen. Dat verhaal is niet noodzakelijk juist.'

'Ik wil hem dienen.'

'Hem dienen? Heeft hij dan behoefte, denk jij, aan menselijke bedienden? Heeft hij daarvoor niet zijn eigen volk? De mensen hebben je misleid, Zhirem. Jij bent niet bedoeld voor het duister.'

Zhirems gezicht werd als wit staal.

'Zeg dat nu niet,' zei hij. 'Ik heb te ver gereisd.'

'Luister,' zei de oude man, en zijn stem zong en was een betovering. 'Luister,' zei hij, en het hele oor van de nacht gehoorzaamde. De bomen luisterden, en de aarde luisterde, en het water van het meer, en Zhirem zonk neer bij het vuur en luisterde ook. Toen vertelde de oude man hem het verhaal van zijn eigen begin. Alles vertelde hij, alsof de oude man alles meegemaakt had, het gemopper tussen de tenten, de angst van Zhirems moeder, het binnensluipen van de heks. Hij sprak over de nacht toen de wolk het kind en zijn moeder naar de tuin van groen zand droeg. Hij sprak over de put van vuur en Zhirem die erin gedompeld werd. Hij sprak over de prijs voor deze unieke en totale pantsering, die geen maas overliet voor kwetsuren. Want door het wegbranden van sterfelijke zwakten, verbrandden ook sterfelijk geluk en blijheid. Het kwam door een of andere oeroude wet van de goden, ouder dan de tijd. De mensen mochten niet teveel hebben. Extase en kwetsbaarheid waren aan elkaar gekoppeld. De angst dat de beker weggegrist zou worden, was wat de wijn zijn smaak gaf, en zo zeker als Zhirems beker nimmer afgepakt kon worden, zo zeker was zijn gebrek aan blijdschap. Het was een prijs die zelfs demonen, zei de magiër, niet wilden betalen om een sterveling op wie zij prijs stelden, veiligheid te geven. Het was het licht van het vuur dat Zhirem kwaad had gedaan, niet de duisternis.

Het zweet stroomde van Zhirems gelaat, zijn ogen brandden droog, en hij zei: 'Wat dan?'

'Inderdaad, wat dan,' zei de magiër.

'Ik geloof er geen woord van,' zei Zhirem.

'O nee? Vooruit, bewijs dat ik mij vergis.'

Zhirem keek hem met haat en smekend aan. Toen als een hond die uit de kamer wordt geslagen, stond Zhirem op en liep regelrecht het duister van de nacht in. En de duisternis spleet open om hem te ontvangen en sloot zich achter hem.

Simmu wilde opspringen en hem achterna rennen, maar

ze ontdekte dat de magiër zijn hand om haar pols had geklemd. En de hand leek haar te boeien als met een onbreekbare ketting, maar ze was verliefd op die ketting.

'Voor jou heb ik dit,' zei de magiër. 'Je moeder was een koningin die een ver land regeerde. Het koninkrijk heet Merh en nu is het van jou. Wil je het hebben?'

Betoverd door de aanraking van de magiër sloot Simmu haar ogen. Koninkrijken betekenden niets. Ze dacht aan Zhirem die verloren was in de duisternis en zij wilde slechts hem troosten, maar de ketting kluisterde haar en ze was verliefd op de ketting. Ze legde haar hoofd op de schouder van de oude man, en zuchtte.

En na enige tijd merkte zij dat ze op de harde grond lag en dat haar haar om haar pols was gewikkeld, en dat het vuur gedoofd was.

Zhirem kwam in een vallei in het wetteloze land in het troosteloze maanloze uur voor het ochtendgloren.

De vallei was lelijk en riekte genadeloos. Overal in het rond lagen scherven en vuurstenen als scheermessen zo vlijm; de magere bomen hadden de wind geklauwd tot zelfs de wind hier niet durfde blijven. Het was een plek om de dood te ontmoeten, en Zhirem herkende dit.

Hij raapte de vlijmscherpe scherven op onder het lopen, en liet ze weer vallen. In het centrum van het dal was een kloof uitgerukt door een inslag van een geweldig grote meteoor, een dal in het dal, en op de bodem ervan stroomde een zwarte stroom met aders van rood gif erin. Het was beslist een plek van de dood, en met vele vormen van de dood erin. Het zou hier geplaatst kunnen zijn als een deel van Zhirems lot.

Zhirem bleef staan op de rand van de afgrond.

Hij zei, tegen het dal, en tegen de resten van de nacht, en tegen ieder die hem wellicht hoorde: 'Al wat er van mij over is, is hier. Als iemand mij wil opeisen, moet dat nu gebeuren.'

Het dal, waar geen wind waaide, zweeg. Maar de stilte bevatte voldoende antwoord.

Nu was Zhirem gezegd dat hij niet kon sterven. De gebeurtenissen hadden het hem gezegd, en ook een oude man bij een meer. Sterven is een angst, maar leven ook. Zhirem stapte van de rand in het niets en wat hij werkelijk wilde was niet eenvoudig te doorgronden, en ook hij vond het niet eenvoudig, een eind of de vloek van het ontbreken van een einde. Als de rotsen hem doorstoken hadden met hevige pijnen en de dood, misschien zou hij dan geschreeuwd hebben van wroeging. Maar de rotsen lieten hem met rust, en het was of hij door gaas in fluweel viel, zonder een schram op te lopen, geen buil. En toen hij zich overeind hees en tegen de muur van de kloof opkeek en zag hoe diep hij gevallen was en wist dat hij leefde en niet gewond was, toen gold zijn schreeuw van ellende en wroeging het leven, en er was geen plaats meer in hem over om te kunnen begrijpen dat het anders had kunnen zijn.

Zhirem greep de vuursteendolken van de bodem. Hij dreef ze in zijn hart, zijn hals, de aderen van zijn armen – en geen ervan doordrong hem. Hij liet zich naast de gifbeek vallen en dronk eruit. Hij ging met zijn gezicht in het water liggen en zijn haar dreef erop, en hij voelde de dodende smaak van het gif in zijn keel en zijn maag veranderen in smakeloosheid; erger nog dan gif, voedde het hem.

De gruwel van het uniek-zijn kon hij niet verdragen. Hij kon niet doorgaan in eenzaamheid en zonder doel. Hij kroop weer overeind, hij knoopte de priestergordel los van zijn middel en maakte een strop. Hij hing de strop aan een tak van een van de vreeswekkende bomen en hing zichzelf op. Maar toen het koord strak trok, leek het of de boom haatdragend fluisterde: 'Zhirem is te mooi om te sterven,' en de tak brak.

Op de rots uitgestrekt deed Zhirem geen poging meer om op te staan. Een koude regen plensde op zijn open ogen en, gemengd met de regen, een schim.

Door zijn versuffing en door het water onderscheidde Zhirem de gestalte van een man, lang tegen de bleker wordende regenhemel. Zwart was de man, zwarter dan de nacht was geweest, en de regen maakte zijn witte haar en witte klederen, die witter waren dan de dag zou worden, niet nat.

'Je hebt om mij geroepen,' zei de man, die geen man was, maar de Dood. 'Je hebt om mij geroepen maar ik mag voor jou niet komen. Niet voor er lange jaren en lange eeuwen voorbij zijn. Slechts dit kan ik je geven.' En hij boog zich naar Zhirem toe en legde zijn vingers op Zhirems voorhoofd, zodat diens zintuigen en de hele wereld hem verlieten en zelfs dromen kwamen niet voor in die kerker van bewusteloosheid.

Toen de Dood vertrokken was, kwam er een ander.

Simmu leunde over de rand van de kloof en zag Zhirem op de bodem ervan liggen, stil als een steen in de regen met het koord om zijn nek en de gebroken tak dicht bij hem. En Simmu wist dat de Dood in de kloof was geweest, zoals een blad weet dat de winter het gestreeld heeft.

Simmu had het verhaal van de tovenaar niet echt begrepen. Misschien was het verhaal alleen voor Zhirem bedoeld geweest en voor geen ander. De put van vuur bleef een mysterie voor Simmu, en dus zag zij nu Zhirem dood op de bodem van de kloof. En daar, dood met hem, zag zij haar leven.

Haar vrouwelijkheid verliet haar terwijl ze in de diepte staarde. Simmu werd weer een man, een jongen, die knielde op de rand en toen opsprong en daar wegvluchtte, gedreven door zijn oude angst.

En terwijl Simmu vluchtte, huilde hij, maar de hele hemel huilde voor Zhirem.

4 Zij die draalt

Een

In Merh, dat niets voor Simmu betekende, heerste Jornadesh.
Jornadesh, de bevelhebber van de legers van Narasen, hij
die haar gedood had met een blauwe drank, die zichzelf tot
koning had gemaakt en de ware koning in de graftombe van
zijn moeder had opgesloten, leefde – alle zestien jaren van
Simmu's leven, was Jornadesh heer van Merh geweest. Toen
Simmu huilend door de wetteloze landen zwierf, lag Jornadesh op een zijden kussen in het paleis van Merh en leefde
als een god op aarde.

Hij was dik geworden, de knappe bevelhebber. Zijn enige
lichaamsbeweging speelde zich af aan tafel en in de lichamen
van zijn vrouwen. Overal straalde de luxe af; hij vrat zich
vol aan het land, maar het land was heel welvarend, ondanks hem. Het was een rijk en voorspoedig land, en Narasen had het zo achtergelaten. En wat was Narasens loon?
Niets. Geen riten, geen eerbewijzen in haar mausoleum, geen
teken van rouw hoe vals ook, geen enkele gouden toren werd
in haar nagedachtenis opgericht. Nu was dit voor de doden
van weinig belang. De zielen van de gestorvenen bleven gewoonlijk niet talmen om te spioneren of somber te peinzen.
Maar voor de ziel die door de overeenkomst met de Dood
in de Binnenaarde gevangen was, voor nog duizend jaar
aan haar vlees gekluisterd, voor die ziel hadden de daden
van de wereld wel degelijk belang.

Jornadesh verliet de zijden kussens en verplaatste zich naar
een zilveren bed en het zijden lichaam van een meisje en
eindelijk sukkelde hij in slaap en toen kreeg hij een droom,
en deze droom was zo: in Jornadesh' palm lag een blauw
juweel, waarnaar hij begerig loerde terwijl hij de glans bewonderde. Maar terwijl hij keek, begon het juweel te veranderen. Het veranderde in een blauwe spin die over zijn
huid kroop. En direct werd dit beeld gevolgd door een
ander: een blauwe bloem bloeide in een vaas, maar toen
Jornadesh zich bukte om de geur op te snuiven, veranderde
de bloem in een hand die hem bij de keel greep. Ten slotte
zag hij een blauwe heuvel, maar de blauwe heuvel spleet
open en spuwde een onmetelijk legioen van schorpioenen,

termieten, gifslangen en torren uit, en deze dieren, allemaal blauw, zwermden over Jornadesh heen en verslonden hem al doende, zodat hij gillend wakker schoot.

Jornadesh hield er niet van dat zijn rustige leven verstoord werd. Zelfs als hij sliep wilde hij rust en vrede om zich heen. Toen hij weer ingeslapen was en precies dezelfde droom kreeg, stormde hij log uit zijn bed terwijl hij om lampen en tovenaars riep.

'Stuurt iemand het kwaad op mij af?' vroeg Jornadesh. 'Keer deze invloed dan om, keer hem tegen de afzender, en laat hem sterven in zijn eigen val.'

Maar de tovenaars konden geen bewijzen vinden van zo'n boze zending.

Jornadesh was niet tevreden, al ging hij weer naar bed. Tegen het ochtendgloren bezocht de droom hem voor de derde maal en nu wekte hij met zijn kreten het hele paleis.

De tovenaars werden weer gehaald en ze werden herinnerd aan diverse folterinstrumenten die her en der in de vele gangen van het paleis opgeborgen waren.

De tovenaars overlegden. Een zei: 'Majesteit, wij kunnen niets ontdekken. Werkelijk, wie zou u nu kwaad willen doen, ziende hoe rechtvaardig en deugdzaam u bent. Maar als het u dwars zit, wij weten van een zekere wijze die op de vlakten buiten de stad woont. Men beweert dat hij wichelende vermogens bezit. Als u dat wenst, zullen wij hem ontbieden.'

Hiermee hoopten ze de toorn van Jornadesh af te leiden naar deze wijze kerel, van wie het gerucht wilde dat hij zonderling was. Tot hun opluchting stemde Jornadesh ermee in deze wijze te raadplegen. De man werd gehaald.

Het was een wildeman. Hij leefde van fruit en rauw vlees en kleedde zich in de huid van een luipaard. Zijn baard hing op zijn knieën, maar zijn hoofd was kaalgeschoren. Toen ze hem voor de koning brachten, leek hij niet onder de indruk, en toen ze hem meedeelden dat Jornadesh een droom wilde laten duiden, vroeg hij slechts hoe de droom ging. Toen het hem verteld was, ging hij languit op de mozaïekvloer liggen. Hij begon zwaar te ademen en van zijn ogen zag men alleen nog het wit en even later begon hij te kronkelen en te kreunen. En toen hij behoorlijk lang had liggen kronkelen en kreunen, brulde hij opeens met een verschrikkelijke stem: 'Hoed u! Jornadesh en Merh, hoed u! Zij vergeet niet dat u zich haar niet herinnert. Hoed u voor water, en hoed u voor de onafgesloten poort, en hoed u voor de

134

voetstap op straat 's nachts wanneer geen hond blaft. Hoed u voor zij die draalt.'

Toen zweeg de wijze, hij deed zijn ogen open en stond bedaard op.

'Wat moet dit nu betekenen?' tierde de koning.

'Hoe zou ik dat weten?' zei de wijze honend. 'Ik begrijp niets van de macht die mij in bezit neemt. Ik spreek alleen wat mij in de mond wordt gelegd.'

'Neem hem mee en laat hem geselen!' donderde Jornadesh.

'Ik ben wel eerder gegeseld,' zei de wijze.

En toen de soldaten hem vastbonden en begonnen hem te ranselen, maakte de wijze geen enkel geluid, hij leek er zelfs niets van te merken, ofschoon het bloed over zijn rug stroomde. En uiteindelijk begonnen de twee zweepknechten te janken, en ze beweerden dat iedere keer als de gesel doel trof, de wijze duidelijk geen pijn voelde, hoewel hij gewond was, terwijl zij – zonder wond – iedere slag voelden. Toen hielden ze op de wijze te ranselen en ze maakten hem los en joegen hem vloekend het binnenplein af, en jammerend kropen ze hun bed in terwijl de wijze, bloedig doch onbekommerd, uit de stad liep.

Ondertussen liep Jornadesh koortsig na te denken.

'Wie is het die draalt – wie kan het zijn?'

De tovenaars kropen bevreesd naar hem toe.

'Wellicht, genadiglijke heer, is het een rusteloze geest. Wellicht, edelmoedige heer, is het de geest van Narasen, na wier onmiskenbaar natuurlijke en onvermijdelijke dood u in uw wijsheid Merh redde van de bandeloosheid, en de stad versierde met het juweel van uw luisterrijke heerschappij.'

'Narasen,' fluisterde Jornadesh, en hij verbleekte.

Voordat de zon het zenit had bereikt, had Jornadesh in Merh een maand van rouw afgekondigd voor Narasen.

'Wie is Narasen?' vroegen de kinderen die na haar sterven geboren waren.

'Een of andere dode troela,' zeiden spottend de ouderen, die zich haar nog net herinnerden.

'Een hoer,' zeiden de oude vrouwen.

'Een mannenhater,' zeiden de oude mannen.

Het geheugen van de mensen had Narasen geen prettige nagedachtenis gelaten. Haar kracht en haar daden om het rijk te bewaren, waren teloorgegaan in een hoos van booswillendheid en het gretige verlangen om alleen maar fouten te zien. Bovendien was het niet verstandig geweest om goede dingen over haar te zeggen toen Jornadesh eenmaal in haar plaats heerste.

Maar nu werd er wierook gebrand voor de goden tot het heil van de ziel van Narasen, totdat alle tempels ernaar stonken. Er werden lofliederen op Narasen gezongen en hele processies paradeerden op en neer door de straten terwijl de mensen op gongs sloegen en de omstanders smeekten haar naam te eren.

Jornadesh trok een grove grijze mantel aan en reisde langs de rivier naar Narasens graftombe in het noorden. Buiten, op het marmeren platform, werden de riten voor de doden opnieuw gezegd, langdurig en met groot vertoon – heel anders dan bij de eerste gelegenheid zestien jaar daarvoor. Toen dit geregeld was, sprak Jornadesh de graftombe zelf toe en hij verzekerde Narasen dat zij voortaan geëerd zou worden. Toen gaf hij bevel de tombe te openen, want hij had kisten vol schatten meegebracht om de grafkamer en haar overschot te versieren – althans, dat zouden anderen voor hem doen. Maar toen ze bij de deur kwamen, ontdekten ze dat deze al openstond en toen ze zich binnen waagden, vonden ze wel overal talrijke botten, maar de baar van Narasen was verlaten. Er was geen rafel van haar kleren of een streng van haar haren over, en het stof lag in een dikke laag op de baar en hierin was geen afdruk van lijk of geraamte te vinden.

Niemand die dit aanschouwde was er blij mee, maar Jornadesh werd het zeer bang te moede. Hij vluchtte terug naar Merh en sloot zich op in zijn paleis. Bewaakt door zijn soldaten buiten, en door zijn sterkste slaven binnen, lag hij hier in zijn bed te woelen terwijl zijn tanden klapperden van angst. Totdat hij ten langen leste in slaap viel en dezelfde droom weer kreeg.

Twee

De dode Narasen stond op een oever van grijze leisteenplakken met voor zich een breed, stroomloos kanaal van krijtwit water dat de krijtwitte hemel en drie verre grijze heuvels van het domein van de Dood weerkaatste, en Narasen zelf, zoals zij nu was. En Narasen was opvallend kleurig

136

in het monochrome landschap, met haar huid zo blauw als een hyacint, het wit van haar ogen bijna even blauw maar in het centrum geel als de topazen die aan haar oren hingen. Haar magenta haar, niet beroerd door de onstuimige maar krachteloze wind van de Binnenaarde, was langer dan toen ze nog leefde en haar nagels waren ook zeer lang, en indigo van kleur. Narasen staarde zonder emotie naar haar weerspiegeling. Ze walgde van de wereld en de on-wereld gelijk, de goden, de mensheid en de demonen en zelfs de Meester van de Dood, en zichzelf sloot zij van deze opsomming niet uit. Maar toen, terwijl ze haar ogen opsloeg, kwam ze een ogenblik in verleiding om nostalgisch te dromen. De andere oever van de rivier loste op, werd een gouden vlakte, gebrand met donkergouden schaduw, en daar, tussen de zuilen van hoge bomen, blikkerde een gouden luipaard in de schaduwvlekken...

Maar ze beheerste zich, ontbond de droom, en het visioen waaide weg. Ze had gezworen dat ze zich niet zou overgeven aan dromen van de verloren aarde, niet om zichzelf te plezieren, noch om haar sombere meester te prikkelen (de Dood was haar meester, dat kon ze niet ontkennen). Maar anders dan de andere sterfelijke bewoners van de Binnenaarde had Narasen haar eed gestand gedaan en ze fantaseerde in het geheel niet. Te midden van de schitterende en genotvolle illusies van de mensen, sneed zij een pad als een mes. Ze verachtte degenen die zich uitleverden aan zulke waanbeelden, en men had een hekel aan haar frons en meed haar. In zekere zin vreesde men Narasen meer dan Uhlume, de Heer van de Dood. Want de Dood fronste niet tegen zijn slaven. Hij verwende ze. Hij was een bedroefde, spookachtige en angstwekkende vader. De stervelingen die een ruil met hem waren aangegaan, en nu hun duizend jaar uitzaten in zijn domein, wedijverden zelfs met elkaar in hun pogingen om zijn melancholie te verdrijven met wat hun dromerijen schiepen. Zo niet Narasen. Zij had een eed gezworen en zij hield zich aan die eed. Als zij binnenkwam, werd het stenen paleis grauw en klam, de muziek verstilde en de versieringen zonken in de vloer. De menselijke bevolking van de Binnenaarde berispte haar, schold haar uit, smeekte haar mee te doen, om vrolijk te zijn en haar weerspannige houding op te geven. Narasen verspilde geen woord aan hun. Ze negeerde hen, ze duwde hen uit de weg. Ze was nog altijd een koningin, en nu een wrede. Als Uhlume zag dat de schoonheid en de muziek in zijn zalen de nek werden omgedraaid, en hij zijn bleke ogen op haar richtte, boog zij spottend voor hem.

'Ik heb u gezegd dat u van mij moest genieten,' zei Narasen. 'Geniet dan! Uit uw duizend jaar van Narasen is dit al het plezier dat u zult krijgen.'

Maar in het algemeen bracht ze haar tijdloze dood niet door in het paleis van de Dood tussen de mensenslaven maar ze liep door het naargeestige land van de Binnenaarde en verbeten en zonder hoop zocht zij naar iedere afwisseling, naar een plek mos dat bijna een kleur had tussen de kiezelstenen, naar de voorboden van een zonsondergang of het vallen van een nacht of het rijzen van een ster. Ze vond niets van dit al, vanzelfsprekend, en ook geloofde zij niet dat het ooit zou gebeuren. *Hiervoor heb ik mijn ziel verkocht,* dacht zij. *Hiervoor heb ik de hoer uitgehangen, en met een lijk gepaard en een kind gebaard uit mijn liefdeloze schoot. Hiervoor!* En dan staarde zij in het rond, en haar haat en haar teleurstelling waren sterk genoeg om de heuvels te splijten, maar dat gebeurde niet. Hoewel soms, als zij opkeek, ze Heer Uhlume op enige afstand zag staan, op een helling of in een dal, en daar keek hij naar haar. En dan ging zij naar hem toe en vroeg: 'Irriteer ik u, mijn Heer?'

Maar het gebeeldhouwde ravezwarte gelaat zei haar niets, en zijn bodemloze lege ogen zeiden haar minder dan niets.

Op dit speciale uur voelde Narasen, toen ze bij de kale rivier stond, dat de Dood weg was gegaan. Het was onmogelijk om zich niet bewust te worden van deze ogenblikken van afwezigheid. Er vond dan een soort vage opklaring van de atmosfeer van de Binnenaarde plaats, en tegelijkertijd, paradoxaal, taande de geringe belangstelling ervoor.

Nu had Narasen onlangs een plannetje gemaakt.

Men beweerde dat er in de vertrekken van Heer Uhlume een zekere spioneerkijker te vinden was. Deze toonde de wereld, iedere plek ter wereld die men wenste. Zoveel had Narasen opgestoken uit het gepraat van haar medeslaven en lange jaren, die alleen minuten waren geweest, en minuten die jaren hadden geduurd, had zij gespeeld met de opwindende gedachte om naar de vertrekken van de Dood te gaan en daar de kijker te zoeken en die te gebruiken – iets wat geen ander van de bewoners van de Binnenaarde zou durven.

Narasens houding tegenover Uhlume was eigenaardig. Ze vreesde hem – niet langer was het een sterfelijke angst. Toch vreesde zij hem, want wat was hij anders dan een toegankelijk geworden, vleesgeworden Doodsangst? Niettemin behandelde zij hem even onverschillig als altijd en onverschilliger nog. Bovendien was voor Narasen angst iets om tegen te strijden.

En zo, zonder zich te storen aan toeschouwers, keerde Narasen terug naar het troosteloze paleis van de Dood, naar zijn kamers en daarin ging zij binnen. Er was geen slot en geen bewaker om haar de weg te versperren. Normaal waagde niemand zich hierbinnen.

De kamers waren talrijk en donker, en allemaal leken ze ongemeubileerd. Misschien was het meubilair waarmee de Dood zich omringde zo onwaarschijnlijk, zo wezensvreemd voor mensenogen of mensenrede, dat het ondanks zijn aanwezigheid eenvoudig onherkenbaar was zodat Narasen het wel zag, maar niet kon bevatten wat ze zag. Of misschien woonde de Dood, geestverschijning die hij was, in werkelijkheid in het niets en was hij uitgeblazen als een lamp wanneer niemand naar hem keek. Hoe het ook zij, Narasen vond geen tafel en geen stoel en geen kist en ze begon te vermoeden dat de kijker niet meer was dan een stom verhaaltje. Maar op hetzelfde moment dat zij zich dit voorstelde, lag de kijker recht voor haar. Het was een in goud gevat kristal dat in een hoek lag. Wat aanleiding zou kunnen geven tot de verleidelijke veronderstelling dat de kijker als het meubilair was – hetzij in een andere vorm die de toeschouwer kon vertalen als hij dat wenste, hetzij helemaal niet aanwezig totdat hij tot werkelijkheid werd verheven door de vastberaden wil van Narasen – want Uhlume had haar lang geleden al gezegd dat zielen in levenloze lichamen magiërs waren.

Onnodig te zeggen dat Narasen zich niet vermoeide met dergelijke theorieën. Ze pakte de kijker van de vloer, wreef het vocht en het vuil eraf en hield hem voor haar ene oog. Aanvankelijk zag zij slechts slordige walmen. Maar kort daarna werd het glas helder en zij keek recht uit de Binnenaarde in de wereld en in Merh. Naar een koets van zijden stoffen en metaal en naar Koning Jornadesh, die erin lag met een kudde van zijn vrouwen en de inwoners van Merh strooiden bloemen op zijn pad.

Wellicht had zij vaak verondersteld dat de zaken er zo

voorstonden in haar stad, maar het bewijs voor ogen te zien karnde haar emoties.

'Ah!' spuwde Narasen. Ze smeet de kijker weg, die natuurlijk niet kapotviel. 'Als ik iemand kon vervloeken zoals Issak mij vervloekt heeft, dan zou ik Jornadesh vervloeken omdat hij mij vermoord heeft, en Jornadesh niet alleen.'

Op dit moment veranderde de hoedanigheid van de lucht, werd deprimerender en tegelijk aangenamer, wat betekende dat Uhlume terugkwam.

En nog geen seconde later schoot de deur – er was een deur, maar consequent was hij niet – open en Uhlume kwam binnen.

'Aanschouw,' snauwde Narasen. 'Een rover in uw kamer. Wat zal ik stelen, mijn Heer? De fabelachtige juwelen? De kostbare tapijten?'

Uhlume zei niets en deed niets. Niets verraste hem echt. Tenminste, dat was nog nooit voorgekomen.

'Ik vraag een gunst,' zei Narasen.

'Welke?' zei Uhlume.

'Ik had gehoord dat u een kijker bezit die de wereld toont. Ik heb ook gehoord dat u uw onderdanen een kort bezoek aan de landen van de aarde toestaat. Ik hoorde dat ze in hun eigen dode lichaam omhoog rijzen en dat hun vlees niet afsterft, omdat u het verval tegengaat met een listige magie. Welnu, laat mij de aarde bezoeken. Een nacht en een paar uren van de dag, meer vraag ik niet.'

'Sommigen die ernaar smachten de wereld nog een ogenblik te aanschouwen, laat ik gaan,' zei Uhlume. 'In de regel voelen ze zich daarna alleen maar ellendiger. En het heeft zijn prijs.'

'De Dood is een koopman,' zei Narasen. 'Welke prijs?'

'De prijs die jij niet wilt betalen,' antwoordde Uhlume. 'Alles wat je ziet en alles wat je doet moet je aan mij verhalen, moet je met een illusie tonen wanneer je terugkeert.'

Narasen lachte. 'Deze ene keer doe ik het. Je zult smullen van mijn avonturen, arme mensvormige duivel die je bent.'

'Geen ander spreekt tegen mij zoals jij,' zei Uhlume.

'Dan werd het tijd dat het gebeurde.'

Het vertrek uit het rijk van de Dood ging eenvoudig in zijn werk, maar het lag niet voor de hand. De Dood schoof aan de derde vinger van Narasens linkerhand – de vinger waarvan het bovenste kootje weggehaald was – een gouden ring die een stukje heiligbeen bevatte, het toverbot van het bekken.

Toen zij deze ring eenmaal droeg, hoefde Narasen nog slechts van de loodgrijze rotswand af te stappen waarheen Uhlume haar had gebracht en meteen bevond zij zich in een donkere leegte die omhoog stormde. Deze tocht door het duister leidde naar de Rivier van de Slaap, die stroom waar dromende zielen verdwaalden en in paniek jammerden, en voorbij de rivier, door een dikke smeuling van onontcijferbare dromen. Narasen was driemaal eerder langs deze weg gekomen, tweemaal levend en eenmaal dood. Nu reisde zij voort zonder belang te stellen in het uitzicht, snakkend naar wat haar in de hoogte wachtte terwijl zij door haar wil te concentreren, koos op welke plek zij op aarde zou verschijnen. Haar hoofd brak door het oppervlak van een zee van rook, zij schoot recht omhoog en alles was anders. Ze was weer in de wereld.

Dat verschil. Anderen zouden geweend hebben. Maar Narasen was Narasen. Als zij iets voelde, dan haar woede. Van dit alles was zij met list beroofd.

Het was het laatste uur van de middag. De zon hing laag in een gouden hemel en een stoffige nevel van goud waste alles. De brede, donkere rivier was als bier, de vlakten waren gevlekte luipaardhuid. De muren van de stad leken opgetrokken van in saffraan gebakken biscuit. Narasen hoorde de lome geluiden van kuddes en de vage kreten van mannen, allemaal verzacht door het honinglicht. Het was Merh en de stad was Merh. Het land had zelfs de geur van Merh, voor de inheemsen even bekend als Narasens lichaamsgeuren toen ze nog leefde. Merh, helemaal goud, helemaal heerlijk. Merh dat haar niet miste, Merh dat om haar niet rouwde, Merh dat het eigendom van Narasen was geweest en dat zij gered had zodat het haar onverschillig en in weelde kon vergeten.

Narasen keek om zich heen. Zoals haar bedoeling was geweest, stond zij op de begraafplaats voor misdadigers buiten de stadsmuur.

Issak de magiër was hier in een graf gesmeten toen zij hem gedood had. Hier in een naamloos graf was zijn lijk weggerot terwijl zijn vloek Narasen en haar koninkrijk in zijn greep nam. Niet voor niets en heel levendig waren zijn woorden haar bijgebleven tijdens haar lange verblijf onder de grond.

Dor als de schoot van Narasen zal Merh worden. Merh zal Narasen zijn. Wanneer Narasen niet langer onvruchtbaar zal zijn, zo zal het land vrucht dragen. Merh zal Narasen zijn.

Narasen stak haar blauwe handen uit naar de naamloze graven. Eenmaal eerder had zij de zwakke plek in de vloek van Issak gevonden. Deze tweede zwakke plek had haar jaren gekost, maar ze had hem gevonden. Terwijl ze de vervelende Binnenaarde patrouilleerde, was het in een flits tot haar doorgedrongen hoe zij de laatste stekel in de staart van de schorpioen zo kon aanwenden dat zijzelf, niet Issak, niet Jornadesh, de schorpioen zou worden.

Narasen liep rond over het eenzame stukje grond en beproefde met een nieuw zintuig wat eronder school. Soms stond ze stil en stampte met haar voet. En diep in hun holten leken oude botten van plaats te veranderen, zich in hun slaap om te draaien, haar verzoekend hen met rust te laten, zij waren niet degeen die zij zocht. Na verloop van tijd voelde zij een zekere plek onder zich en ze bleef staan om na te gaan wat hieronder lag. Het leek haar of zij recht door de aarde in het gat van het graf keek, naar een skelet, met een stuk van het heft van een roestige speer nog tussen zijn ribben geklemd. De schedel grijnsde naar haar. Het vlees was geheel verdwenen, en de ziel was verdwenen – vrij, zoals haar ziel niet vrij was. Maar de beenderen van mensen waren in die dagen doordrenkt van de daden en van de herinneringen aan de daden van de vroegere eigenaars van die beenderen, zoals was de afdruk van een zegelring opneemt.

'Issak,' zei Narasen, hoewel haar stem geen stem in de wereld was. 'De dode spreekt tegen de dode. Denk terug aan jouw vloek over mij en over mijn stad.'

Toen zij dit nu zei, bewoog er iets in de schedel, niet iets van Issak, maar een zwarte worm. De worm bewoog zich tussen de kaken van de schedel en eerst hief hij zijn kop op, en toen boog hij voor haar.

'Dus je erkent mij? Goed. De vloek was aldus, dat Merh Narasen zou zijn. En dat gebeurde inderdaad. Want toen ik onvruchtbaar was, was Merh het ook, en toen ik vrucht droeg, deed ook Merh dat. Maar ik ben nu dood, ik werd vergiftigd en ik stierf en mijn huid is blauw. Geef mij de vloek terug, botten van Issak, want je herinnert je die nog goed. Laat Merh opnieuw als Narasen zijn. Ik heb een hoge prijs betaald om te houden wat van mij was, en ik hield het niet. Anderen, die niets betaald hebben, hebben mij Merh afgenomen. Laat Merh weer als Narasen zijn.'

Ze was rechtvaardig en ze was wreed. Alsof hij dit aanvaardde, knikte of boog de zwarte worm nogmaals. Toen maakte hij zich los van het gebeente van Issak. Hij boorde omhoog door het graf tot hij uitkwam op de aarde onder de hemel en daar aangekomen wikkelde hij zich driemaal om Narasens enkel. Narasen voelde hem als een spiraal van brandend metaaldraad en de hitte ervan rees door haar hele lichaam totdat zij ermee gevuld was en meer dan gevuld. Toen verschrompelde de worm tot een lege huls en viel weg, en Narasen grijnsde met haar fraaie tanden die nu als lapis lazuli waren, en zij richtte haar blik op de poorten van Merh.

De gouden lucht vatte vlam en het land vlamde op om de lucht te ontmoeten, totdat de vlam flakkerend doofde en de nacht neerzonk op Merh, diep als haar diepste stenen en dieper. Maar in de nacht hadden duizend lamplichte vensters de zonsondergang in zich gevangen, geel, goud en rood.

De poorten gingen dicht toen er een schaduw van de schemerige weg kwam.

'Kijk, wat is dat?' vroeg de ene schildwacht aan de andere.

'Niets, of zijn broer.'

Maar de eerste voelde iets langs zich heen strijken, lichter dan spinrag. Hij stak zijn hand uit om te grijpen, en hij voelde het haar van een vrouw door zijn vingers glijden. Maar heel slap was het haar, onaantrekkelijk, koud als onkruid in een verwilderde tuin. De andere schildwacht, die minder goed oplette, voelde geen aanraking, hoewel hij werkelijk aangeraakt was. Wat later ontdekte een derde, die dronken uit het wachthuis waggelde, de afdruk van een vrouwenhand in het stof op de muur en binnen de omtrek daarvan streken drie of vier nachtvlinders neer en die vielen toen, een voor een, rillend van de muur als verbrande papiertjes.

Twee vrouwen waren zo laat nog naar een put gegaan, en stonden daar te kletsen. In de buurt speelde het kind van de oudste vrouw.

Het kind keek op. Uit het halfdonker zweefde een verschrikkelijk azuurblauw gezicht, twee glimmende ogen, een glimlach die geen glimlach was. Een hand streek licht over het kinderhoofd. Op het punt van gillen, werd het kind met stomheid geslagen.

'Kom, mijn zoon,' riep de oudste vrouw door het duister, 'kom hier, want we moeten naar huis. Wie is dit,' vervolgde zij tegen de andere vrouw. 'Ik heb hier nog niet eerder zo'n vrouw gezien.' Ze zag alleen een silhouet, dat is waar, en de glinstering van juwelen bij oren en middel en de glans van metaal bij keel en polsen. 'Iemands rijke dienstmaagd, zonder twijfel. Of een hoer die klanten zoekt.'

In het donker klonk gelach dat niet helemaal een lach was. De oudste vrouw, die dit niet aanstond, groette de andere vlug en haastte zich om haar emmer en haar kind op te tillen en thuis te komen. De jongere vrouw, die talmde om haar kruik te vullen, zag onrustig dat de vreemdelinge zich over de put boog, haar hand in de kruik dompelde en toen in het water eronder. Net toen de jonge vrouw wegliep, streelde een kille hand haar nek en zij nam de benen – te laat.

Velen zouden die liefkozing ondergaan.

Buiten een kroeg in het rosse licht zagen ze een gedaante voorbijgaan die ze voor een vrouw hielden. Eén riep haar en stak zijn hand over haar schouder voorin haar jurk, maar het stenen gevoel van de borst in zijn hand joeg hem weg. Een ander, die onder een boom zat te snurken, met zijn drank in een pot naast zich, merkte niet dat een vrouw de pot oppakte en na een slok te hebben geproefd weer neerzette.

De bakkers, die tot de dageraad bij de vrolijke hel van hun ovens werkten, huiverden maar draaiden zich niet om. Uren later kropen de muizen uit de meelkelders en bedekten de steeg met hun lijkjes.

Sommigen hoorden emmers in putten krakend neergelaten worden, zonder dat er iemand te zien was. Een nachtvogel landde om te drinken bij een natte voetafdruk bij een van deze putten en zijn lied stopte.

Een meisje dat met haar minnaar in een tuin lag, schrok en zei: 'Wat koud is jouw kus.'

'Niet kouder dan de jouwe.'

Op de binnenplaatsen blaften de honden niet. Ze jankten, en zwegen.

De hoer in de poort zei: 'Dit is mijn plek, verdwijn.'

De bedelaar die op de trap van de tempel zat, zei: 'Geef me een munt.'

Een stoffenverkoper die met te veel wijn in zijn buik om een hoek wankelde, kwam recht tegenover een nachtmerrie te staan, liet zich op zijn buik vallen en zwoer nimmermeer te zullen drinken en, toen haar ijzige voet over zijn nek gleed, deed hij zijn eed gestand.

Op de helling gebouwd stond het paleis van Merh in een eeuwig rossig daglicht van lampen te gloeien. Voor de bronzen deuren stonden soldaten met gekruiste speren zonder onrust of verwachting op te letten of zij dát konden ontdekken wat hun heer vreesde. Sinds de profetie van de wildeman had Jornadesh doodsbang in zijn kamers gescholen.

Maar de paleispoort stond open en door de poort kwam iemand binnen.

'Niet verder!' schreeuwden de soldaten. 'Verklaar het doel van je komst.'

Maar deze persoon die naar hen toeliep hield de pas niet in. Over de marmeren treden kwam de persoon naar boven en in het helle schijnsel van hun toortsen zagen de soldaten een vrouw in een zwart gewaad met een gordel van robijnen en goud bij haar hals en op haar armen. Maar haar haren hadden geen kleur die zij eerder hadden gezien, evenals haar huid.

'Wat is dit voor streek? Geen grappen hier. Wij moeten een antwoord hebben.'

Maar ze kregen geen antwoord en de vrouw ging verder en iets in het hart van deze mannen kromp ineen. Weldra smeet de jongste zijn speer. De speer trof de vrouw in haar zijde, maar er welde geen bloed uit en de vrouw viel niet. Ze rukte de speer uit haar lichaam en gooide hem op de grond en haar gelaat was afschuwelijk om te zien, misvormd door razende minachting. En ze riep hen toe met een stem die anders was dan iedere stem die zij kenden: 'Ga van mijn pad!'

En op het horen van deze griezelige kreet wierpen alle vogels op het paleisdak zich tegelijk met een luid ruisende flits van uitslaande vleugels in de lucht en ze vlogen weg of de stad in brand stond.

Toen voelden de soldaten eindelijk grote afschuw, en ze gingen de vrouw uit de weg, allen behalve de jongste, die de speer gegooid had, en dat kwam doordat hij te bang was om in beweging te komen. En de vrouw drukte haar handpalm tegen zijn gezicht toen ze langs hem liep en toen ging ze verder, het paleis in.

Men kan aannemen dat Narasen, wier huis dit geweest was, goed de weg wist in het paleis. Geluidloos en grotendeels ongezien koos zij haar weg en af en toe pakte zij een voorwerp op. Bij de deuren van Jornadesh' vertrekken – haar voormalige kamers – zat de sterke slavenwacht van de koning te dobbelen. Maar toen ze Narasen in het oog kregen, strooiden de dobbelstenen in het rond en de slaven ook en toen stond Narasen ongehinderd voor de ingang. En zij ging naar binnen, ongevraagd en ongewenst, zoals eens Issak de magiër binnen was gegaan, ongevraagd en ongewenst door Narasen zelf.

Jornadesh rustte in de binnenste kamer en daar dronk hij veel wijn. Hij zat met zijn in vuurrood gehulde rug naar de deur en toen hij een zachte voetstap hoorde, kreunde hij geprikkeld: 'Weet dit, meisje, ik heb je ontboden om mij te kalmeren tijdens deze onrechtvaardige bedreiging van deze afschuwelijke dromen, die voortdurend mijn rust verstoren. Kalmeer mij dus, anders word je gedood, dat beloof ik je. Als mijn leven niet veilig kan zijn, reken er dan op dat het jouwe het zeker niet is. Dus schiet op, ontkleed je en plezier mij.'

Maar Narasen stapte geruisloos over de tapijten en toen ze hem vanachter genaderd was, schramde ze zijn rug met haar lijkenlange nagels, die zijn mantel en zijn huid daaronder openscheurden, zodat hij het uitschreeuwde. En al schreeuwend draaide hij zich log om, en zo leerde hij de preciese betekenis van de voorzegging en het preciese moment wanneer deze uitkwam.

Jornadesh' stemming tijdens dit treffen met zijn nemesis was totaal onbeschrijflijk en er is ook geen beschrijving van overgebleven. Hoogst waarschijnlijk wierp hij zich in het stof, schreide tranen en vertoonde andere symptomen van absolute doodsangst, zoals alle mensen eigen is, toen en nu.

Maar: 'Stil,' fluisterde Narasen. 'Dit is geen vertoning waarmee je je koningin en prins, de heerser van Merh verwelkomt. Sta op, doe je juwelen aan en de symbolen van je ambt. Vannacht zal ik met jou in de grote zaal van het paleis aanzitten. Vannacht zal ik je gast zijn, en jij zult aan mij de koninklijke zetel overgeven die je van mij hebt gestolen. Jij zult dichters laten aanrukken die mij bejubelen, en vrouwen voor mijn plezier, al die vrouwen die jij van je hebt laten walgen met die flubberende hammen van je. Nu. Doe wat ik zeg, of moet ik je nog krachtdadiger van mijn rechten overtuigen?'

En Jornadesh, die krankzinnig was van gruweling, gehoorzaamde haar in alles. Hoewel er niemand meer te vinden was toen ze naar de grote zaal afdaalden, want het bericht van haar bovennatuurlijke verschijning was Narasen vooruitgesneld. Het hele paleis was zelfs verlaten. Alleen een gejammer in de verte en een verwarring van talrijke lampen gaven aan in welke richting de mensen gevlucht waren.

Dus zat Narasen zonder gezelschap in de grote zaal waar zij ook in de dagen van haar koninginneschap had gezeten. En zij keek om zich heen naar de albasten lampen en het zilver op tafel, en naar de kommen wijn en de schalen met brood en vlees die haar niet meer konden voeden. Aan de muur hingen luipaardhuiden, de pelzen van dieren die zij gedood had, en boven de koningszetel hing een zijden banier die haar vader in de strijd op een machtige prins had veroverd, en bij haar voeten stond een kruk met een dikke korst van paarlen, het geschenk van een andere prins die Narasen zelf eens had gespaard van haar zwaard.

Terwijl zij naar deze dingen keek, werden de ogen van Narasen zwaar van smart en gif. En spoedig zag zij toevallig, met die verschrikkelijke ogen van haar, de vervorming van een schaduw die zich naast haar zetel had gevormd, en het aanzien van deze schaduw was als een kind, een zuigeling, en toen de kaarsen in de lampen flakkerden, leek de zuigeling te trappelen en met zijn armpjes te zwaaien.

'En jij–' mompelde Narasen in haar ongezonde gepeins, 'kan het zijn dat jij nog ademt terwijl ik dood ben? Jij, mormel, zonder wiens hulp geen moordenaar mij verslagen had. Ik herinner me dat jij lag te janken in de graftombe, maar ik geloof dat jij nu vrij van dat graf bent, en in de wereld woont waarin ik niet kan blijven. Ah, was je maar hier bij mij, beminde zoon, dan zou ik je je vriendelijkheid terugbetalen, en met rente.'

Toen hij haar zo hoorde fluisteren, en zag dat zij in het niets keek, kroop Jornadesh weg en zij weerhield hem niet. Hij wankelde naar de stal en hees zich op een mager paardje – het eerste dat rustig voor hem bleef staan – en hij reed met zijn leven weg uit Merh. Maar hij kwam er niet ver mee.

Drie

Een dag lang had Simmu door de wetteloze landen rond het meer van zout gezworven, samen met de hemel huilend om Zhirem. Dat was een andere erfenis die de Eshva hem hadden gelaten – hun smetteloze vat van emotie, dat zij zich konden veroorloven, omdat ze kort van memorie waren en hun leven niet eindigde. Maar Simmu, die blind van tranen en hersenloos van treurnis rondzwierf, had wellicht maanden in deze staat kunnen blijven – of tot zijn kracht het begaf en daarmee zijn leven.

Toen het licht weer begon te tanen ging hij, meer bij toeval dan met opzet, een grot binnen die omlijst werd door de zwarte planten van de streek. En hier sliep hij uitgeput, hoewel hij droomde van Zhirem en de tranen stroomden uit zijn ogen zonder hem te wekken.

Toen gebeurde er iets in de grot. Wat? Een bundel rook zonder vlammen, en toch met een soort vuur erin. En hieruit – de rook, het vuur – stapte een man. De grot was te donker om hem te kunnen zien, als er iemand wakker was geweest. Maar hij was donkerder dan donker en hij scheen wel ommanteld met gitzwarte vleugels. De straling van zijn ogen kwam en ging, ving een glinstering die niet bestond in de grot, en zijn zwarte haar ving dezelfde niet bestaande glinstering, zodat zijn onzichtbare gezicht omstraald leek door glanzen en sterren.

Korte tijd stond hij over Simmu gebogen terwijl deze sliep en huilde in zijn slaap. En toen strekte de man die uit het duister was gekomen zijn hand uit. Een net – sterren, glanzen, rook en vuurloos vuur – scheen zich uit zijn hand over Simmu te weven. En Simmu's ogen droogden.

Toen knielde de man, en dezelfde toverende hand liet hij licht over Simmu's lichaam gaan. En het lichaam van Simmu, dat nog sliep, reageerde op deze vederlichte aanraking, begon zich anders te ordenen. Borsten bloeiden op, het lemmet van zijn mannelijkheid trok zich terug, terwijl de jongensbaard de kaken verliet en de kin binnen enkele ogenblikken het smalle vrouwelijke aspect en de gladde poriën die daarbij hoorden kreeg.

De demon – het was hem, het was Azhrarn, en wie anders? – lachte zacht, want de Vazdru hadden wel spraakorganen, zoals de Eshva die niet hadden, of niet schenen te hebben. Azhrarn streelde Simmu's haar naar achter en hij zong in Simmu's oor op de manier van de demonen. Dit lied is niet te vertalen in woorden. Maar op een of andere wijze bracht het lied, of brachten de vingers, een indruk van loomheid en van vergetelheid over, de suggestie dat Zhirem verdwijnen moest uit Simmu's hersens, opdat Merh daar zou kunnen opstaan, en ook de overweging dat de westelijke wegen in de richting van Merh wel eens vermakelijk konden zijn.

Buiten begon een nachtegaal aan zijn eigen muziek. De tonen waren doorschoten met een nerveuze briljantie, want de vogel raadde wie er nabij was.

Maar Azhrarn, Prins der Demonen, vertrok voor eenmaal even onschuldig als hij gekomen was, in het duister.

Terwijl de liefkozing van zijn huid vervaagde, werd Simmu weer mannelijk.

Hij ontwaakte bij zonsopgang, deels doordat de nachtegaal, die wat in de war was van zijn ervaring, als een gek doorging met zingen.

Simmu stond op en liep de grot uit, en hij staarde omhoog naar de hemel. Het was alsof hij de vorige nacht was gaan liggen met helse pijnen, van een wond of een ziekte, en nu geheeld ontwaakt was. Hij wierp het net van zijn gedachten uit, in een poging om terug te vinden wat hem gekwetst had – dat was een menselijke eigenschap die hij had overgenomen. Iemand was weggegaan, iemand op wie hij prijs had gesteld – misschien was dat het. Maar nu gaf het niet meer, dit ontbreken van een oude, verschaalde liefde. Terwijl naar het westen – naar het westen lag een stad waarvan hij, onverklaarbaar, wist dat deze zijn eigendom was. Een plotselinge uitbundigheid laaide op in zijn geest. Merh – Merh, dat van hem was. Nee, hij begeerde geen koninkrijk, kon het idee van wereldse macht, rijkdom en heerschappij niet vatten. Hij had niet echt kunnen uitleggen wat hem zo aantrok in het idee van Merh... Azhrarn, die deze luchtspiegeling in hem had opgewekt, had haar bekleed met zijn eigen zeldzame bekoring en dat was wat Simmu aantrok, zonder dat hij zich dat realiseerde.

Spoedig, bevrijd van zijn pijn, Zhirem uit zijn gedachten gewist, gefascineerd door de aantrekkingskracht van een doel in zijn leven, richtte Simmu zijn zwervende Eshva schreden naar het westen.

En zelfs de bizarre zwarte landen kregen die dag een eigen schoonheid. De zon verguldde ze en hun eigenaardige wateren, en in de struiken waren bloemen te vinden, en ongewoon fruit. Dieren sprongen in het zonlicht, en soms renden ze Simmu na, getrokken door zijn demonen-aura, verward door deze aanwezigheid na de nacht. Naar het westen begon de wetteloze wildernis te smelten. Enkele mijlen verderop doken groene sporen op waar het land daalde. En de zon zelf liep achter Simmu aan, en toen boven hem en later voor hem, hoffelijk de weg wijzend die hij nemen moest, totdat hij uiteindelijk achter de groene plekken uit het zicht viel.

De schemering was koud, maar Simmu voelde zich altijd op zijn gemak met de grillen van de nacht en zonder Zhirem om hem daaraan te herinneren, maakte hij geen vuur. Hij legde zich neer om te slapen in de holle ribben van een rots, alleen gehuld in het vormeloze kledingstuk van de herder dat voor ieder geslacht voldeed, en met zijn haren als deken.

Tegen middernacht opende Simmu zijn ogen voor een klein zwart hondje dat voor de rots zat. Het beestje keek hem aan met heldere, lichtende ogen, en toen stond het op en dribbelde weg en Simmu kon niet anders dan het volgen.

De hond (Azhrarn kon talrijke gedaanten aannemen, zelfs die van bejaarde grijsbaarden die de oevers van zoutmeren onveilig maken) draafde voort op een soepele en elegante manier tot hij tussen de bomen verdween. Hem volgend, kwam Simmu uit op een oude aarden weg. Deze weg liep naar het westen, vouwde zich uit met het land, terwijl in de hoogte talloze sterren brandden en overal de mysterieuze sfeer van de nacht zweefde. Simmu aanvaardde de weg en de nacht en begon met ze mee te gaan. De hond kwam niet meer terug, maar het duurde niet lang voordat Simmu merkte dat achter hem iemand liep.

Simmu draaide zich om, zonder onrust, maar met een heerlijke, langzame, kolkende opwinding.

Zeggen dat Azhrarn knap was, is dwaasheid, want deze sterfelijke uitdrukking van de ronde wereld ligt als een kiezelsteentje aan de poort van wat Azhrarn werkelijk was. Het was inderdaad niet voor niets dat men hem Azhrarn de Schone noemde en ook dat was niet voldoende, nee, even ontoereikend als de opmerking dat de zee nat is. Zijn haar was blauwzwart, het was als niemand anders' haar, als het haar van een fabeldier of een stuk bestèrde nachthemel, getransmuteerd door zijde en water. Zijn ogen, die eeuwen hadden zien uitdoven in bijna een oogknippering, waren onmogelijkheden – twee dingen gemaakt van licht dat zwart was, twee verschroeiende vlammen in de kleur van onverdunde duisternis. Hij droeg ook zwart, en toch leek dit zwart vol van alle kleuren en nuances daarvan. De arendvleugelmantel die hij droeg leek te schitteren en te glanzen van juwelen of uitslaande branden of van iets onwaarschijnlijk moois, en toch was dit niet zo, of misschien ook wel. Hij hulde zich in de gedaante van een mens, doch de wolf, de panter, de roofvogel, ook die waren aanwezig. En zo licht liep hij, zo geluidloos, zelfs de aarde kon hem niet horen en Simmu hoorde hem alleen omdat hem dit vergund was. En in ieder geval vroeg Simmu, die hem ogenblikkelijk kende, en hem toch niet kende (want zo was de aard van de betovering die demonen rondom zichzelf konden weven), Simmu vroeg zich helemaal niet af waarom een wezen dat min of meer bestond uit zuivere gemeenheid, zich moest manifesteren als een god.

'Een mooie nacht om op reis te zijn,' zei Azhrarn. Geloof maar dat zijn stem bij de rest van hem paste. 'Maar iedere nacht is te verkiezen boven iedere dag.'

Simmu aarzelde, geneigd zich op de grond te laten vallen en te aanbidden, maar Azhrarn, die zoals demonen eigen is graag bewonderd werd, deelde Simmu zonder te spreken heel precies mee welke reactie hij van hem verwachtte. En dat was slechts gedwee gehoorzamen. En zo bleef Simmu gedwee wachten, even stil als een Eshva die door een Vazdru heer wordt toegesproken.

'Maar je moet dit een saaie reis hebben gevonden,' vervolgde Azhrarn. 'Zou je graag sneller willen reizen?'

Simmu (gedwee) staarde hem aan. Azhrarn knipte met zijn vingers en een stuk van de nacht scheurde open en daaruit stoven twee demonenpaarden. Ze waren vanzelfsprekend van een zeer besliste zwartheid, getuigd met koper en zilver en ze hadden manen als van stoom of rook. In zijn kindertijd had Simmu voor de pret op lynxen en luipaarden gereden, en eens was hij door een aards paard gedragen, maar toen hij het demonenpaard besteeg, was er geen overeenkomst met een van de eerdere rijdieren.

Uitgelaten liet Simmu zich door het paard meevoeren naar waar het wilde. Het ros sprong weg achter het rijdier dat Azhrarn had gekozen. Ogenblikkelijk leken beide paarden te vliegen, en misschien deden ze dat ook. Het is waar dat zulke paarden over water konden lopen, op het fluiten van hun meester in en uit de Onderaarde konden stormen en met hun snelheid konden zij alle sterfelijke wezens overtreffen, behalve het getij of de zon, waarover demonen geen macht hadden.

De rit was wild en opwindend. De nacht was veranderd in een voortijlende vloeistof, de sterren zetten er grote vaart achter, of suggereerden dat, ze scheerden over en rond de paarden als zilveren guirlandes of een soort kosmische regenstorm. En uit deze race braken dingen los die dan opzij weggleden. Simmu zag de kenmerken van het landschap, zoals klokvormige heuvels of indigo dalen, verdund met nevel, omhoog wijzende bossen en slanke bergen, en daartussendoor andere verschijnselen, witte paleizen en gebeitelde keramische torens tegen de hemel getekend, en de lelijke steden van de mens die als kapotte bakstenen van de hellingen waren geworpen.

Na vele uren die seconden hadden geleken, eindigden de paarden hun ren op een beboste hoogte.

'Spoedig is het dag,' zei Azhrarn, 'en die koortsige dame en ik hebben niets gemeen. Blijf in dit bos. Morgenavond zal ik je bijna tot de poorten van Merh brengen, kind van de luipaardin. Wist je dat je vader gestorven was voordat hij jou bij haar verwekte?' De knaap was eindelijk voor hem geknield en Azhrarn streelde zijn haren. En Simmu luisterde alleen naar de muziek van Azhrarns stem, de woorden niet horend, terwijl de liefkozing verrukkelijke onzin maakte van iedere logica.

Azhrarn bestudeerde hem, terloops en zonder erbarmen, maar met enig plezier. De bizarre conceptie van Simmu en zijn tweevoudige seksualiteit fascineerden de Prins en Simmu's schone trekken bevielen hem. Simmu's smeekbede op de oever van het zoutmeer was aan Azhrarn overgebracht, maar als de demon gehoor had gegeven aan de oproep en niets had gevonden dat hem intrigeerde, dan was het Zhirem en Simmu heel wat slechter vergaan dan nu het geval was. Veel, veel slechter.

In Zhirem had Azhrarn niets van interesse gevonden. Waar de mensheid voor Zhirem alleen maar het kwaad voorspelde, voorzag Azhrarn niets dan een ingebakken neiging tot wanhoop. Demonen hielden van stervelingen zoals ze van hun paarden hielden – als slaven om te berijden.

Zhirem kwam daarvoor niet in aanmerking. In hem school kracht, of het goede, of een wanhopig worstelend verlangen naar het goede. De enige hoop voor Zhirem om slecht te worden, zou werkelijkheid worden als hij Azhrarn afwees, niet hem aanvaardde, en zoveel zag Azhrarn in hem en daarom wees hij Zhirem af.

Maar Simmu. Simmu was voor Azhrarn als een nieuw instrument, van een soort waarop hij nog nooit had gespeeld. Hij was er niet zeker van welke melodie de snaren en de klankkast zouden produceren, maar er zou zeker een melodie uit voortkomen. En de eerste hand die op de snaren zou tokkelen, zou Merh zijn, wat een koningschap betekende en periodieke strijd en moord. Azhrarn was dikwijls in de weer geweest als maker en breker van koningen. Het was een kinderlijke oefening waarvan hij bij tijden verachtelijk genoot.

Maar nu ontstond er een bleek geschrift in de hemel tussen de bomen.

Azhrarn legde een vinger op de edelsteen van de Drin om Simmu's hals.

'Simmu,' zei hij. 'De Tweemaal Schone; een passende naam. Denk aan Merh.'

'Alleen aan u,' zei Simmu, verrassend genoeg hardop en met de stem van een meisje. Azhrarn lachte verrukt om deze eerste tonen van zijn nieuwe instrument. Toen waren hij en de paarden verdwenen en het schemerdonkere bos begon heimelijk lichter te worden.

Die dag sliep Simmu – door een demon achtergelaten om te wachten en te dromen, als toen hij een zuigeling was. En hij deed zijn woord gestand: zijn dromen waren van Azhrarn. De tweede nacht kwam Azhrarn terug als de opkomst van een donkere ster. En die tweede nacht was als de eerste een schitterend wonder, een wilde rit en duizelingwekkend langsstromende dingen, en had ook het zinnelijke karakter dat alles kwam te bezitten.

Azhrarn bracht Simmu naar Merh in twee nachten, een reis van vele duizenden mijlen en vele vele dagen.

Waar de dikke stammen van de zuilenbomen dicht aan de rivier stonden, daar liet Azhrarn de jongen achter in de ogenblikken voor de tweede dageraad.

Nu had Azhrarn zich niet vermoeid om iets van Merh te weten te komen, hij wist alleen welke rol de stad had gespeeld in de geschiedenis van Simmu. Maar deze tweede nacht waar zij snel als meteoren doorheen waren gevlogen, was precies de nacht van Narasens bezoek geweest. Terwijl de ommuurde paleizen en de dolken van bergen langs Simmu flitsten, had Narasen als een giftig vod door de straten van Merh gewaaid. En toen Simmu binnen het zicht van de stad op aarde landde, had haar vloek het gebied al in haar greep gekregen.

Hiervan niets wetend legde Azhrarn, wiens zintuigen scherper waren dan het snijvlak van een scheermes, een hand op Simmu's schouder en zei: 'Wacht weer op mij tot de zon neerdaalt. Ga de stad niet in voordat ik bij je ben.'

Simmu wilde graag gehoorzaam zijn. Hij klauterde in een boom en strekte zich uit op een tak en viel in slaap met het vlekkenpatroon van zon en bladeren op zijn huid. Maar Simmu bezat zijn eigen gevoeligheid en wat later, in zijn slaap, begon hij te vermoeden met zijn huid en zijn haar dat in Merh niet alles was zoals het hoorde.

Het kwam door de boom zelf. Deze zo brede en vitale boom, een pijler van duurzaam amber, was al begonnen weg te kwijnen. En hoog bovenin was een zwerm vogels neergestreken, maar niet een ervan zong, en toen de wind woei, stuiterden sommige ervan als verwelkte bloemen door de takken naar beneden... Ook in de rivier, toen de dag vorderde, dreven bloemen en het parfum van deze bloemen was niet direct zoet.

Simmu droomde van een man die aan een dode tak was opgehangen en 's middags werd hij huiverend wakker. Toen zag hij het verkeer op de rivier en rond zich kijkend, ontdekte hij nog andere dingen.

In de richting van Merh hadden de velden een vreemde azuren weerschijn gekregen en zelfs de muren van de stad hadden die schijn, onder een hemel die de toon scheen aan te geven met zijn kokende blauw. Er kwam geen enkel geluid uit de stad, zoals er van nergens geluid kwam. Geen dier maakte gerucht, geen vogel en geen mens.

De middag werd heviger en toen moe en liep toen ten einde.

Ten slotte sprong Simmu uit de boom op de grond omdat de echo van de dood die uit de boom kwam, te sterk werd om langer te verdragen.

Nieuwsgierigheid, het vermaak van demonen, het noodlot van mensen, nieuwsgierigheid die voornamelijk bestond uit afschuw, begon Simmu nu in de richting van de stad te duwen. En tegelijk terwijl hij zich geroepen voelde, werd hij afgestoten, want de geur van zijn vijand – die vijand voor wie hij altijd vluchtte – heerste overal rondom.

Uiteindelijk waagde Simmu zich in de velden die zich voor Merh uitstrekten. Zo stiet hij op een rijk geklede dikke man in een vuurrode mantel die over de rug van een paard lag. Rijdier en berijder hadden de geest gegeven; beide hadden net als de velden een blauwe tint gekregen. Op dat moment stortte er opnieuw een vogelbloesem uit de hemel neer, en ook die was blauw.

Simmu wist niet waarheen hij moest vluchten, omdat de dood hem omringd had. De zon glipte nu over de westelijke boog van de hemel, maar ook de zonsondergang beloofde een giftig paarsblauw. En toen, over de weg vanuit de poort van Merh, kwam een lopende gedaante, maar gruwelijker blauw dan al het andere.

Narasen was langer in Merh gebleven dan de tijd die ze van de Heer van de Dood had gekocht. Ze had in Merh in het daglicht lopen peinzen, de straten doorwandelend om zich te verkneukelen in wat zij aangericht had. De wraak had haar niet bevredigd, noch ontsteld, het was als een soort in der haast samengeraapte maaltijd terwijl ze uitgehongerd was – iets om de eerste honger te stillen maar niet voldoende. Nu nam zij deze weg op zoek naar het lijk van Jornadesh. En omdat ze hier al te lang was en de bescherming van de Binnenaarde taande, was het verval haar lichaam binnengeslopen. Ze was magerder, ze zag er gekneusd uit, onprettiger, en haar haren waren als een windvlaag vol vodden.

Simmu verstarde toen hij haar zag. De laatste keer dat hij deze vrouw had gezien, had ze dood in haar graf gelegen en gleed toen samen met de Dood zelf in de aarde. Simmu herinnerde het zich, en een verschrikkelijke bekoring, zoals het konijn tegenover de slang voelt, nagelde hem aan de grond. Zo wachtte hij misselijk en versuft tot Narasen bij hem was.

Eerst zag zij Jornadesh, die kleurrijke vlek tussen de halmen van het jonge en nu vergiftigde graan. Toen ze hem ontdekt had, sloeg ze haar verschrikkelijke blik op en ontwaarde Simmu.

Aan het bestaan van Simmu had zij langdurige overpeinzingen gewijd. Hoewel hij nog sterker veranderd was dan zij sinds hun laatste ontmoeting, kende zij hem.

Geen van beiden sprak, geen van beiden had behoefte aan woorden. Maar op zijn en haar eigen manier communiceerden ze. Toen begon Simmu, als een kat, weg te deinzen, centimeter voor centimeter, achteruit en weg van haar. Terwijl zij, als een kat, centimeter na centimeter naar voren kroop en hem achtervolgde, en op de achtergrond werd het licht dikker, de opzichtige moerbeikleurige zon smeulde dreigend op de rand van het land en nog eens zes of zeven vogels vielen uit de lucht in het verkankerde graan.

Langs het veld liep een smal pad. Iemand die minder vast ter been was dan Simmu zou hier gestruikeld zijn, maar hij draaide zich half opzij om naar het pad te kijken en toen spande hij zijn lichaam alsof hij toch nog weg wilde rennen.

Toen sprak zij wel, met die on-stem van haar.

'Beminde. Blijf, beminde. Het is Narasen maar, Narasen die jou gedragen heeft. Ik wil je alleen maar omhelzen, mijn lieveling. Alleen dat.'

De stem en de berekende valse woorden die zij uitsprak brachten Simmu tot een laatste toppunt van angst en hij schreeuwde het uit. Hij schreeuwde om Zhirem, zonder zich te herinneren wie Zhirem was geweest. En Narasen sprong op hem toe, nog altijd de luipaard, met al haar klauwen gereed.

Maar de zon was gevallen en de verscheurende, met de dood geladen handen van de vrouw raakten – niet de huid van Simmu – maar een donkere bliksemschicht die plotseling voor haar uit de grond schoot.

'Nee, mevrouw,' zei Azhrarn, zo zacht als iemand praten kan, 'u schaadt niet wat mij toebehoort.'

Narasen liet haar klauwen zakken. Haar gelaat werd even uitdrukkingsloos als dat van de Dood zelf en daarmee nam zij Azhrarn koel op. Zij nam aan dat de Prins der Demonen haar zoals ze nu was geen kwaad kon doen, al kon zij niet langs hem komen.

'O minnaar van de aarde,' zei zij tegen hem, 'kan het zijn dat u, Heer van alles wat slecht is, de onschuldige beschermt tegen het kwaad dat ik hem zou willen geven?'

'Ga terug naar het land van uw soort,' zei Azhrarn. 'U bent niet langer welkom in de wereld.'

'Geef mij wat mij behoort.'

'Er is hier niets dat van u is.'

'Zwarte kat,' zei Narasen, 'ga terug naar je metalen stad en sluip daar rond, zwarte kat. Jij en je neef Uhlume, jullie twee Heren van het Duister, ik spuug op jullie allebei.' En toen in haar razernij sloeg Narasen Azhrarn op zijn mond.

'Dochter,' zei Azhrarn op allervriendelijkste toon, 'dat was niet verstandig van je.'

En dat was waar. Want van haar rechterhand waarmee zij hem had geslagen, fladderde het vlees weg als blauwe bloemblaadjes, zodat alleen het kale gebeente van de hand overbleef.

'Neem dat mee terug naar de Binnenaarde,' zei Azhrarn. 'En zeg degeen die je mijn neef noemt, die geen verwant van mij is, dat hij zijn mensen 's nachts binnen moet houden. Ga nu, dochter van teven, ga en speel met bikkels.'

Hierop gebaarde Azhrarn naar de bodem, die openspleet en de snauwende Narasen binnenin zich sleurde.

Toen keek Azhrarn Simmu aan.

'En wie is deze Zhirem die je aanriep?' vroeg hij. 'Ik dacht dat je alleen aan mij zou denken.'

'Alleen aan u,' beaamde Simmu en hij zonk neer bij Azhrarns voeten. 'Maar ik ben niet langer als ik was. Ik heb de dood te vaak gezien en te dichtbij.'

'Demonen mediteren niet over de dood,' zei Azhrarn. 'Denk aan de Eshva vrouwen en wat ze je geleerd hebben.'

'De dood heeft me geleerd dat ik sterfelijk ben.'

En inderdaad leek Simmu niet helemaal zoals hij geweest was. Een glinsterend kledingstuk was van hem afgegleden, een nieuw, grijzer kledingstuk was hem aangemeten.

'Stel mij niet teleur,' zei Azhrarn. 'Er bestaan manieren om zelfs de dood te omzeilen.'

'Leer mij die manieren,' zei Simmu.

'Misschien,' zei Azhrarn. 'Om te beginnen zeg ik je dit. Het is dodelijk om ieder onderdeel van dit gebied aan te raken, zo heeft die vrouw het bezoedeld met haar gif. Maar dat wat je om je nek hebt hangen, dat juweel dat je uit de Onderaarde hebt gekregen, heeft je beschermd.'

'U heeft een keer gesproken over mijn vader,' zei Simmu langzaam. 'Maar ik weet niet meer wat u zei, behalve dat het ook te maken had met de dood.'

Toen wist Azhrarn zeker dat een vorm van menselijkheid Simmu te pakken had gekregen. De mensen, niet de demonen, dachten aan hun vader. En toch kwam en ging er binnenin Azhrarn een flikkering van boosaardig licht. Het kwam hem voor dat Simmu plotseling op de drempel van zijn lot gearriveerd was, en dat zijn lot alle zaden van beroering en wilde gebeurtenissen bevatte waar een demon naar kon verlangen. En daarom onderwees Azhrarn, die zich volledig op de hoogte had gesteld, Simmu zijn verrassende ontstaan. Hij weefde een verhaal van de prachtige mannelijke koningin en van de vloek van Issak. Hij vertelde over haar bezoek aan de heks in het Huis van de Blauwe Hond, en over de overeenkomst die zij met Uhlume, de Meester van de Dood was aangegaan. Hij weefde een droom van haar verbintenis met de knappe blonde jongen die uit zijn graf naar haar toeliep, witter dan marmer en tweemaal zo koud. Simmu zat aan Azhrarns voeten in het vergiftigde land van Merh en luisterde. En rond zijn ogen werd het grijs, en zijn mond werd die van een verbitterd, door zielsnood gefolterd man.

Later, nog steeds het lot en verdorvenheid ruikend, daarop gespitst, leidde Azhrarn Simmu door de straten van de vermoorde stad. Azhrarns gezelschap vormde zelf een talisman tegen Simmu's grote angst en de herhaling bewerkstelligde zijn eigen naargeestige vorm van genezing.

Overal waren de doden te vinden. Ze lagen op hopen. Vogels en dieren, mannen en vrouwen en hun kinderen. De bloemen waren gestorven, de bomen; de putten waren inktzwart. De huizen en zelfs de afzonderlijke stenen van de straten hadden de aanblik van de dood. Alles waarop zij haar hand had gelegd, alles waar haar voet of haren of mantel langs waren gestreken, was gestorven.

En degenen die naderhand deze dingen hadden aangeraakt, of andere mensen die zij eerst had aangeraakt, waren besmet; een snelle, grondige epidemie. De stad was erdoor geverfd. Merh was een kerkhof, en het hele land Merh, tot aan zijn grenzen, was besmet en niemand was gespaard – of bijna niemand.

Simmu kon dit niet allemaal aanschouwen en nog zijn schrik voor de dood bewaren. Nee, zijn emotie veranderde van aard. Het werd een woeste haat.

Ergens in de diepte van de nacht, terwijl hij met Azhrarn over de hellingen liep waar de vogels uit de lucht geregend waren, zei Simmu hardop: 'U heeft mij genezen, mijn Heer, van mijn lafheid.' Hij riep dit als een sterfelijk man, niet op de on-menselijke wijze van eerst. 'Nu zal ik mij niet verstoppen of terugtrekken. Ik zal de vijand van de Dood zijn. Ik zal streven naar zijn vernietiging. En ik geloof in mijn ziel, O Heer der Heren, dat u mij zult helpen.'

'Simmu,' mompelde Azhrarn, 'alleen mensen denken eraan dat ze zielen bezitten.'

5 Granaatappels

Een

Toen Simmu de volgende keer wakker werd, herinnerde hij zich niet wanneer hij was gaan slapen of wanneer Azhrarn hem verlaten had. De zon straalde hel neer op het lijk van Merh. Simmu bezat in zichzelf een soortgelijke rauwe straling die hij niet uit de weg kon gaan. In het donker had hij veel geleerd. Hij had geleerd dat hij sterfelijk was. Voor zichzelf leek hij drastisch veranderd, bijna ondraaglijk anders. De onschuldige, elementaire eigenschappen die hem in staat hadden gesteld de magie van de Eshva te gebruiken, de zuivere meedogenloosheid en vastberaden doelgerichtheid en duistere liefheid die hem tot dan on-menselijk hadden gemaakt, deze leken allemaal verdwenen. Hij voelde zich van klei gemaakt. Hij voelde zich loodzwaar en log. Terugkijkend zag hij zichzelf zoals hij geweest was – zag zichzelf met verbijstering en onrustige verwondering, zoals anderen hem hadden gezien. Maar in werkelijkheid was hij niet zo ernstig veranderd. De metamorfose had plaatsgevonden in zijn geest, en zijn lichaam weerspiegelde deze wijzigingen niet. Voor anderen had hij nog altijd dat glazuurlaagje van het wonderbaarlijke en het vreemde. Maar voor zichzelf, was hij minder geworden.

Weldra rees hij overeind. Met hangend hoofd slofte hij over de vlakte rond, zo doelloos als alleen een menselijk wezen zichzelf kan wanen.

Plotseling, uit de geluidloze, levenloze ruimte van het land riep een stem. Simmu draaide zich snel om om dit gevaar het hoofd te bieden – alleen hij en een lynx hadden zich zo soepel en zo snel kunnen bewegen, maar nu dacht hij dat hij traag was. Links van hem, een meter of tien van hem af, stond een bizarre gedaante, een man met een kaalgeschoren hoofd en een baard, die een luipaardhuid droeg. Op zijn schouders waren de genezende littekens van zweepslagen te zien en zijn huid was bijzonder blauw. Toen Simmu dat laatste zag, dacht hij onmiddellijk aan Narasen.

'Maak je geen zorgen,' zei de wijze, welke Jornadesh vergeefs had laten geselen. 'Het gif verdwijnt al uit mijn lichaam en heeft me geen kwaad gedaan. Bovendien zie ik dat jij ook een paar kunstjes kent en het hier overleefd hebt. Maar al het andere is dood.'

'Een deel van mij is gestorven,' antwoordde Simmu.

'Sta het dan af aan de dood.'

'Nee, ik misgun hem de kleinste portie,' zei Simmu, die zich mistroostig zijn gelofte van de vorige avond herinnerde, en hoe Azhrarn schijnbaar genoeg van hem had gekregen en hem kort daarna verlaten had, zonder een belofte dat hij terug zou komen.

'Over de dood spreken alsof hij een man was, is een man scheppen die de dood is,' zei de wijze. 'Het slechte heeft ook een vorm aangenomen, en jij reist 's nachts in gezelschap dat ik niet graag zou delen.'

Simmu zag een dood serpent voor hem in het gras liggen. Hij knielde, tilde het dier op, staarde ernaar.

Verkondigde de wijze: 'Ik moet je waarschuwen, de macht die mij gebruikt – of die ik gebruik, daar ben ik nooit achtergekomen – staat op het punt mij in bezit te nemen.'

'Is zoiets u welgevallig?' vroeg Simmu dof.

'Ik geloof van niet,' antwoordde de wijze, 'maar sinds ik jou in het oog kreeg, ben ik mij bewust van een samenballing in mij en dat betekent dat ik een handvol onzin tegen jou zal gaan staan leuteren. Hetwelk je vervolgens zelf zal moeten interpreteren.'

Simmu beefde, hij wist niet waarom. De wijze stortte plotsklaps plat op zijn gezicht voorover, rolde om en om en spartelde hevig en lag te grommen alsof hij een toeval beleefde. Toen riep hij vanuit zijn koorts streng en duidelijk te verstaan:

'Denk aan de blauwheid van Merhs gif en aan het blauwe gezicht van de dode. Vind de granaatappeldrinkster van botten. Schreeuw over gif tussen de gifbomen.'

Toen hij zijn boodschap bezorgd had, rolde de wijze om en stond zeer waardig en bedaard op.

'Ik begrijp niet–' begon Simmu weifelend.

'Zei ik je toch,' antwoordde de wijze.

'Een drinkster van botten – blauwheid – gif tussen gifbomen–'

'Denk jij soms, knappe jongen, dat ik jou mijn eigen raadseltjes ga staan uitleggen? Ik zal alleen dit zeggen. Als je iets bepaalds zoekt en als je de woorden die ik gesproken heb kunt duiden en ze gebruikt, dan is dat bepaalde zo goed als gevonden.'

'Wat zoek ik?' Simmu kneep zijn ogen dicht. Hij liet de dode slang vallen. 'Ik ben de Vijand van de Dood,' fluisterde hij, 'dus zoek ik de vernietiging van de Dood.' Toen deed hij zijn ogen open en nu zag hij dat de wildeman reeds ettelijke passen van hem verwijderd was. 'Wacht!' riep Simmu.

'Nee,' zei de wijze. 'Jij bent te mooi, en ik heb een kuisheidsgelofte gezworen, en ik ben niet van zins een derde been te kweken waarop ik niet kan lopen.'

En meer wilde hij niet zeggen, en hij keek ook niet om, en weldra was hij uit het gezicht verdwenen.

Simmu's hopeloze, doelloze lopen voerde hem in een cirkel rond de plek waar hij ontwaakt was. Hij wilde niet te ver dwalen, en toen de zon naar het westen neigde, welde er een koortsachtige begeerte in hem op, dat er met de komst van de nacht ook een ander zou komen.

Ten langen leste ging de zon onder.

De stilte, die absoluut was, leek onmogelijk als dat was nog dieper te worden. Zelfs de wind hield zijn adem in.

Enorm en genadeloos koud waren de sterren boven dood Merh. Daarna steeg de maan op, een sikkel die de schaduwen doorkliefde.

Met al dit licht moest Simmu wel erkennen dat niemand zich bij hem op de vlakte voegde.

En het kwam toen bij hem op, en dat was wel vreemd, dat hij eerder had meegemaakt dat iemand hem in de steek liet en dat diens liefde bekoelde. En toen, terwijl hij op de allesbehalve tedere grond lag en de sterren hun stekels in zijn ogen dreven, spoelde er een fletse droom over hem heen als een golf over een strand. Eenhoorns dansten op een oever van houtskool en hij danste met hen.

En nog steeds half in de droom, kwam Simmu overeind en hij gooide zijn boerengewaad af. De maan brandde hem met haar witte vuur en iets van de nieuwe glazuurlaag van sterfelijkheid op zijn ziel loste op. Hij dacht aan Azhrarn, en zijn lichaam huiverde en golfde tot in zijn diepste kern en met verrukkelijke schokjes en trillingen van smakelijke pijn herordende dit lichaam zich. En Simmu het meisje hief haar armen naar de smalle maan en begon te dansen.

En terwijl zij danste, waren haar hersens toch meer menselijk dan tevoren en met de kleine bedrieglijkheid van een vrouw dacht zij: *Ik ben nu heel mooi, en hij komt terug en ik zal doen of ik hem vergeten ben, zelfs hem, de Heer der Heren.*

Maar toen hij dan kwam (misschien was hij opgehouden door een ander spel, misschien had hij juist zitten wachten op bewijs dat het demonische element in Simmu nog bestond), was er van veinzen geen sprake. Terwijl ze danste, omhulde een zwarte rook Simmu, een wierookdamp die haar bedwelmde en deed duizelen, niet zodat ze viel, maar zodat ze oprees in de lucht. En met lome ogen door deze rook kijkend, zag zij daar de maan en de sterren zwemmen, maar mooier dan deze waren de ogen van Azhrarn.

Zo kwam het haar voor dat zij in het niets in het gewelf van de hemel lag met de armen van de Demon om haar heen, maar hij zei zacht tegen haar: 'Jij hebt gesproken met een kale luipaard met een baard, en wat zei hij tegen je?'

'Dat ik zijn kuisheid in gevaar bracht,' antwoordde Simmu het meisje, en ze wikkelde haar armen om Azhrarns nek. En toen zij hem aanraakte, huilde zij zachtjes van verrukking, van niet meer dan deze heerlijke aanraking. Maar even zachtzinnig als hij haar de vraag had gesteld, maakte Azhrarn zich los van haar en hij zei: 'De tijd kies ik, en die is niet nu.'

Toen keek Simmu weg van hem en ontdekte dat het niet de hemel was waarin zij lag, maar een zwart woud van veren, de borst van een adelaar die zwarter en breder was dan een middernacht. Of zo leek het. De adelaar vloog naar het oosten en het slaan van zijn vlerken was de donder.

De donder zei haar dit: 'In je hersens heb ik het beeld gezien van de wijze die sprak over beenderen en blauwheid en gif. Ik ken dit raadsel, en ik zal je brengen naar het Huis van de Blauwe Hond, waar dit raadsel ontsluierd zal worden.'

Als een veer in de borst van een adelaar verliet Simmu's vergankelijke meisjesheid hem en de wereld stroomde snel onder hem door.

Twee

Ze sliep op een bank, de heks in het Huis van de Blauwe Hond, Lylas. Ze droomde van Heer Uhlume. Hij schreed over de wereld en zij draafde gedwee vlak achter hem aan en ze wist zich gewaardeerd, en ze hoorde de mensheid uitroepen: 'Het is des Doods uitverkoren zuster.'

Ze sliep naakt, Lylas, op haar gordel van kootjes na en haar fabelachtige moutbruine haar, dat een zijden deken vormde waarin zij kreunend droomde en zacht woelde, dromend van Uhlumes voetstappen voor haar en de zoom van zijn mantel die af en toe, opbollend, over haar huid streek.

Buiten het huis stonden de wilde granaatappelbomen gemeen tegen elkaar te fluisteren en ze lieten hun kwade fruit op de grond vallen, zodat hun heksenmeesteres er 's ochtends overheen kon lopen. Als de bomen zich Narasen herinnerden, zeiden ze daar niets van. Maar ze spraken wel over de maan en ze wensten dat ze de maan omlaag konden sleuren tussen hun takken want, als slaven die gevangen stonden in de bodem, misgunden zij anderen hun vrijheid.

In de droom schreed Uhlume onder een galg door en toen zij hem volgde, schuurde het touw over haar borst. Ze deed haar ogen open en merkte dat de enorme hond van blauw email haar wulps stond af te likken. Maar toen hij zag dat zij wakker was, blafte hij: 'Er komt iets.'

'Wat dan, uilskuiken?'

'Er was geruis van vleugels,' zei de hond. 'Een stuk van de hemel viel in het weiland en ik haastte me weg. Toen keek ik achterom en daar kwamen een man die geen man was en een knaap die geen jongen was.'

'Wou je *mij* raadseltjes laten oplossen?' siste de heks.

'Heerlijke meesteres, nooit,' slijmde de hond. 'Maar zowaar ik uw dienaar ben, dit is wat ik zag.'

Op dat ogenblik viel er een reusachtige galmende slag op de koperen deur van het heksenhuis. Lylas fronste, want degenen die haar hulp zochten, kondigden zich niet zo heftig aan. Ze striemde de hond met haar haren. 'Haast je. Kijk wie daar klopt.'

'Ik ben bang,' zei de hond smekend, maar toch holde hij weg.

En toen de koperen deur wijd open ging, stond daar de hond, zeven handen hoog en hij blafte tegen de bezoekers: 'Wie zijn jullie?'

'Ik ben Azhrarn, Prins der Demonen,' zei de lange donkere man op de drempel, 'en van deze knaap mag je denken dat hij mijn zoon is. Ga het nu aan je vrouwe van de granaatappels zeggen.'

164

De hond schoot weg om Azhrarn te gehoorzamen, met een luid gerinkel van zijn keramische tanden en met zijn aardewerkstaart tussen zijn poten, die knarsend over de vloer schuurde.

De bezoekers liepen op hun gemak verder. Ze namen de trap waarover de hond naar boven was gegaloppeerd en kwamen in een vertrek met talrijke blauwe lampen waarin roze vuur brandde. Toen woei er een stuk draperie opzij en de heks rende naar binnen. Haar gezicht was wit en zij wierp zich neer voor Azhrarns voeten, zodat de tapijten overspoeld werden door haar haren.

'Heer der Heren,' jammerde de heks, 'wees welkomer dan ikzelf in mijn huis en heb genade met uw dienstmaagd.'

'Acht mij genadig,' zei Azhrarn, 'en sta op.'

De heks rees overeind. Ze stak iets van haar haar weg zodat een borst als een bloemknop vanachter deze sluier verscheen, maar haar bottengordel hield ze verborgen. Haar ogen flitsten, monsterden haar gasten in een enkele snelle blik, voordat ze deemoedig naar de vloer keek. De ene gast was naakt als zij, naakter nog, en daarom deed ze hem af als een ongemeen mooie jongen en meer niet. Maar ze had voldoende gezien, en wist voldoende, om te weten dat de andere gast geen ander was dan hij zei.

'Mag ik,' smeekte Lylas haar verheven gast, 'iets voor mijn Heer laten komen? Een stoel van zilver, behangen met zeldzaam fluweel waarin hij kan plaatsnemen? Een wijn van rook, vervaardigd van de adem van een zomerlotus? Zal ik muziek ten gehore laten brengen? Moet er wierook gebrand worden? Ik vraag niet meer dan u te mogen dienen.'

'Wees ervan verzekerd dat je mij zult dienen,' zei Azhrarn, en Lylas rilde. Toen legde hij licht zijn hand op de schouder van de jongen naast hem. De buitengewone ogen van de knaap flikkerden even – Azhrarn had hem op een of andere wijze iets meegedeeld of een aanwijzing gegeven. En nu sprak de jongen met een rustige, heldere, maar krachtige stem die klonk of hij niet graag gebruikt werd.

'Mijn moeder was Narasen, de koningin van Merh. Herinner jij je haar?'

'Ik?' zei Lylas glad. 'Velen betreden mijn huis.'

De jongeman verstrakte. De heks, die niet eens naar hem keek, schrok toen zij plotseling gevaar in hem voelde, nog helemaal afgezien van het gevaar dat hij van Azhrarn leende.

'Jij hebt het vingerkootje van mijn moeder om je middel gedragen,' zei de jongen. 'Zij heeft een pact gesloten met degeen die jij aanbidt, wiens agent jij bent. Toen zij dood was, heb jij het botje vermalen, zoals je gewoonte is, en het in wijn opgedronken en zo je jeugd hernieuwd, zoals je voortdurend doet.'

'Ja,' zei Lylas, 'dat is wel waar. Ik herinner me die dame. Maar ik sta onder bescherming van mijn meester, en ik heb niets gedaan dat niet afgesproken was.'

'O jawel. Eén ding.'

'Wat?' vroeg Lylas uitdagend, terwijl ze met het hoofd in de nek naar deze knaap staarde, en ze had nu helemaal niets op met zijn lynxenogen of de manier waarop hij terugstaarde.

'Het gif waaraan Narasen stierf – dat heb jij voor dat doel gemaakt.'

'Ik?' zei Lylas weer, maar ze ging een stap van hem weg.

Het was waar. Lylas had een hekel aan Narasen gekregen, het had haar tegen de haren ingestreken dat Narasen zich zo hooghartig gedroeg tegenover de Meester van de Dood – des te meer toen hij haar niet afstrafte. Lylas was jaloers geworden, want dat was haar natuur. Ze had een rode granaatappel geplukt en er de eigenaardig blauwe gifzaden uitgepeuterd en hiervan had zij een dodelijke drank getrokken en die bewaard in een klein flesje. En dag aan dag, en nacht aan nacht had zij glimlachend gespeeld met dit flesje en gespeeld met de gedachte wat ermee bereikt zou kunnen worden. Uiteindelijk stuurde zij een spion naar Merh – zij bezat macht over zekere lagere levensvormen, verscheidene wormen en hagedissen. Haar afgezant deed er vele maanden over om de stad te bereiken en om weer terug te gaan, maar hij bracht haar nieuws en toen hulde de heks zich in een vermomming (waarvan ze er een aantal bezat) en ging er zelf heen. Hier zocht zij het huis van een dokter die in aanmerking kwam, een man die corrupt was en hebzuchtig en die bovendien in dienst was van de hebzuchtige Jornadesh. En nadat zij op een abnormale wijze het huis binnen was gegaan en onverwacht in het laboratorium van de geneesheer verscheen, bood zij hem het flesje te koop aan.

'Waarom zou ik nu belang stellen in zulke rommel?' zei de dokter bot, zijn best doend om niet te laten merken hoe geschrokken hij was door haar bovennatuurlijke binnenkomst.

'Is er niet iemand in de stad die ambitieus is, iemand die droomt van de troon van Merh?'

De arts kuchte. 'Merh heeft reeds een koningin.'

'Ja, en die ligt binnenkort in het kraambed om een kind te baren. En als het kind geboren is en zij zwak is van de weeën, vraagt ze misschien iets te drinken.'

De heelmeester zei: 'Je preekt verraad.'

Maar na enig heen en weer vroeg hij: 'Waarom zou dit gif beter zijn dan wat ik zelf zou kunnen mengen?'

'Omdat,' legde Lylas uit, 'het mogelijk is de dosis zo te kiezen, dat de dood op het meest geschikte moment intreedt. Meer nog: de drank is pijnloos, maar maakt het slachtoffer weerloos en het kan niet om hulp roepen. En er is geen spoor van te zien tot enkele uren na het lijk koud is.'

'Ik heb alleen jouw woord voor die bewering.'

'Je hebt mijn toestemming om een proef te doen.'

En zo werd er een arm straatkind het huis inge-sleurd, het werd gedwongen de drank te proeven en weldra stierf het op het voorspelde moment, zonder pijn, geluidloos en vol wanhoop, en zonder meteen blauw te worden.

In ruil voor het flesje ontving Lylas drie goudstukken. Die gaf zij niet uit, omdat ze weinig behoefte had aan geld, maar ze bewaarde ze in een kruik in haar huis. En soms, tijdens de zestien jaren na Narasens overlijden, haalde Lylas deze drie goudstukken uit de kruik en speelde er glimlachend mee.

Maar nu lachte ze niet.

'Het is een leugen,' zei zij. 'Wie heeft je zo'n onwaarheid op de mouw gespeld?'

'Het is geen leugen,' zei Simmu. 'Wees dankbaar dat de wraakgierige Narasen het niet weet. Nu net is zij uit de Binnenaarde in de wereld geweest en heeft toen heel Merh uit woede uitgeroeid.'

'Wees ook dankbaar,' zei nu Azhrarn, 'als je meester er niet van hoort. Uhlume is gek op het aangaan van overeen-komsten met mensen, en wie wil er nog met hem handelen als ze horen dat hij niet te vertrouwen is, dat niet zodra er een ziel aan hem beloofd is, hij zijn agenten toestaat de koper te vermoorden en de ziel omlaag te sturen voordat diens tijd gekomen is?'

Toen werd Lylas bleker dan ooit. Ze was ontzettend stom geweest, zoals alleen iemand die verschrikkelijk slim en sluw is stom kan zijn, en nu begreep zij dat. Ze liet zich op haar gezicht vallen en greep Simmu's voeten beet.

'O wonderschone jongen, ik zal boete doen, ik zal alles doen wat je wenst. Draag mij een taak op – ik zal hem uitvoeren. Kastijd mij, ik zal het verdragen. Maar alsjeblieft, verraad mijn stommiteit niet aan de Heer van de Dood, Uhlume.'

Simmu keek Azhrarn aan om raad, en in zijn geest flitste een brokje kennis dat de Prins der Demonen hem achteloos toewierp. En Simmu zei tegen de heks: 'Ik zal Uhlume niets zeggen, op voorwaarde dat jij een vraag beantwoordt.'

'Alles,' beloofde de heks. Dat was haar tweede stommiteit.

'Vertel mij wat jij de Dood destijds verteld hebt, waarna hij toestemde in een overeenkomst met *jou*.'

Simmu zei dit zonder erbij te denken, op aanwijzing van Azhrarn, die niets had gezegd. Maar zodra de woorden zijn mond verlaten hadden, werden zijn ogen groot omdat hij aanvoelde hoe belangrijk ze waren. Ook de ogen van de heks werden groot.

'Vraag me iets anders,' zei ze, 'want dat mag niet gezegd worden.'

'Niets anders. Dit moet ik weten.'

'Heer der Heren–' begon Lylas, nu tot Azhrarn.

Maar Azhrarn keek haar slechts aan, en met zijn weldadige uitdrukking herinnerde hij haar aan het feit dat Uhlumes rijk dicht bij het zijne lag en hoe eenvoudig het voor de ene Heer van de Duisternis zou zijn om een bericht over te brengen aan een andere.

Lylas begon toen luidkeels te vloeken. Ze vervloekte de granaatappelbomen in de wilde boomgaard omdat ze haar verleid hadden met hun gif dat schreeuwde om gebruikt te worden. Ze vervloekte het flesje, ze vervloekte de heelmeester en ze vervloekte Jornadesh. Haar eigen vergissing vervloekte ze niet, en Simmu ook niet, omdat hij zo'n machtig leidsman bij zich had.

Het slinkse intellect van Azhrarn had weten te raden dat Lylas ondanks haar huidige rol van dienaar van de Dood, in het begin, zonder een krachtig argument voor onderhandelingen, Heer Uhlume niet benaderd zou hebben, en hij zou ook niet hebben geluisterd. Het was overduidelijk dat deze heks eens een zwakke plek in het onbreekbare pantser van de Meester van de Dood had ontdekt. Zwak genoeg dat zij ervan had kunnen profiteren en de dienstmaagd van de

Dood had kunnen worden, en tweehonderd jaar oud of ouder, maar door hem begiftigd met een methode om haar jeugd eeuwig te laten duren.

Nu Simmu zich dit alles grondig realiseerde, omvatte hij de bejaarde, vijftienjarige keel van de heks.

'Aangezien jij de Dood zo innig liefhebt, zal ik je naar hem toesturen.'

'Nee,' piepte Lylas, 'daar ben ik nog niet gereed voor. Ik zal antwoorden.' Maar toen Simmu haar losliet, flitste er een sluw lichtje in haar ogen aan en uit: ze zou gaan liegen.

Maar Azhrarn zei: 'Ze hoeft niet meer te antwoorden, ik heb het antwoord al gezien.' Want hij had de beelden glashelder in haar geest gelezen toen ze aan de zaak dacht, alsof hij een open boek had gelezen.

Er is gezegd dat toen zij veertien jaar oud was, Lylas, op de terugweg over de heuvels in het uur voor de dageraad, de Dood ontmoet had onder een galg waaraan drie mannen hingen. Er is ook gezegd dat zij en hij hier enige tijd met elkander spraken, maar de inhoud van dit gesprek is nog niet bekendgemaakt. Die was als volgt.

'Meester,' zei Lylas, 'ik kniel voor u, want wie begrijpt niet dat u groter bent dan iedere koning van de aarde, groter zelfs dan de goden, en mijn hart beeft van angst.'

'Zoek je mij?' vroeg Uhlume.

'Nee,' zei Lylas, 'want ik ben jong en levenslustig. Maar ik wil u aanbidden om uw schoonheid en uw ontzaglijke majesteit, en ik zal beven aangezien nu ik voor u kniel, mijn leven aan een zijden draad hangt.'

'Zo hangen alle levens,' zei Uhlume, Heer Dood.

'Vandaag wel,' zei Lylas, 'maar op een dag, misschien, vindt men een tegengif tegen het sterven. Dat zal een treurige dag zijn, ongelooflijke Heer, want uw strenge wet is noodzakelijk en goed. Als de mensheid eeuwig zou kunnen leven, en zou kunnen lachen – u wilt mij vergeven, het is niet mijn hoop – *lachen* om de dood, o dan, wat een monster zou de mensheid dan worden. En u, Koning der Koningen, wat zou er van u worden?'

Misschien hadden de goden de Dood geschapen. Misschien hadden de mensen dat gedaan, was hij de schaduw van hun doodsangst op een muur geworpen, een naam die een vorm had aangenomen. Hoe lang had hij al bestaan? Lang genoeg om, op welke vreemde en duistere manier ook, tot zelfbewustzijn te komen. Of tot een bewustzijn van wat hijzelf moest zijn. En, zoals hij in staat was tot het schreien van emotieloze tranen, zoals hij in staat was tot gevoelloze smart, nu voelde hij zonder gevoel de steek van een holle onrust. Niet om het denkbeeld van leven, want het leven was onderworpen aan hem... maar om het denkbeeld van leven dat *niet* langer aan hem onderworpen was, leven dat de dood zou kunnen ontkennen. Want zelfs de Dood wilde niet sterven.

Dit, of genoeg hiervan, begreep Lylas.

Met een lage, schorre stem ging zij verder, vol van haar angst, haar bewondering en haar geslepenheid.

'De wijzen en de slechten hebben mij onderwezen en ik heb vele dingen horen verluiden. Misschien ben ik misleid geworden en wilt u mij terechtwijzen. Men zegt dat in het land van de goden, in de Opperaarde, een put bestaat waarin de wateren van de onsterfelijkheid worden bewaard. Geen sterveling kan deze plek bereiken, en mocht dat toch gelukken, de put wordt grondig bewaakt. Maar, althans dat beweren mijn leermeesters, en wellicht hebben zij het mis, er bestaat een legende over een andere put, een put die ergens op de aarde zelf ligt. En de plaats van deze tweede put komt precies overeen met de plaats van de Put der Onsterfelijkheid in het land van de goden, liggend recht onder deze laatste. Welnu, mijn Heer, geen mens kent de plaats van een van beide putten, noch van die in de Opperaarde, noch van haar zuster op aarde. Bovendien bevat deze aardse put slechts water. Toch beweren mijn leermeesters: het is geen toeval dat deze aardse put onder de andere ligt. Misschien is het een spel van de goden, misschien zal er op een dag een barst verschijnen in de Put van de Onsterfelijkheid – welke naar verluidt gebouwd is van glas – en dan zullen enkele druppels van dit elixir van het Eeuwigdurend Leven van de Opperaarde naar de aarde vallen, recht in deze lagere put, die precies daar gebouwd is om deze druppels op te vangen. Wat een ramp, mijn Heer, als op dat uur een mens bij toeval op deze aardse put stiet, en het geheim ervan leerde. Want deze lagere put heeft geen bewaker. Zegt men.'

De Dood liet uiterlijk niet blijken of het verhaal hem raakte. Maar hij zei: 'Waarom vertel je dit aan mij?'

'Omdat, mijn Meester, u als Heer van het Duister de plaats van de put in de Opperaarde zult kennen – en dus de plaats van de tweede put daaronder op aarde kunt bepalen. En aangezien dit zo is, zou u uw eigen bewakers bij de tweede put moeten posteren, voor de dag wanneer de druppels onsterfelijkheid mogen vallen. Of als dat lastig is, maak mij dan uw bewaakster, dan zal ik ervoor zorgen. Hoewel ik klein en jong ben, ben ik wel intelligent. Al mijn kunsten zullen te uwer beschikking staan.'

'En jij,' zei Uhlume, 'als jou dit geheim is toevertrouwd, zul jij het dan niet gebruiken tot heil van de mensheid?'

Hoe scherp ze ook was en hoe ruw haar leven ook was verlopen, ze was pas veertien. Mannen hadden haar gebruikt, en zij hen. Maar hier was iemand die meer was dan mannen, schoner en verschrikkelijker dan een man kon zijn. Ze had behoefte aan een ideaal, en dit donkere en angstwekkende ideaal sprak haar jeugd en haar onnatuurlijkheid aan. Dus legde zij zich neer op het pad voor de Dood en zij zei hem dat zij hem feilloos zou dienen en ondanks de mensheid, en de eerlijkheid van deze troebele hartstocht straalde uit haar hersens en hart en de Dood zag dit, en was zeker van haar. (Hoewel hij haar nog in andere zaken zijn dienares maakte, en haar aldus bond, en hij schonk haar een andere manier van eeuwig leven, te bereiken door gemalen botten in wijn te drinken – opdat zij zelf geen belangstelling zou hebben voor een slok onsterfelijkheid, mocht die ooit neerdalen. Misschien was hij toch niet zo zeker van haar.)

Wat de mysterieuze lager gelegen put betrof, de Dood vond hem, zoals hij alle plekken vinden kon. Hoewel hij nooit de Opperaarde betreden had, want in die dagen stierven de goden niet, toch kende hij de plek waar de eerste put zich bevond. Waar de aardse tegenhanger te vinden moest zijn, was dan ook niet moeilijk te bepalen. Lylas bracht hij daar gewikkeld in het witte blad van zijn mantel naar toe. De weg zag zij niet, maar het reisdoel zag zij in alle bijzonderheden, want hier zette hij haar neer om haar werk te doen en liet haar toen alleen. Zijn persoon was te abstract en te angstaanjagend om zomaar onder de mensen te gaan en pacten met hen te sluiten: hij had een tussenpersoon nodig. Bovendien zou het handelen zelf hem niet bevallen zijn. Hij verleende zijn agent bepaalde vermogens en stond haar toe zijn naam vertrouwelijk te gebruiken. Het grootste deel van de reputatie die zij vervolgens verwierf, begon in dat land, zodat naderhand, waar zij zich ook vestigde, het verhaal de ronde deed – zij was het die omgang had met de Dood.

Ze verbeeldde zich heel wat, de heks, maar ze regelde de zaken. Met spreuken en diverse bezweringen onderwierp zij het volk van die streek, dat toentertijd onwetend en primitief was. Ze liet een bevel en een mythe achter en de bewakers die zij had voorgesteld. Het was een heel gedoe voor een heel klein glibberig, bemost gaatje in de grond, want meer bleek de tweede put niet voor te stellen.

Maar nu, terwijl zij doodsbang voor Azhrarn in het Huis van de Blauwe Hond op de grond lag, wetend dat de Demon het hele verhaal uit haar gedachten had gelepeld (niemand had het ooit uit haar mond zullen vernemen), begon Lylas te wensen dat zij zich nooit verhuurd had aan de Meester van de Dood onder de galg op die verre morgen tweehonderd en achttien jaar geleden.

'Roemrijke en magische Heer,' jammerde zij, 'gebruik deze kennis niet. Ik zou beter gevaren zijn als ik mijn andere fout tegenover mijn meester bekend had – hoe ik Narasen hielp vergiftigen. Als hij dat vernam, zou hij mij straffen. Maar als hij verneemt dat ik de plaats van de tweede put verraden heb – O beklaag mij!'

Maar tussen twee van haar hijgende ademteugen was Azhrarn op een of andere manier weggegaan, en hij had de jongen meegenomen.

Lylas krijste en roffelde met haar vuisten op de vloer.

Na lange tijd stond zij eindelijk op. Ze ging naar een tafel en maakte een ebbehouten kistje open dat daar stond. Daarin lag een heel klein trommeltje, maar het was niet de benen trommel waarmee zij Uhlume riep. Dit trommeltje was van oud roodhout en het trommelvel was de strakgespannen huid van een rood, onbekend schepsel.

De heks ging zitten en terwijl ze dodelijk beangst op haar lip beet, begon zij met haar zeven-vingerige handen op dit trommeltje te slaan en te kloppen.

Azhrarn kon de tweede put zonder moeite opsporen, want hij kende de plaats van de eerste. Maar hij bracht Simmu niet verder dan een heuveltop en hier, onder de witte regen van de sterren, vertelde Azhrarn hem wat nodig was en toen wenste hij de jongen vaarwel.

Simmu glimlachte, een menselijke lach zonder humor. 'Nu ik absoluut sterfelijk ben, verlaat u mij. Maar wat moet ik voor mijzelf zijn als ik in uw ogen niets ben?'

'Een held,' zei Azhrarn, 'schepper van verwarring en beroering.'

'Ja,' zei Simmu. Een oogwenk glitterden zijn groene ogen en vertoonden ze de Eshva glans van duister kattekwaad.

'En ik zal de Dood zijn dood brengen. Ondanks dat ik niet inzie hoe, mijn Heer, tenzij de put in de Opperaarde mocht barsten, en hoe moet dat in zijn werk gaan?'

Met verachtelijke genegenheid zei Azhrarn: 'Stervelingen hebben een lot. Jij vindt een manier, want het is jouw lot dat dit gebeure.'

Simmu tuurde naar hem. Zijn ogen stonden wederom naargeestig.

'Je hebt de blik van een ander,' zei Azhrarn.

'Wie?'

'Iemand die Zhirem heet.'

'Wie is dat?'

Azhrarn liet het lange haar van Simmu door zijn vingers glijden en hij zei: 'Je riep hem toen je bang was.'

'Nee,' zei Simmu, 'of anders herinner ik het me niet meer, en hem ook niet.'

'Net als de demonen, vergeet je,' zei Azhrarn.

'En ik zal vergeten worden,' zei Simmu met de klaaglijke stem van een vrouw, want onder Azhrarns liefkozende aanraking had ze zich veranderd. 'Op een dag zal ik uw naam roepen, O Heer van mijn leven, en u zult mij helemaal niet horen, en dat ook niet willen.'

'Ik zal het horen,' zei Azhrarn, 'en als je die groene steen bij je keel nog een keer in een vuur verbrandt, zal ik antwoorden. Laat dat een teken voor ons zijn.'

Toen kuste hij haar op de mond, en van die kus leek alles wat Simmu was, ziel en vlees, vlam te vatten. Maar op dat zelfde moment van extatisch vuur, verdween de Demon.

Simmu – meisje, Eshva, smartelijke sterfelijke mens – was alleen met zijn heldhaftige taak waaruit hij geen troost kon putten, op die door de sterren verlichte heuvel van de wereld.

Tweede boek

1   De Tuin van de Gouden Dochters

Het is niet opgetekend waar de tweede put zich precies bevond. Maar zonder twijfel lag hij ergens naar het centrum van de aarde, zij het ver van de zwarte en vurige vulkanen van het allermiddelste gebied. Het land rond de put was mooi noch welvarend, het was een woestenij waardoor één rivier zijn weg naar een verre zee nam. Het leven van de mensen van het land vond slechts plaats op de twee oevers van de rivier. Hier boerden en visten zij en joegen op de dieren in de moerassen terzijde van de rivier. De woestijn gingen ze niet dikwijls in want ze waren er bang voor, en terecht. Afgezien van de rivier was er geen water te vinden, in geen duizend mijl, of zo dachten zij. Geen water, behalve op een enkele plek. Een dagreis van de rivier rees een eenzame groep bergen uit de duinen op. Het waren er negen in getal, en ze vormden een ruwe cirkel, waarbinnen een dal lag, dat even onvruchtbaar en stoffig was als de rest van de woestijn, op een plek in het midden na. Hier opende zich een soort bemoste kuil, met een kleine mond maar diep, en ver in de diepte, amper zichtbaar, loerde een troebel, met slijm bedekt water. Dit was de geheime tweede put.

Tweehonderd en achttien jaar voor Simmu's komst in het Huis van de Blauwe Hond had Uhlume het meisje dat zichzelf had aangesteld als zijn dienstmaagd in het land van de put neergezet. Zij was veertien; ze was bedwelmd door haar scherpzinnigheid en succes. Ze gedroeg zich dan ook heel buitensporig.

Lylas begaf zich onder de mensen van de rivier in de vermomming van een priesteres, verrichtte enkele wonderen en liet er geen twijfel aan bestaan dat zij iemand was om rekening mee te houden. Ze zei deze mensen dat zij namens een god was gekomen, maar zijn naam noemde zij niet. Maar de aura die Uhlume haar had verleend, gaf dat wat zij beweerde een onheilspellend gewicht. Kindvrouw, hoer en tovenares, gehuld in zijn onzichtbare mantel van macht gaf zij haar bevelen en die werden opgevolgd.

De ring van negen bergen was heilig, verklaarde zij. Het dal er midden tussen was heilig. En bovenal was het onopvallende kuiltje met slijm heilig. Daarom moesten deze drie bewaakt worden en de mensen van de rivier mochten zich wel gelukkig noemen dat zij gekozen waren door de onheilspellende, ongenoemde godheid om dat te beschermen wat van hem was. De mensen mompelden slecht op hun gemak dat zij zich inderdaad gelukkig prezen. In dat geval, zei de heks, zouden zij er niet tegenop zien om een zeker deel van hun jongelieden, de sterksten en besten, te vormen tot een eliteleger dat de woestijn moest patrouilleren. Nog minder op hun gemak mompelden de mensen dat de godheid natuurlijk meer dan welkom was. Nog iets, zei de heks. Er moesten wachttorens opgericht worden om te kunnen zien of er vreemden naderden. Die vreemden moesten aangeroepen en weggestuurd worden, en gedood als ze niet weggingen. Heel goed, zeiden de mensen onzeker, en ze schuifelden met hun voeten. Maar, vervolgden zij, zouden dergelijke maatregelen wel voldoende zijn? Nee, zei de heks, maar ze hoefden zich geen zorgen te maken. Zijzelf zou wakers in de bergen posteren, wezens van niet-menselijke aard, die hun sterfelijke kameraden geen kwaad zouden doen, maar voor alle indringers waren ze fataal. (De mensen zweetten van angst en weten dit aan het weder.) Ten leste, zei de heks, moest er nog een muur worden gebouwd rond het bergdal, zo hoog dat niemand erover kon komen, zelfs de eerlijke schildwachten erbuiten niet. En binnen deze muur kwamen de laatste bewakers van de put te wonen, te weten negen maagden, elk dertien jaar oud, en zij mochten het dal niet verlaten totdat zij aldaar negen jaren lang gediend hadden, waarna een nieuw negental hen moest vervangen. En deze cyclus moest herhaald worden totdat de tijd zelf stopte. Negen maagden? vroegen de mensen, verrast. Precies, zei de heks, en geen man mocht ooit het dal binnengaan, en als er een het probeerde, moest hij gedood worden. Maar hoe zouden de maagden in leven blijven? vroeg men. Er was geen voedsel en geen goed water – de godheid moest het hun niet kwalijk nemen, maar zijn water was niet te drinken – in het dal.

'Het geeft niet,' antwoordde de heks, 'wanneer ik klaar ben met het dal, is het wonderbaarlijker dan iedere tuin ter wereld. Jullie dochters zullen smeken om dienst te mogen doen en als het uur van hun vertrek uit het dal aanbreekt, zullen zij schreien. Jullie moeten er trouwens voor zorgen dat de negen maagden die uitgekozen worden, even lieftallig zijn als negen jonge manen, want ik moet geen lelijke trutten in mijn tuin en de god moet geëerd worden.'

Ze was veertien, Lylas, en buitensporig.

Uit haar veertien jaar oude geest sproten veertienjarige fantasieën en die maakte ze werkelijkheid. De niet-menselijke bewakers – wat een monsters werden het. Met hoorns en hoeven en rissen slagtanden, met slangenbundels als staart en de koppen van tijgers en soms ook vleugels. Sommige ademden vuur, sommige lieten luide, gruwelijke kreten horen. Ze verstopten zich in grotten in de lagere rotsterrassen van de bergen of dolven gaten tussen de voeten van de bergen in het zand, maar ze floepten eruit en tierden tegen eenieder die passeerde, zodat de dagen en nachten van de woestijn luidruchtig, pyrotechnisch en in het algemeen stukken minder lieflijk werden dan ze geweest waren. Hele stammen van deze wezens verzon de heks, ze wist niet van ophouden. De rivierbewoners deden ze geen kwaad, dat was waar, maar af en toe verdwaalde er een eenzame reiziger tussen deze beesten en dan scheurden ze deze aan stukken met hun klauwen van adamant.

Onderwijl richtten de mensen braaf de hoge muur rond het dal op. Ze moeten wel getoverde hulp gehad hebben, want de muur had de hoogte van negen lange mannen die op elkanders schouders stonden, en was in een maand klaar, zei men. Een smalle deur vormde de toegangspoort, een deur die slechts eenmaal per dag opening, bij zonsondergang. En deze deur, onnodig het te zeggen, had een bewaker die nog angstwekkender was dan de eerder genoemde. Bovendien brandde de muur ieder die hem aanraakte, en van de bovenkant ervan schoten bliksems, voor het geval iemand mocht vergeten waar hij stond en hem toch wilde ontlopen. Zelfs de uitverkoren jongemannen van het eliteleger die in de woestijn patrouilleerden, de wachttorens bemanden en wacht liepen op de buitenste hellingen van de bergen, bleven op een veilige afstand van deze muur.

Uiteindelijk begaf Lylas zich in haar eentje in de kale vallei met de put erin. Ze pakte een steen, een van de drie die ze van Uhlume had gekregen, en gooide deze neer. En waar de steen de bodem raakte, stormde een fontein omhoog uit de diepten der aarde, koel en wit uit een onderaardse grot. Daarna wierp zij de tweede en de derde steen en het dal werd een muziek van water. Toen liet Lylas met haar eigen vaardigheden, die niet onaanzienlijk waren, een tuin bloeien. Een deel ervan was illusie, een deel was echt en een ander deel ontstond in de loop der jaren op natuurlijke wijze, gevoed door het nieuwe water. Alles bij elkaar was het een ongeëvenaard fraai terrein geworden en voor de mensen van de woestijn, die de norse rivier en haar moerassen hadden aangezien voor het toppunt van hoveniersgeluk, was de tuin in het dal als de droom van een paradijs, een droom die ze jammer genoeg zelfs nooit gehad hadden. En de heks liet hun de tuin zien. Ze zuchtten van verlangen en de kleine meisjes van elf en twaalf en dertien zetten grote ogen op en begonnen te vragen: 'Mag ik alsjeblieft de gewijde put van de god gaan bewaken?' In dit opzicht had Lylas het heel slim bekeken. Het was evenwel misschien een vergissing van haar om maagden binnen de muur te planten, al dacht zij steeds dat het een meesterzet was. Ze had genoeg gekregen van mannen en het dwalen, deze heks, en misschien was het slechts haar eigen droom die zij in het dal had geprojecteerd – een paradijs in groen en negen maagden die, negen jaar lang, zich de bokkespelletjes van mannen niet hoefden te laten welgevallen – spelletjes waarmee de heks overvoerd was en waar ze doodmoe van was. Wellicht was het ook haar eigen verloren maagdelijkheid die zij ongerept in de tuin wilde opsluiten, zij die zich al heel pril verkocht had voor geld en toverles. Niettemin dacht zij dat deze voorhoede van onschuldige meisjes de beste verdedigingslinie van allemaal zou blijken te zijn. Als veel vrouwen die zelf bedrijvig, durfachtig en geslepen zijn en die om zich heen slechts vrouwen zien die zachtzinnig, passief en huiselijk zijn, waande Lylas zichzelf uniek onder haar geslachtsgenoten. Niemand was zoals zij. De negen meisjes in de tuin zouden tevreden zijn, dacht zij, zoals geen man daar tevreden geweest zou kunnen zijn. Ze zouden spelen en rondzwerven en hun vrouwelijke gang gaan en er nooit aan denken de put te onderzoeken, terwijl geen enkele man (omdat alle mannen potentiële helden zijn) dit had kunnen nalaten.

Tweehonderd en een jaar later, toen ze Narasen ontmoette, kreeg Lylas' overtuiging een deuk. Maar tegen die tijd bemoeide zij zich niet meer met het bewaken van de put, denkend dat haar werk aldaar voltooid was.

De heks had de hulp van Uhlume om eeuwig jong te blijven, door gemalen botjes te drinken, en lichamelijk veranderde zij dan ook in het geheel niet. Geestelijk ook amper. Op haar veertiende was zij in sommige opzichten opvallend wereld-wijs geweest, maar voor iemand van tweehonderd en twee-endertig, de leeftijd waarop Simmu haar ontmoette, was ze echt wel tamelijk onrijp.

Anders dan de heks was de wereld in het algemeen onder-hevig aan verandering. En het Land van de Put was geen uitzondering. Juist de onveranderlijke tradities die de heks daar invoerde, waren wat de veranderingen op gang bracht.

Ten eerste werden de primitieve rivierbewoners nogal arrogant. Tenslotte waren zij door een god uitverkoren om zijn heiligdom te bewaken. Het eerste resultaat van deze arrogantie was moed en een drang tot verkennen, voor het eerst in hun geschiedenis. De woestijn was niet aanlokkelijk. Nu keken ze naar de rivier en ze begonnen boten te maken. Binnen tien jaar of daaromtrent voeren ze de rivier af en kwamen bij andere nederzettingen, en ten slotte bij de zee en een stad of twee en dat bracht hen op ideeën. Een van de dingen die hun opvielen, was dat geen andere nederzetting speciaal door een god was gekozen en hoewel sommige dor-pen dat wel beweerden, hadden ze geen bewijzen. Aldus ver-wekte de arrogantie nog meer arrogantie en de rivierlieden werden vechtersbazen en rovers en ze stalen het beste, overal waar ze dat maar vonden en ze namen het mee naar huis in de moerassen, roepend dat het voor de tempel van hun goden was. Nog eens tweemaal tien jaar en ze boerden heel goed met hun plunderingen, ze bouwden betere schepen en wapens om nog beter te kunnen plunderen. Na vijftig jaar stond er een stad op beide oevers van de rivier, een redelijk mooie stad met witte muren, treurbomen en vergulde stoe-pen. En als je deze stad inkwam, die Veshum geheten was, dat wil zeggen de Gezegende, dan zag je een standbeeld van zwart obsidiaan op de westelijke oever dat een gruwelijke zwarte god voorstelde. Blijkbaar had de heks een keer een enkel detail over het uiterlijk van Uhlume laten vallen, maar het beeld bezat noch Uhlumes schoonheid, noch zijn totale gereserveerdheid. Het leek eer op de gedrochten die over de hellingen van de negen bergen sprongen en jankten, vuur spuwden en met hun vlerken klapperden en de enkele rei-ziger verscheurden die zo stom was om in hun buurt te komen.

Nu is het heel waarschijnlijk dat niemand ooit de moeite zou hebben genomen om stroomopwaarts naar Veshum te gaan zoals het geweest was, en nog waarschijnlijker dat niemand ooit zich vermoeid zou hebben met de lange reis over de kale berghellingen, alleen om een glibberig gat in een dor dal te bekijken. Maar met alle piraterij en de rijkdom die deze piraterij opleverde, met alle gesnoef van Veshum over zijn god, met alle monsters die de berghellingen bewaakten en reizigers verscheurden, met de jonge mannen die over de woestijn patrouilleerden en opgesloten zaten in de wachttorens, en met het verhaal van de negen maagden in een tovertuin die het altaar van de god verzorgden, verspreidde de mare zich, en geen wonder. Toen begonnen er mensen naar Veshum te komen om de zwarte god te vereren en juwelen op zijn altaar te leggen. En ze aanschouwden ook de ceremoniële keuze van de maagden, die zonder smet en stralend mooi moesten zijn, hoe ze behangen werden met goud, hoe ze over de berg werden gevoerd en door een smalle deur gingen die bij zonsondergang op magische wijze in de enorme muur verscheen, van de bovenkant waarvan de bliksems schichtten. En als er negen nieuwe maagden binnen waren gegaan, kwamen er negen oude uit, en ze verschenen schreiend zoals de heks had voorspeld, uit het paradijs verstoten en in een wereld geplaatst die ze amper hadden gekend en waarmee ze niet overweg konden. Een paar wierpen zichzelf zonder omhaal van de berg naar hun dood; de rest stampte wrokkig naar Veshum en aanvaardde met de grootst mogelijke tegenzin, en dat lieten ze blijken ook, het ambt van priesteres in de obsidiaantempel. Sommigen trouwden – ze waren heel gewild, aangezien ze gedwongen kuis en altijd beeldschoon waren, zoals voorgeschreven was. Geen van hen werd ooit nog tevreden. Ze smachtten naar de tuin en kwijnden weg, en sommigen vermoordden hun man of hun kinderen, en natuurlijk werden ze vergeven, omdat ze gewijde vrouwen waren. Heel af en toe ging er een van deze vrouwen, zwaar gesluierd en overvloedig schreiend, terug over de woestijn, de helling van de bergen op, tussen de wouden van schildwachten en monsters door, en ging dan bij de hete hoge muur zitten. Als de zon onderging, stormde ze naar de deur, waarop de wachter tegen haar grauwde, zodat zij wel opzij moest gaan en haar handen brandde. Dan doorstak ze zichzelf, of iets van dien aard.

'Maar wat hebben ze daarbinnen onder hun hoede?' informeerden de pelgrims die naar Veshum waren gekomen.

'Een altaar van goud,' zeiden dan de rijke rovers (die opgehouden waren met roven en nu heel aardig leefden van de geschenken die de bezoekers brachten), 'en de gouden put daaronder.' Want de heks, dat was haar laatste fantasie, had het moddergat afgedekt met een sierlijk tempeltje, schijnbaar gemaakt van goud en met daarop een kennelijk gouden koepel.

Dan gingen de reizigers, althans degenen die niet te dicht bij de monsters waren gekomen, naar huis en zeiden: 'De mannen van Veshum laten de eer van hun god bewaken door hun dapperste zonen. Zijn heilige bergen krioelen van duivels en angsten. In een tuin die te mooi is om te beschrijven, zorgen negen maagdelijke dochters van de stad, lieftalliger dan negen gouden sterren, voor een gouden put.'

Zo kwam het dal de Tuin van de Gouden Dochters te heten en Veshum werd beroemd in dat kwartier van de aarde. En er verstreken tweehonderd en dertig jaren.

'Er is geen enkele twijfel in mijn geest,' zei de rijke man, 'dat onze dochter, Kassafeh, gekozen zal worden.'

'Inderdaad, zeer zeker,' zei de vrouw van de rijke man, maar ze hield de blik op haar borduurwerk gevestigd.

'Onze dochter, Kassafeh,' herhaalde de rijke man, voldaan glimlachend. Hij verdiende de kost met het invoeren van zeldzame zijden stoffen uit de steden aan de kust, en soms brachten zijn schepen pelgrims naar het altaar van de zwarte god en daarvoor betaalden de pelgrims goed. (De grootvader van de rijke man was een moordende zeerover geweest, maar dat was nu allemaal vergeten.) 'Ja, zeer beslist, Kassafeh wordt gekozen. Zij is het toppunt van verfijning. Zij wordt een van de heilige negen, en wij zullen trots zijn, en hoeveel makkelijker zal het dan niet zijn om de overige vier meisjes aan een man te krijgen.'

'O zeker,' zei zijn vrouw, hem niet aankijkend.

'Onze dochter,' riep de rijke man, overstroomd door het gelukkige gevoel dat hij iets moois bezat. 'De jouwe en de mijne.'

De vrouw prikte zich in de vinger, en ze bloosde bijna even rood als haar bloed.

Kassafeh was beeldschoon, precies zoals de rijke man beweerde, en nog mooier dan hij zei was zij. Haar huid was bleek en helder als water, zij was tenger als de bleke nieuwe maan, haar haar had de lichte pastelgouden kleur van een jonge zonsopkomst. Haar ogen – ach, het was moeilijk haar ogen te beschrijven. Maar ze was beslist heel knap en ook verder wat de rijke man beweerde, behalve één ding, want zij was niet precies zijn dochter.

Zo was het gekomen. De vrouw van de rijke man was niet van de riviermensen maar afkomstig uit een stad op het land, stroomafwaarts. Terwijl haar echtgenoot rijk was, was zij een aristocrate en ze was geboren in een fraai huis, hoog in de heuvels die boven de zee stonden. Toen zij nu elf jaar oud was, was Kassafehs moeder door haar min gezegd: 'Je mag hier gaan, en je mag daar gaan, overal in de heuvels, zolang ik of je meid bij je zijn. Maar wat je ook doet, je mag nooit die hoogste heuvel ginds beklimmen, die heuvel met de top van kale rots.' 'En waarom mag ik dat niet?' wilde Kassafehs moeder weten. 'Omdat,' zei de min, 'die plek gewijd is aan de goden. Het is hun Hoge Plaats en niemand mag die schennen.' Kassafehs moeder, zoals men zich voor zal kunnen stellen, kwam ogenblikkelijk tot de slotsom dat van alle plekken ter wereld die zij wilde betreden, die kale heuveltop het dringendst was. Dus op een goede morgen ontsnapte Kassafehs moeder aan haar bedienden en ging op weg, en omdat ze lenig en gezond was, deed ze een wedstrijd met de zon wie het eerst bij de heuveltop was, en zij won.

Het was een verrukkelijke plek. Ver beneden spreidde zich de statische wemeling van de zachtgroene heuvels uit, terwijl de voet van deze piek vuurrood gekleurd werd door een zee van papavers. Ver in de diepte glansde de zee als een lap zijde en hier was een spits van heerlijke parelmoeren rots waarop een weidse blauwe hemel rustte. Precies op de piek stond een marmeren altaar voor de goden, maar in eeuwen had niemand er durven komen. Om een of andere reden hadden ze het idee gekregen dat de goden hier in eigen persoon van tijd tot tijd afdaalden en er rondliepen, hoewel dat niet het geval was. Geloof is evenwel een vreemde zaak en kon, vooral in die tijden, andere vreemde dingen laten gebeuren.

Kassafehs moeder ging op het altaar zitten – ze was een heel oneerbiedig, zorgeloos jong ding – en tuurde met liefde naar de hemel en de aarde en de zijden zee. Het kwam haar naderhand voor dat de uren voorbijglipten toen ze even niet keek, en het zware goud van de namiddag zonk neer op de kale top en zij sluimerde zacht. Toen zij dan haar ogen opende, merkte Kassafehs moeder dat zij niet langer alleen was.

Daar was een ongewone jongeman bij haar. Aanvankelijk hield zij hem tenminste voor een jongeman, maar weldra begon ze zich af te vragen of hij dat wel was. Zijn haar was een gouden spinrag en zijn ogen waren heel vreemd, als prisma's die alle kleuren bevatten, en geen enkele kleur. Onder zijn smetteloze witte huid waren violette kantwerken van aderen te zien, niet lelijk zoals dit bij een ander zou zijn geweest, maar heel mooi. Hij was naakt, onder een soort helderblauwe mantel die aan zijn ene schouder wapperde – al was er geen wind, en verder leek het kledingstuk eer uit zijn schouder te groeien dan eraan bevestigd te zijn. Omdat hij naakt was, zag Kassafehs moeder dat hij geen mannelijke geslachtsdelen bezat, maar hij zag er ook niet echt vrouwelijk uit. Hij was eigenlijk bepaald onzijdig, en toch ergens buitengewoon verleidelijk.

Het is een god, dacht Kassafehs moeder. En ze liet zich beleefd van het altaar glijden en knielde. Ze was niet bang, kon niet bang zijn voor iets dat er zo smakelijk uitzag. Zij bezat die bepaalde leeftijd, en het temperament, wanneer mannen grove en zware wezens zijn, en wel fascinerend maar ook weerzinwekkend, en hier had zij een mooi compromis.

De 'god' bewoog zich niet en sprak niet, dus hief Kassafehs moeder het hoofd op en stond daarna op. Zij bezat het gebrek aan afstand van de ware aristocrate en daarom sloeg zij haar ene arm om de 'god' en kuste hem bij wijze van proef op de lippen. Zij voelde maar heel weinig, alleen het zinnelijke plezier dat hoort bij het liefkozen van iets dat verrukkelijk is maar tegelijk onwezenlijk, bij voorbeeld een beeld van gepolijst onyx. Wat de 'god' betreft, hij vertoonde een vaag soort glimlach en zijn gouden wimpers trilden even.

Nu was hij geen god, deze persoon, de goden bleven in de Opperaarde. Maar er bestonden zekere elementaalwezens in die regionen, of daar in de buurt, een ras van hemelwezens of schepsels van de aether. Ze zwierven tussen wolken en sterren, baadden in de rode wierook van zonsondergangen, tokkelden liedjes op de uitgerekte zilveren snaren van de regen. Ze werden zelden gezien en zelden hadden zij contacten met de mannen en vrouwen van de aarde, die voor hen onoverkomelijk grofbesnaard waren. Ze hielden zich liever op aan de grenzen van de Opperaarde, alwaar ze de goden bewonderden door bewolkte vensters. En ze leken ietwat op de goden, hoewel ook weer niet genoeg om hen door elkaar te halen. Het is mogelijk dat het deze dolende elementalen van de Opperaarde waren, of nauwkeuriger gezegd van de kelder van de Opperaarde, die bezoeken hadden gebracht aan de kale heuveltop, daar verspied waren en voor godheden aangezien. Waarom ze die plek bezochten is niet bekend, en ook niet waarom deze ene er kwam toen Kassafehs moeder er zat. Misschien wekte het zijn nieuwsgierigheid dat hij een mens ontdekte op de gewoonlijk verlaten piek.

Maar nu, nadat Kassafehs moeder hem gekust had en hij met zijn wimpers had gewapperd, sprak de elementaal met een ijle stem als een harpsnaar.

'Kus mij niet weer,' zei hij, 'want mijn kus zou jou zwanger kunnen maken.'

'O werkelijk,' zei Kassafehs moeder, nogal sceptisch, want ze kende de feiten over de voortplanting op haar duimpje.

'Mijn volk kan inderdaad nieuw leven verwekken met een kus, maar omdat jij sterfelijk bent, is ook het zaad van een sterfelijk man nodig om in jou een kind te scheppen.'

'Als jij een god bent, zou het een eer zijn om jouw kroost te dragen,' veronderstelde Kassafehs moeder. En nog een keer kuste zij de elementaal. Deze sidderde over zijn hele lichaam, deze keer, en plots vulde een verrukkelijke smaak als van ooft en wijn de mond van Kassafehs moeder. Ze slikte, en de elementaal sloot zijn violette, met goud gerande oogleden.

'Ik heb je gewaarschuwd, maar jij wilde niet luisteren. Het kost geloof ik vijf kinderen voordat het zaad van een man en het leven dat ik in jou heb gezaaid zich kunnen vermengen. Ja, jouw zesde kind zal het mijne zijn.' En de elementaal verbleekte en terwijl hij een zucht van voldoening, opwinding en schuld slaakte, liet hij zich door zijn ongeduldige mantel omhoog hijsen en niet lang daarna ging hij teloor in de blauwe hemel.

Kassafehs moeder ging daarna naar huis, bevangen door een zekere bevreemding, en ze vertelde een paar leugens tegen haar min over waar ze geweest was. Gelukkig had de ontmoeting geen waarneembaar gevolg en tegen de tijd dat ze enkele jaren later trouwde met de rijke kleinzoon van de piraat, en wegging naar het verre Veshum met zijn witte muren, was Kassafehs moeder het voorval bijna vergeten, en ze zag het nu aan voor een droom of fantasie uit haar bakvisjaren.

Ze schonk de rijke man vier dochters en een zoon. Alle vijf waren best knap, en de rijke man had geen klachten. Toen op een nacht lag hij weer bij zijn vrouw en toen hij ditmaal zijn zaad in haar loosde, werd de moeder van Kassafeh overrompeld door wel zulke heerlijke scheuten van hartstocht dat ze het uitschreeuwde van zaligheid – wat niet haar gewoonte was, want zij had gemerkt dat de mannen (haar echtgenoot dus) eigenlijk maar een teleurstelling waren.

De rijke man feliciteerde zichzelf met zijn vaardigheid en toen hij vernam dat zijn vrouw opnieuw zwanger was, feliciteerde hij zichzelf met zijn vruchtbaarheid.

Het kind kwam met weinig moeite ter wereld nadat de geijkte tijdsspanne verlopen was en vanaf het begin bekeek Kassafehs moeder haar nieuwste kind met belangstelling en bange vermoedens. En naarmate Kassafeh groeide, zo groeiden ook haar interesse en bange voorgevoelens. Hoewel het bepaald een sterfelijk kind was, zonder enge toevoegingen aan haar lichaam of ontbrekende onderdelen, en zelfs met iets van de leepheid van haar vader en het knappe uiterlijk van haar moeder, en meer, bezat Kassafeh iets dat geen van de andere kinderen bezat. Haar haren waren zo'n wild, aetherisch, gepoederd goud, en haar ogen – de ogen van Kassafeh konden van kleur veranderen, niet voorspelbaar of redelijkerwijs, maar op een manier die de stervelingenogen niet konden evenaren. Deze vreemde eigenschap werd grondig over het hoofd gezien en genegeerd. Men wimpelde het af als grillige streken van licht of schaduw, men weet het aan de gelaatsuitdrukkingen van het meisje zelf. Maar het kwam door geen van deze dingen. Het was klaarblijkelijk de erfenis van het gedeeltelijk vaderschap van iemand die ogen als prisma's had, met alle kleuren en geen...

Daarom, wanneer de rijke man sprak over zijn vaderschap met betrekking tot Kassafeh, bloosde Kassafehs moeder. En hij dacht terug aan haar ene kreet van vervoering, dacht dat ook zij daaraan terugdacht en daarom bloosde, omdat ze daarna nooit meer zo gegild had.

Ondertussen luisterde Kassafeh zelf, als ware dochter van haar moeder zij het niet helemaal ware dochter van haar vader, aan de deur. En haar ogen veranderden als vijvers van donkerst groen tot lichtst, woedendst grijs terwijl zij over de negen maagden hoorde praten en de waarschijnlijkheid dat zij als een van die maagden zou worden gekozen.

Ik doe het niet, zwoer zij. *Ik wil niet negen jaar lang in een ommuurde tuin opgesloten zitten. En wat heeft een van die maagden er ooit aan gehad? Als ze losgelaten worden, sterven ze bij bosjes.* Toen dacht ze eraan dat de negen maagden smetteloos moesten zijn, en haar ogen werden indigo en zij ging een scherp, ontsierend mes zoeken.

Maar toen ze het mes gereed had, keek ze woedend naar de punt ervan en naar haar waterlelieblanke huid, en ze legde het mes weer weg.

De grootse dag van de keuze was de dag hierna. En Kassafeh moest erheen, samen met de andere maagden van dertien die in aanmerking kwamen, naar het plein voor de tempel van Veshum. Tijdens de eerste jaren van de cultus waren de maagden uit alle milieus afkomstig geweest, maar naarmate Veshum welvarender werd, moesten ook de maagden dat zijn. Alleen de dochters van de rijken en invloedrijken werden tegenwoordig nog waardig geacht voor de eer van het dienen van de god.

Ze werden over de trap voor de tempel naar een zaal geleid en vandaar gingen ze na elkaar een kamertje in waar de verbitterde, uit de tuin verbannen priesteressen hen met wrede, begerige ogen onderzochten. 'Niet goed genoeg,' snerpten deze priesteressen. 'Moet je die ontzettende platvoeten zien, zie je die immense moedervlek hier? Nee, nee, deze *lijkt* er niet op.' Veel van de arme meisjes holden snikkend van vernedering naar buiten. Toch waren er altijd minstens negen knappe maagden zonder smetten, en dan zochten de priesteressen verder. 'Zo, wat is dit nu? Pas dertien en nu al opengebroken! Schande, kleine slet, pak je weg!'

Toen Kassafeh het kamertje inging, werden de priesteressen nijdiger dan ooit, want ze zagen in één oogopslag dat ze hier de volmaaktheid, gepaard aan totale kuisheid voor zich kregen. Dit kleine mormel zou gaan wonen in de hemelse tuin waar zij nooit meer in mochten komen. Wat haatten ze haar niet. Maar toen ontdeed Kassafeh zich van haar kleren en nu glimlachten ze verliefd tegen haar. 'Ah,' feliciteerden ze Kassafeh, 'wat een afzichtelijke aanval van puisten heb je daar.'

'Ja wat erg hè?' zei Kassafeh, die de puisten de avond

tevoren gemaakt had van deeg en zijdeverf. 'En nooit heb ik er geen last van. Altijd heb ik er minstens tien of twaalf. De heelmeester kan er niets tegen doen.'

Maar ja, een van de priesters stond te kijken door een geheim gat in de muur en al stond hij te trillen van emotie na al het naakt waarvan hij gluiperig had genoten, van zo dichtbij was hij scherpzinnig genoeg om een nep-puist te onderscheiden van een echte. Dienovereenkomstig hield hij zijn mond voor het gat en schreeuwde met een afschuwelijke stem: 'De god heeft deze maagd uitverkoren en zal haar genezen. Haal water en was haar lichaam en de puisten zullen van haar afvallen en zij zal rein zijn.'

Kassafeh keek nijdig en de priesteressen mopperden, maar ze deden wat hun gezegd was voor het geval de stem van goddelijke oorsprong mocht zijn. En ja hoor, alle deegpuisten verlieten Kassafeh in het water en zij bleef gezond en verrukkelijk over.

'Ik ga niet,' gromde ze.

De priesteressen geselden haar met fluwelen zweepjes die geen blijvende sporen achterlieten en Kassafeh schreide opstandig. Niet veel later werden de namen van de negen maagden geproclameerd, en zij was de negende.

Zij had het zwarte beeld nooit eerbied betuigd. Ze vond het monsterlijk en als beeld was hij inderdaad niet esthetisch. Kassafeh veronderstelde dat de goden schoon waren. Hoewel zij de waarheid over haar eigen verwekking niet kende, had Kassafehs moeder haar talrijke verhalen verteld over de luchtige godheden van de kustbevolking en dit waren de goden die Kassafeh geneigd was te aanbidden. Nu verwenste zij het afgodsbeeld van Veshum en toen het haar niet verpletterde, raakte zij ervan overtuigd dat hij even waardeloos was als zij altijd al had gedacht.

Kassafeh overwoog te vluchten, maar kreeg de kans niet. Door haar klagende, ontstelde ouders werd ze in haar kamer opgesloten en daaruit pas weggesleurd op de ochtend toen de negen maagden over de helling van de ring van negen bergen gingen.

De andere acht maagden lachten in hun vuistje en waren blij. 'Hoe gezegend zijn wij niet,' kakelden ze tegen elkaar terwijl de priesters hen volhingen met gouden versierselen. 'Wat zullen wij niet gelukkig zijn.' Maar 'Mèhèhè,' blaatte Kassafeh minachtend tegen hen, 'mèhèhè!' En toen een priester haar borst liefkoosde toen hij haar gouden halsketting omhing, beet Kassafeh hem met lichtgele ogen.

De stoet uit Veshum ging over de woestijn. De stoet bestond uit koetsen met vermiljoenen baldakijnen met franje, priesters en priesteressen die met bellen rinkelden en op trommels en gongs sloegen, wilde beesten aan juwelen banden, voor de show, en een massa mensen die gekomen waren om zich te vergapen. De hele dag reisden ze voort, nu en dan pauzerend om koele wijn te drinken en fruit en bonbons te eten, totdat ze aan het duinlandschap kwamen van waaraf de ring van negen bergen zichtbaar was.

Hier kwam het patrouillerende leger op hen toerijden. De stoere jongelieden salueerden. Het waren er ettelijke honderden. En van de wachttorens rezen rookseinen op en de wachters bliezen op hoorns.

De zon westerde, de hemel veranderde in een diep blauwgoud.

Uit hun holen en grotten loerden de monsters en ze keften milde vuurstralen naar de stoet. Enkele van de maagden, die bang werden voor de monsters, gilden en bezwijmden. Kassafeh was niet een van hen. Ze keek naar de aanvoerder van het leger, een knappe jongen. Ze keek met spijt. Maar de aanvoerder kende zijn roeping en keek helemaal niet naar haar.

Van hier, terwijl het licht troebeler werd, kon je heel duidelijk de elektrische flitsen zien die wegschoten van de top van de bergen, waar de hete muur stond. De stoet begon aan de beklimming van de berg. Klokjes en cymbalen rinkelden en rammelden, en de monsters likten hun lippen af toen ze de reizigers van buiten zagen, en waarschuwden hen niet achter te blijven bij de mensen van Veshum. Vlak voor zonsondergang hobbelde de menigte over de laatste hoogte en stond toen voor de verschrikkelijke muur.

Deze kleedde zich in een glimmerende nevel, als gesmolten en dampend metaal. Op een bepaalde plek leek een bos van zwarte bomen een levende aanwezigheid te verhullen – de ongeziene, gruwelijke bewaker van de muur? Toen, terwijl de hemel koperkleurig werd, opende zich een spleet achter de bomen in de gloeiende stenen van de muur.

'Kom naar buiten, O heilige dochteren van de gouden put!' zongen de priesters. 'Kom uit de tuin tot ons, uw diensttijd is afgelopen.'

En het duurde niet lang of daar sloften negen zielig snikkende maagden naar buiten, die hun kleren verscheurden en zich de haren uittrokken. Het rituele bevel durfden ze niet in de wind te slaan, maar hun hart brak.

Kassafeh kon zich niet langer inhouden.

'Wees blij!' riep zij luide. 'Wees blij dat jullie geen slaven meer zijn – ik zou dolgraag met jullie ruilen!'

Maar de priesters ramden vlug op hun trommels en lieten hun gongs galmen en overstemden haar aldus. Tegelijkertijd, voor alles doof en blind, wierpen enkele van de negen voormalige bewaaksters zich zoals gebruikelijk van de berg. De anderen weenden en plengden tranen. Met haar ogen kobaltblauw van woede hield Kassafeh haar mond.

En te midden van een vloedgolf van muzikaal lawaai en gezang, gebeden en zegeningen en het ellendige gejammer van de verbannen maagden, dromden Kassafeh en haar acht metgezellinnen naar voren. Aan weerskanten gloeide de hitte als van een smidsvuur en uit deze hitte grijnsde een wezen goedkeurend naar de maagden terwijl ze erlangs vluchtten, en dat moet de bewaker van de deur geweest zijn. Terwijl ze langs hem heen rende, stak Kassafeh haar tong tegen hem uit.

En toen was de hitte weg, en de deur achter hen ook, en tegelijk de hele alledaagse wereld.

De gouden dochters waren in het paradijs gearriveerd.

Twee

Van binnen was de muur heel anders, zoals alles. Hier was het een hoogglanzende palissade van jade en zeeblauw keramiek waartegen klimop en andere klimplanten een zacht glanzend web hadden gesponnen dat bezaaid was met kleine vruchten en bloemen. De deur in de muur bevond zich hoog boven de kom van het dal; als ze binnentraden, zagen de uitverkoren maagden altijd een panorama.

De binnenhellingen van de negen bergen waren ook niet als de buitenste. Smaragdgroene grasvelden liepen als watervallen van de bergen af en gingen verloren in een doolhof van bomen met honderd groene tinten, en waar het de bodem van het dal ontmoette, ging dit wilde groen over in turkoois en ver weg in een zacht vloeibaar blauw, zoals men nimmer zag in de woestijn of langs de droge, geblakerde boorden van Veshums rivier. Het hele dal was doortrokken van water, klonk naar water, baadde in water en de verse geur van goede aarde en overvloedig tierende vegetatie was een geconcentreerd parfum in de lucht dat de negen maagden van het riviervolk niet eerder hadden geroken.

Nu was de zon bezig het dal te verlaten en de kom veranderde subtiel van groen en blauw, via goud, in lichtend purper en amber. Hier en daar scheen een waterval met warm zilver in de schemer en de sterren verschenen in de hoogte. Een rooskleurige maan verlichtte de tuin op onaardse manier.

Vanaf de ingang leidde een brede, doorschijnende marmeren trap omlaag naar het dal tussen de groene hellingen. In het vreemde, roze maanlicht – dat een onderdeel leek van de magie van de tuin, en dat was het ook – ontwaarden de negen maagden iets dat hen naderde over de trap.

Een roomwitte leeuwin.

De negen maagden werd het plots bang te moede en sommigen klampten zich aan elkander vast, zoals de negen maagden op dit punt altijd deden, wanneer ze een roofdier op zich af zagen komen in de schemering. Maar de leeuwin kwam naar hen toe zonder een spoor van afkeer of honger. Ze wreef haar kop langs hun benen en ze had niet eens de reuk van de vleeseter, eer die van bloemen. Voor menig jong meisje kon geen droom lieflijker zijn dan deze, van het wilde beest dat tam was geworden en kopjes gaf. Alle maagden reageerden vlot, ze aaiden de leeuwin, ontvingen de fluwelen kus van haar niet bedreigende, zoet geurende muil en waren vervolgens bereid het dier te volgen toen het de trap weer afliep om hen de weg in het dal te wijzen.

Na de trap ontrolde een mostapijt zich over reeksen afdalende terrassen. Door fluwelen bossen trokken de negen maagden, geleid door de leeuwin. En hoe onverveerd ondergingen zij het bos, zelfs hun schaduwen waren vriendelijk in het roze maanlicht. Nachtegalen zongen, zachte donkere konijntjes schoten speels tussen de poten van de grote kat door, die niet eenmaal naar ze keek.

Aan de andere kant van het bos lag een klein natuurlijk meertje dat gevoed werd door de watervallen. En aan de rand van het meer lag een bootje. Met nerveuze, betoverde kreetjes lieten de negen maagden zich overhalen aan boord hiervan te gaan.

De boot leek niet op de functionele, mannelijke schuiten van de riviermensen. Het ding had een teer gewelfde boeg en een snelle achtersteven als een vissestaart. Het glinsterde en glansde en van de slanke mast openden doorzichtige, bestèrde zeilen hun vleugelen. De boot snelde licht over het water zonder hulp van wind of roeiriem. En de negen maagden staarden verbaasd en verwonderd om zich heen.

Hoeveel wonderen zijn er nodig om je te bewijzen dat je in een land van wonderen bent? De granaatappelheks, die buitensporige veertienjarige, had de tuin voorzien van een buitensporige massa wonderen. Sommige ervan waren speelgoed voor de kinderen die de negen maagden nog onlangs waren, andere waren luchtspiegelingen die de harten moesten vangen van de vrouwen die zij nog moesten worden.

Op de andere oever van het meer schonken gaarden met vruchtbomen de trilling van citroen en pruim aan de lucht; dadelpalmen rezen op als geribbelde zuilen en waaierden het gelaat van de hemel. Op een heuvel die schuilging onder wijnrode rozen en intkblauwe hyacinten, stond een paleis van wit marmer met open deuren.

Een wolk van miniatuurvogels kwam uit het paleis gevlogen. Ze kwetterden tegen de negen maagden als om hen te verwelkomen.

In een zaal waar fonteinen speelden, was een banket aangericht voor de meisjes, zoals iedere avond zou gebeuren, hoewel ze nooit te weten kwamen wie of wat daarvoor zorgde. Ze zaten op zijden kussens en aten zeldzame spijzen, dingen die ze zelfs aan hun vaders tafel niet hadden gekregen, en ze dronken wijnen en sorbets uit kristallen bokalen en deze raakten nooit leeg.

Boven, in het marmeren poppenhuis van een paleis, vonden de meisjes geparfumeerde baden en zijden bedden met paarlen als waterdroppels aan de baldakijnen, alsof het paarlen had geregend in alle slaapvertrekken.

Iets in de wijn, of in de bleke rook die uit de welriekende lampen kwam, had de negen maagden hoogst ontvankelijk gemaakt, zoals altijd gebeurde. Ze zonken weg in de slaap op hun bed en kregen daarna visioenen van hun eigen uitbundige voldoening, en van de gewijde gouden tempel die in het westen voorbij het paleis stond te glanzen. Ze droomden van de heilige put die zij zouden bewaken en van de leeuwen met wie ze zouden spelen en van de nu nog niet ontdekte wonderen in dit land van wonderen.

Alleen Kassafeh had pijn in haar buik van het rijke maar geheel illusoire voedsel, dat in werkelijkheid had bestaan uit wortelen en brood en dergelijk fundamenteel maar saai voer, met toverij zachtgemaakt. Alleen Kassafeh lag nijdig te woelen en te draaien in haar van parels druipende hallucinatie van een bed. Ze vertrouwde niets van al wat ze had gezien, want dergelijke schoonheid paste niet bij de lompe zwarte god van Veshum. En toen zij sliep, droomde ze van de knappe jonge legeraanvoerder en ze riep tegen hem: 'Haal mij weg uit dit oord en breng me terug naar de echte wereld!' Maar hij veranderde in een konijntje en huppelde haastig weg van haar.

Het was een tuin van verrukkingen, de verrukkingen van meisjeskinderen en jonge vrouwen. Alles wat de wereldwijze granaatappelheks had gemist?

Sommige fonteinen spoten heerlijke drank, sommige parfum, in sommige kolkten edelstenen die de maagden eruit konden plukken; sommige fonteinen veranderden als regenbogen van kleur. Het paleis telde myriaden kamers. En in de myriaden kamers bevonden zich myriaden dingen. Vreemde, fascinerende spelletjes, toverspiegels die andere wonderlanden lieten zien, poppen die zo kunstig beschilderd en aangekleed waren dat ze echt leken, en die door een draai aan een sleutel konden aangespoord worden tot lopen, zingen, dansen en converseren. Bovendien waren er enorme kisten met kleren, rijker van materiaal dan alles wat de negen maagden in de wereld hadden gekend – en rijker dan ze ooit zouden zien, want de illusie is altijd beter dan het echte. En bij de kisten met beeldige kleren stonden kistjes met edelstenen en sieraden. Hier en daar vonden de meisjes een muziekinstrument en dat hoefden ze maar in de hand te nemen om tot de ontdekking te komen dat ze erop konden spelen, en wel zo virtuoos dat er briljante, extatisch heerlijke geluiden uitkwamen. Elders vonden ze bij voorbeeld een weefgetouw, en de meisjes bleken het weven in een wip onder de knie te krijgen. Het toestel reageerde op het aarzelend geweef van de maagden met stromen van ongelooflijke stoffen met daarin stralende taferelen die bijna leken te leven. En er waren enkele verfijnde boeken waarvan de platen inderdaad levend werden.

Buiten het paleis vulden rozen en andere bloemen de atmosfeer met de zaligste geuren. Aan de takken hingen vruchten, altijd rijp, altijd in hun eetbaarste moment. Aan bepaalde bomen hingen trossen bonbons, het paradijs voor een kind, terwijl in sommige bosjes ivoren schommels aan de takken hingen. Als je op een hiervan plaatsnam, wiegde de schommel je even zacht of wild als je hem vroeg.

De tuin zelf bezat zijn eigen eindeloze afwisseling, want geen enkel deel bleef ooit zoals het was, alsof het zichzelf voortdurend veranderde, de schaduwval van een bloeiende boom, de hoek van een helling in de verte. De tuin leek onbegrensd, hoewel er wel grenzen waren – de groene binnenhellingen van de bergen – die het dal veilig als in een liefhebbende hand hielden. En uit dit veilige lover kwamen allerhande dieren in eigenaardige en rustgevende harmonie. Donzige witte lammeren die speelden met de jongen van een panter, en geheel bereid een maagd te laten deelnemen aan de pret; tijgerinnen die een maagd op hun rug noodden en haar mijlenver droegen, terwijl zij dolletjes lachte met bloemen in het haar, en dan legde de tijgerin zich neder en stond toe dat de maagd het kopje op haar gouddoorschoten flank vlijde, die toepasselijk naar kaneel en sinaasappels geurde. Verbijsterende aantallen vogels met groene en vuurrode vederdos tilden een maagd licht aan haar mouwen op en deponeerden haar in een boom en zongen haar toe. Pratende apen met staarten als klimtouwen en wijze, plechtige ogen vertelden verhaaltjes over een oudere wereld. Leeuwinnen zwommen in het meer en andere vijvers en beekjes en mocht een maagd zich ook daarin willen wagen, dan droegen de leeuwinnen haar door het water, of anders rezen er grote blauwe, glimlachende vissen naar de waterspiegel en boden de maagd hun vinnen als handgrepen aan.

Er waren altijd jonge dieren in de tuin, heel mysterieus, want nimmer vertoonden zich daar mannelijke dieren. Vogeleieren als lapis lazuli of groen onyx arriveerden van het ene moment op het andere in vogelnesten en kwamen uit als prachtige vogels, of daar kwam de nieuwe oogst babytijgers aangedarteld over het gras – van gemeenschap of bevruchting was geen spoor te merken.

De seksuele roerselen van jonge vrouwen werden niet aangemoedigd. Gezegende onwetendheid en een overvloed aan alles behalve dat wat aan seks zou kunnen doen denken, waren bedoeld om de seksuele verlangens van de meisjes te smoren. En bij de meesten lukte dat ook. Mocht een meisje plotseling onvoldaan en onrustig worden zonder te weten waarom, dan stiet zij op een borrelend kristal met steel en mondstuk van jade. Zich geroepen voelend hiervan te roken, zonk het maagdje neer en in vormeloos maar opwindend gedroom werd haar zinnelijkheid dan gesust op een manier die zij zich nooit helemaal meer voor de geest kon halen. Het resultaat hiervan was dat zij naderhand nooit een man zocht om haar hevige verlangens te bevredigen, en die man ook niet miste, maar in plaats daarvan het borrelende kristal ging zoeken.

Wat het altaar, de gouden tempel en de gewijde put betrof, hier legden de negen maagden zichzelf een taak op, die ze nimmer verwaarloosden.

Eerst onderzochten zij de tempel vol ontzag. Vervolgens, schuchter, glipten ze naar binnen. De muren en het dak waren van goud, de brede raamnissen waren goud, zelfs de schaduwen van het gouden snijwerk in de vensters waren goud. In het midden van de vloer, die uit been bestond, stond een gouden bassin. Als ze naar het bassin gingen en de ivoren stop eruitnamen, tuurden de negen maagden in verbijsterde eerbied omlaag naar een doffe, modderige glans en dan roken ze misschien de smerige, schimmelende lucht ervan. De heilige put was wel het enige niet mooie, niet lieflijke ding in de hele tuin.

Niettemin, omdat de heks had geredeneerd dat zelfs de meest warhoofdige mens hier een doel nodig had, en zij zich de maagden had voorgesteld als totaal warhoofdig, bezaten de put en de tempel een sfeer die de negen maagden een gevoel gaf dat ze belangrijk waren, een sfeer die appelleerde aan hun godsdienstige gevoelens. Het gevolg was dat iedere groep van negen maagden een eigen ceremonie had ontwikkeld die met de put te maken had. In het algemeen vond deze ceremonie plaats bij zonsondergang, een associatie met hun komst en de opening van de magische deur. In het algemeen behelsde de ceremonie een soort dans en een offerande van fruit en bloemen, die rond het gouden bad werden uitgestrooid, en zonder mankeren waren deze offerandes voor het volgende bezoek verdwenen, wat het offeren een dankbare taak maakte. Dan bevestigden de negen maagden nogmaals hun trouw aan de godheid, misschien kusten ze dan de stop in het bad en fluisterden woorden van deze strekking: 'Machtige vader, aanschouw uw dochter en slavin.' Maar later bracht hun trots (of hun onderbewuste wrok) de maagden er altijd toe om bij de put opnieuw hun gelofte van kuisheid af te leggen, en wel in deze trant: 'Aanschouw dat ik verzegeld ben, gelijk de heilige put verzegeld is, en met mijn zuiverheid zal ik de heilige plaats van de god zuiver houden, en moge ik sterven voordat ik mijn trouw aan hem schend.'

Het gewicht van dit al, de betekenis ervan, die konden alleen maar toenemen, iedere keer dat het gebeuren herhaald werd door iedere groep van negen maagden, en in de tijd waarvan wij spreken, was de ceremonie wel heel zwaar geladen. Hoe dan kon de opstandige Kassafeh er immuun voor zijn? Want immuun was ze.

De heerlijkheden van de tuin, die bezag zij met wantrouwen. Ze meende dat het valstrikken waren, maskers die het verschrikkelijke gelaat van de zwarte god verborgen. Hoewel zij in verleiding werd gebracht door de kameraadschappelijke panters, de magische boeken en instrumenten, de dolfijnen en de bonbons, bezag zij zelfs deze verleiding met achterdocht en ze ging er nooit op in.

En op de een of andere wijze begonnen de wonderen van de tuin, alsof ze zich bewust werden van haar ontkenning ervan, haar allengs te negeren. Geen tijgerin bood Kassafeh nog een ritje aan door de bossen, geen duif streek nog neer op haar schouder. Zelfs het ooft van de tuin smaakte Kassafeh niet meer zo goed, zelfs de rozen waren in haar ogen niet meer zo rood. En langzamerhand, terwijl het eerste jaar verstreek, begon Kassafeh nog andere bizarre veranderingen op te merken. Want soms, wanneer zij rusteloos door het park liep, zag zij een seconde of twee een kaal stuk grond, een scherpe rots, een stuk zand waar niets groeide. Of ze hoorde schelle en jengelende geluiden uit een kamer van het paleis, en als ze dan binnenging, trof ze daar een maagd met een van de muziekinstrumenten en twee of drie anderen die zaten te luisteren en die blijkbaar ongeëvenaard virtuoze muziek hoorden. *Nu kijk ik achter het masker*, dacht Kassafeh vol leedvermaak, maar bang werd ze ook. *Of misschien straft hij mij. Láát hij mij maar straffen.* Wat de rituelen bij de put betrof, daar deed zij niet aan mee. Als zij erheen ging, ging ze alleen, en ze tilde de ivoren stop uit het bassin en snoof de modderstank op. 'Dat is meer iets voor jou,' zei ze dan tegen de god.

Ongetwijfeld was het de inbreng van de elementaal in haar, het gedeelde vaderschap van het hemelwezen, die zelf gedeeltelijk verwant was aan de Opperaarde, wat haar onontvankelijk maakte voor dit paradijs en zijn valstrikken.

Het eerste jaar was afgelopen en het tweede begon. Kassafeh vond dat de overige acht maagden nog schaapachtiger en dommer waren geworden dan ze altijd al geweest waren. Kassafeh weende vaak en in het geheim. Ze droomde weer van de jonge en knappe kapitein, en nu droeg hij haar met zich mee op de rug van een adelaar, maar toen ze wakker werd, zag ze dat er een dwaas gansje van een schaapachtige maagd in haar oor stond te blaten.

'Ook ik heb problemen van deze aard gehad, Kassafeh. Maar ik heb toen dromen gerookt uit een borrelend kristal en ik was genezen van alle onrust. En kijk, hier heb je precies zo'n kristal bij je bed staan.'

Kassafeh keek, en zag een troebel glas waarin een onrustige troebele vloeistof stond te deinen.

'Kom,' drong haar medemaagd aan. Ze gaf Kassafeh het jaden mondstuk – dat voor Kassafeh van gebarsten email was. Maar ze was zo onrustig dat ze de droge aanvaardde, het glas leegdronk en ging liggen.

Het duurde niet lang of ze was zo duizelig als wat. Uit een donkerende nevel werd ze door iets besprongen. Het was geen man, eer een karikatuur van een man, geschapen door een veertienjarige heks-hoer die niets dan minachting had voor de capriolen van de mannen aan wie zij zich had verkocht. Haar karikatuur was tegelijk komiek, bespottelijk en angstaanjagend. Kassafehs weerstand tegen de tuin nam het zinnelijke en erotische aspect van het kristal weg, al het vage, plezierige ontbrak zodat er alleen een grof commentaar van de heks op de vereniging met een man overbleef.

Een behaarde, stinkende en ongemanierde reus greep Kassafeh wellustig beet. Zijn tanden waren zuilen en zijn armen ijzeren kettingen.

Een fallus groter dan een toren stormde tussen haar benen en spande zich in om haar te doorsteken. Het was dan ook niet verwonderlijk dat Kassafeh begon te gillen.

Toen zij badend in het zweet wakker schoot, wankelde ze naar een raam en leegde haar maag in het dal, dat voor haar nu half groen en half woestijn was.

Tijdens de volgende maanden maakte ze er een gewoonte van om de hellingen van de bergen te beklimmen. Ze klauterde helemaal tot aan de muur. Ze probeerde de magische deur te ontdekken (de trap had zichzelf natuurlijk naar een andere plek verhuisd), maar van binnen kon je helemaal nooit een opening zien, laat staan er gebruik van maken, behalve op die ene dag wanneer de diensttijd van de maagden voorbij was. Ondanks alle illusies in het dal waren de beveiligingen allemaal heel echt. Ieder monster was echt, net als de gloeiende muur, de goocheldeur en het monster dat deze deur bewaakte.

Het tweede jaar liep af en het derde begon.

Tegen die tijd waren er nog wel negen maagden in de Tuin van de Gouden Dochters, maar slechts acht van hen waren bewaaksters. De negende was een vijand die binnen de muren was opgesloten.

Drie

In zijn eentje liep Simmu een jaar lang over de aarde om in het Land van de Put met zijn tuin te komen. Azhrarn had hem drie zaken geschonken, die elk op hun eigen manier een gelofte waren: de brandende kus, de nieuwe betekenis van het Eshva juweel, en de lokatie van zijn reisdoel. Maar Azhrarn, die verwekker van verwarring, liet Simmu dit reisdoel zonder hulp zoeken en Simmu merkte dat het zonder hulp een lange weg was.

Hij wist evenwel vanaf het begin dat hij een held was – dat wil zeggen iemand met een doel dat hij moest vervullen en dat de wereld een beetje zou schudden, aan zijn hoeken. En deze kennis gaf hem goede moed, maar stond hem tegelijk hevig tegen.

Men verhaalt dat hij vele avonturen beleefde op zijn reis, want toen als nu waren helden verplicht om avonturen te beleven. Maar die waren van het soort dat men verwachten kan tijdens een tocht door ongetemde landen die wemelden van de woeste dieren, niet allemaal van natuurlijke oorsprong, terwijl bij iedere brug en ieder zijpad een plaatselijke roverkoning kon staan die tol eiste.

Hoewel Simmu zichzelf was gaan zien als simpele menselijke klei, was hij verre van zo simpel en beetje bij beetje begon hij dat te herontdekken. Geconfronteerd met een meute kwijlende, uitgehongerde honden, verstarde hij van ontsteltenis en al zijn sterfelijke verstand verliet hem – zodat de toverij van de Eshva terug kon sijpelen in zijn geest. Voordat hij zelf doorhad wat hij uitspookte, was Simmu al begonnen de honden te betoveren. Al spoedig zonken zij hijgend en met toegeknepen ogen neer, terwijl ze in trance kwispelden. Tranen stroomden over Simmu's wangen toen hij terugvond waarvan hij had gedacht dat het hem voorgoed in de steek had gelaten, zijn demonische opvoeding. Noodzaak was de sleutel geweest. Later, nog steeds wat bang, had hij zich met opzet laten zakken in een kuil waar leeuwen in de zon lagen te bakken. Ze roken de mens, en ze rezen snauwend overeind, maar Simmu voelde de Eshva magie gebruiksklaar in zich opwellen en spoedig waren zijn angst en hun gesnauw voorbij. Deze leeuwen roken niet naar bloemen maar naar leeuwen, de sterke, onverzoenlijke geur van het leven, en zachtzinnig waren ze ook niet; op alle andere momenten waren ze gereed om te verscheuren en te doden en op te eten wat hen op dat moment plezierde en betoverde, en hun huidige rust was dan ook adembenemend.

Simmu's voorgevoel van een heldhaftig lot dat hij moest vervullen werd versterkt door deze en soortgelijke daden, waarbij soms toeschouwers aanwezig waren, wat hem op panische loftuitingen van de bewoners van de streek kwam te staan. Maar hij was inderdaad veranderd, want hij zag zijn vermogens nu als een facet van hemzelf, in plaats van zichzelf als een facet van deze vermogens.

Hij bleef een man. De drang om zijn vrouwelijke gedaante aan te nemen – eerst in de persoon van Zhirem aanwezig, toen als Azhrarn – was weg. En Simmu de man werd hard en mager als de leeuwen die hij betoverde, een bronzen zwaard met zijn haar als een zonnekrans daarboven als manen. Hij droeg ook een baard, kortgeknipt met een mes en hij ging gekleed in de kleren die hij zoals gewoonlijk onderweg gestolen had, nu niet meer een vormeloze boerenjas die door beide geslachten gedragen kon worden, doch de mannelijke kledij van een zwerver die zijn armen en benen vrij moet hebben om te kunnen vechten. Want natuurlijk had hij ook gevochten. Net als met de honden, toen hij eerst dacht te zullen moeten vechten, zonk de moed hem aanvankelijk in de schoenen. Niemand had hem deze kunst ooit geleerd. Hij had zelfs nooit geknokt met de andere tempeljongens – daarvoor hadden die te veel ontzag voor hem. Toen hij dus een keer bij een doorwaadbare plaats tegenover rovers kwam te staan, vroeg hij zich af wat er van hem zou worden en of hij tenslotte toch in het net van de Dood zou vallen.

'Hodaar, kleintje,' riepen de rovers, 'hodaar, mooie jongen met je abrikozenpluim. Hodaar, klein grut, amber katje.

Deze plek is van ons, en je moet ons betalen, of anders knokken met Lelijk Zwijn hierzo.'

Toen kwam Lelijk Zwijn naar voren.

Hij deed zijn naam eer aan, hoewel geen enkel zwijn, lelijk of niet, zo lelijk was als hij.

'Bij mijn ontbrekende oor en mijn zeven ontbrekende tanden,' telde Lelijk Zwijn, 'ik ben gereed. Bij mijn tien wratten ben ik gereed,' voegde hij er nog aan toe.

Lelijk Zwijn had velen gedood. Hij vocht met zijn mes en zijn worgsterke vingers en zijn resterende gele tanden en zijn kruis-vertrappende voeten. Simmu was van gemiddelde lengte, niet lang en niet kort voor een jongeman, en Lelijk Zwijn was groter, zowel horizontaal als verticaal.

Voor zo'n schepsel zouden demonen een immense minachting hebben gevoeld. De Vazdru en de Eshva, die ervoor zorgden dat ze knap waren als ze een menselijke vermomming aannamen, verafschuwden lelijkheid nog meer dan goedheid. En iets van deze aristocratische walging beïnvloedde Simmu en hij maakte dan ook onwillekeurig een gebaar met zijn hand waaruit zijn opvatting duidelijk bleek. Maar Lelijk Zwijn nam aan dat hij het mes in zijn gordel wilde pakken en dreunde voorwaarts.

En voor hij wist wat hij deed, was Simmu opzijgeschoten en bijgevolg kwam Lelijk Zwijn rijkelijk in contact met een harde boom.

Wat geen van de aanwezigen had voorzien, waren Simmu's dierlijke snelheid en het feit dat zijn zintuigen veel scherper waren dan die van een mens, en dit alles functioneerde onafhankelijk van zijn menselijke brein.

Lelijk Zwijn slaakte een brul en schudde zich, toen trok hij bliksemsnel zijn mes en kwam opnieuw opzetten. En Simmu flitste langs hem heen en sprong op zijn rug als een jong luipaard zou hebben gedaan. En daar aangeland trok hij zijn mes en doorsneed de halsslagader van Lelijk Zwijn. Toen zijn tegenstander neerging als een rotsblok, vloog Simmu opzij en landde licht op het gras, snauwend en een ogenblik lang volkomen bestiaal en met de onvoorspelbare kwaadaardigheid van een beest. Het was de eerste keer dat hij iemand had gedood, een mens aan zijn vijand de Dood had gegeven. Maar vechtend voor zijn leven, interesseerde hem dat niet.

De andere rovers aarzelden. Aan zulke schokken waren ze niet gewend. Toen smeten vijf van hen zich tegelijk op

Simmu, en als hij niet meer was geweest dan de menselijke jongeling die hij zich waande, dan was hij toen en daar gestorven.

Maar Simmu was Simmu. Hij tolde om zijn as, sprong heen en weer en richtte dodelijk snelle steken op de vitale plekken die de tijger en de luipaard zo goed kenden. En hoe ze hun best ook deden om hem te doden en te vermoorden, de rovers hadden net zo weinig kans als bij een wezen dat voor een derde uit kat, een derde uit wolf en een laatste derde uit slang bestond, en bovendien nog magisch van aard was.

Toen het afgelopen was, lagen er nog vier doden en de rest nam de benen, schreeuwend dat het een duivel was die de goden hadden gezonden om hen te laten boeten.

Simmu rende ook hard weg, want van lijken moest hij nog beven. Maar toen hij verderop tegen een boom leunde, trillend en met grote ogen, wist hij dat hij het moordlustige tuig van de wildernis kon verslaan, niet doordat hij zo goed kon vechten maar zuiver uit instinct – de oefening uit zijn zuigelingsjaren. En hij lachte diep van binnen en maakte zijn mes schoon en ging verder. En al degenen die hem hierna nog uitdaagden, kregen korte metten. En sommigen waren niet slechts rovers maar vaardige vechters, en toch versloeg en doodde hij hen doordat hun kunsten niet opkonden tegen zijn snelheid. Hoewel ze hem een enkele keer een jaap gaven, en hij op zijn linkerschouder een litteken kreeg als een witte halvemaan, en een ander als een bliksemschicht op zijn rechterdij – als de bliksem die hij zelf werd onder de wapens van anderen.

Zo ging zijn reputatie hem vooruit en dikwijls was één steek van zijn lynxenogen voldoende om zijn vijanden weg te jagen, en hoefde hij niet te vechten.

Maar hij zou een ander tegenstander tegenover zich krijgen, veel erger dan beesten en mensen.

Hij was halverwege tot Veshum gevorderd, halfweg op zijn jaarlange reis, met heldendaden achter zich en de felle, waanzinnige vonk van zijn heroïsch doel voor hem uit. Hij had de eerste verbasterde verhalen over de rivierstad al gehoord, over de god en zijn tuin, even vluchtige verhalen als geluiden op de wind.

Het was laat in de middag in een land van heuvels en dorpjes. Simmu liep met een lange, moeiteloze pas, zijn ogen halfdicht tegen de zon, spelend op een fluit die hij kort tevoren onder het lopen had gemaakt. En in zijn geest ging de droom over een andere stoffige wandeling en iemand (wie was het geweest?) die samen met hem had gelopen en naderhand weg was gegaan, en de fluit maakte een lied van de melancholie van zijn droom en de vogels beantwoordden het uit de struiken en uit de hemel.

En toen vlogen de vogels weg en het pad over de geelbruine heuvel werd vreemd stil en geen wind bewoog de struiken. En toch was er een soort geritsel, als wind door stof of bladeren, achter Simmu.

Simmu staakte zijn fluitspel. Hij hield op met lopen. Hij draaide zich om.

Soms werd hij gevolgd door dieren, die aangetrokken werden door het ongewone dat hij uitstraalde. Nu was er geen dier te zien. Het pad was verlaten. Maar toen hij zijn weg wilde vervolgen, aarzelde Simmu toch. Want het leek of hij gevolgd werd, al zag hij niets en niemand.

Simmu liep door. Het gevoel dat er iemand achter hem kwam, bleef. Een man zou aan zichzelf hebben getwijfeld, maar Simmu's bewustzijn was te scherp afgesteld om hem te misleiden. Het pad slingerde zich rond de top van de heuvel, en hierboven stond Simmu opnieuw stil. Maar er kwam niemand, en hij liep voort, en toen, toen pas, kwam dat wat hem volgde.

Achtervolgd worden kan griezelig, verwarrend zijn, maar hoeft niet altijd bedreigend te zijn. Simmu wist dat, en dus was de openlijke bedreiging die zijn achtervolger meebracht des te onheilspellender.

Simmu was allengs zijn emoties gaan analyseren en benoemen – weer een menselijk gebrek dat hem in zijn vroegste jeugd niet had geplaagd. Nu wist hij dat hij bang was, een unieke en speciale angst koesterde. Maar hij werd niets wijzer als hij zich omdraaide, en als hij verderliep, gebeurde er niets. Hij liep, en de zon begon te zinken en de heuvels rood te kleuren. En toen werd Simmu zich bewust van een extra roodheid in de hemel achter zijn schouder.

Ditmaal toen hij zich omkeerde, zag hij – iets.

Het was als het nabeeld van een vurig voorwerp, alsof hij in de zon had gekeken en daarna deze schimmige afdruk op de lucht zag. Het had geen vorm, het was niet echt aanwezig. En toch was het er.

Beneden, opzij van het pad over de heuvel, lag een van de

talrijke kleine dorpen te schuilen. Normaal deed Simmu geen moeite om de nederzettingen van de mens op te zoeken. Hij verkoos het eenzame duister dat zijn herinneringen aan de Eshva bovenbracht. Maar deze zonsondergang voelde hij zich door zijn angst gedreven om zich in het dorp te verbergen.

Hij rende de helling af. De zon rende net iets sneller.

Precies toen Simmu de straat van aangetrapte aarde inliep, maakte de dag plaats voor de schemer en voor het laatst keek hij achter zich. Het pad, de heuvel, de hemel waren allemaal verlaten. Maar op een of andere manier, afgedrukt op de zich verzamelende sluiers van de nacht, zag hij een doorschijnend merkteken, zwart-rood.

Een boerenjongen van acht deed de deur open, staarde met grote ogen en open mond naar de man die daar stond. 'Kom kijken!' riep het kind, van opwinding dat het een nieuwe soort had ontdekt.

Toen kwam de hele familie, twee vriendelijke echtgenotes (een met een pollepel in de hand), een echtgenoot, drie jongelingen en een verlegen meisje van zes.

Ze tuurden naar de verschijning, geamuseerd, want hij was totaal anders dan zij. Mager, getemperd brons, met een zilveren halvemaan op zijn brede, blote jonge schouder, en een knap gezicht dat hen recht uit het oerwoud leek aan te staren, met vlammentongen als haar en groene vlammen als ogen.

'Wees blij en kom binnen,' mompelde een van de echtgenotes en met zijn allen trokken ze hem het huis in.

Naast een vuurkuil in de overvolle aarden kamer gaven ze hem eten en bier, ze installeerden zich om hem heen, ze keken hem aan alsof hij een prachtig juweel was dat ze in de heuvels hadden gevonden en mee naar huis genomen. En toen ze meer wilden dan kijken, kwamen de kinderen naderbij, het meisje om handenvol van zijn haar te verzamelen en de jongens om het ingekeepte moordlustige mes met zijn aangeslagen heft te bekijken. De man sprak over reizen en de twee vrouwen flirtten met hun ogen op een aardige manier zonder eisen te stellen.

Simmu sprak bijna nooit, maar hun gezelschap, waardoor het hier net een knus dierenhol leek, suste zijn zenuwen. Het geklauter van de kinderen deerde hem niet. Vossen en katten waren uitgebreid over hem heen gekropen toen hij zelf een kind was. Na een poos liet hij hun de houten fluit zien, en toen ze O's van hun ogen maakten, speelde hij voor hen.

Het vuur knetterde en de waakhond had zich voor de drempel uitgestrekt. Het leek of niets kon binnenkomen dat niet welkom was.

Gezamenlijk legden ze zich te slapen, vol vertrouwen, op de stapels tapijten.

Het vuur flakkerde weg en sliep ook.

De hond werd niet wakker, maar Simmu wel. Hij werd wakker omdat er een rode man op zijn borst knielde (een man van niets behalve roodheid, een gemeen rood als oud bloed, haarloos, zonder gelaatstrekken behalve ogen als nat bloed in het gezicht van geronnen bloed), een man, als het een man was, die Simmu's keel dichtkneep.

Niet in staat adem te krijgen of te schreeuwen, verloor Simmu, verblind en verdronken in een moeraspoel van dit bloed, zijn menselijkheid en werd de ander die hij was. En die ander ontbood een weerstand uit zijn innerlijk die geen enkel mens op dat moment had kunnen opbrengen.

Met zijn linkerhand greep hij het wezen bij diens keel – die heel stoffelijk was, en klam, en niet als vlees. Met zijn rechterhand plukte Simmu zijn mes uit de vingers van de slapende zonen en stak ermee in de nek die hij omklemde en die hij nu, terwijl hij niet kon zien, niet zag maar alleen kon voelen.

De nek schokte. Een kokendhete vloeistof plensde op Simmu's borst. Hij stak opnieuw, en toen kon hij weer ademen en het zicht flikkerde terug in zijn ogen. Terwijl hij naar adem lag te happen, zag hij half dat de verschijning, die naar zijn wonden greep waaruit een bedorven sap lekte, begon op te lossen in het duister. En na enkele ogenblikken was er niets meer van hem over dan een ring van pijn om Simmu's keel en zijn gekneusde luchtpijp daarbinnen.

Toen hij was bijgekomen, rakelde hij het vuur op. Geen mens in het huis was wakker geworden, en de hond ook niet. Het was of de bezoeking, slechts voor één persoon bedoeld, alleen door die ene waargenomen kon worden. Simmu draaide zijn mes voor het vuur om en om – het lemmet was bedekt met een substantie die er in schilfers afbladderde zodat het metaal glanzend schoon achterbleef.

Simmu sliep niet weer. Hij ging bij de haard zitten totdat de zon opkwam. Maar er kwam geen tweede ding.

's Ochtends zei het kleine meisje dat zij gedroomd had dat

een rode stier in het huis binnen was gekomen en door het vuur stoof, en de vrouwen lachten haar uit terwijl ze haar haren vlochten, elk een vlecht.

Ze probeerden Simmu niet te weerhouden toen hij vertrok, maar ze keken hem na, en het kleine meisje stapte plechtig een eindje mee door de straat.

Die dag reisde Simmu met onrust aan zijn linkerkant en koortsige waakzaamheid aan zijn rechter. Maar er kwam niets in zijn buurt totdat het middaguur voorbij was. Als eerst bevond hij zich op een eenzaam pad, als eerst leek de wereld zijn geluiden rondom te omfloersen. Hij keek om en zag niemand, maar voelde de aanwezigheid van iets achter zich. Zonder rede had hij geweten dat de macht die hem had aangevallen de strijd nog niet had opgegeven. Simmu huiverde. Toch liep hij door. Toen hij een dorp ontwaarde, maakte hij een omweg. Deze nacht zou hij zijn vijand buiten, en wakker, opwachten.

De zon daalde. Simmu ging op een steile heuvel zitten met zijn rug tegen de rotskam. Hij at de eetbare stengels op die hij onder het lopen had geplukt en legde zijn mes klaar.

Het dak van de hemel werd indigo van kleur en de wind danste door de grotten en geulen in de heuvels, maar soms kwam er tussen Simmu en de hemel, of het land, een eigenaardig plekje rossige duisternis, het nabeeld van een licht waar geen licht was.

De nacht liet zijn sterrenwiel draaien. Slaap, de vissersvrouw, kroop naar Simmu toe en kuste zijn oogleden, maar hij stuurde haar weg hoewel zij, die geen schaamte kende, later terugkwam en opnieuw probeerde hem te kussen.

Maar toen vluchtte de slaap, want dat waarop Simmu had zitten wachten, begon te gebeuren.

Vanuit een ongewis, half gezien iets veranderde het ectoplasma-ding in iets met massa en een vorm, een geest die vlees werd. Als een cirkel van zwaar deeg waarin de gist heftig borrelde, werkte de entiteit zich zwoegend en zwaar naar het bestaan toe. Eerst schenen de sterren er nog doorheen, toen werden de sterren verduisterd en verborgen achter de zich materialiserende massa. Een deegman stond op uit het mengsel, lomp en goor rood, en in het gladde gezicht richtten de twee natte wonden van ogen zich op Simmu. Van de wonden in zijn keel was geen spoor meer te zien. Het wezen was geheel genezen in de on-wereld waarheen het de vorige nacht was teruggekeerd.

Het monster bewoog zich tegen de heuvel op naar Simmu met heel snelle, vastberaden sprongen die verschrikkelijk om te zien waren. Het had zijn handen al uitgestrekt om de luchtpijp te grijpen waarvan het de vorige nacht beroofd was. Maar Simmu was opgestaan en plotseling stormde hij op het wezen af.

Het ding graaide naar hem. Tegelijk stak Simmu zijn mes diep in de hartstreek – als het wezen een hart had, en toen rukte hij zijn mes meteen weer los en stak het wezen in zijn afschuwelijke nek. Het ding gaf geen kik, net zomin als de eerste keer. Veel beklemmender was dit: waar het ditmaal getroffen was door het mes, stroomde geen bloed naar buiten. En terwijl het schepsel Simmu omklemde, en zich niet stoorde aan zijn wonden, drukte het Simmu tegen zich aan en kneep, zowel in zijn keel als om zijn ribben.

Simmu's ogen werden zwart van binnen. Hij kon niet ademen, zijn linkerarm was gevangen, toch probeerde hij met zijn andere hand het mes te gebruiken. Van zo dichtbij was de gruwel bijna niet te verdragen – slijmerig, als natte klei, als iets uit een moeras kleefde het tegen hem aan. Simmu stak het mes in een oog maar ook nu plensde er geen levenssap uit de wond over hem heen. Het wezen leek ook sterker dan het was geweest. Het kronkelde zich toen het werd aangevallen, maar zijn greep verslapte niet. In plaats daarvan drukte het, als een minnaar, Simmu's hoofd in zijn weerzinwekkende vlees om hem te laten stikken.

Simmu hieuw het schepsel in de rug, maar het was een zwakke houw. Zijn kracht liet hem in de steek. Het wezen evenwel ging onverdroten door. De wereld snelde van Simmu weg en hij spartelde hulpeloos met de zwakke stuiptrekkingen van iemand die geworgd wordt.

Toen struikelde het schepsel op de oneffen helling, zijn greep werd losser en met een krampachtig schoppende beweging wierp Simmu zich opzij, en meteen daarop weer voorwaarts tegen de onderbenen van zijn tegenstander. Eén laatste onhandige slag gaf hij tegen deze benen en hierdoor rolde de rode vorm van de steile helling af en de lucht in.

Simmu lag op de grond en keek het ding na terwijl het geluidloos viel. Toen het neerkwam op een lagere heuvel leek het te verbrijzelen, uit elkaar te spatten, maar geheel zonder geluid. En toen als eerst versmolt het met het duister zonder een atoom van zichzelf achter te laten.

Simmu bleef lange tijd op zijn buik liggen.

Zijn lichaam was verwrongen en gebeukt. Waarschijnlijk zou hij niet veel meer van deze bovennatuurlijke duels kunnen overleven.

Want hij wist nu dat er meer zouden volgen, hoewel vrijwel zeker niet vannacht. Vannacht zou de bezoeking zich helen in de regionen waar hij zich normaal ophield, waar dat ook mocht zijn. Maar morgen zou hij weer de aansporing voelen om Simmu te achtervolgen en met hem te strijden. En morgen zou het wezen nog sterker zijn. En de nacht daarna, als Simmu het derde treffen tenminste overleefde, zou het nog weer sterker zijn. Want het schepsel was natuurlijk magisch en met magie gestuurd en hij had geen enkele kans ertegen. Hoe vaak hij het ook zou vernietigen, de volgende nacht zou het terugkomen, altijd opnieuw, totdat Simmu vermoord was.

Vier

Wie had de rode achtervolger gezonden? Wie anders dan degeen die op een rood trommeltje had geroffeld nadat zij haar grootste geheim had verraden aan Azhrarn en aan Simmu?

In paniek had Lylas haar toevlucht genomen tot dat trommeltje met zijn niet thuis te brengen rode vel. Zo'n artikel gebruikte men niet lichtvaardig. De dienstmaagd van Uhlume, de Meester van de Dood, had getrommeld en gesmeekt en getoverd en datgene wat zij te voorschijn toverde, zette zij op het spoor van Simmu met het bevel hem te doden. Het had lang geduurd, want Simmu's geërfde Eshvase kwaliteiten hadden het spoor vertroebeld, zijn spoor was niet helemaal menselijk. Maar uiteindelijk had het weerzinwekkende, met magie gecommandeerde schepsel hem gevonden en gehoorzaam aan het bevel van de heks was het met zijn moordtaak begonnen.

Nu was dit wezen, deze bezwering, geëvolueerd uit een plaats die niet op aarde lag noch in de lagere regionen van de aarde, maar deze plaats was toch toegankelijk, een soort psychische kast vol boze geesten ten behoeve van zwartekunstenaars. Het openen van de kast vereiste bepaalde procedures, in het bijzonder een bepaald soort intellect en een bepaalde bedoeling. Niemand stiet bij ongeluk op deze onaardse sfeer.

Uit de diepten rees de duivel op en in die diepten zou hij weer verdwijnen als hij zijn taak had vervuld. Hierheen werd hij ook teruggeroepen na zijn gevechten met Simmu, opdat zijn verwondingen hersteld konden worden door de hersenloze maar enorme macht van de psychische opbergkast. Hij kon nooit totaal overwonnen worden, zoals Simmu had geraden; het was slechts mogelijk hem tijdelijk af te slaan. Hij bezat ook deze eigenschap: dat iedere keer wanneer hij verslagen werd en vervolgens vernieuwd, zijn uithoudingsvermogen verdubbelde. Hij bezat nog een eigenschap, die in zekere zin nog verschrikkelijker was. Hij kon niet vaker dan één keer met hetzelfde wapen vernietigd worden. En dus was het mes dat hem de eerste nacht afgemaakt had, de tweede keer nutteloos. (Er bestond een gruwzaam verhaal over een koning die een van deze wezens op zijn dak gestuurd had gekregen, en wellicht had Simmu dat verhaal een keer gehoord. De eerste nacht doodde de koning de duivel met een zwaard, de tweede met een bijl, de derde door worging met een touw. Omdat het schepsel onzichtbaar en ontastbaar was voor eenieder behalve het bedoelde slachtoffer, was het onbereikbaar voor de slagen van anderen en dus moest de koning overdag slapen en bij zonsondergang opstaan wanneer de verschijning zich manifesteerde. De vierde nacht werd een speer gebruikt, de vijfde een boog, de zesde een kom met zuur, de zevende een stenen hamer. Hierna volgden nog zeventig ontzettende nachten en voor elk daarvan verzon de koning een nieuw wapen en gebruikte dat. Onderwijl ging het koninkrijk ten onder, indringers verzamelden zich aan de grenzen en de hovelingen lieten hun vorst in de steek. Ten slotte, op de achtenzeventigste nacht, uitgeput door zijn hopeloze en nimmer eindigende beproeving, dronk de koning vergif. En naar verluidt vond het monster, toen het bij zonsondergang terugkwam, alleen de geest van de koning, die hem op de drempel bitter grinnikend toevoegde: 'Je bent te laat.' Maar hij vergiste zich, want toen de gruwel, die zelf onaards was, geen lichaam kon vinden om te vermoorden, verscheurde hij in plaats daarvan de geest van de dode koning, zodat alleen een deel van diens ziel intact de wereld ontsnapte.)

Simmu verlangde er niet naar om zevenenzeventig nachten lang een bij voorbaat verloren gevecht te leveren, als hij zijn leven zolang zou kunnen rekken. Wel had hij reeds teruggedacht aan Azhrarns afscheidswoorden: 'Verbrand deze groene steen bij je keel nog een keer in een vuur, en ik zal antwoorden.'

Simmu raadde dat niemand behalve demonen hem konden helpen – als ze dat wilden. Maar hij had Azhrarn niet willen roepen. Zoals een kind wil bewijzen dat het de wereld zonder hulp aankan, zo wilde ook Simmu dat bewijzen. En hij vreesde ook de weinige liefde van Azhrarn die hij misschien had vergaard, te verliezen wanneer hij hem te vroeg of te vaak om hulp smeekte.

Simmu's tegenzin en de traagheid van zijn geslagen lichaam zorgden voor uitstel, en toen was het te laat: de nacht spoelde weg en de zon kwam op, en geen enkele demon zou bij daglicht komen.

En dus bleef Simmu op de heuvel zitten, half boos en half wanhopend, en vervuld van een misselijk makend verlangen naar Azhrarn die zou komen – zou hij komen? – als hij het teken gaf.

Niet lang nadat de zon het zenit was gepasseerd, begon opnieuw die griezelige, boze belofte van een op handen zijnde komst, die schaduwvlek op de lucht.

Simmu keek er woedend naar, bevend van angst en boosheid. Toen stond hij op en haalde droge takken en wortels uit een wat lager gelegen bosje en stapelde ze op voor een vuur.

Zodra de westelijke zon aan zijn afdaling begon, stak Simmu het vuur aan en terwijl het ene rode licht zonk, laaide het kleinere op en hierin liet hij het Eshva juweel vallen dat hij om zijn nek had gedragen. Toen boog hij het hoofd en bad, zoals hij nooit in ernst tot de goden had gebeden, tot Azhrarn Prins der Demonen.

De nacht vlijde zich over het land. Het rode vuur spuwde en danste, al het andere was zwartheid, en op het zwart prijkte de vlek.

Simmu wachtte. Hij wachtte op de komst van liefde of dood.

Liefde verscheen.

Daar op de heuvel: plotseling verscheen er een zwarte duif, die in een Eshva man veranderde, dat was onmiskenbaar, maar Azhrarn was het niet.

De ogen van de Eshva richtten zich koel op Simmu. De ogen zeiden: *Vraag niet waar hij is, want hij heeft mij naar jou gezonden.*

Simmu begon hardop: 'Ik word achtervolgd–' maar de

Eshva man legde hem het zwijgen op door zijn hand op te steken en terwijl hij om zich heen keek, bracht de Eshva dit bericht over: *Ik weet nu dat je achtervolgd wordt, en door wat. Heb geduld.* En toen was de Eshva even abrupt verdwenen als hij gekomen was.

Geschrokken kon Simmu niets anders doen dan zijn wake voortzetten met zijn bestaan in de weegschaal.

Weldra ging het vuur uit en Simmu haalde er de verbrande edelsteen uit – die de volgende ochtend weer groen zou zijn. Hij vroeg zich af of hij dat nog mee zou maken. Er werd een uur van de nacht gesneden, en nog een.

Van het ene moment op het andere begon de glimmering in de lucht te koken.

Hij die zich des Doods Vijand had gedoopt, stond op het punt te sterven.

En toen overkwam Simmu iets buitengewoon verbijsterends, verbijsterender nog dan de dood. Een afschuwelijke pijn overviel hem terwijl hij voelde dat hij platgeslagen werd, samengedrukt, tot moes geknepen. Als hij een geluid had kunnen voortbrengen, had hij het uitgeschreeuwd, maar hij had geen stem meer en kon ternauwernood nog zien. Of hij zag wel, maar vanuit een ander oogpunt dan normaal. Alles was opgezwollen tot vijf- of zesmaal zijn gewone formaat, alles had een onwezenlijk bleke schijn – wittige heuvels tegen een wittige lucht met zwarte sterren... of nee, een groenige lucht en sterren als – zwarte saffieren – of... Simmu bewoog. Hij bewoog helemaal. Zonder armen of benen lag hij hulpeloos in een woud van varens en hij keek naar twee kanten tegelijk vanuit de zijkanten van zijn hoofd. Een zachte hand nam hem vast en hij kronkelde zich in een aantal lussen om de pols van die hand.

Simmu was gemetamorfoseerd in een serpent, een van de zilveren serpenten die het haar van de Eshva sierden. Terwijl hij zich dit realiseerde, zag hij met zijn vreemde Onderaardse slange-ogen een modderige gedaante van klei op de heuvel. Maar deze klei-verschijning was verstijfd. Zijn uitgestrekte armen tastten in het luchtledig.

En Simmu begreep dat er van de Eshva – er waren er nu drie op de heuvel – een charismatische aura stroomde die zijn eigen aanwezigheid even grondig verborg als zijn gedaante verborgen was, zodat de duivelse wreker er niets meer van begreep.

De Eshva lachten met hun ogen. Ze lachten de duivelsgedaante uit, die zij waarnamen maar voor wie zij onaanraakbaar waren en die zij minachtten. En het monster sloop speurend om hen heen, niet in staat hen te benaderen of kwaad te doen, en niet in staat Simmu te vinden.

Nu was het zo dat een eenmaal opgeroepen gedrocht van dit soort iedere volgende nacht zijn prooi moest vinden. En dat lukte ditmaal niet, ook al wist het monster donders goed dat Simmu hier moest zijn, omdat hij nergens anders in de wereld was, noch eronder of erboven. En de opgeroepen duivelsvorm begon te zieden als een gistende drank en zonder waarschuwing viel hij schuimend uiteen en de nacht leek hem op te zuigen en te laten verdwijnen.

Maar in werkelijkheid ging het gedrocht wél ergens naar toe.

De Eshva wandelden een eindweegs over de heuvels. Ze hielden Simmu als slangetje, blijkbaar uit een gevoel van licht boosaardige genegenheid. Zijn geest, die samengeperst was in de hersenpan van het metaalachtige serpent, verkeerde in een idiote chaotische staat; hij begreep amper meer waar hij was of hoe hij daar gekomen was of waarom. Deels vergat hij zijn identiteit, hoewel er een zorg aan hem bleef knagen, maar zelfs welke zorg dat was, wist hij niet meer. Maar het was heerlijk om onder de Eshva te zijn, onder de dromelingen, de dolende kinderen van het duister.

Toen hij weer tot zichzelf kwam gebeurde dat met een nieuwe golf van pijn, en dat was enkele uren later. Hij was weer een jongeman, de wereld had weer zijn goede formaat en kleur. De Eshva waren bezig hem te verlaten.

Hij herinnerde zich alles in een gutsende stroom. Hij probeerde de Eshva uit te vragen. De Eshva gaven hem te kennen dat hij veilig was voor het gevaar dat hem achtervolgd had. Maar hoe kon dat, als dat gevaar beslist zijn prooi moest vinden? Het gevaar hád een prooi gevonden.

Simmu keek naar hen. Hun ogen waren zacht van hun dromen, onschuldig en dromerig gemeen, en meer zeiden ze niet.

Maar het was waar, hij was veilig, zijn bloed en hart en haar voelden dat hij veilig was. Azhrarn had de dood opzijgemaaid. Wederom lag Simmu's speurtocht naar de tuin voor hem.

Hoewel hij wenste, nu hij het zich kon veroorloven om spijt te voelen, dat Azhrarn zelf tot hem was gekomen.

Vijf

Bijna tweehonderd en drieëndertig jaar oud was Lylas en ze zag eruit als vijftien, en ze zat in de kamer waar de blauwe lampen brandden met roze vuur in het Huis van de Blauwe Hond.

Ze speelde een bottenspelletje, de granaatappelheks. Niet met de schone witte vingerkootjes om haar middel, maar met splinters en scherven van gevlekte en vergeelde botten die ze gepikt had uit geschonden graven. Ze was tenslotte de Dienstmaagd van de Dood en ze had graag zijn emblemen om zich heen. Vannacht was ze trots en haatdragend, in de waan dat zij Uhlumes geheim weer tot een geheim had gemaakt, en ze dacht aan haar jeugdige verschijning en de eindeloze jaren die zij nog voor zich had. Maar de botjes die zij neerwierp, en die patronen moesten vormen waaruit geluk en voorspoed voor de toekomst moesten blijken, toonden haar alleen verwarrende dingen, een andere toekomst dan zij zich voorstelde.

'Stomme botten,' zei de heks, 'ik zal jullie onder mijn hak vermalen want jullie zijn leugenaars.'

En zij stelde zich de knappe jongen met de katteogen voor, die de tuin en de put nu nooit zou bereiken en die ergens doodging in een rode gisting, en ze giechelde. Totdat de rode gisting midden uit de tapijten omhoog rees.

Lylas staarde ernaar.

'Verdwijn!' riep ze. 'Verdwijn, idioot! Heb ik je opgeroepen om te luieren? Schiet op, maak je taak af!'

Maar het gedrocht verdween niet, het nam vaste vorm aan en zijn bloedige ogen zagen haar aan met een ongelooflijke boodschap.

'Hij kán je niet bedrogen hebben – ga terug en zoek hem opnieuw!'

Maar het gedrocht kon nooit meer terug. Gewoonlijk hoefde dat ook niet. Onlogisch als het wezen was, maar wel geactiveerd, wilde het nu niets anders dan een prooi grijpen. Was de bedoelde prooi niet voorhanden, dan de prooi die hem zijn opdracht had gegeven. Zoveel las Lylas uit zijn ogen, en langzaam stond zij op en deinsde achteruit.

Talrijk en gevarieerd waren de poeders en de pulvers, de symbolen en de spreuken die zij voor de verschijning neerwierp om hem tot staan te brengen. Talrijk en gevarieerd waren de bezweringen en formules die zij uitsprak om zijn vertrek uit de wereld te vergemakkelijken. Maar een schepping als deze, eenmaal in de wereld losgelaten, was niet tot staan te brengen, een tweesnijdend zwaard.

Ten slotte stond Lylas met haar rug tegen de muur en verder kon zij niet vluchten. Ze schreeuwde een spreuk om zich naar elders te verplaatsen, en verplaatst werd zij, maar het ding kwam haar na. Opnieuw en nogmaals wierp zij zich van de ene plek op de aarde naar de andere. Uiteindelijk, ergens in een woud, waar niets was dan de bomen zelf, kreeg de verschijning genoeg van de jacht en hij greep Lylas bij de haren, en met twee enorme rukken brak hij haar in tweeën als een pop.

Alle botjes aan haar gordel vlogen in het rond, net als de andere botten zo ongelukkig waren gevallen toen ze ermee speelde. Tevreden loste de verschijning op in de nacht. Lylas bleef morsdood achter tussen de bomen. Ze had eeuwig kunnen leven, maar onkwetsbaar was ze nooit geweest.

Later zou er voor haar een komen die zwarter was dan het woud, want ook zij had met Uhlume de koop van duizend jaar gesloten, al had ze niet verwacht die de eerste millennia na te zullen hoeven komen.

In het blauwe huis was de hond van blauw email al bezig haar kisten te plunderen.

Zes

Simmu arriveerde in Veshum. Hij was zeventien en zijn uiterlijk was ongewoon. Mannen en vrouwen zonder onderscheid keken hem met open mond na op straat, niet alleen om zijn schoonheid maar ook om die innerlijke glans van licht, die laaiende fakkel van uitdagende doelbewustheid. Toen hij merkte dat hij zo opviel, aarzelde hij. Maar dan dacht hij: *Zij zullen ten slotte weten waarvoor ik gekomen ben.* Hij besefte dat helden getuigen moeten hebben. Bovendien vroeg niemand hem ooit waarom hij gekomen was. Men nam eenvoudig aan dat hij net als alle anderen gekomen was om de godheid te bewonderen.

In de Tuin van de Gouden Dochters waren de negen maagden allemaal zestien jaar oud; ze dienden al drie jaar. Dit zeiden de inwoners van Veshum tegen Simmu zonder dat hij erom hoefde te vragen. Ze sprongen uitbundig om met hun godheid. Het beeld van hem droeg tegenwoordig een gouden krans op zijn koolzwarte hoofd, gouden sokken en een mantel van vuurrood fluweel. Iedere negende zonneval werd er een zwart rund aan hem geofferd. Simmu maakte deze rite mee en die beviel hem helemaal niet. En in de winkels van Veshum, bij de verkopers van fijne zijden stoffen en geraffineerde juwelen, van zalige bonbons en erotische wierooksoorten, kon men kleine beeldjes van de god kopen die het grote beeld imiteerden: men dacht dat ze geluk brachten.

Op de binnenplaatsen van herbergen, op de terrassen met palmbomen die afdaalden naar de rivier, werd Simmu zonder dat hij er moeite voor hoefde te doen apart genomen en uitvoerig ingelicht over alles wat hij misschien zou willen weten. Over de diensttijd van negen jaar van de maagden, over het gouden altaar boven de put, over de brandende hoge muur en het patrouillerende leger en de wachttorens, over de woeste monsters die op de bergen huisden. En op een morgen, toen Simmu op een terras stond te praten met een steenhouwer, naderde er een zwaar gesluierde vrouw met een tragisch voorkomen en de steenhouwer zei: 'Kijk goed, vreemdeling, want daar gaat een van de gewijde maagden van de tuin voorbij. Drie jaren her liep haar diensttijd af. Schreiend kwam zij de tuin uit, zoals ze altijd doen. En nu heeft zij haar echtgenoot doodgestoken.'

De vrouw, die natuurlijk niet opgesloten was voor haar moord – zoals de onschendbare Dochters van de Tuin nimmer gestraft werden voor een misdaad, hoe gruwelijk die ook geweest was – passeerde en Simmu nam haar nauwkeurig op. Ze was lang en slank, maar barrevoets als iemand die in de rouw was en haar hoofd en gezicht gingen schuil onder een dikke sluier. Hoewel hij haar gezicht niet zag, hoorde Simmu haar kreunen en weeklagen en haar tranen liepen langs de sluier over haar borst.

'Heeft ze spijt dat ze hem doodgestoken heeft?' vroeg Simmu onschuldig.

'Zeker niet,' verklaarde de man tamelijk voldaan. 'Het komt veelvuldig voor dat de maagden hun familieleden vermoorden. Ze smachten slechts naar de tuin waarin ze nimmer mogen terugkeren en naar de wonderbaarlijke aanwezigheid van de god aldaar. Zonder twijfel,' voegde hij er gewichtig aan toe, 'zal zij spoedig een poging doen om er weer in binnen te komen. Ook dat gebeurt dikwijls.' En hij vertelde Simmu met veel dichterlijke bijzonderheden hoe vaak de gesluierde en wenende verbannen maagden in hun eentje de woestijn inliepen, de berg beklommen en bij de brandende muur gingen zitten om te wachten tot de smalle deur bij het ondergaan van de zon zich opende.

'Maar houdt niemand hen tegen?' vroeg Simmu.

'Iemand een gewijde Dochter tegenhouden? Waarom zou men? Ze zijn makkelijk te herkennen in hun vrouwelijke kledij, met hun sluiers en hun geween. Alleen vreemden worden uit het gebied geweerd. Bovendien kunnen de monsters op de berghellingen, die de god daar heeft geposteerd om zijn tuin te bewaken, makkelijk onderscheid maken tussen iemand van het riviervolk en een buitenlander, en alle buitenlanders scheuren ze in repen.'

'En als de maagden bij de deur komen en deze gaat open, wat dan?'

'Bij de deur bevindt zich het laatste monster, erger dan alle andere, dat de deur bewaakt, en dit laat niemand binnen behalve de maagden van dertien als ze daar voor het eerst arriveren, in overeenstemming met het bevel van de god. De oude maagden houdt dit monster buiten, en na enige tijd doden zij zichzelf. Zo gaat het altijd weer.'

'Als er nu eens een de tuin binnenkwam?'

'Onmogelijk!'

'Zeker, zo schijnt het. Maar als we dat nu eens aannamen, terwille van de discussie—'

'Nee, nee, ik bega geen heiligschennis, zelfs niet voor een theoretische discussie. Nooit is er iemand in de tuin, anders dan de negen knappe jonge meisjes, kuis als leliën en heerlijk onwetend (zoals alle vrouwen zouden moeten zijn, maar helaas zelden blijven). En de speelgenoten van deze naïeve en lieftallige schepseltjes zijn naar verluidt beesten van de vrouwelijke kunne, even zachtzinnig als lammeren. Want geen enkel wezen van het mannelijk geslacht is toegelaten in de tuin. Behalve vanzelfsprekend de mannelijke schaduw van de godheid.'

Op dit ogenblik had de gesluierde en smartelijke gedaante van de moordende maagd de treden naar de straat beklommen en ze verdween in de menigte. Simmu wenste de steenhouwer vaarwel en volgde de vrouw onopvallend.

Het was niet moeilijk om haar in het oog te blijven houden. De menigte week eerbiedig uiteen om haar door te laten en zij weende en kreunde zonder ophouden. Al spoedig werd het duidelijk dat zij reeds op weg was naar de ring van negen bergen en de deur in de muur. Weldra verliet zij de stad via een stille poort en begon aan de tocht over de woestijn met Simmu op een afstand achter zich aan.

Het was een kale en grotendeels schaduwloze streek, maar de vastberaden maagd liep door tot de zon in het zenit blaren brandde in de hemel. Toen arriveerde ze bij een alleenstaande kale rotspunt waar het zand overheen woei en de zon overheen stroomde en hier in een plek schaduw aan de voet ging zij uitrusten. Minder luidruchtig dan het zand zelf benaderde Simmu haar.

Onder de demonen waren het de Vazdru die in de oren van de mensen zongen om hen te wekken of in trance te brengen, maar de Eshva hadden hetzelfde kunnen doen als zij stemmen hadden gehad. Simmu kroop als de lynx naar de schouder van de vrouw en op de wijze van de demonen zong hij in haar oor. Voor een demon was het ongetwijfeld een armzalige imitatie geweest – wat had de Eshva ook weer zo verachtelijk laten weten bij het zoutmeer? *Jouw geruisloze voetstap is als een donderslag, wij zijn de lucht.* Simmu's imitatie was niettemin hypnotisch genoeg voor een sterveling.

In delirium gebracht, hield de vrouw op met huilen. Ze zeeg achterover tegen de rots met een zucht. Simmu tilde haar sluier op. Hoewel haar ogen rood waren en haar mond bits was geworden, was ze nog steeds heel mooi. Simmu kuste haar gezicht en haar bitse mond ontspande zich; zacht glimlachend daar in de schaduw van de rotspunt sliep zij voor het eerst in drie jaar rustig. Onderwijl jatte Simmu haar kleren en hij liet alleen zijn mantel achter om haar tegen de hitte van de woestijn te beschermen – wat meer was dan een demon in zo'n geval zou hebben gedaan. Nog altijd gaf hij de Dood geen overbodige geschenken.

Vervolgens ontdeed Simmu zich van zijn kleren en toen van zijn mannelijk geslacht.

Er was een jaar verstreken. Een vol jaar was hij uitsluitend een man geweest, vastgebakken in een mal. En die mal was hard geworden, harder dan die keer tussen de wilde olijfbomen in zijn jongelingsjaren, toen jaloezie, liefde en angst verantwoordelijk waren geweest voor de herontdekking van de verandering die hij in zichzelf kon opwekken. Simmu was nu meer een man dan hij destijds was geweest. De gedaanteverwisseling ging hem moeilijker af. Ditmaal was het niet zozeer een scheuren en rekken dat hij voelde, eer een gevoel dat er iets verkeerd was, niet deugde. Zijn geest was nog minder elastisch dan zijn bijzondere lichaam. Wat eerst een voldoening gevend zoet genot van pijn was geweest, was nu een daad van zelfontzegging of haat. Hij verafschuwde de verandering maar dwong zichzelf ertoe, want hij moest de tuin binnenkomen, en dit was daarvoor noodzakelijk.

En toen, van het ene moment op het andere, leek het, was de worsteling afgelopen. Hij huiverde en was nu geen held meer doch een heldin.

Ditmaal waren de nodige veranderingen ingrijpender geweest. Simmu de man was breed in de schouders, had smalle heupen... Simmu de vrouw was even lang als hij, lang voor een vrouw, maar toch niet op een lompe manier, want een reus was Simmu niet; de botten en de spieren van het bekken, de armen, de benen, het middel en de borst hadden allemaal subtiel afstand gedaan van hun mannelijkheid. De vrouw was slank maar fraai gerond, had hoge borsten, een gladde huid, was tegelijk van baard en lichaamsbeharing ontdaan – mooi. Mooier dan de maagd die in de schaduw van de rots lag te slapen. En nu evenzeer vrouw als zij eerst man was geweest.

Zonder innerlijk commentaar op de overgang trok Simmu de gestolen kleren aan en verborg gezicht en haarlokken achter de sluier. Haar voeten, bloot en teer maar niet al te klein, waren onmiskenbaar vrouwelijk. De jurk, bevochtigd door tranen en weer gedroogd door de woestijnhitte, toonde opnieuw de contouren van twee ronde borsten die onloochenbaar echt waren.

De zon was een uur dichter naar het westen gereisd toen ze verder ging, geheel alleen, de knappe weeklagende Dochter, nu Simmu, op weg naar de ring van de negen bergen.

Laat in de middag merkten ze haar op in de wachttorens. De schildwachten wezen en dempten hun stemmen, enigszins onder de indruk zoals altijd naar aanleiding van deze dikwijls voorkomende pelgrimages met hun trieste einde. Een beetje geïrriteerd waren ze ook, dat moet niet verzwegen worden, ze hadden een beetje het land. Zij waren het, en hun broeder-wachters, die de klimtocht door het gekkenhuis van loerende bergmonsters zouden moeten ondernemen achter dit meisje aan om haar lijk weg te halen en terug te brengen naar de stad nadat zij eenmaal, en dat was onvermijdelijk, de hand aan zichzelf had geslagen.

Ze mopperden onder elkaar, de schildwachten; en lager op de woestijn mopperden diverse onderdelen van het patrouilleleger, die ook de naderende maagd hadden opgemerkt, op soortgelijke wijze tegen elkaar.

En toen, terwijl de schildwachten en de soldaten de maagd met vrome, onvriendelijke gelatenheid stonden op te nemen, barstte er luidruchtige activiteit los op de berghellingen. Omhoog uit hun holen en gaten, hun grotten en nissen, stoven een paar honderd monsters, allemaal grauwend, brullend, gillend en jankend. De vlammen spatten uit hun muilen en de lucht werd zwart van de rook. Ze klapperden met hun vlerken, degenen die vlerken hadden, en wel zo heftig dat de koperen veren op de grond kletterden. Ze zwiepten met hun slangenstaart, en die slangen sisten. Ze lieten hun tijgertanden zien en krabden met hun poten in de bergwand en het zand en hun hoorns ratelden luid toen ze ermee tegen de rots en de keien en de hoorns van hun buren sloegen.

De soldaten van de patrouille stonden paf. Zoiets was nog nooit voorgekomen, althans nooit wanneer er een maagd aankwam. Was dit een boos voorteken? Of maakten de afzichtelijke beschermgedrochten van de god eindelijk amok? Nerveus inspecteerde het leger zijn bogen en zwaarden en vroeg zich af hoeveel die wapens zouden uitrichten, en of het heiligschennis zou zijn om zich teweer te stellen. Als één monster stormde de horde gedrochten over de bergwanden en over het zand als een onwaarschijnlijke uitstroming van lava of water. Het leger en de wachttorens lieten ze links liggen. De monsters stormden regelrecht op de eenzame gestalte van de maagd af. Gruwend en verbijsterd verloor het leger haar uit het oog in de wolk van vleugels, hoorns, schubben, staarten, stof, vuur en rook.

Vanzelfsprekend deden de wachtbeesten niets anders dan in actie komen, zoals altijd, op de nadering van een ongeëscorteerde buitenlander. Simmu hoorde niet tot het riviervolk en was dus een buitenlandse onbevoegde. En dus zouden ze haar in stukken scheuren. Waarom letterlijk álle monsters toestoven om met deze indringster af te rekenen is niet zeker. Mogelijk dat ze in Simmu niet een eenvoudige nieuwsgierige aanvoelden doch veeleer een werkelijk en groot gevaar – maar Simmu kwam even snel als zij in actie.

Voordat de stoet van wachtbeesten haar bereikte, had Simmu haar kleren afgegooid, alles behalve de sluier die haar haar en gezicht verborg, en ze was begonnen aan een lenige dans.

Simmu bezat de macht, door deze magie van de dans, dit prikkelende, provocerende weven van een Eshva trance, om de wildste der aardse dieren te temmen. Een korte aanraking met de hand was al genoeg, soms zelfs een fluistering van gedachte, liefkozend als de Eshva, om serpent, vogel, vos of hond te betoveren – met haar dans had zij de verscheurende eenhoorn geboeid, de mensenetende kat. Maar deze monsters die de heks op de bergen had achtergelaten, dit waren geen aardse beesten, het waren getoverde beesten, *haar* beesten, aan elkaar geknutselde uitvindingen van haar geest. Maar toch, toen Simmu danste lieten ze hun van slagtanden voorziene kaken zakken, hun verschrikkelijke hoorns gingen gedwee weer omhoog, hun vleugels vouwden zich dicht, hun staarten sliepen in. Hoe kon dit zijn?

Wat zeker een rol speelde was het demonische juweel voor Simmu's keel, de steen die hem, held-heldin, beschermd had in het vergiftigde Merh. En nu versterkte de steen misschien de macht van Simmu's betovering. Maar er zou toch meer voor nodig zijn geweest dan dat.

Er was één gebeurtenis voorgevallen waarvan Simmu niet wist, en waarvan zeker niemand in Veshum wist. Zelfs de waakgedrochten wisten het niet. En al wisten de wakers het niet, toch had deze gebeurtenis zijn schimmige schaduw over hen geworpen, hen veranderend, verzwakkend, het merg uit hun wrede functie logend.

De heks, zij die de beesten tweehonderd en negentien jaar daarvoor geschapen had, was dood.

Veel van wat de heks gedaan had, behoorde tot die orde van de magie die sympathisch of nabootsend was. Het kwam doordat zij haar eigen fantasieën en wreedheden in de onderneming had ingebouwd, dat de beveiligingen van de tuin zo'n kracht bezaten. En hoewel zij in het bewuste, volwassen deel van haar geest deze affaire van zich af had gezet, zat zij zich in de achterkamertjes van haar geest dikwijls vol leedvermaak te verkneuteren bij de herinnering. Het was haar meesterstuk geweest, haar liefdesgeschenk aan de Meester van de Dood. En alles wat met de tuin te maken had, had zich gekoesterd in haar verre, onderbewuste verrukking, had daaraan onuitputtelijke brandstof ontleend. Nu was er geen brandstof meer, geen bron, geen verre sleutel om het uurwerk in beweging te houden en vlot te laten lopen. De hersens van de granaatappelheks die de herinnering levendig hadden gehouden, waren gevangen in de Binnenaarde en slechts weinig impulsen stegen op uit dat domein. En zo stormden de wachtbeesten op Simmu af, schijnbaar even gulzig als altijd om de indringster de doortocht te beletten en haar te verscheuren. Maar nu ze eindelijk beroofd waren van een aanvoerster, nu ze zelf een uitdovende vlam waren, was er maar een bescheiden hoeveelheid magie nodig om hen van hun plicht af te brengen, om de tweehonderdnegentien jaar van meedogenloze doelbewustheid te beteugelen en teniet te doen.

Het duurde niet lang of de monsters gaven Simmu kopjes.

Ze wreven hun op tijgerkoppen lijkende koppen tegen haar flanken en likten haar met bizarre gespleten tongen. De Eshva betovering was heerlijk en ze genoten ervan. Hun leven was lang en mechanisch geweest. Zelfs een monster zal uiteindelijk wel genoeg kunnen krijgen van niets dan het plichtsgetrouw verscheuren van mensen.

'Zeg, wat is dit nu?' vroegen de patrouilles zich af toen ze zagen dat de maagd tegen de dichtstbijzijnde helling op begon te klauteren, vergezeld door dartelende, huppelende en kwijlende monsters. 'Haar hoofd is gesluierd maar zij is naakt,' verklaarde een van de wachters vanuit zijn hoge toren. De anderen wendden het hoofd af, want ze wilden niet ongodsdienstig opgewonden raken. 'Ik geloof,' zei er een, 'dat zij aan het dansen is.' Hij had daarvan een glimp opgevangen en de betovering had hem gedeeltelijk opgeëist. Met glanzende ogen die niets zagen dwaalde hij weg van zijn post, en dat was ongehoord.

'Gaan wij achter de maagd aan?' wilden de mannen onderaan de helling weten.

Dat hadden ze in het verleden altijd gedaan, maar nu bleven ze op bevel een eindweegs van de monsters vandaan, die zich niet meer gedroegen zoals het de vermaarde waakbeesten van Veshum betaamde. En dankzij de afstand die ze aanhielden en door de springende groep monsters zelf, zagen ze Simmu-de-maagd helemaal niet meer.

Het liep nu dicht tegen zonsondergang. Schaduwen bevlekten de woestijn onderaan bergen, wachttorens en staande mannen. De hemel was gestippeld met goud, de westelijke hoogvlakte bepoederd met rood stof terwijl de karavaan van de zon naar de grens van het land reed.

Onder dekking klom Simmu naar de hoge brandende muur. Van de top ervan geselde de corona van bliksem, helderder naarmate de lucht donkerde.

Simmu arriveerde bij de plaats van de deur.

Ze wierp haar laatste sluier af toen de zinkende zon de laatste sluier van de dag afwierp. Beide sluiers glansden en vielen tussen de rotsen. Simmu maakte sussende geluidjes met haar stem en haar geest en de monsters vielen lui neer, kwispelden loom met hun slangestaarten en hun slaperig bewegende vlerken maakten het geluid als van talrijke koperen waaiers die open- en dichtgingen. Simmu liep naar de magische deur die juist bezig was zich te vormen tussen de struiken, precies waar de inwoners van Veshum hadden gezegd dat hij zich moest bevinden. De hitte van de muur was verschroeiend, de deur ging al open.

En toen kwam tussen Simmu en de deur, uit de bosjes, de bewaker van de poort van de tuin.

Dit creatuur kon zijn formaat veranderen. Tussen de struiken was het klein als een slak, zijn hol niet groter dan de omtrek van een meisjesarmband. Maar als het zijn taak van schildwacht ging vervullen, zwol het op, liet armen, tanden en botvormige aanhangsels uitschieten. Het werd een slang, gepantserd met lichtloze schubben, een slang met verscheidene gespierde mensenarmen, ook geschubd, en uitlopend in blauwe stalen klauwen. Zijn gezicht, regelrecht afkomstig uit een nachtmerrie, leek wel iets op dat van een man die zowel zijn haar als zijn verstand kwijt was. Het gezicht grijnsde waanzinnig en bestond uit een vierkante muil bezet met scherpe tanden en twee krankzinnige uitpuilende ogen met een hoogst onaantrekkelijke oranje kleur (die van de giftige granaatappels van de heks?). De palmen van zijn vele handen waren eveneens oranje, maar zijn tong, die af en toe tussen zijn lippen en tanden naar buiten lebberde, was zwart. Er ontsproten hoorns aan zijn polsen, zijn wangen, zijn slapen.

Simmu huppelde een pasje achteruit en bestudeerde het monster eens. De lucht was zwanger van de Eshva bekoring, maar dit gedrocht was er duidelijk niet ontvankelijk voor. Simmu probeerde het met een gedachtenpijl: *Laat mij erdoor.* De deurwachter liet een lawaaiig, grof geborrel opstijgen uit zijn binnenste, een lach of een vloek of slijm, en spuwde een vlammende klont materie de lucht in. En toen bereidde het monster zich voor om Simmu te grijpen. Dit was een langdurige voorbereiding, doorspekt met smekkende geluiden, terwijl het zijn klauwen in de bodem scherpte. Terwijl achter deze wachter de deur naar de tuin van de gewijde put wijd openstond, zij het niet veel langer meer.

Simmu begon te spinnen tegen de monsters die haar liefhebbend begeleid hadden. Ze stak haar armen uit, ze zong tegen hen en gaf hun bevelen met haar ogen. Zij prentte gewelddadige verlangens in hun koppen, ze streelde hun rug tot ze zich opgewonden verhieven en hun kaken knarsten weer, hun staarten ontwaakten en ze spreidden hun vleugels voor de strijd. Simmu gebruikte haar magie op een voor haar geheel nieuwe manier. Het volgende moment verloren de honderden monsters hun lijdzaamheid en richtten zich als één afschuwwekkend, geconcentreerd lichaam – recht op de bewaker van de deur.

Ze waren goed geoefend in hun ene vaardigheid, de kunst die ze vervolmaakt hadden, de kunst van het verscheuren. De deurwachter had nooit iemand verscheurd, nooit de kans gekregen, want welke onbevoegde vreemde had ooit tot aan de muur kunnen komen? Wat de terugkerende oude maagden betreft, tegen hen had de wachter slechts gegrauwd, en zij waren gevlucht en hadden zichzelf gedood. Hij was er niet op voorbereid, deze laatste en ergste wachter, helemaal niet voorbereid op wat er gebeurde. En al heel gauw, ondanks zijn veelvoud van uiteenlopende verdedigingsmiddelen, zijn taaie pantsering en grijpende klauwen, had de monsterlijke menigte van tanden en hoorns en hoeven hem gesloopt en toen grijnsden er in bloed badende tijgerkoppen op de plaats waar de wachter zich had bevonden en koperen vleugels vlerkten boven de restjes van zijn schubben.

En dwars door dit liederlijk tafereel stoof Simmu, sneller dan het rode licht dat op dat ogenblik de hemel verliet. En Simmu rende recht de verboden tuin in door de ondoordringbare deur, een seconde voordat deze weer verdween.

Zeven

Op deze avond liep er geen marmeren trap omlaag van de deur. Nu golfde er een zijden grasveld, dat sierlijk naar beneden wiegde tussen de bosjes en de struiken van het dal en alles was stil en kalm in de tere rozewaterkleurige nagloed van de tuin.

Simmu bleef enige tijd op de helling. Ze kon maar half geloven in haar prestatie, maar die helft maakte haar wel uitbundig. Ze staarde beschouwend naar de tuin, want ze was nu wijzer waar het de verschillende soorten van magie betrof, en ze rook de magie en de illusie even sterk als de geur van de bloemen en het water. Meteen in het begin had ze met haar vrouwelijke staat moeten worstelen. Zelfs terwijl ze zich vol blijdschap op het gras wierp, was ze overvallen door een mannelijke trots en haar lichaam, dat hiervóór zolang de vorm van een man had gedragen, spande zich in om zich terug te veranderen. Maar zij weerstond haar mannelijkheid, want de tuin was een vrouwelijke aangelegenheid en bevolkt met vrouwen – ook die geur rook zij. Ze was bang dat ze zichzelf zou verraden als zij – of hij – hier rondstroopte in een mannengedaante.

Na een wijle klauterde Simmu overeind en keek zoekend door het dal waar precies de gouden tempel stond die de geheime put herbergde.

De rozige maan van de tuin was opgekomen. Geholpen door de maan en minder gehinderd door de illusies dan de meeste ogen die het dal hadden aanschouwd, ving Simmu alras een glinstering van goud op – of van de schijn van goud. Naar het westen toe lag de tempel. En Simmu kon zich er net zomin van weerhouden om er meteen heen te gaan als een dorstig man het lessen van zijn dorst zou kunnen uitstellen.

Simmu holde naar de tempel, lichter en sneller dan de illusoire herten van de tuin, waarvan ze er enkele zag. Maar ze besteedden geen aandacht aan haar, omdat ze onecht waren, terwijl Simmu's vrouwelijkheid de sfeer in de tuin niet verstoorde. In wezen kwam de hele tuin op haar over als een vrouw, of een vrouwelijke omgeving. Overal trof zij de zachtheid, de weelderigheid, de katachtige onschuld die eeuwig de vrouw hadden gesymboliseerd. Er was niets te zien dat hard en sober, ruw of onafhankelijk was, behalve daar waar de illusie het met de mantel der vrouwelijkheid bedekte. Zelfs de bomen hadden een vloeiende, gewelfde houding. Zelfs de heuvels waren gerond als borsten. En hierin was Simmu binnengevallen, in vrouwengedaante. Een verkrachting was het nog niet geworden.

Simmu kwam bij de tempel aan. Als goud zag hij eruit,

goud was hij niet, maar het verstrijken van de eeuwen had de tempel, als de tuin, van zijn eigen resonantie doordrongen. In weerwil van zichzelf was Simmu op de drempel genoopt de adem in te houden. Op kattevoetjes sloop ze naar binnen met haar glanzende ogen gericht op het gouden bassin en de benen stop die zonder twijfel de plaats van de put aangaven. En toen hoorde ze achter zich een hoog en wild gezang in de schemerende tuin. Acht meisjesstemmen bezig aan een lied of een hymne.

Gewoonlijk kwamen de maagden bij zonsondergang naar de tempel voor hun ceremonie en hun geloften aan de godheid, om hun bloemen en fruit te strooien. Maar deze avond, zoals soms voorkwam wanneer de jaren verstreken en het aanvankelijk vuur wat taande, arriveerden ze een fractie na het ondergaan van de zon.

Toen Simmu zestien meisjesvoeten op het pad naar de tempeldeur hoorde, sprong zij de eerste de beste schuilplaats in en dat was de brede nis van een venster. Hier ging zij op haar buik liggen als een luipaard en ze keek toe uit glinsterende oogspleetjes.

Een soort nieuwe gouden schemer glipte de tempel binnen.

Dat kwam deels door een gouden lamp die brandde met de geur van wierook welke door de eerste maagd aan een haak in de muur werd opgehangen. Deels was het de tempel zelf, die glom in het lamplicht. Deels ook kwam het door glanzende gouden gewaden en sieraden waarmee de maagden behangen waren. En deels door hun lieftalligheid, die ook iets van goud leek.

Ze waren nu allemaal zestien, deze acht maagden (Simmu vroeg zich even af waarom er maar acht waren en niet negen, het voorgeschreven aantal), zestien en in de tuin gerijpt tot een hartstochtelijke bloei die zich nergens op kon uitleven. En in het begin waren ze al uitgekozen om hun smetteloze schoonheid.

Nu, in het gouden schemerlicht, begonnen ze aan een gouden dans.

Ze hadden zwarte druiven en groene, vuurrode papavers, boeketten witte lelies, hyacinten en rozen, perziken en palmbladeren, want in de tuin stond altijd alles onophoudelijk en tegelijk in bloei. Deze offerandes legden zij in het voorbijgaan tegen het bassin in het midden, maar eerst drukten ze het ooft tegen hun lippen en ze streken met de bloemen over hun lichaam en door hun haar. En terwijl de dans, die een geluidloze begeleidende muziek scheen te hebben opgeroepen, koortsiger werd – want dat werd hij – gebruikten ze de bladeren om zichzelf mee te geselen. En toen raakten hun kleren los en gleden van hen af en zweefden opzij. Hun kleren leken allemaal van goud, nu doorschijnend, dan weer minder doorschijnend. En onder al die lagen die een zweem toonden van blanke huid, van de donkere knop van een tepel, de welving van een voet, een arm, waren lagen die het lichaam van de acht maagden slechts kleedden zoals rook een vuur kleedt.

Deze dans was wulps, maar uitsluitend bedoeld voor de god. Acht maagden, wie de aanblik van mannen ontzegd was, dansten op de fantasieën van hun geest. En hun ogen brandden maar waren half geloken, en hun rode mond toonde hun witte tanden en de warme grot achter de schutting van tanden. En zij ontsluierden zichzelf tot aan de laatste laag, die als rook was, en offreerden met naïeve bandeloosheid hun fluwelen lichaam aan het bassin van de afgedopte put. Totdat zij zich uiteindelijk op het bassin wierpen en zich tegen het metaal wreven en elk van hen hijgde en snikte en kreunde door haar wapperende haar terwijl ze de benen stop vastgreep: 'Aanschouwt, ik ben verzegeld gelijk de heilige put verzegeld is, en bij mijn zuiverheid zweer ik dat ik de heilige plaats van de god zuiver zal houden, en moge ik *sterven* – o, sterven! sterven! – voordat ik hem ontrouw word.'

Verscholen in het raam kampte Simmu ondertussen met een probleem. Gedreven door de sterke prikkel van de acht maagden en hun dans, trachtte Simmu's mannelijkheid zich vrijwel vanaf het eerste moment opnieuw te vestigen en dat ging gepaard met hevige krampen. Hoe heftig zij – hij – zich ook inspande om het verlangen dat haar bestookte neer te slaan, het was een onmogelijke opgave. En zelfs hoewel Simmu in wanhoop de andere kant opkeek (ondanks dat zij de capriolen van de maagden helemaal niet wilde missen), bleven de hijgende kreten en het gekreun en gefluister sterk genoeg om haar van haar stuk te brengen, en weldra ook hem. En zo, uiteindelijk, onweerstaanbaar, lag Simmu de man op de vensterbank in de hevigst denkbare toestand van mannelijke bereidheid. En met fonkelende ogen en knarsende tanden en bonzende hartslag, en enig verbeten vermaak om zijn hachelijke situatie, bleef Simmu liggen tot de dans ten einde was en daarna zag hij hoe de uitgeputte maagden hun sluiers en zichzelf van de vloer raapten, de lamp vergaten, en de nacht in strompelden waar ze wederom kleine meisjes werden – of anders gingen ze op weg naar de erotische ervaring in het bellen-blazende kristal.

Daarna hield Simmu zich kalm en bereidde zich liggend in het raam, streng en onverbiddelijk voor op de omkering van zijn geslacht. Maar terwijl hij daar zo lag, kwam een negende maagd de tempel in, alleen.

Nu waren de stemmen van de anderen verstomd en terwijl hij zijn vaste voornemen aan de kant zette, móést Simmu zich wel realiseren dat hem hier een unieke kans geboden werd.

Maar toen vermaande zijn verstand zijn zinnen, want hij besefte dat deze negende maagd niet als de anderen was. Om te beginnen was zij mooier, als dat nog kon. Ten tweede was zij lang zo rijk niet gekleed. Ze droeg een simpele en tamelijk haveloze jurk, alsof de weelderige illusies van de tuin geen effect op haar hadden. Ten derde schreeuwde zij in de tempel in een felle parodie van het lied van de overige maagden: 'Aanschouwt, O god, ook ik ben verzegeld. En ik wou dat ik dat niet was, en dat jouw verwenste put niet bestond!' En toen stoof ze het duister in.

Verbouwereerd begreep Simmu in zijn raamnis dat hij het antwoord had gekregen op zijn levensbelangrijke heldenprobleem. Nu wist hij precies hoe hij het reservoir in de Opperaarde moest laten barsten om het water van de onsterfelijkheid in de tweede put eronder te laten stromen.

Acht

Acht van de negen maagden zaten aan het avondbanket in hun paleis van marmer. Ze lagen op geborduurde kussens in de geparfumeerde kaarsengloed en speelden met hun geroosterd vlees, gekonfijte lotusscheuten, gesuikerde vijgen en dergelijk spul. Felgekleurde vogels die op stenen randen onder het plafond troonden, zongen eindeloze harmonieën en een zwarte panter of twee, een leeuwin, een cheetah lagen met hun gebeeldhouwde koppen op juwelen schoten en werden gestreeld door juwelen vingers.

De maagden babbelden en mijmerden, verkwikt na hun godsdienstige roes in de tempel. Geheel overeenkomstig de voorspelling van de heks kraamden ze heel wat onzin uit, maar er was niemand om hen tegen te spreken en dus waanden zij zichzelf heel wijs.

'Ik heb een theorie,' merkte een van hen op, 'dat de maan eigenlijk een bloem is, waarvan de blaadjes in de loop van de maand uitvallen totdat er geen meer over is. Dan ontluikt de nieuwe maan in de zwarte aarde van de nachthemel.'

'Wat origineel,' zei een van de andere maagden. Ze waren niet jaloers op elkanders genie, omdat ze niets hadden om om te wedijveren.

'Ja, ik heb er lang en breed over nagedacht,' zei de eerste maagd, 'en nu begin ik me af te vragen of de zon niet een brandend vuur is dat iedere avond gedoofd wordt in wijn...'

'Of wellicht is het een gat in het weefsel van de aether, dat de vlammende wereld van de Opperaarde onthult,' zei een derde maagd gewaagd, 'de wereld van onze god en meester.'

'Wat stom van Kassafeh,' zei een vierde maagd, 'om ons te ontlopen. Wat zou zij niet kunnen leren in ons gezelschap!'

'Wat hoor ik daar nu toch aan het raam?' vroeg de vijfde maagd, die heel scherpe oren had, versierd met paarlen.

'Bij het raam? Niets.'

'Jawel. Ik dacht dat ik hoorde lachen. Kan het Kassafeh zijn, die ons bespioneert?'

'Misschien,' zei de eerste maagd, die weer in gepeins was verzonken, 'is het vallend sterrenlicht, dat op de grond breekt.'

'Daar,' riep de zesde maagd, 'nu hoor ik het ook, nu bij dit raam. Ik zal eens kijken,' en ze holde naar het raam, en ze staarde naar buiten en zag daar een tengere vrouwelijke gedaante tussen de schaduwen. 'Schande toch, zuster,' zei de zesde maagd.

'Helaas,' mompelde de gestalte treurig, 'ik heb wroeging van mijn zonden, en mijn hart is zwaar als lood.'

'Het is inderdaad Kassafeh,' riep de zesde maagd tegen haar zusters. 'Ze zegt dat ze wroeging heeft van haar zonden en dat haar hart zwaar is als lood.' Maar toen ze weer naar buiten keek, was Kassafeh verdwenen. 'Ik begrijp het niet helemaal,' gaf de zesde maagd toe. 'Ze heeft nog nooit eerder berouw getoond van iets. Het leek mij ook dat ze gegroeid is, en haar haar was minder bleek dan gewoon. En haar stem, al sprak zij heel zacht, nee, dat was toch niet helemaal Kassafehs stem...'

'Maar het kan niemand dan Kassafeh geweest zijn, want er is hier niemand dan wij negen.' En alwijs stemden alle maagden hiermede in.

De eerste maagd, die van de maanbloem, lag op haar bed te dromen dat ze op een ivoren schommel zat die aan deze zelfde bloeiende maan hing. Hoog naar de bestèrde hemel schommelde zij, heen en weer – en toen vielen de blaadjes van de maan en de schommel viel en de maagd viel en ze wilde net gaan gillen toen iemand haar opving.

Ze opende haar ogen in het gitdonker. De lamp was uit en de gordijnen waren voor het raam getrokken. Toen voelde ze een zachte beweging aan haar zijde. Ze dacht dat er een leeuwin lag, maar de hand van een vrouw pakte de hare.

Een fluistering: 'Ik ben het, Kassafeh.'

'Je – klinkt niet als Kassafeh,' antwoordde de maagd van de bloemenmaan vaag.

'O, maar ik ben het wel. Wie zou het anders kunnen zijn dan ik? O, stuur me alsjeblieft niet weg. Jij bent zo wijs en wijsgerig, je moet me raad geven hoe ik mijn heiligschennis, doordat ik de god heb genegeerd, moet uitboeten.'

Geconfronteerd met deze uitdaging verloor de eerste maagd met haar vederlichte gedachten zich in gepeins. Terwijl ze daarmee bezig was, gleed Kassafeh – was het Kassafeh wel? – dichterbij.

'Jouw nabijheid alleen al inspireert mij,' fluisterde Kassafeh – het was Kassafeh *niet.*

Nu wist de eerste maagd heel zeker dat haar onverwachte bedgenoot een vrouw was. Een meisjesborst streek langs haar arm, een gladde wang bood zich aan de hare aan. En toch begon de eerste maagd plots te beven van onbenoemde onrust.

'Vrees mij niet, deze godslasterende ellendeling die ik ben,' treurde 'Kassafeh' met een nog vreemder stem, alsof zij stromen van tranen – of stormen van gelach – onderdrukte. En toen plaatste de bedgenote van de eerste maagd twee of drie zachte vingers op haar hals. Licht als grashalmen waren deze twee of drie vingers. Licht als grashalmen fladderden ze over de holte van haar keel, over de glooiing van haar borst. En op de borst van de eerste maagd veranderden de lichte grashalmen in een ritmisch cirkelend, komvormig ding, een ding dat een doordringende zoetheid ontdekte in zijn midden, of in het midden van de borst van de eerste maagd, als een noot muziek. En de muziek maakte een sprong, of iets als een vis maakte een sprong in de lendenen van de eerste maagd, wat haar ongelooflijk verbaasde. En nog terwijl zij zich draaide, of haar lichaam zich draaide uit eigen beweging, om de sprong van deze vis te volgen (en van de andere vissen, tientallen waren het er, die hierna sprongen), kwam er een mond neer op de hare en de kussen van deze mond waren als geen andere kussen die de eerste maagd ooit had ondergaan.

'O, maar Kassafeh–' protesteerde de maagd zwak, vreemd schor, in deze heerlijk kussende mond. Maar Kassafeh antwoordde niet. En toen de armen van de eerste maagd als vanzelf omhoog gingen om het lichaam vast te klemmen dat nu op haar lag en om de ongelooflijk heerlijke huid van dit lichaam te verkennen, voelde dit lichaam beslist heel anders aan dan dat van Kassafeh. Dit lichaam had een heel bijzonder gebronsd gevoel, hard, maar soepel gespierd – het lichaam van een leeuwin? Maar de eerste maagd kon er ondanks al haar briljante wijsgerigheid echt niet bij. Zij was als een deur die centimeter voor centimeter openging om een goddelijke openbaring binnen te laten. Misschien zond de god haar middels dit eigenaardige ritueel een of ander mysterie.

Simmu, die buitengewoon sluw met vrouwen om kon springen omdat hij er zelf een kon zijn, was heel vaardig bezig met dit meisje dat zich aan hem overgaf. Met slimme aanrakingen, strelingen, lichte druk hier en daar, met zijn mond en tanden en tong, met zijn hand, vingers, nagels en zelfs met zeer behendig en intuïtief gebruik van andere delen van zichzelf, transformeerde hij dit bloemenmaanmeisje in een wezen van smachtend en gewelddadig verlangen dat onder hem lag te spartelen en hem woordenloos aanvuurde op zijn pad zonder te beseffen waarheen dit pad leidde. En toen hij zo groot mogelijk was geworden en zij zo ontvankelijk en verwelkomend mogelijk, toen hield hij haar stevig vast en ging binnen door de tweede tuindeur naar die allerintiemste en plezierigste der tuinen. En hoewel de poort kapot ging, zoals aanvankelijk zelfs in de weelderigste en gretigste tuin moet gebeuren, en hoewel de maagd – nu geen maagd meer – een schreeuw van pijn gaf, en nog een kreet van heviger pijn, veranderden haar kreten al gauw van klank en aard.

Buiten in het dal klonk geen geluid. Geen geluid markeerde de dubbele verkrachting, die van de tuin door de intrede van een man, en vervolgens de verkrachting van de eerste maagd, die nog gewilliger was dan de tuin.

'O Kassafeh, heb ik dit gedroomd–?'

Maar Simmu, haar demonische minnaar, zong in haar oor en zij zonk weg in de slaap. Hij sloop verder het door de nacht omspoelde paleis in en terwijl zijn mannengedaante vlug haar vrouwengedaante hernam, beende hij steels door de marmeren gangen waar twee eeuwen en langer slechts illusoire vrouwelijke dierepoten en echte tengere meisjesvoeten hadden gelopen. En weinig later werd er een tweede gordijn dichtgetrokken, ging er een tweede lamp uit, en opnieuw werd er een meisje wakker met de berouwvolle Kassafeh naast zich. Kassafeh die binnen de kortste keren veranderde in een droom van wellust, veel lekkerder dan het borrelende kristal. Veel, veel lekkerder. En ook hier klonk een kreet van pijn op, en een kreet van genot. En ook hier gonsde de demonische zang. En ook hier sloop na afloop Kassafeh weg. En nog later, in het zwarte uur dat nauw verwant is aan het ochtendgloren, weer een kamer, weer een Kassafeh, weer braak met insluip, een kreet en nog een kreet, een lied en wegsluipen.

Drie die nacht. Drie maagden beroofd van hun heilige zegel in het duister. En de tuin was rustig, gaf geen teken, dreigde niet met straf. En de hemel was helder. Zelfs geen regendroppel, geen vallende ster was er te zien.

Maar het weefsel van de heksenmagie raakte onherroepelijk los. Haar sympathetische magie. Simmu had de sleutel van deze magie gepakt. En nu draaide hij de sleutel in het slot rond en rond en rond. Helden wachtten niet.

's Ochtends waren er zes intacte maagden en drie ontwijde maagden; Simmu was aan de andere kant van de heuvel verborgen in een hoge bloeiende boom en daar lag hij lui en tevreden uit te rusten voor een tweede arbeidzame nacht. En de magie van de tuin rafelde uit en ontbond al doende een oudere magie heel hoog in de lucht.

De heks was veel te slim geweest, door de lage put te laten bewaken door maagden, recht onder de Put van de Opperaarde. Maagden die maagden moesten blijven en die naar de lage put gingen en aldaar zwoeren: *Ik ben verzegeld gelijk de put verzegeld is en zoals ik zuiver blijf, zal ik de plaats van de god zuiver houden.* Sympathetische magie. Door keer op keer aldus te zweren, hadden ze het bewaarheid gemaakt: dat het al twee eeuwen en drieëndertig jaar duurde hielp ook. Zoals zij de tempel met resonantie begiftigd hadden, zo hadden zij de put met leven begiftigd. En zoals het met de lage put ging, zo ging het met de hemelse put daarboven. Zelfs de Opperaarde kon niet totaal onvermurwbaar zijn tegenover zulke krachtige en volhardende magie direct eronder, en zoals de heks eens had opgemerkt, het reservoir in de hemel was maar van glas gemaakt.

Kassafeh met haar koppige uitdagendheid – *Werden ik en de put allebei maar van ons zegel ontdaan* – Kassafeh had Simmu het antwoord gegeven.

Breek open de bronnen van de negen maagdelijke bewaaksters en ook de bron in de hoogte zou openbarsten. Dat was sympathetische magie op zijn simpelst en effectiefst.

En als er geen negen maagden waren aangesteld om de lage put te bewaken, dan was er misschien wel nooit een manier gevonden om het elixir van de onsterfelijkheid te laten ontsnappen.

Kassafeh de negende maagd had haar eigen ceremoniën. Nu in het vroege zonlicht verrichtte ze er een. Al lange tijd her had zij een steen naast een kleine vijver gezet en die met zwarte leem uit de oever van de vijver volgesmeerd en hem 'god' gedoopt. En dikwijls placht zij hier te komen en beledigende gebaren tegen de steen te maken. Voortdurend schold zij de god uit, steeds hopend op een strafmaatregel die tenminste zou bewijzen dat hij bestond. Zelfs de dood leek te verkiezen boven nog eens zes jaar van opsluiting in de tuin in dienst van niets, maar dat leek alleen maar zo, omdat zij de dood nooit behoorlijk had overdacht.

En hier zat ze dan weer, voor de steen, met haar pastelkleurige haar als de allerlichtste gouden regen stromend over haar schouders en met haar ogen een ijzeren tint.

'Kom op,' zei ze. 'Sla mij. Wat haat ik je, of wat zou ik je haten als je echt was. Maar dat ben je niet.' En ze smeet nog wat modder tegen de steen.

Toen glipte er vanachter een boom de eerste maagd, helemaal schuchter en blozend en ze haastte zich naar Kassafeh toe en fluisterde: 'Was gisternacht een droom, liefste Kassafeh? Of was jij het echt?'

'Ik?' vroeg Kassafeh, stomverwonderd dat er iemand naar haar toekwam.

'Jij, liefste Kassafeh, jij was het die mijn lamp uitblies, die mij om hulp smeekte. O, ik zal je helpen, zeker zal ik dat. Maar ik begrijp niet wat er tussen ons voorgevallen is – zou je me dat niet kunnen vertellen – of misschien een tweede keer demonstreren?' En ze liet haar armen innig om Kassafehs middel glijden. Maar Kassafeh leek niet zo vriendelijk als 's nachts, en ze voelde echt heel anders aan. 'O Kassafeh, denk niet dat ik het erg vond dat je me verwond hebt, dat kleine rode roosje van bloed op het zijden laken – het was bloed geofferd aan de god, zonder twijfel–' en de eerste maagd kuste Kassafeh op de lippen op een manier die Kassafeh niet aanstond.

'Laat me met rust!' riep zij en ze sprong op en holde weg. Maar op het volgende grasveld, wie moest ze daar nu net ontmoeten dan de tweede maagd.

'Ah, Kassafeh,' zei de tweede, die haar vrijpostig aankeek, 'wat bedoelde je nu eigenlijk gisternacht? Zomaar mijn kamer binnensluipen met je verhaaltjes en dan zo verdorven bij me komen liggen! Ik geloof zelfs dat je me beschadigd hebt met je onstuimigheid, want ik vond vanochtend een rode papaver in mijn bed. Maar,' voegde ze hieraan toe terwijl ze aan kwam rennen en Kassafeh gulzig omhelsde, 'het geeft niet. Niemand komt het te weten.'

Kassafeh stribbelde tegen. 'Ik heb niets gedaan.'

'Niets, zegt ze,' spotte de tweede maagd, terwijl ze aan Kassafehs oor sabbelde. 'Je hebt wél iets gedaan, en je zult het nog een keer doen, dat beloof ik je. Ik had nooit kunnen denken dat jij zo geslepen was, eerst de kamer donker maken en dan zoetjes fluisteren dat je mijn troost nodig hebt – alleen om dan ondeugende spelletjes te doen.' En de tweede maagd lachte en ze klemde Kassafeh vastberaden tegen zich aan met haar handen op Kassafehs billen. Kassafeh beet de tweede maagd en vluchtte opnieuw.

Maar niet zodra was ze van het gras af en het bos in, of ze struikelde bijna over de derde maagd, die languit op de grond lag te schreien.

'Wat is er?' informeerde Kassafeh zenuwachtig.

Toen vloog de derde maagd half overeind en sloot Kassafehs enkel in de klem van haar handen.

'Jij bent het! O, jij ondeugende meid! Hoe kon je mij diep in de nacht zo boosaardig behandelen!'

233

'Ik niet,' riep Kassafeh.

'Jij en geen ander! Ik zal nooit vergeten welke leugens je in die pikdonkere kamer vertelde, hoe je je lichaam op mij neerlegde, en ook niet de heerlijke – verschrikkelijke – bewegingen waartoe je mij dwong; en hoe je mij pijn hebt gedaan en toen ik gilde dat je door moest gaan – ik bedoel, dat je op moest houden – toen lachte je me uit met een gekke diepe stem – o, Kassafeh, nooit zal ik je vergeven voor de rode robijn die ik onder me vond. Ik blijf steeds maar denken aan de verrukking – of eigenlijk de gruwel – die ik onder jouw handen ondergaan heb.'

Kassafeh keek naar haar enkel, die de derde maagd als in een bankschroef had.

'Laat me alsjeblieft los,' zei Kassafeh, 'dan kom ik naast je liggen om je te troosten.'

'O ja, waarmee ik natuurlijk bedoel: hoe durf je!' kletste de derde maagd, en ze liet Kassafeh los.

Die meteen wegvluchtte.

Er was een bepaald gebied in het dal waar weinig groeide en waar de woestijn gebleven was. Alleen Kassafeh zag deze plek duidelijk, want inmiddels kon geen enkele illusie van de tuin haar nog doorlopend beetnemen. Voor de anderen was deze plek net als de rest van hun paradijs een terrein met groen gras, fruitbomen, bemoste veldjes. Hierdoor hadden zij nooit de kleine vierkante grot kunnen zien waarin Kassafeh zich nu behoedzaam terugtrok. En ze werd hierin ook niet ontdekt toen de drie koortsige meisjes langsdwaalden, de een na de ander, steeds haar naam blatend. Geen van de vijf overigen kwam haar zoeken. Kassafeh concludeerde dat zij hiertoe geen reden hadden.

Kassafeh lag de hele dag in haar grot, boos, ongemakkelijk en diep nadenkend.

Hoewel Veshum zijn dochters opzettelijk weinig van de wereld leerde, wist Kassafeh genoeg om een beschrijving van de ontmaagding als zodanig te herkennen. En verbaasd dat ze was! En terecht, nadat ze van drie ontmaagdingen tijdens één nacht had horen vertellen, die zogenaamd aan haar te wijten waren. Maar Kassafeh wist dat zij volmaakt onschuldig was aan deze misdaad. En dus had iemand – of iets – die zich voor haar uitgaf deze daad op zijn geweten. En het kwam haar voor dat het eerder een Ding dan een mens was geweest, want hoe moest een mens ooit in de tuin komen? In plaats dat dit idee haar van streek maakte, boeide het Kassafeh, want ze verveelde zich en was best tot dapperheid in staat.

Zekere bijzonderheden in de drie relazen kwamen overeen – de uitgeblazen lamp en de verduisterde kamer zodat niemand zien kon wie er werkelijk binnengekomen was – een of andere walgelijke demonengedaante? – vervolgens het zielige, smekende verlangen naar troost, en dan andere verlangens, die blijkbaar gewillig waren ingewilligd door alle drie de maagden. Maar er waren nog zes maagden in het dal, en was het denkbaar dat het Ding van alle zes hoopte te proeven?

Zoals haar gewoonte was, hield Kassafeh zich verre van de maagden tijdens hun avondfeestmaal. De afgelopen twee jaar was ze allengs de voorkeur gaan geven aan de wortels en bessen en het heldere water van het dal en ze deed niet meer mee aan de denkbeeldige banketten. Tijdens de maaltijd kakelden vijf van de meisjes op hun normale idiote manier. De overige drie zaten er zwijgend bij, met koorts in hun ogen en wangen en bange blikken van jaloezie naar elkaar – want elk van hen vermoedde dat niet alleen zij een nachtelijke bezoeker had gehad. Deze avond in de schemering hadden ze niet zo goed gedanst voor de god.

De maagden begaven zich te ruste. Vijf van hen vielen normaal, loom in slaap. Drie van hen lagen te woelen en te draaien en hijgden iedere keer wanneer de nachtwind de gordijnen beroerde. Maar er kwam niemand binnen, en tegen middernacht vielen alle drie ten prooi aan een uitgeputte slaap met het vage idee dat ze iemand hoorden zingen of neuriën, vlak voor ze in slaap vielen.

Maar Kassafeh, die niet helemaal sterfelijk genoeg was om beïnvloed te worden door de Eshva magie, bleef waakzaam. Zij had haar lamp zelf al uitgeblazen en nu zat ze in een hoekje met ogen en oren wijd opengesperd. Tegen middernacht werd haar waakzaamheid beloond, want zij hoorde een verre kreet, ijl als de roep van een nachtvogel, maar niet van een nachtvogel.

Heel heimelijk kroop Kassafeh naar de deuropening en gluurde naar buiten. Een minuut later sloop er een gedaante uit een andere deuropening.

Het al drie jaar durende samenzijn met haar mede-maagden had Kassafeh vertrouwd gemaakt met hun voorkomen. Onmiddellijk zag zij dat dit niet een van haar lotgenoten was.

Evenmin was het een duivel- of monstergedaante. Eerder de gedaante van een lange en slanke – nee, geen man, want een bundel sterrenlicht tekende de omtrek van een stevige, hoge borst... Misschien een demon?

Dichter bij de waarheid dan ze kon weten, sloop Kassafeh de geluidloze gedaante na. Weinig later ging deze een andere slaapkamer binnen – die van de vijfde maagd, en Kassafeh hield haar ogen voor een spleet in het gordijn.

Ja! Het was een vrouw. Een vrouw boog zich over de lamp en haar haren die de kleur van abrikozen hadden, verborgen haar gezicht, haar huid was gebruind door de zon, en haar goudgepunte borsten glommen in het lamplicht, welk licht nu opeens uitgeblazen werd. Toen verscheen er een vrouwengestalte bij het raam die de gordijnen voor de sterren trok. Duisternis.

En uit het duister een gemompel, en vervolgens een vraag: 'Wie is daar?'

En een tweede zachte fluistering:
'Ik ben het, Kassafeh.'

En toen volgde de gefluisterde smeekbede om troost en Kassafeh grijnsde razend, maar ze amuseerde zich toch best.

Nu kwam er een zucht, dan een ademloze ademhaling, dan een gebroken gekreun. Daarna woorden zonder logica, dan gedempt gewoel, verstrengeling. Vervolgens het fluwelen ruisen van huid op huid. En nu een scherpe, doch niet boze kreet, met daarachteraan een diepere kreet. Hierna kwam een serie kreten en kreuningen en hevig gezwoeg om lucht binnen te krijgen, alsof er in het bed heel langzaam een legendarische moord werd gepleegd.

Met galopperend hart gluurde Kassafeh door het gordijn, week wordend van verlangen en verwondering. En toen hoorde ze een stem, een stem die ze nog nooit van haar leven had gehoord, zeggen: 'Bedankt, meisje.' De stem van een *man*. Hierna liet de stem zich op een andere manier horen, met een nieuw soort gefluister, zangerig, wat Kassafeh noopte om zich terug te trekken; ze begreep dat er toverij in het spel was en ze drukte haar oren dicht. Maar het demonische lied overrompelde haar niet, niet half zo hevig als de stem van de man.

Ze holde terug naar haar kamer en daar wachtte zij, en al wachtend wenste zij vurig dat ze een mes bezat om hem te doden, of een fiool van haar moeders parfum om hem te verlokken – ze wist niet zeker wát.

Maar de indringer, vrouw, man of demon, kwam niet naar Kassafehs kamer. Die nacht koos hij een andere maagd als derde. Bijna alsof hij Kassafeh, wier naam hij als vermomming gebruikte, opzettelijk voor het laatst bewaarde.

En mogelijkerwijs deed hij dit instinctief. Want het was heel toepasselijk dat hij haar vooreerst met rust liet, zij die de mooiste was, zij die hem zijn plan had ingegeven.

Er was nog een ander facet in het spel, en misschien voelde hij dat aan, of misschien ook wel niet.

Als er nog een extra brandpunt nodig was geweest om de bovennatuurlijke put van de Opperaarde te associëren met het gat in de grond in het dal, dan moet Kassafeh zeker als dat brandpunt hebben gefungeerd. Zij, halfdochter van een bewoner van de hemel, een elementaal van de lagere kaste van de Opperaarde, en nu tevens Dochter van de Tuin. Zo had het lot, of het toeval, of een of andere troebele, vergeten, prehistorische gril van de goden alle elementen bijeengebracht om het geheel te vormen. En de inleidende manoeuvres naderden de apotheose.

's Morgens nam Kassafeh een besluit.

Met Veshums god had ze niets op en een pact met demonen was wellicht te verkiezen. In ieder geval was deze demon druk bezig de zuiverheid van de bewaaksters te verwoesten en dus moest hij vastbesloten zijn om ook de gehate gevangenis van de tuin te vernietigen. Kassafeh was zijn bondgenoot in de geest, en haar vlees had ook wel trek in hem.

Toen nu de vierde maagd naar haar toesloop met dringend gepiep, zei Kassafeh sluw: 'Overdag moeten wij er niet over spreken. Het moet ons mysterie blijven, gewijd aan de god. Zeg het tegen geen ander. Het is alleen jouw en mijn geheim.'

De vierde maagd nam alleen de tijd voor een liefhebbende omhelzing en ging dan blij heen. Insgelijks maagden nummers vijf en zes, wie Kassafeh een soortgelijke vermaning op het hart bond. Maar toen maagden een, twee en drie haar elk afzonderlijk benaderden – degenen die de tweede nacht niet bezocht waren – zei Kassafeh nederig: 'Helaas, na onze ruzie durfde ik niet bij je te komen, maar vannacht kom ik. Zeg niets tegen de anderen. Ik geloof dat wat wij doen iets gewijds is, en dat wij uitverkoren zijn door de god.'

Deze leugens kon ze met een gerust geweten uitspreken, wel wetend dat de demon allen die wakker bleven met zijn fluisterende lied in slaap zou sussen. Alleen Kassafeh kon hem weerstaan, en zij zou gereed zijn.

Die nacht lag Kassafeh wel aan bij het banket. Ze trok een schone japon aan, een die er weelderig uit zou zien voor de maagden, van wie er nu zes geen aanspraak meer konden maken op die titel. En tijdens deze avond snaterden slechts twee maagden onzin tegen elkaar, terwijl de andere zes met vererende blik naar Kassafeh gluurden, en stiekem in haar hand knepen als ze de wijn doorgaven.

Toen zij naar haar kamer was gegaan, legde Kassafeh een aantal dingen klaar. Ze baadde in het geparfumeerde bad, dat alleen maar een fontein met bronwater was. Ze stak blauwe bloemen in het haar, en ze kneep andere bloemen tussen haar vingers fijn om haar oogleden met het sap te kunnen kleuren, en haar ogen simuleerden het romantische blauw van het bloemensap. Totdat ze de lamp uitdeed, toen werden haar voortdurend veranderende ogen dierlijk van opwinding en onrust en straalden als de ogen van de kat, nu amber, dan goud, dan glinsterend lichtrood.

En in het donker pakte ze een scherp stuk vuursteen op en begon het te wetten op een kei. Beide stenen had ze in de tuin gezocht en gevonden. En terwijl ze vonken uit haar moordinstrument sloeg, droomde ze van liefde. En terwijl ze van liefde droomde, speelde haar voet met het touw dat ze van taaie, soepele plantestengels had gevlochten, waarmee ze hem zou kunnen binden, als hij tenminste gebonden kon worden.

Tegelijkertijd luisterde zij. En eenmaal hoorde zij een verre, gedempte kreet en ze schrok. Later hoorde ze een tweede kreet en toen schrok ze iets heviger. Want hedennacht moest de derde kreet de hare zijn.

Negen

De roos van de maan was verzonken, de rodere roos van de zonsopkomst lag een uur in de toekomst.

De nacht drukte zich tegen de aarde in een laatste zwarte paring.

Simmu kwam binnen met de tred van een lynx in een even zwarte kamer. Er brandde geen lamp; de vensters waren verduisterd. Kassafeh, de negende maagd, sliep kennelijk in het donker van het graf. De voorbereidingen waren al getroffen.

Net als bij de anderen vlijde Simmu haar vrouwelijke gedaante op het bed. Anders dan de andere maagden, verroerde deze negende maagd zich meteen en met een slaperige stem verklaarde zij: 'Ik heb het al eerder gezegd, ik zal mijn bed niet delen met panters of andere beesten.' En zij stak haar hand uit en legde die zonder omwegen op Simmu's vrouwenborst. 'Nou, wie hebben we daar nu?' vroeg Kassafeh.

Ditmaal kon Simmu moeilijk zeggen: 'Ik ben het, Kassafeh.' Bovendien hield de keurig geplaatste en nu zacht verkennende vrouwelijke hand alreeds danig huis in Simmu's vrouwelijkheid. Daarom schoof Simmu een eindje weg van haar bedgenote en liet zich overrompelen door de mannelijke drang.

'O zuster,' fluisterde Kassafeh, 'je lijkt niet helemaal precies hetzelfde als ik mij herinner.'

'Het komt door een akelige droom die ik had,' fluisterde een vleiende, zoetgevooisde stem, die niet meer helemaal de stem van een meisje was.

'Arme zuster mijn, je moet me er alles over vertellen,' drong Kassafeh aan. 'Maar laat mij slechts deze zware dekens van het bed gooien, want de nacht is zo warm.'

En ze deed het meteen en tegelijkertijd pakte ze de brandende lamp die ze onder de plooien van de dekens onder het bed had verstopt en met een schreeuw van triomf maakte ze een sprong en landde knielend boven Simmu met de lamp in de ene hand en de scherp geslepen vuursteen in de andere, hoog geheven hand.

In drie jaar had ze geen man gezien. Het is ook te betwijfelen of zij ooit een man als deze had gezien, een zo knappe, zo leeuwensterke en zo fraai gebouwde man, als een versgemunt koperstuk in haar bed, die naar haar opkeek met geschrokken, schrikwekkende kalkgroene ogen.

'En,' zei hij, 'dood je me nog of hoe zit dat?'

Natuurlijk wist hij heel goed dat ze dat niet zou doen. Hij toonde zich verrast, maar zeker niet ongerust.

'Misschien dood ik mezelf,' zei Kassafeh, 'in plaats van me uit te leveren aan jouw wellust, welke wellust bepaald opvallend is.'

'Je ogen waren gesmolten, maar nu hebben ze de kleur van de jonge nacht. Hieruit concludeer ik dat jij lief voor mij zult zijn.'

'Wat wil jij in de Tuin van de Dochters – behalve dan

met ons vrijen, want buiten de muur zullen er wel vrouwen in overvloed zijn.'

'Niet zulke vrouwen als jij,' antwoordde Simmu. 'En nu zijn je ogen donker als hyacinten.'

Kassafeh lachte geluidloos en legde het mes weg en zette de lamp op de vloer naast het mes. En tegelijk omcirkelde hij haar middel met zijn handen, en zijn vingertoppen raakten elkaar bijna doordat zij zo slank was, en zo hield hij haar vast, en haar heerlijke haar stroomde over hen beiden.

'Ben jij van de demonensoort?' vroeg Kassafeh.

'Ik heb geleefd met enkelen van hen,' antwoordde Simmu, 'en ik ben omgegaan met één die de Heer der Demonen is, de Heerser van de Nacht.'

'En was je van plan die lompe god van Veshum belachelijk te maken?'

'Alle goden, maar vooral de Dood.'

'Zeg me waarom je hier bent,' zei Kassafeh. 'Bereidwillig zal ik met je vrijen, maar je moet het me eerst vertellen.'

'Dan vertel ik het je,' zei hij, 'maar alleen één keer.'

En hij vertelde haar van de twee putten en hoe het slaan van een bres in het glazen reservoir wiskundig gereduceerd was tot het slaan van een bres in negen maagdenvliezen, en dat de onsterfelijkheid neer zou dalen en dan zou hij die stelen.

'Hé, je bent een held,' zei Kassafeh verwonderd. En toen liet zij zich tussen zijn armen zakken met zo'n honger naar liefde dat er tussen hen in vuren leken te ontbranden.

Kassafeh leverde zich aan Simmu uit zonder een kreet te slaken, of met een zo zacht kreetje dat alleen hij het hoorde.

Het was de nacht die krijste, de nacht, en ook het geschonden dal.

Eerst kwam er een donderslag. Het land kromp ineen, de sterren leken uit hun sokkels geschud en waggelden rond. Toen kwam er een bliksemschicht, een verschrikkelijke bliksem die de ene lap duister van de andere scheurde, die de hemel vierendeelde en her en der de brokstukken van verzengde lucht smeet. En de schicht sloeg in: in de tuin. Hij verbrijzelde de gouden koepel van de tempel en die koepel brak als een eierschaal en de vergulde scherven woeien wijd en zijd. En omlaag door het gat joeg de schicht en hij ontwortelde met een ontzaglijke klap het metalen bassin met zijn benen stop. En na deze slag lag daar bloot de kleine ronde slijmerige put die onder de hallucinatie van goud en ivoor verstopt was.

In elkaar verstrengeld in stuiptrekkingen van genot besteedden de twee minnaars geen aandacht aan deze omwentelingen. De nacht had zijn toevlucht genomen tot de nabootsing: menig huis had lijken te beven op zo'n moment.

Maar weldra, toen ze uitgeput neerlagen, hoorden zij het lot door de hemel marcheren. En over deze onheilspellende voetstappen als trommelslagen, stroomde een stilte. En in die stilte knalde een geluid dat de spieren tot water maakte en het haar overeind joeg en het hart liet stoppen: een enkel, ijzig *krak*.

Het begon te regenen in de Tuin van de Gouden Dochters. Het regende slechts op één plek. De regen, een smalle waterval, viel uit een onzichtbare maar volkomen stationaire bron in de hoogte, dwars door de gebroken tempel, recht in de keel van de tweede put. De regen zag er dik en stroperig uit. Glinsteren of glanzen deed hij niet. Hij had de kleur van lood.

De bui duurde enkele seconden, of minder. Toen was de oorsprong van de regen weer verzegeld of had zichzelf gerepareerd. Het maakte niet uit. Het water van de onsterfelijkheid was vermorst en was nu beschikbaar.

In de hoogte dreven de donderslagen af. Maar wolken zweefden als netten tussen de sterrenscholen en een koude wind tierde door de tuin. En toen deze koude wind vertrokken was, verkeerde het dal in de greep van de verandering.

De magie die de heks daar gebouwd had, was verkruimeld en had slechts fragmenten en rafels achtergelaten. Een illusoire tijger, transparant als een oranje geest; een door de bliksem verpletterde ruïne die geen goud meer was. De brandende muur was zijn hitte kwijt. Zijn knetterende corona was uitgedoofd. Hier en daar waren er delen ingestort tot zacht puin. Buiten jankten de monsters doelloos tegen de sterren, of ze krabden zich. Beneden waren de patrouilles – die nog halfslachtig op zoek waren naar de zelfmoordmaagd (Simmu) – doodsbang op hun gezicht gevallen toen de bliksem insloeg en nu wezen de soldaten ontgoocheld naar de uitgebluste muur vol gaten. Een bizarre paradox: na tweehonderddrieëndertig jaar was er eindelijk iets om te bewaken, de onsterfelijkheid in de tweede put en nu was er geen behoorlijke wachter meer over.

In de woestijn, een troosteloze achtergrond vormend, jankten wilde honden – waarom is niet voorstelbaar, want zij hadden er niets mee te maken.

Tien

Wakker geschud door de donder troepten acht meisjes, onlangs nog maagdelijk, bij elkaar op het gras aan de voet van het paleis. Het paleis zag er niet meer zo heerlijk uit als vroeger. Het was nu een bouwsel van palen en pleisterkalk en behangen met juten zakken. Op de hellingen bloeiden geen rozen en geen hyacinten. Daar tierden wilde bloemen en onkruid.

'Het komt doordat wij gezondigd hebben!' schreeuwden de on-maagden tegen de wind. 'Kassafeh heeft ons laten zondigen!'

Een spookachtig hert woei tollend door het bos en de on-maagden jammerden.

De wind liet het dal in de steek, de zon belichtte de oostelijke horizon van het dal en onthulde heel onvriendelijk nog meer rauwe feiten. Verachtelijk krassend klapperde er een raaf door de lucht. De dag tevoren zou hij nog vermomd zijn geweest als duif.

Kassafeh rende over het gras omlaag naar de weeklagende niet-meer-maagden.

'Wees blij,' zei zij, even scherp als de raaf. 'Nu bevat de put van de god pas echt iets kostbaars. Kom kijken.'

De acht meisjes keken haar vol haat aan. Als ze in een ruwer milieu waren opgevoed zouden ze haar aangevallen en verminkt hebben, maar nu waren slechts hun blikken gewapend en hun tongen.

'Jij bent slecht. Jij zult verdoemd zijn!'

'Jakhalzen zullen je opeten!'

'Je hebt de ogen van een demon – *die* zullen de jakhalzen opeten!'

'De god verandert je in een sprinkhaan!'

'Jouw naam zal voor eeuwig vervloekt zijn!'

'Mèhèhè,' blaatte Kassafeh, zoals eens. 'Mèhèhè!'

En toen schreed Simmu de jongeman over de helling naar beneden. Hij droeg een kruikje van klei (gister nog van zilver) met daaraan het stengeltouw waarmee Kassafeh hem had willen boeien.

De acht gewezen maagden deinsden achteruit. Hun ogen werden groot, hun monden ook en ze stieten een ontzettend gekrijs uit en stoven halsoverkop weg. De arme wichten, ze hadden hun ongeluk echt niet verdiend, evenmin als de schande waarmee ze zichzelf de rest van hun leven hardnekkig overlaaddden.

Simmu en Kassafeh liepen naar de verbrijzelde tempel, zonder te spreken, bleek en dronken van de grootse betekenis van het gebeuren.

Stukjes gescheurd tin (goud) en verkleurd oud bot – de befaamde stop – rinkelden onder hun voeten. De vloer was doorsneden met barsten en het lattenwerk in de vensters was versplinterd.

Trillend staarden Kassafeh en Simmu in de minuscule, glibberige put.

'Stinken doet-ie niet meer,' merkte Kassafeh op. 'De nieuwe wijn heeft de oude gezuiverd.'

'Grijs, loodkleurig, dof water,' zei Simmu. 'Ik had altijd gedacht dat zo'n drank goud van kleur zou zijn.'

'O, ik smeek je, put wat van dit water. Laten we kijken.'

Simmu liet de kruik aan het touw in de schacht van de put zakken. Vol gefascineerd ontzag stonden ze star te wachten tot Simmu de kruik weer opgehesen had en toen keken ze nieuwsgierig naar de inhoud.

Loodgrijs was het water. Traag en nors.

'Zo'n klein kruikje,' zei Kassafeh zacht, 'en de put is al leeg. Is er niet meer van deze drank?'

'Eén droppel zou genoeg zijn,' antwoordde hij. 'Eén droppel en je leeft eeuwig, je weert de Dood van je deur.'

'Eén droppel.'

'Eén maar.'

'Drink dan, en word onsterfelijk, Simmu.'

'Wees mijn zuster,' zei hij, 'wees als mijn vrouw en drink voor ik drink.'

'Ik? Dat kan ik niet, niet eerder dan jij, wiens heldendaad dit is.'

'Ik zal drinken,' zei hij. 'Maar nog niet meteen.'

'Ik ook niet,' zei zij. 'Niet meteen.'

En zo, op de grens van het eeuwigdurend leven, aarzelden zij, alsof er iemand achter hen stond die mompelde: 'Leven is maar leven. Er bestaat ook zo iets als blijdschap.'

En een ogenblik later, zonder dat een van beiden gedronken had, stopte Simmu de kruik dicht en bond hem aan zijn gordel.

'Zo,' zei hij. 'Laten we gaan.'

Maar Kassafeh sloeg de blik neer – haar ogen waren nu donkergroen als mirtbladeren – en zij zei: 'Ik moet hier blijven, want hier heb ik mijn familie en mijn thuis.'

'En je houdt van geen van beide. Hou van mij en leef met mij en ik zal met je trouwen.'

'Dat zeg je nu, maar morgen denk je er heel anders over.'

Maar ze glimlachte en ging met hem mee.

Hoewel de tuin nu verwoest was, hoewel de muur onschadelijk was geworden en hier en daar zelfs in puin lag, en hoewel de monsters van de bergen alle drang om iemand te verscheuren kwijt waren, laat staan iemand die hen met Eshva magie kon begoochelen en die bovendien begeleid werd door een heilige maagd van Veshum – ondanks dit alles was het patrouilleleger er nog. En dit leger, ontsteld door de verwoesting van een eeuwenoude traditie, was echt in de stemming om gevangenen te maken.

Eerst, toen ze over de kapotte muur kijkend acht redeloze meisjes ontdekten die al gillend en schreeuwend door het dal holden, hadden de soldaten hun niet te hulp durven schieten omdat er slechts vrouwelijke maagden in het dal mochten komen. Maar uiteindelijk kreeg het gezonde verstand de overhand en de soldaten overschreden de grens van de muur en trachtten de gillende meisjes te redden. Toen was het een moeilijke keus om te bepalen wie er het bangst waren, de acht voormalige maagden geconfronteerd met deze vloed van mannen, of de mannen die de gewijde personen van de maagden moesten aanraken. Na veel heen en weer, verlegenheid, verwarring (en gegil) werden de maagden overgehaald te spreken.

En wat een verhaal hadden zij te vertellen.

Een demonische man in het dal die hen allen onteerd had, ook nog het altaar van de god had onteerd en ten slotte iets occults uit de goddelijke put had gestolen.

Bijgekomen van deze godsdienstige schok concludeerden de soldaten manhaftig dat de demon geen demon was, want hij was in daglicht gezien. Het moest dus een buitengewoon geslepen en gemene magiër zijn. De eer eiste dat zij hem opspoorden en verminkten zonder zich aan zijn magie te storen. De god zou zijn leger wel beschermen. En het leger kon zichzelf wel beschermen als de god elders bezigheden mocht hebben. Het waren echt heel rechtdoorzeese en ongevoelige mannen, wier leven vanaf hun twaalfde jaar zich uitsluitend had afgespeeld in de woestijnkampementen, de eindeloze dorre wachtdiensten en het militaire gepronk. Dus nu ze de wraak tot hun doel verheven hadden, strooptien ze te paard het dal af en ontkrachtten zo de laatste dralende restjes van pastorale vrouwelijkheid en illusie, en dit was de laatste verkrachting. De tuin was toch al bedorven; en hun god wilde een kop op een lans en een fallus op een andere lans hebben. Hun god was niet zo'n dromerige slapjanus als men scheen te denken.

Zelfs de monsters haastten zich uit de weg – sommige ervan waren de tuin binnengekomen en onderzochten die met belangstelling. De ruiters stormden door de waterval, langs het pleisterpaleis, joelend van bloeddorst, over de groene plekken die de grasvelden van een paradijs waren geweest.

Simmu en Kassafeh hoorden hen. Ze hadden langzaam door de tuin gedwaald, zich niet bewust van de op handen zijnde jacht. Kassafeh dacht dat ze zouden sterven – een eigenaardig bedenksel terwijl ze naast de dronk van onsterfelijkheid liep die Simmu aan zijn gordel had hangen. Simmu leidde haar naar een boom en ze klommen erin en verborgen zich tussen de bovenste bladeren.

Daarna ontspon zich op de grond een enorm heen en weer gedraaf, dat veel stof opwierp en er werden vele geloften gehoord dat men de bezoedelende magiër zou martelen. En de soldaten waren niet te overwinnen met Simmu's magie, daarvoor waren het er teveel en waren ze te woedend.

Simmu stelde Kassafeh niet voor hem te verlaten en haar relaas van hulpeloze verkrachting toe te voegen aan dat van de rest. Kassafeh zelf stelde het evenmin voor. Als twee slangen strengelden ze zich om elkaar en om de takken van de boom en ze klampten zich aan elkaar vast in gezamenlijk wantrouwen jegens de rest van de wereld.

Toen kwam er een man te paard in zijn eentje aanrijden. Onder de boom bleef hij staan en hij gluurde omhoog.

Binnen de volgende seconde had Simmu zich losgewikkeld van Kassafeh, was hij naar beneden gesprongen en op de bereden soldaat geland, die hij meesleurde naar de grond. En toen Simmu overeind kwam, deed de soldaat dat niet.

Simmu legde zijn hand op het geschrokken paard. Het dier werd een kalm standbeeld.

Binnen een minuut snelden ze het dal uit, Simmu en Kassafeh en het paard, en het paard was op gang gebracht zoals eens een paard in gang gezet was door de aanraking van een demonenhand.

Niet naar Veshum, zeker niet die kant uit. Ze reden naar de buitenste grenzen van de woestijn. De onverbiddelijke, waterloze woestijn die de mensen van de rivier meden.

'Het is de dood om deze weg te nemen,' zei Kassafeh. 'Of dat zeggen ze.'

'Met de Dood hebben wij afgerekend,' antwoordde Simmu en ze sprongen over de muur en snelden de berg af en tussen de duinen.

Geen volgde hen. Of anders niet veel mijlen lang. De woestijn, hun eeuwenoude vijand, hield de riviermensen tegen en hun denkbeeldige god moest het zonder vergelding per lans stellen.

Simmu en Kassafeh galoppeerden voort op het betoverde paard.

Als ieder landschap had de woestijn zijn eigen persona. Overdag was het een verblindend wit schijnsel, dat opsteeg van het zand naar de atmosfeer. Daaronder tekenden zich mistig de contouren van de duinen af alsof ze door nevel of water werden gezien. Erboven rustte een vlakke koperen hemel op het skelet van het witte schijnsel. Soms kwam er een rotsformatie uit het schijnsel zwemmen als een grote vis met stekels op zijn rug; dingen op afstand hadden een broos blauw aspect dat anders was dan het vloeiende blauw van een waterland.

De hitte van de woestijn was niet als hitte maar als een afschilferen. Er leek een geluid te zijn in de woestijn, een hoogtonig gefluit, maar er was geen geluid behalve de ovenwind die het zand als rook van de richels tilde, alsof de duinen werkelijk in brand stonden.

De wereld van de woestijn was zo: ik ben gemaakt van al het stof van de botten van alle mensen die hier gestorven zijn en mijn rotsen zijn monumenten voor bergen die ik weggemalen heb.

Er waren geen groene plekken, geen bronnen. Voor deze woestijn waren dat wonden die hij genezen had met droogte. Wat de woestijn niet kon uitwissen, bedolf hij.

's Nachts werd het zand koud. Vorst bekleedde het oppervlak zodat het zand glansde met een reine zwarte glans. Het was mooi als alleen zo'n plek mooi kan zijn – omdat hij de natuurwetten vervormd had en hier beweerde hij dat het afschuwelijke mooi was. En hij werd geloofd.

Simmu en Kassafeh betraden dit domein en al spoedig liet iedere luchthartigheid en vastberadenheid hen in de steek, want de woestijn voedde zich met zulke emoties. Ze hadden zich niet op deze reis voorbereid, niet met leeftocht voor de behoeften van hun lichaam, noch met proviand voor de geest, want de Wereldschokkende Daad was verricht. Wat zich in het zog van de daad moest ontwikkelen, was vooralsnog onzeker en ongevormd.

Ze zouden niet terugkeren naar Veshum, noch naar een andere oever van de rivier van Veshum, want alle oevers tot aan de zee hoorden tot het land van het riviervolk, vergaard in hun roversdagen. De woestijn was nimmer in kaart gebracht. Alleen de uiterste randen kenden het verkeer van karavanen. 'Duizend mijl, zegt men, zonder water,' waagde Kassafeh op te merken, als profetes van doem en moedeloosheid.

Maar omdat ze niet terugkonden, gingen ze verder. Nu sjokte het paard, zijn poten zonken weg in het diepere zand, zijn kop hing laag en na korte tijd steeg Simmu af en leidde het dier aan de teugel met alleen Kassafeh nog op zijn rug.

Ze koersten aan op het oosten, zodat allengs de zon achter hen wegzonk.

Met een wanhopig verlangen begonnen ze naar drinken te snakken. De woestijn werd de kleur van dorst en de wind de stem van dorst. Niet alleen hun keel schreeuwde om vloeistof, maar ook hun lichaam, hun geest. En zij begonnen voor hun geestesoog beelden te zien van bakken met water en bassins met water en fonteinen en zelfs de doffe rivier van Veshum. Maar geen van beiden repte hierover tegen de ander. En zo verbrandde tweederde van de dag tot as.

Toen zakte het paard op de knieën en met langzame zuchten stierf het. Het lag gemorst op het zand dat het spoedig zou begraven en zijn stof zou toevoegen aan de duinen. Kassafeh huilde, maar haar tranen waren bijna helemaal droog.

Dichtbij bood een rots die zo hoog was als een boom beschutting en hierheen leidde Simmu Kassafeh, en ze zegen in de schaduw neer en staarden in elkaars gezicht.

'We hebben te drinken,' zei Simmu. 'Dit.' En hij knoopte de kruik van klei van zijn gordel los en zette hem op de grond tussen hen in.

Na deze opmerking en dit gebaar volgden er een lange stilte en roerloosheid. Kassafehs ogen, die doorzichtig grijs gebleekt waren in het helle licht van de duinen, kregen nu een ondoorzichtige tint die bijna purper was.

'Maar zal de onsterfelijkheid onze dorst lessen? Ons voeden? Beschermen tegen de razernij van de zon, de kou van de nacht?'

'Hoe dan ook, we zullen hier niet sterven.'

En Simmu pakte de kruik, trok de stop eruit, hief de kruik op en – dit alles in één vloeiende beweging – dronk.

Dit gedaan zat hij daar met witte lippen en grote ogen alsof hij aan de rots zelf geketend was, terwijl Kassafeh, even bleek en van streek, erbij zat als iemand die op het punt stond te vluchten.

Weer viel er een stilte, waarna hij zei: 'Kassafeh, laat mij niet alleen op reis gaan.'

En plots vastbesloten streek Kassafeh haar haren naar achter en greep de kruik en dronk ook.

En nu waren ze allebei geketend, hoewel hun ogen elkaar koortsig onderzochten op een of ander teken.

Een uur of langer bleven ze zo. En toen kregen ze allengs door dat hoewel ze nog steeds honger en dorst hadden, zij zich niet langer zwak voelden, noch de dreiging van de dood. Weldra stonden ze tegelijk op en ze verlieten de schaduw van de rots. En ondanks de zon, die zijn verzengende westelijke licht over hen liet uitregenen, voelden zij zich opeens opnieuw vervaardigd, van een onbekend materiaal dat niets gaf om deze regen. Verward waren ze, deze twee, en ze werden gegeseld en gebrand en beroofd van hun vocht en zelfs hun huid – maar van het bestaan werden ze niet beroofd. Alle gevaren van de aarde waren voor hen als een veld met hoge bladeren geworden die hun lichaam geselden als zij passeerden, maar waaruit zij nu, en altijd, gekwetst maar intact te voorschijn kwamen. En zoals ieder een voorproef kon krijgen van zijn dood, zo proefden zij het leven.

En ze hoorden niet de ontastbare die zacht zei: 'Leven is maar leven.' Want in dit uur was hier ook blijdschap.

2   Des Doods Vijanden

Een

Hoeveel dagen – of maanden – Simmu en Kassafeh, de eersten der aardse onsterfelijken, door de woestijn dwaalden, herinnert men zich niet. Misschien was het niet zo heel lang. Misschien wel heel lang. De woestijn was één, en de tijd in de woestijn was één met die eenheid. Zeker is dat geen dan onsterfelijken het hadden kunnen overleven. Hoewel er in dat oord bepaalde, goed bewaarde overlevingsgeheimen bestonden, die de woestijn slechts wilde afstaan aan dezulken als Simmu en Kassafeh, die zijn beproevingen hadden doorstaan. Zonder twijfel was de woestijn verbijsterd toen hij ze ver na de toegestane spanne nog levend in zijn boezem aantrof. Goed dan, beloofde de woestijn misschien zichzelf, dan zullen ze morgen wel dood zijn. Maar morgen waren ze niet gestorven, tijdens geen enkele morgen. Uiteindelijk openbaarde de woestijn, wiens arrogantie een deuk had gekregen, onbedoeld geheimen als deze: op sommige inwendige plekken van de rotsstapels staken hardnekkige doornplanten omhoog, waarvan de stengels een paar druppels vocht bevatten; een goed verborgen bedding in een grot waar een stroompje water doorheen liep; een zieltogende struik gevangen tussen de keien, met takken als gebroken stokjes, waaraan nog drie bruine levende scheuten zaten.

Zo dwaalden zij, levend en onsterfelijk, deze twee kinderen want ondanks alles waren ze heel jong, het soort jeugd dat niets te maken heeft met jaren of onvolwassenheid.

En ze werden mager, prachtig mager, want ze waren nu eenmaal prachtig mooi en dus kon het niet anders. En ze waren nogal stil, deels doordat de woestijn stilte afdwong. Maar Kassafeh was niet geneigd tot loos gebabbel. Drie jaren lang was zij geestelijk alleen geweest, en ze kon trouwens veel overbrengen met haar zwierige gebaren en uitdrukkingen, om maar te zwijgen over haar kameleontische ogen. Naar Simmu staarde en keek zij, voortdurend, zoals een vrouw staart en kijkt naar de man van wie ze houdt, eindeloos geboeid door hem en haar eigen reactie op hem. Ze was van hem gaan houden vrijwel op hetzelfde moment dat de lamp hem verlichtte in haar bed, maar in werkelijkheid wist zij niets van hem. Hij was gekomen als een vreemde, had haar betoverd als een vreemde, haar meegenomen als een vreemde. En een vreemde bleef hij. Hij sprak niet over zijn eerdere leven, hechtte er geen belang aan. Hij sprak niet over de toekomst, hoewel er zonder meer een toekomst van belang moest volgen. In het heden was hij een held, verwant aan demonen, een jonge luipaard, en haar minnaar. Dat was genoeg voor Kassafeh. Wat Simmu zelf aanging, hij had iets meer van zijn vroegere ik herwonnen, zijn ik als faun, intuïtief, spraakloos, empathisch. En als hij van Kassafeh hield, en wellicht was het geen liefde die hij voor haar voelde, dan was het omdat zij ook iets van zijn dierlijkheid had, en zeker de schoonheid van een dier. Soms kwam hij terug van een strooptocht en dan trof hij haar slapend in de hitte van het midden van de dag, half in de schaduw, half in de zon bij een of andere rots waar hij haar had achtergelaten. Gebronsd, met zachte ledematen in de slaap, haar haar een verblindende glans van zonlicht weerkaatst door haar verfijnde, niet geheel menselijke gezicht en dan zag hij in haar de gazelle, de lynx, het serpent – zijn eigen psychische menagerie. Meer zuster dan vrouw. Maar hij was altijd gretig bereid om met haar te paren. En de handelingen van de begeerte waren ook hun enige vermaak in de woestijn; de rest van de tijd werd ingenomen door de niet aflatende speurtocht naar proviand en reisdoel.

Al die tijd bond hun samenleven op deze wijze hen met onverbreekbare banden aan elkander. Hun samenzijn, en de kruik die Simmu nog aan zijn gordel droeg.

Uiteindelijk – wanneer was dit? Een maand, een jaar later? – staken ze een hoge keten van duinen over, hij iets voor haar uit lopend, en toen zagen ze beneden zich een minder hardvochtig land. Niet dat het groen was of bloeide, maar het was minder okerkleurig, minder ingekapseld door het gazen laaien van de zon.

En toen ze afdaalden naar deze vlakte, vonden ze een overvloed van de stekelige planten die water bevatten en hier en daar passeerden ze een onvolgroeide boom, die meestal gestorven was door gebrek aan water.

De volgende paar dagen ontdekten en gebruikten ze een vervallen weg die op veel plaatsen verloren ging onder opgewaaid zand. Tegen zonsondergang hielden ze halt. (Simmu was herhaaldelijk een nachtreiziger geweest maar nu gaf hij gehoor aan Kassafehs verzoek: de nacht was een betere tijd voor de liefde.) Toen ze de derde dag halt hielden, bij de rots waar ze wilden overnachten, ontdekten ze een kleine slang die danste voor de zon of voor de woestijn of voor een zandhoosje dat hem geplaagd had. Simmu haalde de slang naar zich toe op zijn aloude manier en het diertje slingerde zich om zijn arm terwijl het rustig siste. Kassafehs ogen, nu duizelingwekkend blauw, vroegen duidelijk: *Leer mij dit ook te doen.* En Simmu begon het haar te leren, en zij leerde snel de onmenselijke les en oefende vlijtig. Ten slotte zou zij heel bedreven worden in deze kunst, en slechts voor Simmu zelf onderdoen.

Toen de koude nacht zich verzamelde en de vlakte verglaasde met vorstveren, vlochten ze zich in elkaar voor de warmte. Maar hier was de nacht niet zo fel en ze hadden een vuur gemaakt van de rommel van stengels en dood hout.

Kassafeh tuurde in de vlammen en ze zei, met haar stem: 'Ik zie er een stad in, en die stad is van jou.'

'Er was een stad, maar niet langer.'

'Jij zult koning zijn,' zei Kassafeh, niet merkend hoe halsstarrig ze in dezen was. De vooralsnog niet bewezen nadering van de beschaving had in haar het instinct van de koopmansdochter doen ontwaken; ze was slechts half een kind van de aether.

Simmu keek naar haar zonder begrip, maar haar lichamelijke aantrekkingskracht deed zijn lichte ergernis tenietgaan. In zijn armen was zij een en al elementaire onschuld, hemel en vuur en kat. Hij was gefascineerd geweest door haar sluwheid (de lamp onder het bed), maar het beste was daarna gekomen.

Hoewel een woord soms genoeg is. Of twee woorden. Stad. Koning.

Twee

Yolsippa de schurk kwam door de dageraad over de vlakte waggelen. Een uur eerder had hij bij toeval de weg ontdekt. Nu ploegde hij voort, in de verkeerde richting – nog dieper het dorre gebied van de woestijn in, in plaats van weg van de woestijn. Yolsippa was van deze aard: in zijn middelbare jaren (welke jaren hem weinig geleerd hadden behalve schurkenstreken, en dan nog ondoeltreffende schurkenstreken), opzichtig, grof, een onfortuinlijk maar roofzuchtig speler van het gokspel van de wereld. In zijn linkeroor droeg hij een nagebootste robijn, in zijn rechter neusgat een gouden ring van laag gehalte. Zijn kleren waren een lappendeken van alle mogelijke tinten en soorten stof, soms opgeluisterd met glazen juwelen en momenteel ietwat gescheurd en bevuild, zoals hij helemaal leek te zijn. In zijn gordel stak een vechtlustig mes, waarmede hij zich voortdurend poogde te ontdoen van een menigvuldigheid van onvrienden, schuldeisers en de wet. Maar zijn mes had nimmer levensbloed geproefd, wat geheel te wijten was aan de stoethaspeligheid, onvoorbereidheid, het gebrek aan vaardigheid en de zwakke maag van de eigenaar. Niet dat hij met iemand medelijden had, anders dan op de meest wijsgerige en nevelige wijze – hij huilde bij terechtstellingen en sloeg bedelaars op de schouder, zonder zich iets van hun bedelnap aan te trekken – maar er was niet veel voor nodig om Yolsippa te reduceren tot een lafaard met knikkende knieën. Het was dan ook heel bizar dat dit figuur de loopbaan van zakkenroller, beurzensnijder, dief en – vooral – charlatan moest hebben gekozen. Geen twee dagen en tien mijl geleden had Yolsippa deze laatstgenoemde van zijn kunsten uitgeoefend in een klein stadje aan de zoom van de woestijn. Yolsippa verkocht flesjes met groene zalf om afzichtelijke smetten mee weg te werken, flesjes met rode zalf om zweren te genezen; amuletten die beschermden tegen demonen, harsen die de lust opwekten, poeders om tot grotere lust te prikkelen en tincturen om de lust op de vlucht te jagen. Hij had ook heldenverhalen en verhalen van erotische aard in de vorm van schreeuwerige plaatjes. De mensen van het stadje waren gewillig en bereid om Yolsippa's maffe waren te kopen, meer uit belangstelling voor iets nieuws dan omdat ze erin geloofden. De handel liep lekker en toen sloeg de rampspoed toe.

In het algemeen was Yolsippa geen zinnelijk man maar er was één ding, en alleen dat ene, dat in staat was hem ogenblikkelijk en onweerstaanbaar tot uitslaande amoureuze brand te verleiden. Dit ene was een lid van onverschillig welke kunne dat toevallig scheel was. Nu is de reden voor deze afwijking een zaak waarnaar wij slechts kunnen raden. Wellicht was Yolsippa in zijn tedere jaren gezoogd door een min met dat kenmerk, die niet zeer verfijnd met hem gespeeld had, met het gevolg dat sedertdien voor eeuwig de erectie van zijn wapen geassocieerd was met de strabismus van zijn min. Af en toe vervoegde Yolsippa zich bij een bordeel om zich daar dan neder te leggen met een recht vooruit blikkende slet in een poging om van zijn lachwekkende aandrift af te komen. Maar het had geen zin, de perversie bleef, en velen die bezocht waren met schele ogen waren er heel dankbaar voor geweest. Maar het schele wezen dat Yolsippa plotseling in het oog had gekregen in dat stadje aan de grens van de woestijn, was niemand minder dan de plaatselijke worstelkampioen, een man van bijna zeven voet lang met een enorme borstomvang, de buik van een wild zwijn en de spieren van een os.

Yolsippa begreep ten volle de onwijsheid van zijn passie maar niet zodra waren de twee bloeddoorlopen schele kijkers op hem gericht, of hij begon te beven met een waar toeval van diepgaande begeerte. Helaas was het niet zinvol om zijn eigen remedie voor het bestrijden van dergelijke aandoeningen toe te passen, aangezien die vervaardigd was van water, alcohol en muilezelurine.

Yolsippa sloot dan ook meteen zijn waren achter slot en grendel in zijn kar en sloop de straat af naar de kroeg, waarin de kampioen zich had teruggetrokken. Langs diens bank gluipend nam Yolsippa dicht naast het object van zijn liefde plaats en mummelde met bevende stemme: 'Ontzaglijke heer, ik vraag mij af of u mij een plek kunt voorstellen waar ik mij vannacht zou kunnen nederleggen?'

'Probeer het logement,' bromde de kampioen.

'Ik vroeg mij af,' fluisterde Yolsippa, 'of ik wellicht uw kamer zou mogen delen – ik zal u natuurlijk schadeloos stellen, maar logies is hieromtrent schaars.'

'Hoeveel?' wilde de kampioen weten, die zijn bed niet heilig achtte en al een maand geen gevecht had geleverd dat behoorlijk had betaald. Yolsippa, trillend van hiel tot kruin, noemde een bedrag. De kampioen noemde een ander bedrag. En Yolsippa offerde zijn gierigheid op aan zijn liefde en gaf zich gewonnen.

Nimmer was een bruidegom zo ongeduldig. Eindelijk werd het donker en Yolsippa richtte zijn schreden naar de kamer van de kampioen – en merkte aldaar dat deze nog niet thuis was. Wat des te beter was, aangezien hij nevelig van de drank zou thuiskeren.

Enkele hartslagen na middernacht stommelde de kampioen met veel geraas de trap op, stortte zich ladderzat naar binnen en donderde neer op het bed. Yolsippa evenwel durfde niet toestaan dat die verleidelijke ogen zich sloten. Speels stak hij zijn hand uit en liefkoosde de kampioen op intieme wijze, en toen deze slechts morsig doch aanmoedigend gromde, kroop Yolsippa al gauw bovenop 's kampioens omvang en maakte kreunend van aandrang aanstalten om toegang te verkrijgen.

Al die tijd had de kampioen liggen denken dat het een van de kroegmeiden was, en nu merkte hij dat dit niet zo was. Met een gruwzaam gebrul rees hij overeind, daarbij dekens en lakens, een deel van zijn dronkenschap en Yolsippa van zich afwerpend.

Gebeden en betuigingen van eerbied ten spijt werd Yolsippa bij de kraag van zijn lappendekenjas gegrepen, en ook bij haar en baard, en omhoog gerukt in de verre van losse greep van de kampioen.

Toen werd de kampioen overvallen door besluiteloosheid. Grommend beende hij door zijn kamer met Yolsippa stevig onder zijn ene arm. Eerst dacht hij erover zijn aanvaller te castreren, en hij greep al een snoeimes uit een dakbalk waarin dit stak, onder jammerlijke kreten van zijn toekomstig slachtoffer. Maar de grap was er voor de kampioen al af en nu overwoog hij worging en hij begon reeds zijn gordel los te maken. Maar hij had zijn gordel nog niet afgedaan of ook de verwachte voldoening van deze straf was al verbleekt. Toen wendde de kampioen zich naar het smalle raam en hij spande zich in om Yolsippa erdoor te persen, met de bedoeling hem in het open riool twee of drie verdiepingen lager te werpen, maar Yolsippa bleek te gezet om dit voornemen te kunnen volvoeren. Weldra trok de kampioen hem weer naar binnen en met een toornig gebulder daverde hij de kamer uit met Yolsippa nog altijd onder zijn arm.

Ze bonkten de trap af, Yolsippa gillend om hulp en de kampioen vloeken trompetterend, terwijl er uit de aangrenzende kamers om stilte gesmeekt werd.

Op straat aangekomen begaf de kampioen zich met zijn last naar de deur van een stalhouderij en terwijl hij daar dreunend op bonsde, bulderde de kolos dat het dolle paard naar buiten gebracht moest worden. Waarop Yolsippa, totaal verzenuwd door gefnuikte lust en door doodsangst, in zwijm viel.

Een mijl buiten de stad kwam hij weer bij. Hij bevond

zich toen in het buitenste gebied van de woestijn. Aan alle kanten spietsten doornige struiken omhoog en heel wat van deze planten wisten Yolsippa's vel te raken. Aanvankelijk leek het land te beven en te schudden, maar toen vergewiste Yolsippa zich ervan dat het niet het land was maar dat hijzelf over dit land getrokken werd door een eind dik touw dat heftig in beweging was. Na deze deductie kwam hij al spoedig tot de conclusie dat het touw vastgebonden was aan de staart van een galopperend paard. Of het in het begin dol was geweest, was niet zeker, maar het dier voelde zich op dit moment beslist heel ongemakkelijk, en het deed zijn best om zich af te reageren op dat wat aan hem vastgemaakt was. Yolsippa schreeuwde om genade, waarop het paard reageerde door nog energieker te gaan rennen. Nog enkele minuten en Yolsippa zou zeker overleden zijn, ware het niet dat het vriendelijke gezicht van het geluk zich heel even in zijn richting wendde. Niet geheel ontnuchterd had de kampioen er niet aan gedacht te kijken of Yolsippa gewapend was, zodat het grote mes nog in diens gordel zat, en dit mes herinnerde Yolsippa zich plots. En vervolgens, al rollend en pijnlijk door allerhande harde, plantaardige obstakels getrokken, begon Yolsippa met het mes te hakken en te zagen totdat het touw het begaf en hij met een boog en languit in een dode struik werd geworpen. Het paard keerde zich gelukkig niet om teneinde zijn slachtoffer te trappen of te bijten en was al gauw uit het gezicht verdwenen. Yolsippa lag in de struik te janken van pijn (hij was slechts lichtgewond) en versmade hartstocht en te jammeren om de kou van de nacht.

Hij had niet het geringste benul in welke richting het stadje lag. Overal rondom zag hij de onaantrekkelijke buitenwijken van de woestijn en hier doorheen begon hij na enige tijd wankelend te lopen, nu eens deze kant op, dan weer een andere.

Eerst was het een opluchting toen de zon opkwam, maar dat duurde niet lang. Binnen een uur joeg de hitte hem op handen en knieën in de beschutting van een rots en hier bracht hij de hele dag door, langzaam uitdrogend en allengs wanhopig wordend. En toen de zon onderging, was de koelte eerst als een weldaad, die onvermijdelijk overging in ellende toen de vorst neerdaalde.

'En wat heb ik nu eigenlijk gedaan,' sprak Yolsippa verwijtend tot de goden, 'om de dood op zo'n plek te verdienen? Jullie zijn het die mij vervloekt hebben met mijn seksuele afwijking, en hier lig ik dan, en dat komt daardoor. Het is niet eerlijk.'

De nacht werd dikker en begon toen weer aan de terugtocht. Yolsippa had onrustig en onplezierig gedommeld en nu wankelde hij overeind en hervatte zijn richtingloze dwalen.

'Ik herhaal,' tierde hij schor, terwijl de hemel het oostelijke deksel van zijn gewelf begon op te lichten om opnieuw de felle zonneleeuw naar buiten te laten zodat deze Yolsippa weer kon toetakelen, 'ik herhaal, het is niet eerlijk om mij hier te laten sterven. Welke zonde heb ik begaan, afgezien van een enkele eenvoudige onbezonnenheid – jullie hadden mij moeten treffen toen ik het huis van de rechter leegroofde, of toen ik de belastingpachter in zijn bil stak – maar niet nu, niet om iets waar ik niets aan kan doen!'

En misschien hoorden de goden, deze ene keer, de beschuldiging van een mens.

Voornamelijk op zijn handen en knieën trok Yolsippa zich op de verwaarloosde weg, veegde er wat zand af en klauterde met een schorre kreet overeind. Denkend dat de weg ergens naar toe leidde, volgde hij hem met een serie van de waggelende, zwaaiende danspassen die iemand opvoert vlak voor hij bewusteloos neervalt. Maar de weg leidde echt ergens heen.

Yolsippa stiet op het slapende paartje, het meisje en de jongen, onder de rots en naast de as van een vuur. Zonder schele ogen in de buurt kon Yolsippa hun zinnelijke houdingen negeren. Voedsel en drinken was niet te bekennen, en hij kreunde van wanhoop, want hij was nu wel uitgedroogd tot de rand van de waanzin. Toen ontdekte hij de kruik die een pas van het slapende paar op de grond stond.

Heel gewoon zag de kruik eruit, klein en gemaakt van klei, met een eind gevlochten koord eraan, vast en zeker om de kruik te dragen. Maar misschien zat er iets te drinken in. Nee, dat *moest* gewoon.

Zwakzinnig behoedzaam kroop Yolsippa naar voren, greep de kruik vast, rukte aan de stop, zag een glinstering van vloeistof en met een zucht van extase hief hij de kruik naar zijn lippen om hem leeg te drinken.

Twee seconden later voelde hij dat de kruik uit zijn handen werd gerukt, zo woest en onverwacht dat hij ruggelings tegen de grond ging. En terwijl hij daar naar adem

256

lag te happen, zag hij dat de nu klaarwakkere jongeman over hem heen gebogen zat, wat hem deed denken aan een kat of jachthond en in de ogen van de jongen brandde een heel verschrikkelijk, raadselachtig soort gevaar.

'Ik wilde niet–' probeerde Yolsippa.

'Heb je gedronken?' vroeg de jongeman, en het was als het sissen van een slang.

'Ik? Drinken? Natuurlijk niet. Ik heb geen dorst.'

'Je hebt gedronken,' zei de jongeman. Hij duwde de kurk weer in de kruik.

'Het was maar een druppel.'

'Een druppel is al genoeg,' zei Simmu.

Dat was waar.

Zo werd Yolsippa de schurk de derde der aardse onsterfelijken.

Drie

'Loop als het u behaagt niet zo snel,' schreeuwde Yolsippa. 'Hoe moet ik u anders bijhouden?'

'Misschien,' riep Kassafeh terug, 'willen wij dat juist niet.'

'Maar luister toch een enkel ogenblik,' zei Yolsippa met krassende stem terwijl hij Simmu en Kassafeh inhaalde toen dezen pauzeerden in de schaduw van een magere doch levende boom. Dit was op het noenuur. 'Ik ben als een wees onder de mensen. Jullie, met je achteloosheid – als wat je me verteld hebt de waarheid is – hebben mij tot een verstoteling en een paria gemaakt. Welke andere verwanten bezit ik dan jullie? Onsterfelijk – ben ik dat?'

'Ja, en pak je nu weg,' zei Kassafeh met een ruk van haar hoofd.

'Nee, jullie begrijpen mij verkeerd,' hijgde Yolsippa toen ze 's middags over rotsblokken klauterden – Simmu voorop, Kassafeh een pas of twee achter hem en Yolsippa dapper achterin de rij slierend.

'Luister,' zei de schurk, bij Kassafeh knielend toen zij een van de stekelplanten openspleet voor het vocht en haar even later, onhandig, na-apend. 'Ik kan heel nuttig zijn.'

In de schemering, terwijl ze nog op de zandvlakte waren maar al in een groener, vriendelijker deel, ging Simmu op strooptocht en Yolsippa glipte naar Kassafeh toe, die naast het vuur haar pastelkleurige haren kamde met haar vingers.

'Wat is een held?' vroeg Yolsippa retorisch en hij nam de houding aan van een goedgebekte advocaat van kwade zaken.

'*Hij* is een held,' verklaarde het meisje.

'Ontwijfelbaar. En als held heeft hij tegenover de aarde de plicht om zich op heldhaftige wijze te gedragen, om heldhaftige daden te verrichten. Wat doet een held? Weet jouw jongeman dat? Hij moet een vurig toonbeeld voor alle mannen zijn, maar weet hij dat wel?'

Kassafehs kameleonogen keken nadenkend, en ergens in die ogen ontdekte Yolsippa de koopmansdochter die zijn woorden op hun waarde schatte.

'Een held,' vervolgde hij. 'Ach, had ik maar bij mij de fabelachtige antieke boeken met legenden, geïllumineerd in inkten waarvan het geheim verloren is gegaan en bezet met juwelen, die tot mijn handelsvoorraad behoorden. Maar helaas, mijn waren zijn gestolen in een stad van dieven en bedriegers... Maar weet ik voldoende over helden, geleerd als ik ben op het gebied van dergelijke kennis, om jouw jongeman te instrueren voor zijn rol? Wat is eigenlijk de bedoeling ervan dat hij hier werkeloos rondhangt? Hij zou bezig moeten zijn met het afslachten van monsters, het stichten van een grootse en luisterrijke stad, de verlossing van de wereld.'

Simmu kwam terug met de sterren en hij droeg een armvol wortels en een paar vijgen van een boom die hij had gevonden.

'Wat, geen vlees?' vroeg Yolsippa ontzet.

'Ik eet geen dood vlees,' zei Simmu.

'Bah,' zei Yolsippa, die in snel tempo zijn ontzag voor Simmu kwijtraakte. 'Maar hij eet wel dode vijgen, moordlustig van de tak gescheurd. Smek, smek, smek en misschien is de vijg nog half in leven en krijst het uit met zijn ongehoorde vijgestem.'

'Ik eet geen mensen op, die lopen kunnen. Ook geen dieren, die lopen kunnen. Ik heb nog nooit een vijgeboom zien lopen.'

'Dat leren ze misschien nog wel,' antwoordde Yolsippa. 'Ze leren misschien nog wel voor jou weg te lopen.'

'Ik hoor dat je een profeet bent,' zei Simmu. 'Begrijp goed: het is niet uit medelijden dat ik het dier en de mens spaar. Ik wil de Dood niets geven. Kijk eens naar deze vermoorde vijg: ik gooi slechts een zaadje op de grond en daaruit kan een nieuwe vijgeboom opbloeien. Maar gooi de botten van een opgegeten hert op de grond, en komt daar dan een nieuw hert uit? Ontluiken kinderen als knoppen uit de beenderen van dode mensen? Ik geef de zwarte heer uit vrije wil niets dat niet vervangen kan worden.'

Yolsippa knaagde op een wortel.

'Ik zie dat je tenslotte toch een ware held bent. Je wilt de Dood bevechten? Ja, heel heroïsch. Maar dan moet je een citadel hebben, een fort waarin de Dood niet binnen kan kruipen.'

'De mensen zullen zelf het fort worden. Onsterfelijke mensen.'

'Ah, maar hoe wil je dan de droppels onsterfelijkheid onder de mensheid verdelen? Kom,' zei Yolsippa, 'zou je mij hebben uitgekozen, had je de keus gehad, als lid van jouw broederschap? Nee. Je moet onderscheid maken. Alleen de besten moeten eeuwig leven. Wie verlangt er naar een hiërarchie van schuim?'

Simmu was klaar met zijn karig avondmaal en had zijn slanke houten fluit gepakt en begon te spelen. De klank was op die plek een bijna griezelige draad van muziek, meer kleur dan geluid, geweven door het rode schijnsel van het vuur, het donkere gewelf van de nacht met zijn onverbiddelijk starende lampen – lampen die Yolsippa deden denken aan een oud verhaal dat niet alleen de mensen de sterren bestudeerden om hun lot te kennen, maar dat ook de sterren de aarde bestudeerden om hun eigen lot af te lezen aan de bewegingen van de mensen.

Kassafeh staarde naar Simmu, verdronk zich in hem.

Onwillig om afstand te doen van deze ene absurde kans die het geluk hem had toebedeeld, begon Yolsippa te reciteren op de maat van de fluittonen, zoals iedere marktkoopman moet kunnen, en wel een visioen van Simmu's citadel.

Hoge torens, hoog als de ambitie, poorten van goud waardoor slechts de weinige uitverkorenen mochten gaan, daken die de hemel raakten, om de hooghartige goden te verleiden erover te lopen, of anders om deze goden te bespotten. En dit allemaal op een verheven plek gebouwd, in een streek met ijle lucht, een land waar eer adelaars dan duiven kwamen. Ja, een koninkrijk des hemels op aarde. En voordat men het mocht betreden, moest men een proef, een beproeving ondergaan. Alleen de besten waren goed genoeg voor Simmu's Hoge Stad. 'Leer van mij,' zei Yolsippa leep en vals. 'Ik ben een vergissing. Maar onze vergissingen voeden ons op.' (Hij had nog nooit iets geleerd van zijn vergissingen; hij wist wel hoe nuttig het geweest zou zijn als hij er wél iets van had geleerd.)

Maar Simmu's ogen waren blind voor hem. En waren zijn oren doof? Yolsippa kon niet uitmaken of zijn wijze raad vat op Simmu kreeg. Eer had deze ongewone jongen een allerlichtste uitdrukking op zijn gezicht van iemand die ketenen om zijn armen en benen voelt straktrekken, een molensteen om zijn nek krijgt gehangen.

'Het heeft geen zin,' zei Yolsippa, toen de fluit zweeg en het vuur neerzonk en de sterren nog intenser omlaag staarden, 'geen zin om de onsterfelijkheid te stelen en je dan te onttrekken aan de verantwoordelijkheid die je met die daad op je schouders hebt geladen. Of misschien zit er alleen maar modderwater in die kruik.'

Een kortst moment spraken Simmu's ogen tegen Yolsippa.

De ogen leken bijna te fluisteren, de hersens erachter verradend: *Was het maar waar.*

Tegen middernacht werd Yolsippa mopperend van de kou wakker. Het vuur was uit en Simmu en Kassafeh waren nergens te zien – ze hadden een andere plek gekozen om elkander te beminnen. Hij vroeg zich af of ze nog verder weg waren gegaan en hem in de steek hadden gelaten, en toen hij grommend van onrust rechtop ging zitten, ontwaarde hij een magere zwarte hond die aan de andere kant van het uitgegane vuur stond.

Yolsippa had een afkeer van honden. Herhaaldelijk hadden honden hem van erven en uit gebouwen verwijderd. Hij pakte een steen en wilde die naar de hond smijten.

Maar iets in het gedrag van de hond weerhield hem. Om een of andere reden had hij toch niet echt het verlangen om de hond met een steen te gooien. Langzaam maar onmiskenbaar klauterde Yolsippa's nekhaar overeind.

Toen roerde zich achter hem iets en hij keerde zich geschrokken om. En daar zag hij een vrouw die wel bijzonder spekkie voor zijn bekkie was: grote borsten en brede heupen, een smal middel en slechts gekleed in iets doorschijnends, en daarboven straalden een brede, verwelkomende mond en vooral twee verbazingwekkende, extreem schele ogen.

Totaal overrompeld door wellust en knikkende knieën,

260

hees Yolsippa zich onhandig overeind en liep toe op deze, voor hem, allerverleidelijkste aller vrouwen. En de vrouw wenkte hem uitermate dringend, en Yolsippa begon te rennen, vlak achter zijn lust aan – en botste plotseling tegen een dode boom op.

'Wat nu weer?' kreet de stakker, smartelijk, want de vrouw was verdwenen – of de boom geworden, of was altijd al de boom geweest. Een ogenblik later verzekerde hij zich ervan dat de zwarte hond ook weg was. Bij het koude vuur stond nu een lange man in een donkere mantel. Heel zwart van haar was deze man, en gekleed in een soort elektrisch zwart, en zijn gezicht bevond zich vreemd genoeg in de schaduw, ofschoon de sterren helder straalden.

Yolsippa wist genoeg om te kunnen raden wie er achter het vuur stond. En daarom knielde hij voorzichtigheidshalve neer en smeerde zijn gezicht door het zand en mompelde bepaalde smeekbeden om clementie, wat hem in de gegeven omstandigheden verstandig leek, en besloot met: 'Niet ver van hier zult u een beeldschone jongen en een beeldschoon meisje vinden, welke zonder twijfel uw adellijk oog veel meer zullen behagen dan mijn onbevallige persoon.'

'Wees kalm,' zei de donkere man. 'Jou moet ik hebben.'

Waarvan Yolsippa geenszins kalmeerde. Hij begroef zijn gezicht nog dieper in de grond.

Maar de donkere man leek het niet te merken en terwijl hij nonchalant bij de as van het vuur ging zitten, knipte hij met zijn vingers en daar sprong een bizar gekleurd, maar warm vuur op.

'Jij en ik,' zei de donkere man, 'hebben dezelfde ideeën.'

'O mijn Heer,' kreunde de ontstelde Yolsippa, 'vergelijk toch nimmer mijn droesem met de zwarte, veelvoudig gefacetteerde diamant van uw onvergelijkelijke brein.'

De donkere man lachte donker. Yolsippa werd heel opgewonden van dit geluid, terwijl hij er tegelijk angstkrampen van kreeg.

'Dit denkbeeld van een Hoge Stad,' zei de man, 'de uitverkorenen binnen, de afgewezenen rumoerend buiten de poort... Zo'n onderneming is interessant. Mannen als goden, sterfelijke mannen die jaloers worden, koninkrijken tegen elkaar in het harnas gejaagd.'

Toen hij deze mijmerende klank in de stem van de donkere man hoorde, waagde Yolsippa het om op te kijken. Nog steeds zag hij niet echt een gezicht. Dat speet hem en het luchtte hem op. Hij schoof dichter naar het vuur toe, en stond op, al bleef hij gereed om zich te vernederen zodra de gelegenheid daarom mocht vragen.

Hij zou zijn gedachte nooit onder woorden hebben durven brengen, en die gedachte kon trouwens toch gelezen worden door het wezen aan de andere kant van het vuur, als dit wezen dat had gewenst. Yolsippa dacht aldus: *De Prins der Demonen heeft slechts één angst: verveling. Hij zal de mensheid zonodig in een chaos storten als dat maar betekent dat hij zich niet hoeft te vervelen.* Yolsippa was een geslepen idioot.

'Als ik u mag dienen, Prins der Prinsen,' bood hij aan.

'Jij zult een stad bouwen die mijn eigen stad Druhim Vanashta naar de kroon steekt,' zei Azhrarn Prins der Demonen.

'Ik? O mijn Heer, bezit ik de vaardigheid? Maar natuurlijk ben ik bereid. Steen voor steen, desnoods, als u het zo wenst.'

Toen ving hij een glimp op van twee zwarte ogen, vriendelijke en angstwekkende ogen, die recht naar binnen in zijn ziel leken te kijken en daar kennis achterlieten. Yolsippa begreep nu dat hij de stad niet zelf zou hoeven te bouwen. Dat zouden anderen doen. Yolsippa begreep dat hij de opzichter zou worden (hij, de beurzensnijder, de nachtgluiper, de slijter van doelloze drankjes). Hij zou toezicht houden op de schepping van de meest bijzondere en buitenissige citadel die sinds het begin van de tijd was gebouwd. Een godenstad op aarde.

Yolsippa schrok zich wild van zijn promotie; tegelijkertijd zwol hij op van ijdelheid. Toen wolkte er rook op en in de rook kwam een bliksemflits, en toen was de vlakte verlaten door Yolsippa en de Prins der Demonen, en het vuur ging voor de tweede keer uit.

Bij zonsopgang ging Kassafeh niet echt op zoek naar Yolsippa, maar terwijl ze haar haren kamde en haar lompen rechttrok, keek ze of hij niet aan kwam stommelen, luidruchtig met goede raad en protesten. Simmu scheen zijn afwezigheid niet op te merken. Was hij blij verlost te zijn van deze horzel die niet afliet hem te herinneren aan zijn heldenrol?

Later, toen de twee weer op weg gingen over de koers van het groen naar het oosten, begon Kassafeh over haar schouder te kijken. Ten slotte sprak zij.

'Kan het zijn dat de dikke man ons verlaten heeft? Of is

hij verdwaald? Wat zou er gebeuren als een wild beest hem aanvalt?'

'Hij kan net zomin doodgaan als wij,' zei Simmu kortaf, zoals altijd onwillig om de eerste woorden van een nieuwe dag te spreken.

'Maar als een jakhals hem openrijt–' riep Kassafeh luguber uit.

'Ik denk dat hij dan weer zou genezen. Want sterven kan hij niet.'

'Maar,' zei Kassafeh, 'hij was zeer begaan met jouw welzijn. Hij erkende jouw unieke daad.'

'Vrouw,' zei Simmu heel scherp, 'hij sprak over een stad, en jij luisterde. Voor jou is een stad een binnenplaats bekleed met rozen en dampend van geparfumeerde baden. Jij zegt held tegen mij, en je ziet mij als koning, en Simmu als koning betekent Kassafeh als koningin, met parels in je haar en zijde op je lichaam. Maar ik heb een stad gezien met alleen doden erin. Steden zijn kooien. Waarom wens jij dat ik een kooi ga regeren?'

'Ik wens niets,' zei Kassafeh uit de hoogte. 'Jij bent de held, niet ik. Jij beloofde dat je met mij zou trouwen, maar ik eis niet op hoge poten dat je mij trouwt. Ben ik niet blij weggevlucht van precies zo'n geparfumeerde kooi als jij nu beschrijft? Zodra we een bewoonbaar oord bereiken verlaat ik je en dan kun je doen wat je maar wilt.'

Zo liepen ze de hele verdere dag in stilte. Maar 's nachts onder de maan lokte hij haar terug bij zich. Een groot deel van de tijd waren ze één. Maar niet altijd.

En nog steeds keek zij over haar schouder. En nu en dan beeldde zij voor haar geestesoog een stad van goud af waarin zij regeerde als koningin, niet uit hang naar macht of hebzucht, maar zoals een kind speelt in de kleren van haar moeder. En bovendien wilde zij dat deze man, die zij eerde, door anderen ook werd geëerd. Legers die voor hem bogen, vrouwen die weenden van verlangen.

Een paar dagen hierna trokken ze door een paar stadjes, armelijke oorden slechts, maar Kassafeh was zich onplezierig bewust van haar lorren. Tenslotte was ze de dochter van een rijke koopman. In de tuin was ze trots geweest op haar haveloze kledij, dat was haar protest. Maar nu wilde zij een gouden harnas voor Simmu en zilversatijn voor zichzelf. Op een witte olifant behangen met robijnen zouden ze moeten reizen, terwijl de mensen bloemen op hun pad strooiden; de trompetten moesten schallen en hele mistgordijnen van wierook moesten de lucht ingaan. In plaats daarvan gooide een straatkind een kiezelsteen naar hun rug. Dat was niet wat zij bedoelde.

Men vertelde dat het aldus was gegaan. Een man begaf zich naar zijn bed, viel in slaap, beleefde een buitenissige, exotische droom. Dan werd hij wakker, naar hij aannam de volgende morgen − en dan trof hij zijn huishouden in rep en roer en zijn gezinsleden gilden en jammerden dat hij tien dagen of langer verdwenen was geweest. Sommige van deze mannen waren timmerlieden van beroep, sommige waren steenhouwers, en een of twee van hen waren architecten die de opdrachten van machtige heren uitvoerden.

Nu was er een van deze laatsten, een bouwmeester en geleerde met een niet geringe reputatie, die in hoog aanzien stond bij de koning van zijn land. Op een morgen werd hij wakker en riep zijn bedienden, maar niemand kwam naar hem toe. Toen verliet hij zijn slaapkamer en liep door zijn huis en trof dit vol 's konings soldaten die, toen zij hem ontwaarden, schreeuwden van vrees en verbijstering.

Nadat hij gevraagd had wat er aan de hand was, kreeg de architect te horen dat hij na afloop van een feestbanket in het paleis van de koning naar huis was teruggekeerd, en met zijn jonge vrouw naar de sponde was gegaan, en middenin de nacht was de jonge vrouw wakker geschrokken en toen had zij gemerkt dat ze alleen in bed lag en dat de ramen wijd openstonden. Zij stond op en ging haar echtgenoot zoeken en na enige tijd wekte zij ook de bedienden en beval hun eveneens te zoeken. Maar niemand vond een spoor van de architect behalve een van zijn zachte huisschoenen, die in de bovenste takken van een magnolia onder het raam hing. Vervolgens verzocht de vrouw in haar ontsteltenis om een audiëntie bij de koning en hij, die meteen aannam dat de architect vermoord was, liet alle bedienden in het gevang gooien en de vrouw in een ander gevang, voor de goede orde. Toen kondigde de koning, die heel gesteld was geweest op de architect, zware rouw aan en hij vastte en weende en leed hevige smarten.

'Maar hoe lang ben ik dan weggeweest?' vroeg de architect. 'Toch zeker maar één nacht?'

'In het geheel niet,' antwoordden de soldaten, 'het is drie maanden her sedert u in het rijk bent gezien.'

Nu schoot de architect in zijn kleren en repte zich naar het paleis. De koning viel hem snikkend van blijdschap om de hals en hij gaf bevel tot ogenblikkelijke vrijlating van de onschuldige echtgenote en de bedienden.

'En nu moet je me vertellen,' zei de koning, 'waarom je mij in de steek hebt gelaten, precies toen je een zomerpaviljoen voor mij zou gaan ontwerpen. Zoals je me had opgedragen, had ik honderd slavenploegen geïmporteerd, met hun opzichters en meesters, bovendien hoeveelheden voedsel voor deze ploegen, om niet te spreken over brons en zilver en kostbaar marmer voor het gebouw... Waar ben je geweest, en wat heb je gedaan, dat je dit bouwwerk middenin de nacht in de steek liet met achterlating van slechts een schoen?'

'Tja, mijn koning,' zei de bouwmeester, 'ik zal u alles vertellen en dan moet u zelf beoordelen of het een droom was, zoals ik aanvankelijk dacht, of dat ik gek ben, of wellicht of zo'n avontuur werkelijk iemand kan overkomen.'

De architect was naar bed gegaan, zoals algemeen bekend was, met zijn jonge vrouw. Aldaar hadden zij zich uitgeleefd tot beiden voldaan waren en daarna hadden zij zich te slapen gelegd.

Maar na een uur of daaromtrent werd de architect gewekt door een verrukkelijk geluid in zijn oor, iets tussen zang en spraak in. De ogen openend zag hij voor zich een zeer knappe jongeman met koolzwart haar en een adellijke houding, die zei: 'Als u duurzame faam wilt verwerven, vergaar dan de instrumenten van uw professie en volg mij.'

'Waarheen?' vroeg de architect.

'Dat zult u wel zien.'

'Niet als ik u niet volg. En wie bent u, vermetele heer?'

'Een onderdaan van de Prins der Prinsen, een der Vazdru.'

De naam van de hoogste stand van de demonensoort horend – aan het bestaan waarvan hij geen geloof hechtte – concludeerde de architect dat hij droomde en hij nam zich voor te genieten van deze droom.

'Ik zal u volgen,' zei hij, en hij stapte uit zijn bed.

Nadat hij enkele instrumenten uit de aangrenzende kamer bijeen had gegaard, was de architect reisvaardig. Hij had geen moeite gedaan om lawaai te vermijden, omdat het een droom was, en zijn vrouw werd in ieder geval niet wakker. Vervolgens leidde de Vazdru prins de architect naar het venster, dat wijd openstond en wees naar een bizarre koets met een span zwarte draken. Koets en trekdieren zweefden in de lucht. Hierdoor helemaal overtuigd dat hij droomde, grinnikte de architect goedkeurend van plezier en hij sprong in de koets, die zo abrupt wegvloog dat zijn linkerschoen in de magnolia viel.

De draken raceten de nacht in. Hoog in de lucht sprongen zij met ratelende vleugels die groene vonken uit de wolken sloegen. In de diepte stroomden steden en bossen en het glanzende gebroken glas van oceanen voorbij. De architect bestudeerde alles grijnzend en met het hoofd knikkend, betoverd door de rijkdom van zijn fantasie, want hij had niet geweten dat hij het in zich had. Ondertussen mende de Vazdru prins de draken met een sierlijke hand waaraan donkere ringen flitsten. Hij droeg een glimlach van toegeeflijk vermaak op het gelaat.

Na drie of vier uur reusachtig snel vliegen verscheen er een vergulde lijn in het oosten.

Meteen stuurde de Vazdru de draken met een steile duik aardewaarts. Ze landden op de brede kust die een keten van verheven bergen scheidde van de golven van een blikkerende zee.

'De dageraad naakt,' sprak de Vazdru, 'en ik moet u verlaten. Maar daar is een weg aangegeven die tegen de berg op voert. Ga slechts een geringe afstand over deze weg en daar zult u iemand treffen die uw gids zal zijn.'

De architect knikte en toen de drakenkoets en de jongeman tegelijk verdwenen, gierde hij het bijna uit.

'Zeg, ik ben toch wel een enorm vaardig dromer,' feliciteerde hij zichzelf. 'Wonderlijk, want ik herinner me van vroeger geen enkele belangwekkende droom. Het zal wel betekenen dat ik mijn krachten heb opgespaard.'

De zon was nu net bezig links van de bergen op te komen die hun gezicht naar rozekleur en melktint wendden. De kust nam onderwijl een gladde kristallen glans aan en de grenzeloze plooien van de zee zwommen landinwaarts terwijl ze roze vuur op hun zilveren ruggen vingen.

'Heel bekoorlijk,' sprak de architect. Tegelijk werd hij getroffen door een bijzondere, niet helemaal verklaarbare vreemdheid in het landschap. Het was een soort onschuld gekoppeld aan een soort dreiging, een indruk van een primitieve en onbedorven geografie waar de mensheid nog niet in voldoende aantallen inbreuk had gemaakt om zijn zegel achter te laten. Nog iets: toen de zon het gelaat boven de bergen verhief, leek dit gelaat zowel groter als helderder dan normaal. Dit idee amuseerde de architect nog meer, het idee dat de aarde, plat zijnde en vier hoeken hebbende, aan de randen plaats moest maken voor afgelegen, ongerept en zelden bezocht land, en hier was dan misschien zo'n domein, dicht bij een oostelijke grens en ver van de binnenlandse rijken van de mens. 'Niet alleen is deze droom zeer verbeeldingsvol,' zei de architect, 'maar ook nog logisch. Altijd aannemende dat de aarde inderdaad plat is,' voegde hij er nog aan toe. Want hij had soms wel gedacht dat de aarde wellicht rond zou kunnen zijn, wat in die dagen een ernstige vergissing was.

Wat later liep hij in de richting van de bergen en toen ontwaarde hij een steile trap die in de bergwand was uitgehouwen. Gehoorzaam aan de suggestie van de Vazdru begon hij te klimmen, maar het duurde niet lang voor hij een zwarte ezel vond die aan een paaltje was gebonden en op zijn zadeldeken had de ezel een geborduurde tekst: 'Ik zal uw gids zijn.' Nergens bang voor, omdat het een droom was, maakte de architect de ezel los en klom erop, waarna het dier hem met ferme pas tegen de berg op droeg.

De lucht werd allengs ijl, maar bleef heerlijk zoet en verkwikkend. Uiteindelijk hield de trap op bij een plateau.

Voor hem torende de spits van de berg naar de hemel, maar in het hart van de berg was een grote en brede poort geslagen. De ezel slofte recht naar deze poort toe en daar eenmaal doorheen, aanschouwde de architect een wonderbaarlijke aanblik.

De binnenwand van de berg daalde, en rees, en daalde en aan alle kanten volgden de flanken van de andere bergen dit voorbeeld. Sommige gingen omhoog alsof ze de hemel met hun begerige fallussen wilden doorsteken, andere daalden af met natuurlijke terrassen alsof zij de kelders van de aarde wensten te peilen. En van deze steilten en trappen en pieken en troggen van steen rees een uitermate etherische en prachtige blokkendoos van half voltooide bouwwerken op. Hier een portaal, daar drie torens, een deel van een fijngevoelig oprijzende muur, een balustrade, een brug. Het gaf het effect van een camee, want de bergen bestonden uit een rijk materiaal, tot op zekere diepte sneeuwwit van kleur, en daaronder rood, wat in het hart versterkte tot donkerrode aders, en de reeds voltooide delen van de gebouwen waren vervaardigd van het lichaamsmateriaal van de bergen.

'O, maar nu begrijp ik het,' riep de architect tegen de ezel. 'Dit moet mijn droom zijn. Een stad bouwen van de levende rots, uit de lieftallige botten van de aarde zelf.'

Terwijl de ezel de architect naar beneden voerde en langs de flanken en omhoog over de hellingen van deze verrijzende metropool, zag hij hier en daar voorbeelden van ornamenten in zilver en jade en gepolijst brons en geelkoper, porseleinen koepels en tegels van onyx. Sommige gedeelten van de stad waren geheel gereed, zoals een zuilengaanderij, helemaal af en heel bijzonder van schoonheid, zoals een geplaveide straat, een aanplant van bomen die de atmosfeer heilzamer maakten, en in de hoogte fantastische vensternissen met glas-in-loodruiten... En nu ontdekte de architect ook mensen die aan het werk waren tussen deze schatten – steenhouwers, timmerlieden, voegers, metselaars en slavenploegen die zich inspanden met een energie die men gemeenlijk onder slaven niet treft, tenzij de zweep hun ruggen streelt, wat nu niet gebeurde. De lucht weergalmde van het werkdagelijkse lawaai van hamer en aambeeld, van takels en lieren, van geschreeuwde bevelen en ratelende karren.

Op een bepaalde plek bleef de ezel staan.

Over een tuinpad met links en rechts een rij citroenbomen kwam een grove, dikke man aanlopen die in een opzichtige lappendeken was gehuld. Achter hem liep een bediende die een parasol boven het hoofd van de man hield, en voor hem uit holde een andere bediende die voor de architect boog.

'Welkom, Heer Architect,' zei deze tweede bediende. 'Hier is de Heer Opzichter.'

'Wat een mooie droom is dit alles!' riep de architect, die zich kostelijk vermaakte.

'Zo is het,' beaamde de buigende bediende. 'Ik ben slaaf in een zilvermijn, maar nu ik slaap, hoef ik alleen deze dikke man te dienen, die mij heel goed behandelt, en iedere avond smul ik tot mijn buik bol staat. En dan komt er een meisje naar mijn bed en dan spelen wij samen spelletjes van zeer selecte aard. En zij zegt ook dat het een heerlijke droom is.'

'Maar het is mijn droom, brave kerel,' zei de architect, ietwat gepikeerd, 'niet de jouwe of die van je vriendin.'

De dikke man stond nu voor hem.

'U moet weten,' zei hij, 'dat wij hier bezig zijn een stad te bouwen die een held zal huisvesten. U als bouwmeester zult de citadel en het paleis van deze stad ontwerpen. Uw naam is goed bekend en wij verwachten veel van u, de Prins der Demonen en ik.'

'Werkelijk,' zei de architect. 'En ongetwijfeld, aangezien dit een droom is, zal ik wel niet betaald worden.'

'Faam zal uw beloning zijn,' zei de dikke man.

De architect lachte hartelijk. 'Ik brand van zin om te beginnen. Breng mij naar de bouwplaats en dan naar een kamer waar ik kan werken. We moeten wel snel zijn. Ik wil niet wakker worden voor ik klaar ben.'

'Heb daarvoor geen angst,' zei de dikke man.

Alles werd geregeld overeenkomstig de wensen van de architect. Het ontbrak hem aan niets. Als hij een instrument benodigde dat hij verzuimd had mee te nemen, dan werd het ergens gehaald en bij hem gebracht. Slaven met een buitengewoon werklustig en vriendelijk humeur renden en draafden voor hem. Allen waren het met hem eens dat het een heel plezante droom was, en voegden eraan toe dat hun in de droom de vrijheid wachtte wanneer ze hun taak voltooid hadden, en ze baden heftig om maar niet te mogen ontwaken voor deze sublieme gebeurtenis zich voltrok. Toen de nacht viel, werd er een feest aangericht in een reeds afgebouwd marmeren paleis. Bedwelmende wijnen en malse vleesgerechten stonden gereed op de tafel en heerlijke maagden met zwarte haren dansten met zilveren serpenten, en hoewel ze niet bij de mannen wilden komen liggen, waren er vrouwen in overvloed, velen van grote schoonheid en hoge afkomst. Een van hen, een prinses met emeralden bij haar keel, speelde met de slaven en verklaarde met genoegen dat zij nooit eerder zo'n goede gelegenheid had gehad om haar begeerte naar de lagere standen van de samenleving te bevredigen. Terwijl een bevallig boerinnetje bekende dat zij zeker nooit tot zulke seksuele uitspattingen in staat zou zijn geweest als ze nu wakker was geweest.

De architect ging evenwel celibatair naar bed en lag vele uren wakker, bang dat wanneer hij zich door de slaap liet overmannen, hij ontwaken zou in het ware leven. Zo kwam het dat hij na enige tijd nieuwe bedrijvigheid op de bouwplaats hoorde. Naar het raam van zijn kamer gaand, zag hij dat verse werkploegen die van overdag hadden afgelost. Deze arbeiders zwoegden bij lamplicht en bij het licht van kleine smidsvuren waaraan zij dapper en ijverig stonden te hameren. Allen hadden hetzelfde bijzondere uiterlijk. Het was een eskader weerzinwekkend lelijke dwergen met juwelen lendenschilden en weelderig gitzwart haar. 'Aha, de demonische Drin,' zei de architect zelfvoldaan, denkend aan het uitstekende metaalwerk op de gebouwen. Terug in zijn bed viel hij zijns ondanks in slaap. Toen hij wakker werd, verkeerde hij tot zijn verrukking nog steeds in de droom en zeer monter geluimd toog hij dan ook weer aan de plannen voor de citadel.

Lange tijd was hij bezig met zijn scheppende arbeid, en al die tijd was hij er zeker van dat hij toch maar één nacht in zijn bed doorbracht. Eenmaal kreeg hij bezoek van de dikke opzichter die hem uitvroeg over de toestand in het land van de architect, over zijn koning, de rijkdom van zijn koning, en het aantal bouwslaven dat deze koning hield. De architect schonk weinig aandacht aan deze onderbreking.

Op een schemeravond voltooide hij zijn plannen. Niet zodra had hij zijn papierrollen en inkt neergelegd, toen er een schaduw over zijn tafel viel.

'Ik kom zo eten,' zei de bouwmeester afwezig.

'Helaas, dat zult u niet,' zei een stem, en toen ontdekte de architect zijn eerste gids, de Vazdru prins, naast zich.

'Ah, maar u dwingt mij toch niet te vertrekken voordat ik mijn schepping vorm zie aannemen?' riep hij uit.

'Drie maanden zijn verstreken,' antwoordde de Vazdru met een wat schampere blik, 'wat voor een sterveling een lange duur is. Bovendien is uw koning in de rouw en uw vrouw en huishouden kwijnen weg in de gevangenis. U kunt beter teruggaan.'

'Wat een onzin,' mopperde de architect. 'Het is maar een droom.'

Maar hij durfde niet goed met de Vazdru te redetwisten en zag af van verdere tegenstand.

Buiten hing de bizarre drakenkoets tegen de donkerende hemel. De architect klom erin en de koets steeg razendsnel naar de sterren. Toen hij na een lange reis door de wolken en mijlen boven de landen van de aarde bij zijn huis arriveerde, begaf de architect zich naar zijn bed, waarin zijn vrouw inderdaad ontbrak en hij viel in een diepe slaap.

'En toen ik weer tot mijzelf kwam,' zei de architect tegen zijn koning, 'was alles zoals de Vazdru mij gewaarschuwd had.'

Ondanks de magische hoedanigheid van het relaas was de koning onder de indruk en hij overlaadde de architect met rijkdom, zo blij was hij om hem terug te hebben. Maar zijn bouwmeester was niet geheel op zijn gemak. Nu wist hij heel zeker dat er wezens als demonen bestonden en dat die rotzooi trapten in de wereld, en hij was niet vergeten (hoewel hij hiervan niets aan de koning had verteld) hoe hij uitgehoord was over de slaventroepen van zijn vorst.

En ja hoor, twee of drie nachten later werden de honderd ploegen bouwslaven op een of andere wijze uit hun kralen gekaapt, tegelijk met het voor hen bestemde voedsel, en niet te vergeten hoeveelheden marmer en edelmetaal die de koning ingeslagen had voor de bouw van zijn zomerpaviljoen.

Vier

Vanaf het begin had iets Simmu en Kassafeh naar het oosten gegidst. In de woestijn had een hardnekkig confronteren van de zon, gevolgd door een even hardnekkig de zon de rug toekeren, hiervoor gezorgd. Later, veel later, na hun dagen of maanden in het dorre gebied, had de koers door het groen hen naar het oosten geleid. Het oosten, de poort van de zonsopkomst, de phoenixhoek van de wereld.

Precies als met de plaats van de tweede put, was ook de exacte plaats van de bergstad niet volmaakt aan te geven. Maar hij lag naar het oosten, en zoals de architect verhaalde, ergens aan de rand van de wereld. Hoewel het misschien eenvoudig een metafoor was om de stad op de rand van de wereld te situeren. Want hoeveel dichter zou de mensheid de rand van de wereld kunnen benaderen dan door de onsterfelijkheid te verwerven?

Hoe dan ook, de stad werd gebouwd, dat was zeker, door mensen en door demonen, allemaal om een gril van Azhrarn. Azhrarn die niet eens meer met Simmu had gesproken sinds die nacht dat zij samen van de blauwe heks het geheim van de tweede put vernamen. Of had wellicht Azhrarn de jongeman in de gaten gehouden zonder door hem te worden gezien? Had hij niet langer een plooibare Eshva jongen of een hermafroditische maagd gezien, maar een held, die er onweerlegbaar mannelijk en aards uitzag? Een of tweemaal misschien had een demonenmond Simmu in het slapende oor gefluisterd: 'Oostwaarts, verder.' Maar de mond van Azhrarn was het niet geweest.

Niet veel overkwam de held en zijn heldin op hun weg

naar het oosten. Na hun verblijf in de woestijn bezaten zij een uniek, wild voorkomen, meer dierlijk dan menselijk, en daardoor schiep de mensheid een afstand tussen hen en zichzelf. Soms liet men honden op hen los om hen uit een dorp te verjagen. (Dan betoverde Simmu de honden, of Kassafeh deed het, want zij was nu heel goed in deze kunst.) Soms, als men dacht dat zij lid waren van een nomadische religieuze orde, brachten mannen en vrouwen offerandes van brood en wijn en smeekten om genezingen of voorspellingen. Bij deze gelegenheden dacht Simmu weer aan de tempel van zijn kinderjaren, en een reis langs de dorpen, en een of andere ramp die hij zich niet goed meer herinnerde, en de schaduw van een reisgezel die hij geen gezicht en zelfs geen naam kon geven. Maar Simmu was geen genezer, toen niet en nu nog niet. En hoewel hij een panacee aan zijn gordel droeg, bleef hij daar bovenop zitten en hij gaf er geen druppel van weg. Ja, hij zag mensen sterven, dik onder de vliegen en nog dikker onder de wanhoop, en geen ogenblik hield hij zijn pas in. Deze gedachte had vaste grond gevonden in zijn geest: Alleen de besten mochten blijven leven, geen hiërarchie van schuim. Goden, die dezelfde macht over leven en dood hadden als hij, moesten zorgvuldig kiezen: *Zal ik deze onsterfelijk maken, of gene?* Maar nu nog niet. Alles stond hem helder omlijnd voor de geest. Hij martelde zichzelf niet met vraagstukken als dit: *Had ik die bedelaar daar in de goot gespaard, zou hij dan een groots wijsgeer of magiër geworden zijn, die goed gebruik zou maken van de eeuwigheid?* Evenmin vroeg hij zich af wat ervan hemzelf zou worden. Hij was te jong. Zijn leven was nog niet begonnen hem zijn beperkingen te laten voelen toen hij die beperkingen al afschafte. Hij kende de dood eenvoudig en alleen als een gewelddadige moord die gepleegd werd temidden van de levenden, dat wat hij in het vergiftigde Merh meegemaakt had. Hij had de wapenen opgenomen tegen de Dood, maar eigenlijk wist hij niet goed wat hij had gedaan.

De landen waar ze doorheen liepen, Simmu en Kassafeh, begonnen leeg te raken. Niet alleen zagen ze minder mensen en beesten, maar alle bekende dingen werden minder in aantal. Er waren bossen en wouden, weliswaar, en er bloeiden bloemen, en er stroomden rivieren, maar allemaal hadden ze iets levenloos. Overal waar eens mensen hebben gelopen, laten ze een merkteken achter, een voetafdruk ten teken van hun bedoelingen. Deze afdruk is wat andere mensen interpreteren als het leven. Een boom waarop nimmer mensenoog was gevallen, een heuvel waar geen mensenstem ooit had gefluisterd, geschreeuwd of gezongen – ze hadden natuurlijk hun eigen bezieling en wezen, maar niet duidelijk te onderscheiden voor een mens, die slechts dingen kon en kan herkennen aan hun relatie tot hemzelf.

Het is mogelijk dat de twee ten langen leste de brede kust bij dageraad bereikten. Het schijnt daar bijna altijd dageraad te zijn geweest, want de stad was gesticht precies in de poort van de dageraad, en had de kleuren van de dageraad, albast, roze en rood. Stieten ze er toevallig op, of werden zij de laatste mijlen geleid door een soort instinct, of zelfs door een demon – hoogst waarschijnlijk in een diervorm, kat, vos, serpent of zwarte duif? En toen zij daar dan arriveerden, beklommen zij toen meteen en zonder omwegen de steile trap, die nu versierd was met zuilen met kapitelen van glanzend zilver, of talmden ze een wijle bij de oceaan, de toegang tot de stad negerend, of er onkundig van?

Zoveel staat vast. Zij waren in alle opzichten verwijderd van hun eigen soort en ze waren rijp voor een wonder. Zelfs Simmu, die tijdens Yolsippa's gepreek over verantwoordelijkheid en heldhaftigheid aan zijn ketenen gerukt had, zelfs Simmu was gereed, rijp.

Hij bezat tenslotte het bloed van koningen, geërfd van Narasen, het enige geschenk van Narasen anders dan zijn geboorte.

Zo dwaalden zij over de hoge trap, en ten slotte door de open poort die nu voorzien was van koperen deuren, en daarachter belandden ze in een nieuw, afwisselend, terrasvormig landschap van steen en marmer en metaal. 's Ochtends, in de kleur van de ochtend, zag de stad eruit alsof hij ieder moment zijn vleugels uit kon slaan naar de hemel. Dat was de fundamentele aanblik van de stad, iets dat zich balanceerde maar niet statisch was: een vogel die weg zou vliegen. En zoals de stad voortdurend pauzeerde op de rand van opstijgen vanaf de rooskleurige rots, zo ving hij hun beider harten, het hart van de jongen en het hart van het meisje, want de stad was als een prachtige maagd en zij waren als de eersten die hun liefde kwamen betuigen. De afgezaagdheid van het gezapige huwelijksleven zou pas later komen.

De straten, de pleinen, de kruisingen en de zuilengangen en de parken, alles leek verlaten. Niets bewoog er dan de

kruinen van de bomen, de wolken, de schaduwen van bomen
en wolken, en de zon in de hemel.

'Wie woont hier?' vroeg Kassafeh zacht. 'Een groots
keizer die de wereld vergeten is?'

Stil liepen ze her en der. De vensters glansden als glazen
schilderijen, fonteinen spoten kristal, dat verbrijzelde, en
maakten nieuw kristal, de wind bracht het suizen van boom
en koele lucht, maar geen geluiden, geen geuren van mensen.
Vreemd genoeg werd Kassafeh niet herinnerd aan de Tuin
van de Gouden Dochters. De stad was volledig echt, geen
illusie.

Ze glipten door de lanen en de straten, renden trappen op,
over pleinen. Ze kwamen bij de citadel met zijn mozaïek-
koepels, en voor de immense deuren rees een obelisk van
groen marmer op. In deze obelisk zagen ze een inscriptie
in zilveren letters, en de woorden waren als volgt:

IK BEN DE STAD VAN SIMMU, SIMMURAD,
EN HIERIN ZULLEN MENSEN LEVEN DIE EEUWIG LEVEN,
MAAR ELDERS ZULLEN MENSEN OPSTAAN EN WEER
WEGWAAIEN ALS STOF.

'Wie heeft deze woorden geschreven?' vroeg Kassafeh.

Maar Simmu staarde er zwijgend naar. Hij was als een
man op zijn huwelijksdag, ernaar verlangend gebonden te
worden, bevreesd gebonden te worden, en zonder aan een
van beide te kunnen ontsnappen. Hij zat in de val.

En toen Yolsippa plotseling opdook uit de paleisdeur,
belachelijk buigend, gekleed in echt fluweel met echt metaal
in oor en neusgat, toen begon Simmu te lachen. En terwijl
hij lachte, stonden zijn ogen vol van de tranen van die totale
panische eenzaamheid die iemand overvalt wanneer hij weet
dat hij nooit meer alleen zal zijn.

Vijf

Lylas de heks was vergeten dat ze dood was. Weelderig
keerde zij zich om in haar slaap en strekte een lome hand
uit om haar blauwe hond bij zijn halsband te pakken. Haar
hand sloot zich om lucht. Ze opende haar ogen.

Ze lag op een loodkleurige bodem en overal om haar heen
verhieven zich stenen pijlers waar steenachtig mos afdroop.

Een luidruchtige wind woei boos met vlagen, maar koud was het er niet. Koude noch hitte kwamen hier ooit.

De heks legde haar hand op haar middel maar voelde daar niet de gordel van botjes, doch een afschuwelijke snede in haar eigen vlees. Ze opende wijd haar mond en kneep haar ogen stijf dicht, en ze klemde haar vuisten ineen en voelde de aandrang om ontzettend te gaan janken. Nu wist ze alles weer.

Nadat het duivelswezen haar in twee stukken had gescheurd, was de Meester van de Dood zelf, zoals zijn gewoonte was, haar komen halen om haar naar de Binnenaarde te brengen. In coma, zoals gebruikelijk voor mensen die onlangs vermoord zijn, had zij hiervan eigenlijk niets gemerkt. Het coma was in geen tijd voorbij, althans geen tijd in de Binnenaarde. In de wereld erboven gingen maanden voorbij, een jaar, meer. (Simmu sloeg een bres in de tuin van de put, brak het glazen reservoir met sympathetische magie, stal de drank van de onsterfelijkheid, zwierf door de woestijn. De stad van de oostelijke hoek, roosrood Simmurad, werd gebouwd door demonen en ontvoerde mensen, en Simmu trok de stad in met Kassafeh en werd daar begroet door de kruiperige Yolsippa... Al die tijd lag de heks in coma op de bodem van het land van de Dood.) Misschien was dat haar wens. Zij zou bepaalde problemen onder ogen moeten zien als ze ontwaakte.

En nu was ze ontwaakt.

Maar weldra sloot Lylas weer haar mond en ontspande zich en keek vluchtig in het rond. De naargeestige aanblik van de Binnenaarde deprimeerde haar niet, want gewoonlijk was zij niet gevoelig voor gezichts- en geluidsindrukken van haar omgeving. Maar ze zag wel dat het landschap verlaten leek, en het kwam bij haar op dat ofschoon zij hier waarschijnlijk enige tijd bewusteloos had gelegen, niemand haar lastig had gevallen, en dat was bemoedigend.

Ze wist niet zeker wie zij het heftigst vreesde, de Heer van de Dood wiens vertrouwen zij beschaamd had en wiens geheim zij onbedoeld had verraden, of Narasen van Merh, tot wier moord zij had aangezet. Want zeker moest zij beiden onder ogen komen. Extra verwarrend was de mogelijkheid dat misschien noch de Dood, noch de vrouw van Lylas' daden op de hoogte was.

Maar Lylas' voornaamste deugd was haar opportunistische en optimistische natuur. Vanuit die natuur redenerend had ze al gauw een groot deel van haar zelfvertrouwen herwonnen. Toen stond ze op, ze schudde haar enorme massa haar uit en streek haar gladde wangen glad met haar handpalmen. Toen wrochtte ze van de lucht een gouden gordel om het litteken in haar overigens volmaakte melkblanke huid te verbergen. Toen zij aldus voorbereid was, stapte ze uit de beschutting van de stenen boompijlers – en keek recht in het gelaat van de op haar toe schrijdende gestalte van de Dood.

Tenslotte bleken dappere voornemens toch niet mogelijk. Bovendien had het aanzien van de Dood iets dat absoluut overrompelend was, mocht de ijzeren zelfbeheersing ook maar één deukje oplopen. De heks liet zich op haar gezicht vallen. Terwijl hij naderde, viel zij haars ondanks ten prooi aan sidderen en kreunen, maar toen de witte mantel over haar heen zwaaide, greep zij krampachtig de zoom beet.

'Uw dienstmaagd smeekt u,' riep Lylas.

Uhlume, Heer van de Dood, bleef staan en keek op haar neer. Zijn gelaat was zo volmaakt helder van leegte dat haar adem stokte. Ademloos kon zij geen woord uitbrengen en daar was ze blij om, want ze was bang dat ze op het punt had gestaan haar fout te bekennen, en misschien wist hij daar niets van.

'Je herinnert je dat je gestorven bent?' vroeg Uhlume.

De heks slaagde erin ademloos te spreken.

'Ik probeerde een stomme betovering, maar iemand, een groter magiër dan ik, kaatste het effect terug naar mij. Vergeef mij mijn stommiteit, mijn Heer der Heren.'

Toen viel het haar in, wel heel onverwacht zoals ze daar aan zijn voeten lag, dat de Dood, toen hij haar zijn agente maakte, haar ook onkwetsbaar had moeten maken voor een gevaar zoals haar de das had omgedaan. Hij had nu geen agent op aarde daarboven. Of wel, iemand die hem liever was en die hij beter beschermde dan haar? Lylas besefte dat zij haar leven geriskeerd had in zijn dienst, en het verloren had, en dat het hem blijkbaar niet kon schelen. Ze voelde zich bedrogen, en zo verliet een behoorlijk deel van haar angst haar.

'Ik neem aan, Heer der Heren,' zei zij toen, 'dat ik als uw bediende toch gebonden ben aan uw wet, en niet terug mag keren om hierboven voort te leven.'

'Je mag niet terugkeren,' zei hij. Hij sprak niet wreed, wel onvermurwbaar.

'Zal ik u hier dienen?'

'Jouw dienst is afgelopen.'

'Vergun mij dan om hier een poosje te blijven zitten terwijl ik berusting leer,' zei de heks.

'Je bent vrij om te doen zoals je verkiest,' zei de Dood. En plotseling bevond hij zich een halve mijl bij haar vandaan.

De heks staarde hem wrokkig na, en dat verraste haar. Nu ze eenmaal in het land van de Dood was gearriveerd, was zij vreemd genoeg – of juist logisch genoeg – iets van haar ontzag voor hem kwijtgeraakt. En samen met haar ontzag en angst verdween haar verering. Ze begon zich weer listig en slim te voelen. Ze begon aan Narasen te denken en aan alles wat ze nog van Narasen wist. Als de Dood onwetend was gebleven van de domme plannetjes van de heks, en dat was duidelijk het geval, dan wist Narasen zéker van niets.

Voor de tweede keer stond de heks op. Uit de illusoire lucht vormde zij een roemer wijn en daar nam ze een stevige slok van. Van deze illusie werd ze snel en lekker zat en aldus versterkt koos Lylas een bepaalde richting en begon te lopen.

Ze had besloten contact te zoeken met Narasen en hetzij met haar kunsten, hetzij met de voorspellende vermogens die allen in die lagere regionen bezaten, had zij Narasens plaats ogenblikkelijk bepaald.

Na enkele uren of minuten van moeiteloos lopen kwam de heks bij de oever van een doffe witte rivier. En hier op een hoge steen zat een donkerblauwe vrouw.

Zo had de heks Narasen niet verwacht, helemaal blauw gekleurd door het gif, en dan nog erger door het effect van haar uitgelopen excursie in Merh. Haar huid was een bijna zwart indigo, en het indigo gezicht toonde twee indigo ogen met stralend goud ingelegd (de irissen); Narasens haar was purper van kleur en de nagels van haar linkerhand, die op haar linkerknie rustte, waren ook purper en even lang als de hand waaruit ze groeiden. De rechterhand, die op haar rechterknie lag, was zuiverwit, een geraamte van bot – het werk van Azhrarn.

De heks hield de pas in. Narasen zag er zo verschrikkelijk en zo exotisch uit dat zelfs Lylas hieraan niet voorbij kon gaan. Een poos lang staarde zij, en Narasen stoorde zich niet aan haar. Narasen zat somber te peinzen. Zo zag zij er ook uit, als gif dat staat te gisten in een ton. Eindelijk sloop Lylas naderbij, een angst voorwendend die zij niet voelde, en de andere angst die ze wel bezat verborg zij.

Ze wierp zich plat voor Narasen op de grond en kuste haar indigo voet.

Narasen sloeg haar ogen op en keek haar aan.

Lylas fluisterde: 'Bent u, ontzaglijke majesteit, de Vrouwe Narasen, koningin van Merh?'

Narasen antwoordde niet, maar haar zwarte mond krulde flauw in de hoek, omlaag.

'Aan uw schoonheid en uw verhevenheid,' kreunde Lylas, 'herken ik u. Maar waarlijk, hoe koninklijk en ontzagwekkend zijt gij geworden. Ik zou u Koningin Dood moeten noemen.'

Narasen stak haar hand uit – de bottenhand – en lichtte de kin van de heks op. Lylas sidderde over haar hele lichaam. Dat was niet helemaal gespeeld.

'Ik ben Narasen,' zei Narasen nu. 'Wat er van haar over is.'

De heks ging kruipend op haar knieën zitten. Ze nam de bottenhand in de hare en kuste die. Narasen lachte onaangenaam. 'Je bent nog immer de slet die je altijd al was,' zei zij. 'Ga je meester zoeken en oefen je streken op hem. Of bemin je hem minder nu je zijn gevangene bent?'

'De Dood is de Dood,' zei Lylas. 'Stuur mij niet weg. Zeg mij wat je dwars zit, oudere zuster.'

Narasen spuwde op het grijze land. Dat was haar antwoord.

Haar vuur was koud. Niet alleen haar huid was donker geworden, niet alleen haar hand was botten geworden. Ze had de dood in haar hart toegelaten. Ze had daar een stervelingenjaar gezeten, langer, peinzend over Azhrarn, peinzend over haar zoon, die haar vernietigd had. Misschien had ze zelfs wel een enkele gedachte gewijd aan de zaak van het blauw en de blauwe heks en het gif in de beker, maar dat was nu slechts als een blad in de wind. Het was Simmu die haar geest niet losliet. Al wat zij nu kon zien, was zijn schittering die haar duisternis bespotte. Dood-zijn was een toestand die rare kunsten uithaalde met dromen van wraak.

'O mijn oudere zuster,' fluisterde de heks terwijl ze haar hoofd in Narasens schoot legde, 'waarom zit je in dit naargeestige land zonder een illusie om de moed erin te houden?'

'Dat heb ik gezworen,' antwoordde Narasen.

De heks glimlachte, en die glimlach verborg zij in een plooi van Narasens zwarte gewaad. 'Ik niet,' zei ze. Toen bouwde ze rond hen tweeën een paleis dat zeer leek op het paleis in Merh, of zoals dat paleis geweest was. Warm zonlicht straalde schuin tussen de pilaren door en luipaardvellen lagen onder Narasens voeten. Narasens gezicht drukte slechts hoon uit, maar haar ogen begonnen te leven.

'Als ik de middelen tot mijn beschikking had zou ik hier een paleis kunnen laten bouwen, gehouwen uit de troosteloze steen van dit oord zelf. De schatten van een of ander koningsgraf zouden als versiering kunnen dienen.' Zo'n gedachte was niet eerder bij haar opgekomen, maar Lylas had de brand in haar droge kruit gestoken. 'Maar,' vervolgde Narasen, 'ik kan deze illusie wel even toestaan, nu er geen uitzicht op een echt paleis is. Maar komt Uhlume voorbij, dan moet je het beeld afbreken. Ik wil niet dat hij denkt dat ik zwak word.'

Lylas grijnsde onbedaarlijk in de zwarte plooi van Narasens jurk. Ze had een geheime ambitie gehoord, ze had een geheime kwetsbare plek ontdekt. Narasen en zij waren van nu af aan samenzweerders.

'Mijn zwakheid, oudere zuster, niet de jouwe. Mijn verlangen om jou te plezieren. Beschouw mij als je dienstmaagd.'

Narasen pakte een handvol van het haar van de heks tussen haar bevleesde vingers, liet het wegstromen als water, pakte een nieuwe streng.

Lylas liet toe dat het spelletje doorging en doorging.

Zes

Lylas begon deze onderneming uitsluitend om weer listig te kunnen zijn en om het harde bed waarop zij zichzelf terug had gevonden zacht te maken. Maar Lylas had een hekel aan mannen, en nu voelde zij wrok tegen de Dood. Om Narasens toorn te ontlopen, veinsde zij haar te bewonderen; ze deed haar best om Narasen te behagen. Zij zorgde voor de illusies die Narasen, onder het juk van haar duurzame eed, niet zelf wilde scheppen. Slechts eenmaal had Narasen erin toegestemd een illusie te maken, en dat was toen ze haar bezoek aan Merh verhaalde voor Uhlume, zoals toen overeengekomen. Alleen die ene keer, en ze had hem toen niet alles laten zien, alleen hoe zij door de straten van haar stad had gelopen tot er geen levend wezen daar meer ademde – Uhlume had het aanschouwd, even uitdrukkingloos als altijd. De ontmoeting tussen haar en Azhrarn, toen Simmu haar ontsnapt was, toen Azhrarn haar brutaliteit had bestraft, zachtzinnig en tegelijk afschuwelijk op de manier van de demonen, dat was Uhlume niet getoond. De Meester van de Dood ontving minder dan hem toekwam, maar vroeg niet om meer. De rechterhand van Narasen, die alleen nog uit botten bestond, scheen hij niet op te merken. Misschien was de Dood niet zo opmerkzaam. En nadat Narasen haar gekorte rekening had betaald, was ze zwartgallig gaan zitten piekeren en daarmee hield ze pas op toen de langharige heks haar aansprak.

Narasen wist heel goed waarom Lylas zo schijnheilig haar hielen likte, maar toch deed het haar deugd. Narasen zag honend op Lylas neer, uit haar verschrikkelijke blauwe en gele salamanderogen. Narasen genoot van de vonken van oprechte angst die zij in Lylas' gedrag opmerkte. De hele hielen-likkende vertoning was toch ingegeven door angst? Narasen de koningin was vroeger gewend geweest aan zulke vernedering en soms angst van haar onderdanen. Ze was ook gewend aan de bekoorlijke omgeving die haar trots haar in de Binnenaarde ontzegde en die nu Lylas buitensporig uit de lucht zelf wrochtte om haar te behagen. Met Lylas kon Narasen zonder er zelf verantwoordelijk voor te zijn opnieuw door de gouden kamers van een paleis wandelen, opnieuw over de gouden vlakten rijden waar de luipaarden in de schaduwen fonkelden. En als de illusoire nacht kwam om de illusoire ramen met illusoire sterren te vullen, sloop Lylas, het lenige, lepe en prachtige kind van vijftien naar Narasens knie en legde haar hoofd met al het haar daarop. Narasen streelde dan dit haar en bij de aanraking van de bevleesde vingers glimlachte Lylas en sloot de ogen, en bij de aanraking van de bottenvingers huiverde Lylas en kneep haar ogen stevig dicht. De waarheid was dat een deel van Lylas' geest het verrukkelijk vond om bang te zijn, maar alleen bang voor iemand van wie zij het gevoel had dat zij haar met subtiele kunstgrepen tam kon houden. En zo peurde zij blijdschap uit deze angst voor Narasen. En terwijl zij aanbidding speelde, werd ze allengs bevangen door aanbidding. En de verleidster spelend, werd zij zelf verleid.

Anderen in de Binnenaarde, die zich uit Uhlumes granieten paleis waagden om het gouden licht van het nieuwe paleis te onderzoeken dat zich nu briljant realistisch verhief, briljant als alle illusies in dat land, werden bij de poort ontvangen door fantomen met zwaarden. Daarna kwam er een naakt jong meisje, gekleed in haar, dat hun beval te knielen voor haar meesteres. Het was het oude liedje. Degeen die Lylas diende, moest machtiger zijn dan allen. Misschien vroeg Lylas zich wel af of de Dood ervan zou horen en wat hij zou doen. Maar de minachting en de wrok die haar overvallen hadden na haar aankomst in deze kelder, hielden haar op de been. Narasen vreesde Uhlume niet, had hem ook nimmer gevreesd, niet in volmaakte zin. En de Dood kwam hen in ieder geval nooit berispen. Wat de onderdanen van de Dood betreft, die gefascineerd waren door deze nieuwe arrogantie van de verschrikkelijke blauwe vrouw die hen zo overduidelijk verachtte: ze betuigden eer en kropen dan heen. En later was het niet alleen meer Lylas die die naam gebruikte: Koningin Dood.

Lylas hurkte bij Narasens knieën en liet haar borsten door haar tressen bloeien totdat Narasen, die lange jaren alleen was gebleven, haar smakelijke folteraarster beetgreep en met handen en mond veel pret maakte met wat zij onder het haar aantrof. Daar Lylas lenig, veelzijdig en bereidwillig bleek, waren ze spoedig heel ingewikkeld verknoopt. En daarna, toen ze uitgeput languit lagen, duurde het niet lang of ze werden elkaars vertrouweling en raakten daarmee in een ander soort knopen.

Narasen spuide drop na drop haar gal. Lylas hoorde hoe Narasen smachtte naar pijn voor Simmu. Lylas klemde zich fluisterend aan Narasen. Ook zij stortte haar hart uit, niet helemaal eerlijk. Ze sprak van het kostbare geheim dat Uhlume haar had toevertrouwd, het geheim van de tweede put. (Narasen luisterde als verveeld.) Toen sprak Lylas leugenachtig over een gerucht dat zij had gehoord. Dat Azhrarn Simmu tot zijn gunsteling had gemaakt en kennis had gezocht over deze tweede put, om Simmu de gelegenheid voor een heldendaad te geven: de kans om de onsterfelijkheid te stelen voor de mensheid. 'Ik ben dood,' fluisterde Lylas. 'Ik kan zo'n heldendaad niet voorkomen. Maar Uhlume zal mij de schuld geven. Geef mij raad, wijze meesteres, wat ik moet doen.'

'Leugenaar,' zei Narasen. Ze draaide een knoop in het haar van de heks. 'Je eigen vallen hebben jou verstrikt, een of ander spel dat jij speelde. Je hebt het geheim verraden toen je nog leefde, niet? En natuurlijk heb je ook zitten lonken naar die Zwarte Kat van de Onderaarde, Azhrarn. Ja, jij bent in staat om alles te verkopen.'

Toen achtte de heks het raadzaam om te breken als een broos rietje. Ze weende op Narasens knie: 'Hij kwam bij nachte, de Heerser van de Nacht. Wie kan hem weerstaan? Ik verkeerde in doodsangst en hij las mijn gedachten. Je weet hoe wreed hij is, vrouwe, jij die hem weerstaan hebt, zoals ik niet durfde–' En ze kuste de bottenhand overvloedig.

Narasen dacht na. Eindelijk zei zij: 'En is Azhrarn dan de minnaar van mijn zoon? Ja, ik herinner mij dat hij hevig van hem hield. Maar Uhlume zal niet van Simmu houden, als Simmu slim is geweest. Is hij slim geweest?'

Lylas klemde zich aan de knieën vast. 'Ik vrees het. Dat is al wat ik vrees.'

'Er is een kijker in die stulp van de Dood, waarin je de wereld kunt zien. Laten we gaan kijken of je gelijk hebt. Zo ja, dan gaan we naar de zwart en witte zelf. Kan Uhlume, de Angstverwekker, zelf bang zijn, vraag ik mij af?'

Lylas staarde naar Narasens donkere gezicht (bijna even donker als dat van de Dood).

'De Dood zou zijn razernij tegen mij kunnen keren. Ik wilde hem helemaal niet verraden – maar zou hij daarmee rekening houden? En als hij zijn toorn over mij uitstort, ontkomt Simmu hem misschien. En mijn koning-koningin, je wilt toch dat Simmu lijdt, niet je dienstmaagd?'

'Stuurde je al die tijd hierop aan?' vroeg Narasen, met een glimlach. 'Je hebt je nuttig gemaakt voor mij, denk je, om jezelf te beschermen tegen de toorn van Meester Witjas? Maar Uhlume kent geen toorn.'

'Ik smeek je–'

'Smeek dan.'

Lylas gleed over de volle lengte van Narasen naar beneden en omhelsde haar voeten. Lylas wist dat ze een gok had gewaagd.

Na enige tijd stond Narasen op en Lylas liep met haar mee.

Ze gingen uit de door lampen verlichte nacht van de illusie naar het nooit wegstervende grijze on-licht van de Binnenaarde en staken het akelige landschap over.

Zulke streken leverde dat domein wanneer men dromen

van wraak koesterde. Opwellingen waren even abrupt en absoluut als het piekeren eindeloos lang kon duren. Zelfs de psychologie van mensen was er ontwricht en merkwaardig. Onvervulde hartstochten, lachwekkende hoop, onredelijke begeerten. Hoe kon het anders zijn in zo'n oord?

Uhlume kwam terug, van een of andere veldslag, van een door de pest geteisterde stad, een enkelvoudig doodsbed, en vond Narasen in zijn vertrekKen tussen de donkere schaduwen en de leegte, zoals eenmaal eerder. Maar de heks verschool zich achter haar, de heks knielde voor Uhlume en verborg haar gezicht. Merkte Uhlume hoe de heks Narasens zwarte jurk bleef vasthouden, alsof het een talisman was?

Narasen schudde de heks los. Ze glimlachte tegen Uhlume.

'Welkom thuis, heer, in uw luxueuze paleis. Hoe is het met de wereld? Waar bent u geweest? Putte u plezier uit uw bezoek?'

Uhlume keek haar aan. De heks drukte haar gezicht tegen de vloer. Narasen zei: 'Naar één plek bent u niet gegaan, denk ik. Zou u wellicht willen zien, in uw magische kijker, waar ik naar heb gekeken?'

De Heer van de Dood nam de kijker niet aan, maar Narasen hield hem omhoog zodat hij erdoor kon zien. Ze hield het instrument behoorlijk lang in de lucht, maar ze versaagde niet.

Het schijnt dat de Dood haar vanaf het begin had gekend als iets speciaals, een voorteken of een vijand. Hij keek in de kijker, als altijd uitdrukkingloos, en zij keek naar hem. De Dood keek naar een dageraad, een stad in de dageraad, naar Simmurad. Hij begreep ogenblikkelijk – of dat leek zo – wat Simmurad betekende. Niets in hem veranderde, toch was hij hoe dan ook veranderd. (Lylas reageerde op deze verandering. Ze kroop helemaal onder haar haar.)

Wederom was de tijd in de Binnenaarde stiekem voorbijgeglipt. De paar dagen sinds Lylas' ontwaken uit haar coma, haar verleiding van Narasen, hun samenzwering, zelfs de enkele uren dat ze naar de kijker hadden gezocht en het beeld daarin aan Heer Uhlume toonden – sterfelijke jaren. Vijf jaren in Simmurad, zegt men.

Het beeld dat Uhlume zag:

Rooskleurig marmer, gulden torens, geëmailleerde koepels. Daaronder zeer weinig inwoners, en alleen de mooisten en de besten. Lieftallige vrouwen, tovenaressen, met haar tot hun middel, juwelen ogen; mannen knap en sterk, magiërs, en wijs.

Het gefluisterde gerucht van de Onsterfelijke Stad had zich verspreid.

Velen waren op weg gegaan om de stad te zoeken, stierven terwijl ze het leven zochten, doodden anderen onderweg. Sommigen vonden hem ('Naar het oosten, naar het oosten, daar ligt hij). Velen van deze weinigen werden weggezonden. Yolsippa de schurk, de ellendeling die het geschenk stal en de waarde ervan des te beter begreep, hij was het die de koperen poorten van Simmurad bewaakte. De enkele keer dat iemand aan de poort klopte, kon Yolsippa hem aanroepen vanaf de hoge toren bij de poort.

'Wie ben je, en wat? Verklaar wat je komt doen, en je naam, je deugden en je kennis, je vermogens. Wat kun je bieden in ruil voor de kostbaarste gave, voor de gave die alle mensen begeren? Zeg het mij, rekening houdend met het feit dat je later alles moet bewijzen.'

Sommigen werden boos, anderen bang. Sommigen logen en stierven terwijl ze trachtten te bewijzen wat ze niet waar konden maken. Een uiterst gering aantal mannen, en nog minder vrouwen, waren dapper en geleerd genoeg om in roosrood Simmurad een bres te slaan, om in een vingerhoed van zwarte jade één droppel troebele drank te ontvangen, het elixir van het eeuwige leven.

Dit zag de Dood. Hij zag een soort gloed uitstralen van de inwoners van Simmurad, hun innerlijk vuur, onblusbaar. – Zag hij ook hoe bleek hun gelaat was?

Hij zag Simmu. Simmu in een bibliotheek met enorm lange planken, alle schappen afgeladen met versierde, juwelen boeken. Simmu las alsof hij honger leed. Hij was alleen. Hij had de deuren afgesloten. Hij las zoals hij in zijn jeugd nooit had gelezen in de tempel. Zijn ogen brandden terwijl hij de bladzijden bestudeerde. Hij zag er niet helemaal meer zoals vroeger uit, de magere, gespierde, gebronsde jongen, de held die de stad binnentrad, onschuldig, nog dierlijk, nog niet geboeid. Nu had Simmu, jong en knap als hij was en altijd zou zijn tot de tijd ophield, nu had Simmu een glazuur van ouderdom, een soort versteende hoedanigheid.

Zij had het ook, het tengere meisje met de lichte haren dat buiten de deuren wachtte. Kassafeh, Simmu's vrouw, vijf jaar eerder met hem gehuwd, in een immense, nachtelijke ceremonie in de citadel van Simmurad. Kassafeh, met loodgrijze ogen, haar hand op de deurkruk, zwijgend, niet bezig aan te kloppen. In de jeugd verstrijken de jaren langzaam. Deze vijf jaar van eeuwige jeugd waren als eeuwen voorbijgegaan. Ook Kassafeh's niet verouderende vlees verhardde langzaam.

Albasten poppen, hun uurwerk stilgevallen. Zag de Dood dit? Nee, hij zag leven dat niet stierf.

Narasen had al alles gezien wat ze voorlopig wilde weten over haar zoon en zijn fortuin en daarom had ze haar blik niet van Uhlume afgenomen. Wat keek ze intens. Op dit ogenblik was zij een vorser van zijn gezicht, zijn houding, de stand van zijn armen en handen.

'Kan de Angstverwekker bang zijn?' had zij gevraagd. Nu geloofde zij dat het antwoord bevestigend moest luiden.

Alle mensen zouden zonder twijfel geloven dat de Dood moest beven onder deze dreiging. Dus moest hij beven, overeenkomstig de uitslag van de stemming.

De magische kijker in Narasens hand spatte plotseling in scherven. De scherven vielen op de vloer, en die scherven braken, tot er alleen een soort suikerkorrels van over was.

'Bent u boos, mijn Heer?' vroeg Narasen. Ze staarde naar hem alsof ze van hem hield. In zekere zin deed ze dat ook; hij gaf haar haat, haar tweede voedsel.

Uhlumes bleke ogen waren wijd opengesperd. Ze waren droog en verblindend helder. Daar zijn gezicht uitdrukkingloos was, waren het zijn handen die spraken. Uit zijn vingertoppen spoot bloed. Het bloed was vreemd genoeg even rood als dat van mensen. Zijn hersens – wie kon het weten? Misschien spande hij zich in om in zichzelf deze wilde, statische, bloedende woede op te roepen omdat de mensheid dat van hem zou verwachten. Waar de druppels bloed neervielen, barstte de vloer. Het rood spetterde op zijn witte gewaad. Zijn ogen waren nu zo groot, dat zijn gelaat eindelijk een uitdrukking aannam: waanzin.

'Azhrarn heeft Simmu de stad gegeven, Azhrarn is Simmu's minnaar,' zei Narasen. 'Maar de Zwarte Kat betekent niets voor de Witte Hond. Zoek een manier, Heer Dood, een manier om onsterfelijken te vermoorden.'

De Dood hief zijn bloedende handen op en bedekte zijn ogen. Zijn mantel en zijn haar waaiden naar achter, wapperden, piekten – er was geen wind die dat kon veroorzaken. De Dood schreed zijn granieten paleis uit. Hij schreed over het land van de Binnenaarde met zijn handen voor zijn gezicht. Zijn bloed vlekte de kiezels. Het bloed ontlook tot rode bloemen met een zwart hart, een zwarte stengel: papavers, de bloemen van de dood. Het bloed van de Dood bevlekte de stille witte wateren van de Binnenaarde. De wateren vatten vlam en brandden en zwarte rook vormde wolken in de blinde hemel.

In een ijzeren rotswand bevond zich een bodemloze kloof en hierin liep de Dood. Het bloed stroomde uit de mond van de kloof, tien beekjes. Geen geluid en geen beweging kwam uit de kloof. Alleen het bloed. Alleen het bloed van Uhlume, de Meester van de Dood, een van de Heren der Duisternis.

Zeven

De heks bleef een eeuwigheid aan de voeten van Narasen liggen, nog altijd ongerust dat Heer Dood terug zou komen om haar te straffen omdat zij het geheim had verraden dat de mensheid de onsterfelijkheid had bezorgd. Maar de Dood leek het geheim vergeten te zijn en ook haar aandeel erin. De Dood leek alles uit het oog verloren te hebben. Hij had niemand beschuldigd, geen woord gesproken. Uiteindelijk omvatte Lylas Narasens knieën zoals ze zich had aangewend en ze prees Narasens intelligentie en de manier waarop zij de Dood had gemanipuleerd. De suikerkorrels van de gebroken kijker knersten onder de voeten van de vrouwen toen zij de vertrekken van Heer Dood verlieten.

Buiten troffen zij een van Uhlumes duizend-jaar-slaven. Toen hij Narasen zag en waarvandaan zij kwam, boog hij naar de sintelbodem. Lylas meesmuilde.

Heer Uhlume zat op een bergplateau in het oosten.

Ver beneden hem werd de horizon gepolijst door een zee; dichterbij sneed door de berg een trap die vanaf de kust naar het plateau voerde. De hoogvlakte liep dood tegen de laatste muur van de berg en in deze muur waren twee poortdeuren van glanzend koper ingelaten.

Heer Uhlume zat met zijn rug naar de poort.

De Dood kon her en der en wijd en zijd op alle plekken van de aarde komen, want op iedere vierkante duimbreedte van de aarde was wel iets gestorven. Of bijna. Aan de randen van de wereld waren de zee en de bergen millennia jong. En binnen Simmurad was nooit iets doodgegaan. Slechts tot zover, tot aan het eind van de trap kon de Dood gaan, want hoger dan hier was de dood nooit gekomen – een vis die met zijn buik omhoog in de oerzee dreef, een grasspriet die verlepte op de bergwand, deze hadden zijn reis tot hier mogelijk gemaakt.

Maar niet verder.

Een zetel had zich uit de parelkleurige rots gevormd en zich aangeboden en Uhlume had hierop plaatsgenomen. Een zwarte, breedvertakte schaduwboom was achter de zetel opgeschoten, of had zich daar als fantasie gevormd, en beschutte de zetel als een parasol in de lange, lange dageraad van Simmurad.

De Dood zat in de schaduw.

Zijn ene hand rustte onder zijn kin, de andere op zijn knie, nu niet meer bloedend. Een witte kap bedekte zijn witte haar, bedekte ook gedeeltelijk het gezicht als een masker van glanzend zwart hout. Zijn zwarte oogleden bedekten zijn ogen. Zijn weelderige witte wimpers raakten zijn wangen, maar hij sliep niet. Mensen in zo'n houding zouden kwetsbaar kunnen lijken. Daaraan kon men zien hoe verschrikkelijk hij was, want hij zag er helemaal niet kwetsbaar uit, zelfs niet met zijn ogen dicht en zijn lange wimpers op zijn wangen. Die gesloten oogleden waren als deksels op kisten die een wijsheid bevatten welke door de deksels heen straalde.

En toen gingen de wimpers omhoog en waren zijn ogen open.

Vier mannen reden de trap in de bergwand op en lieten hun paarden stoppen op de vlakte, dertig voet van de schaduwboom, de zetel en de Dood.

Ze waren verreisd en hun ogen hadden een verwilderde starende blik.

'Wat nu?' vroeg er een die een boog op zijn rug had hangen.

'Daar is de poort,' zei een ander.

'Zelfs nu,' zei de derde, 'geloof ik nog niet echt wat over deze stad wordt verteld, al hebben wij er vijf jaar naar gezocht.'

De vierde ruiter keek om zich heen.

'Wie zit daar onder de boom?' vroeg hij.

'Onder welke boom? Ik zie er geen,' zei de derde ruiter.

'Ik zie de schaduw van een rots,' zei de eerste.

'Het is een man in een witte mantel en met een witte kap,' zei de vierde.

De tweede ruiter liet een verachtelijk geluid horen. 'Hij poogt slechts onze aandacht af te leiden door over fantomen te spreken. Het is bij mij opgekomen,' vervolgde hij terwijl zijn verwilderde gezicht nog wilder werd, 'dat slechts een van ons uitverkoren zal worden. Zeggen ze niet dat men in deze stad beproevingen van kracht en magie moet ondergaan voordat men de Drank des Levens in ontvangst mag nemen? En wij zijn in alle opzichten gelijk, broeders. En ik betwijfel dat ze ons alle vier zullen nemen.' Toen trok hij zijn zwaard en hieuw in een moeite door het hoofd van de vierde ruiter af, die al deze tijd naar de Dood onder zijn boom had zitten staren. Meteen na zijn vuige daad striemde de tweede ruiter zijn paard met de zweep zodat het er haastig vandoor ging, moe als het was, naar de koperen poort.

De eerste ruiter zwaaide zijn boog van zijn schouder, legde een pijl aan en liet hem vliegen. De tweede man werd tussen de schouderbladen getroffen. Met één luide kreet vloog hij tollend van zijn paard en viel dood neer, vlak voor de poort. Toen zakte de eerste man ineen op zijn zadel – de derde had hem doodgestoken. Nu leefde alleen de derde ruiter nog.

Hij steeg langzaam af en liep over het plateau naar de poort toe. Zijn houding was neerslachtig. Bij de poort keek hij over zijn schouder, maar niemand volgde hem. Hij roffelde op de poort.

Van binnen, uit de hoogte, riep een stem: 'Verklaar wat je komt doen en hoe je heet.'

De derde ruiter ging een pas achteruit. Hij begon te huilen. Zijn gehuil ging plots over in gelach en hij brulde: 'Is dat de dikke dief van wie ze zeggen dat hij portier is bij de poort van de Onsterfelijke Stad?'

Van binnen, uit de hoogte, kwam geen antwoord.

Toen ontdekte de derde ruiter een gedaante aan zijn linkerkant, direct voor de poort en hij staarde verrast, want deze gedaante zat waar de tweede ruiter met de pijl in zijn rug gevallen was. Maar deze man was het niet. Het was een in het wit gehulde gestalte die in een rotszetel onder een breedvertakte boom zat en zijn gezicht ging schuil in de schaduw van zijn kap – de dode ruiter lag languit bij zijn voeten.

Uhlume kon nu bij de poort komen, even ver als de dood genaderd was.

De derde ruiter veegde zijn ogen droog. 'Als ik alle verhalen geloofde, zou ik geen goeds van u verwachten,' zei hij bevend. Hij stapte snel terug naar de poort en klopte voor de tweede maal. 'Laat mij binnenkomen,' smeekte hij, 'want mijn dood wacht hier buiten.'

Geen antwoord. De dikke dief had blijkbaar aanstoot genomen aan de belediging.

De derde ruiter keek Heer Uhlume aan. De derde ruiter zonk op zijn knieën.

'Bent u nu een moordenaar geworden, mijn heer, is dat waar? Rooft u het vlees voordat de toegemeten spanne voorbij is? Ik heb nog een verhaaltje gehoord. Dat Koning Dood gehuwd is. Hij huwde een vrouw wier huid blauw is, wier haar een stormwolk is. Zij zit hem op zijn kop, dus is hij blij om het huis uit te kunnen. Ze zeggen dat zij hem treitert, zijn vrouw, Koningin Dood, tot hij haar alles geeft wat zij hebben wil. Ze zeggen dat zij obscene cadeautjes eist. Op een nacht ging zij naar een land en vergiftigde het; alles waarop zij ademde of wat zij aanraakte, doodde zij en toen ging ze terug naar haar echtgenoot en deed het relaas van haar daden en ze telde het aantal dat ze vermoord had, en Koning Dood genoot.' Toen kroop de derde ruiter nog een keer naar de poort terug, en klopte, maar zwak.

'De dikke dief zit te ontbijten,' klonk het van binnen.

Nu kroop de ruiter weg van de poort. Hij keek op in het beschaduwde gelaat van Heer Uhlume. Toen stak de derde ruiter zichzelf dood en hij stierf aan de voeten van de Dood, op het lijk van zijn kameraad.

Binnen, in de hoogte, voltooide Yolsippa zijn ontbijt met een smakelijke boer. Hij hield niet altijd de wacht bij de poort van Simmurad, maar als hij er was, dan lag hij op een bank met kussens onder zijn hoofd en hij at en dronk om zich te verstrooien, want nu hij onsterfelijk was had hij geen behoefte aan spijs of lafenis om gezond te blijven. Het voedsel was exotisch en bizar, te voorschijn getoverd, misschien ook deels magisch van samenstelling, maar Yolsippa's dure gewaad zat in ieder geval vol vette vegen. Toen hij nu zijn vette vingers aan zijn gewaad had afgeveegd, opende hij een verborgen luik hoog in de wand van de berg en keek naar beneden.

De vier paarden waren weggelopen, de trap af. De dode mannen waren er nog. Yolsippa klakte met zijn tong. Toen ontwaarde hij de gestalte die bij de poort zat in zijn mantel en zijn kap, en die alleen gedeeltelijk zichtbaar was door de takken van de schaduwboom.

'Wees zo vriendelijk mij mee te delen,' riep Yolsippa, 'of u degeen bent die aanklopte op deze poort der Onsterfelijken?'

De Dood keek niet op maar hij antwoordde zacht – Yolsippa verstond hem goed – 'Ik klop aan geen enkele poort.'

De stem was koud, dat merkte zelfs Yolsippa.

Hij riep omlaag: 'Verklaar wat u komt doen en zeg uw naam.'

Men beweert wel dat de Dood hierom moest lachen, maar de Dood lachte niet, dat was zijn aard niet, zelfs nu niet. 'Haal je koning. Ik zal met hem spreken,' was het antwoord van de Dood.

'Oh, nee. Luister, Heer Simmu, die als mijn zoon is, holt en draaft niet voor jan en alleman.'

De Dood zei niet meer; Yolsippa tamelijk wat meer. Maar uiteindelijk drong het tot hem door dat Simmu gehaald moest worden en ten slotte verliet Yolsippa zijn post en ging hem zoeken.

Simmu was aan het lezen geweest. Bijna vijf jaren lang had hij weinig anders gedaan. Hij propte zich vol met boeken om de leegte in zijn binnenste te verminderen. Hij voelde zich ingesloten. Zelfs de weinige inwoners van Simmurad, de schone en wijze inwoners, gaven hem het gevoel dat hij zich voortdurend in een menigte bevond. Hij die eens vrij en onafhankelijk rondgedoold had, hij die door zijn daad verantwoordelijk was geworden voor anderen.

Simmu was boven een boek in slaap gevallen. De kaarsen in hun houders waren opgebrand, zijn haar morste over de bladzijden. Zijn oogleden bewogen dromend.

Yolsippa de schurk merkte dat de deur van de bibliotheek op slot zat, opende het slot met een loper en ging binnen. Hij wekte Simmu door eenvoudig aan zijn schouder te rukken. Simmu schrok wakker. Zijn ogen vonkten.

'Waarom heb je me wakker gemaakt?'

Hij kon nu even vloeiend en makkelijk spreken als iedere

man. Hij kon ook pruilend klinken, als een kind. Yolsippa was in meer dan alleen de kamer binnengevallen, hij had ook in Simmu's droom ingebroken. En de droom was heel vreemd, heel zoet geweest, en hij speelde in de schemer in een bos, met een vriend met donker haar, en hij en Simmu waren allebei kinderen...

'Bij de poort staat een vreemde verschijning. Zonder twijfel een deel van jouw heldhaftig lot.'

Simmu was overeind gekomen. Als een gekooide leeuw liep hij heen en weer.

Het licht van de dageraad ving hem. Hij was nog steeds heel bijzonder, maar niet meer zoals hij geweest was.

'Yolsippa, ik wenste dat ik jou die druppel uit kon laten braken die je in de woestijn hebt gestolen.'

'Het leven is mooi,' zei Yolsippa, maar met een zucht. Hij had het doffe gevoel dat hij iets miste in zijn leven, het wrange en het bange dat het interessant had gemaakt.

'Zeg nog eens wie er aan de poort staat,' zei Simmu. 'Ditmaal op een begrijpelijke manier.'

'Een demon is het niet,' zei Yolsippa, 'maar het vreemde was dat hij me wel aan een zeker machtig heer deed denken... Maar deze is in het wit gekleed. Nu wil ik wel bekennen dat ik hem niet erg mag. Ja, hij zag eruit als een personage dat ik eerder had ontmoet, of beter, uit de verte had gezien en gemeden. En zijn handen waren zwart—'

Simmu schreeuwde zonder woorden. Vlammen leken op te springen in zijn haar en van zijn huid. Zijn stem knetterde ervan.

'Vijf jaren,' zei hij. 'Snel is die ouwe raaf niet. En jij hebt hem niet herkend?'

Yolsippa trok een gezicht en hield zijn handpalmen afwerend naar voren. 'Zeg het niet,' zei hij. 'Ik ben voorzichtig, zelfs in voort-durende staat. Ik trek niet aan de staarten van wolven.'

'Dit is het moment,' zei Simmu. Hij vergat Yolsippa, wendde zich van hem af. 'Nu zal ik vernemen of ik mij voor niets in slavernij verkocht heb of dat de overwinning mij terugbetaalt. *Heer Dood*,' zei hij, met een slag van zijn open hand op het open boek, 'wacht op mij.'

Toen griste hij zijn mantel van de stoel waarin hij hem geworpen had en gordde hem om. Hij was met zilver geborduurd en Kassafeh zijn vrouw had hem geweven met de vaardigheden die ze van haar moeder had geleerd in het huis van de zijdekoopman. Simmu dacht er niet aan dat de mantel door Kassafeh geweven was.

Ergens zong een vrouw in een hoge toren in Simmurad. Het was een melancholiek lied. Verder roerde zich niemand in de stad, niemand kruiste Simmu's pad toen hij de ochtend inliep.

Lichtvoetig was hij nog altijd. En op een groen grasveld van de citadel schreed een eindweegs een luipaard naast hem mee, een vage verwantschap erkennend. Maar Simmu kwam zonder begeleiders door de marmeren straten naar de poort van Simmurad en daar zette hij het mechanisme van de deuren in werking. Simmu's hart bonsde en zelfs zijn ogen waren bleker geworden. Hij stapte het bergplateau op.

Heer Uhlume hief het hoofd en keek.

Eens, in de koude crypte van Narasen, had hij dit wenend kind gespaard. Simmu keek hem aan.

Eens, in Narasens koude crypte, had hij dit gevaar tegenover zich gezien en de koude van zijn komst en belofte gevoeld.

'Zo, zwarte man,' zei Simmu, 'het heeft je enkele jaren gekost om hier te komen. Jij had mijn eind willen zijn, maar ik ben jouw eind. Ik heb zitten lezen, over de wereld en alle wonderen van de wereld, alle landen die voor het grijpen liggen, alle wetten die gemaakt kunnen worden. Op een dag (en ik bezit eindeloos veel dagen, dat moet je beamen, zwarte man) zal ik vanuit dit fort een leger aanvoeren en wij zullen de wereld veroveren en van jou bevrijden.'

Herkende Uhlume de toon waarop Narasen sprak?

Hij zei: 'Jij zult eeuwig leven, maar je zult niets doen. Je jeugd is gekristalliseerd en jouw ambitie ook, en zelfs je ziel. Nu zie ik dit, en ik stel je hiervan in kennis. Wil je ervan dromen dat je alle mensen verstrikt in dezelfde val waarin jij gevangen zit?'

Simmu verviel tot zwijgen, de haperende stilte van iemand die weifelt. Toen vermande hij zich.

'Je leert mij een uitstekende les. Ik zal hem onthouden. Ik geef toe dat ik te lang werkeloos ben geweest. Maar zeg mij dit, mijn heer. Vreest u wat ik gedaan heb?'

Toonloos antwoordde de Dood: 'Ik vrees het.'

'En zult u met mij strijden?'

'Ik zal met jou strijden.'

Simmu lachte.

Langzaam liep hij steeds dichter op de Dood toe. Toen hij bij de vermoorde mannen kwam, keek hij er vluchtig naar, zonder afkeer of erbarmen. Simmu stond recht voor de Dood. Hij stak zijn hand uit en raakte de mond van de Dood aan. Simmu huiverde en zijn ogen flikkerden, maar hij beheerste zich weer.

'Mijn vrees houdt op waar de uwe begint,' zei hij.

'Vrees is niet het grootste kwaad dat de mens geschonken is.'

Simmu spuwde op de zoom van de mantel van de Dood.

'Pijnig mij nu,' fluisterde hij, 'vernietig mij.'

Iets – uitdrukkingloos, ontzagwekkend, onvertaalbaar – vormde zich op het gezicht van de Dood en verdween. Een enkele rode bloeddroppel viel uit zijn mondhoek, maar hij hief zijn mouw op en het bloed was verdwenen.

Simmu stond gefascineerd te trillen. Hij sloeg de Dood op diens wang en de klap leek Simmu's ruggegraat te verbrijzelen, maar hij bleef rechtop staan en ademde nog en was ongedeerd.

'Strijd nu met mij,' zei Simmu zacht. 'Ik verlang ernaar, ik wil van de strijd genieten.'

De Dood trok zijn kap naar achter. Zijn gruwelijke schoonheid leek de berg te vullen en die open te barsten. Hij legde zijn hand op Simmu's borst en vlekte die met bloed. Zijn aanraking was zacht, verschrikkelijk. Zijn aanraking liet het hart van mensen stilstaan, maar niet het hart van Simmu. Toen was er een witte werveling en de Dood was verdwenen.

Simmu was laaiend van woede.

'Is dit dan alles? Kom terug, zwarte kraai. Kom terug en vecht.'

Toen gebeurde het dat de dode die aan de voeten van de Dood had gelegen, zich oprichtte en tegen Simmu zei: 'Wees geduldig. Hij komt terug. Verwacht zijn komst.' Toen stortte hij neer, opnieuw een verlaten lijk.

En met verbeten blijdschap, bevend en grijnzend, ging Simmu de stad Simmurad weer binnen en zocht zijn vrouw, om zich met haar neer te leggen. Die nacht bracht Simmu met roosrode wijn een heildronk uit op de Dood. Om zijn hals hing hij het groene Eshva juweel dat hij vier jaren niet gedragen had. Je kon Narasen in zijn gezicht zien, als een vlam in een lamp.

Wat de Dood toen deed was als een ritueel, als de passen van een dans. Hij deed wat van hem werd verwacht. Hij riep zijn helpers, of beter gezegd de wezens die niet zijn helpers waren maar die in de geest van de mens zijn bondgenoten waren.

Hij riep de Pest uit een poel in een geel landschap van kreupele bomen en moerassen en stuurde haar naar Simmurad. Zij zweefde erin en eruit en sommigen werden ziek, maar de ziekte vluchtte van hen weg.

De menselijke onsterfelijken waren niet onkwetsbaar, maar om een halve dag koorts moesten ze lachten, omdat het iets nieuws was.

Toen riep de Dood de Hongersnood op. De Hongersnood werd weggelachen van de poort van Simmurad. De Dood riep Tweespalt. Tweespalt kroop 's nachts in Simmurad binnen. In de stad kwam het tot handgemeen maar Tweespalt in zijn groenige mantel merkte al gauw dat men met plezier vocht. Tweespalt was ook een afleiding voor de inwoners. En toen er tijdens een duel in een marmeren straat iemand een hand kwijtraakte, naaide een vaardig chirurg, die de eeuwigheid had verworven met zijn talenten, de hand met zilverdraad weer aan de arm. En omdat beide lichaamsdelen onsterfelijk waren, rotte geen van beide weg en na verloop van tijd werkten ze weer samen als voorheen.

Toen stuurde de Dood de slang van het verderf door de straten van Simmurad en de inwoners speelden ermee, versierden hem met altijd bloeiende bloemen en snuisterijen. De slang slingerde zich om een fruitboom en ging daar liggen kniezen.

'Kom, Heer van de Botten,' fluisterde Simmu. 'Dat kun je wel beter.'

Kassafeh zat aan een bronzen weefgetouw – uit eerbied voor de demonen was er geen goud in Simmurad, want goud was het metaal dat men in de Onderaarde niet graag veelde. Kassafehs kameleonogen waren tegenwoordig voortdurend bewolkt en donker, de kleur van diepe kerkers en de bodems van meren. Ze verveelde zich. Verveling was de tragedie van Simmurad. Simmu was de enige ster aan haar hemel en die ster stond ver weg. Ze hield niet meer van hem, had haar liefde niet kunnen behouden tegenover zijn onverschilligheid. Ze was tegelijk oppervlakkiger en bovennatuurlijker geworden, een teruggrijpen naar haar dubbele oorsprong. Ze at dozen snoep die uit de harems van koningen waren getoverd, ze kleedde zich in de kleren die van de ruggen van keizerinnen waren getoverd. Soms toverde ze vogels uit de lucht – er kwamen niet vaak vogels op bezoek in Simmurad. Dromend placht zij naar de wolken te staren. Simmu's oorlog tegen de dood begreep zij niet, ze had Simmu nooit goed leren begrijpen. Ze piekerde over haar bruiloft, toen een hele tempelvol priesters door de demonen ontvoerd was om de zaak naar behoren te laten verlopen, voor de grap. Zelfs toen haar sluier werd opgelicht, was zij zich bewust geweest van demonen die zich amuseerden en ook van een duistere suggestie die voor Simmu boeiender was dan zijzelf – Azhrarn, die Simmurad nimmer zichtbaar betrad of de Dood, die de stad bedreigde. Kassafeh gaapte, liet het getouw in de steek, at wat zoete gelatine en haar donkere ogen liepen over van tranen.

'Ik zal dik worden, en jij zult me haten,' zei ze tegen Simmu.

Ze wist dat hij niet genoeg om haar gaf om haar te haten.

Simmu hoorde haar niet eens. Hij zocht de Dood, die niet tegen hem streed.

Het ritueel was voltooid, vruchteloos.

De Dood zwierf over de wereld.

Mensen ontmoetten hem bij toeval terwijl hij op een heuvel zat als een witte gier met zijn witte mantel wapperend in de wind. Hij was niet langer genadig met de deernisloze deernis van vroeger dagen. Waar hij voorbij schreed, begon soms de aarde te roken en kleine dieren kropen uit hun holen en stierven. Waar hij voorbij was gegaan, zegen kinderen ineen tijdens het spel. Fantomen, aangetrokken door zijn zog als vogels die de ploeg volgen, zwermden achter zijn rug, de nachtmerries en symbolen van paniek die gestalte hadden gekregen.

Hij was op zoek, zoals een mens een zolder kan uitkammen op zoek naar een kostbaar erfstuk waarvan hij weet dat het er was, waarvan hij niet meer weet hoe het eruitzag en dat hij niet meer kan vinden. De Dood schreed over de aarde en zijn lange schreden duurden jaren.

Op een nacht toen hij op de oever van een ondiepe rivier stond, zag Uhlume zijn spiegelbeeld, maar negatief in het water. Toen hij opkeek stond Azhrarn op de andere oever naar hem te kijken.

'Wat heb je voor nieuws, on-neef?' vroeg Azhrarn. 'Op drie

plaatsen kun je nu niet komen. De Opperaarde, Simmurad en Druhim Vanashta van de demonen.'

Daar was iets tussen Heren van de Duisternis, tussen deze twee, en anderen die er waren, een soort allergische doch toegenegen rivaliteit, een soort onvriendelijke genegenheid, een honende onrust, afkeer en een gevoel van verwantschap.

'Dat is jouw spel,' zei Uhlume.

'Zeker, mijn spel, on-neef. Maar ik ben er een beetje moe van. De betekenis ervan ontgaat mij. Mensen zijn onsierlijk en kunnen de levenskunst van de Vazdru niet volhouden. Heb je de stad Simmurad bewonderd?'

'Ik heb het inwendige niet aanschouwd,' zei Uhlume.

'Probeer het. Werkelijk, on-neef, je moet het proberen.'

Ze stonden elkaar op te nemen, de een bleek als marmer, met zwart haar, gekleed in het zwart; de ander even zwart als dat zwart, met wit haar, gekleed als een zwarte boom in de sneeuw.

'Wie had het kunnen denken,' zei Azhrarn, 'dat onsterfelijkheid veroverd door stervelingen zo statisch kon worden? Misschien gaat de oorlog tussen ons, on-neef, jou en mij. Maar was dat het geval, dan zou ik de uitdaging afwijzen.'

Azhrarn hief zijn hand boven de ondiepe rivier. Er viel iets uit zijn vingers en dat barstte uiteen. Er ontstond een beeld.

Demonen waren slechts zo lang vrienden van mensen als die mensen hen vermaakten. In de herinnering van Azhrarn was Simmu verschrompeld als een herfstblad. Maar de Vazdru, die alles uit hun geheugen konden verbannen, vergaten niets.

Uhlume zag het beeld van een man in het oppervlak van de rivier. Deze droeg een vuurrode mantel met een gouden zoom en op zijn borst hing een scarabee van inktzwarte stenen. Zijn gelaat was jong en knap, met een donkere baard en zijn haar was even donker. Zijn ogen waren wreed en omgeven door rimpels, ze toonden hem zoals hij was. Zijn ogen kwetsten en verachtten en rouwden en zonken terug in een geest als een ketel vol slangen. Zijn ogen waren scherpzinnig en rechtlijnig met een diepgaande waanzin. Blauwgroen waren ze. Het waren ogen die de dorst lesten.

In het beeld en koel als stenen keken deze ogen naar een man die voor hem stierf, die zich rusteloos bewoog en wiens lippen grijs waren van een of ander gif. Terwijl deze ongelukkige allengs minder bewoog, werd er een tweede aangesleept. Hij schreeuwde het uit. 'Spaar mij, machtige Zhirek! Ik heb u geen kwaad gedaan!' Maar het baatte hem niets. Hij kreeg een beker tegen de mond gedrukt en hij werd gedwongen eruit te drinken en weldra stierf hij stuiptrekkend voor de blote voeten van degeen die hij Zhirek had genoemd. Deze Zhirek in zijn stoel pakte de gifbeker en leegde hem. Hij liet de beker achteloos vallen. Hij zuchtte en sloot half die ogen van hem. Het gif, dat de ander zo ijlings en heftig had gedood, deed hem niets.

Het beeld flitste uit.

'Eenmaal riep hij tot mij,' zei Azhrarn, 'maar ik schepte meer behagen in zijn vriend. Ook tot jou riep hij, on-neef.'

'Ik herinner het mij,' zei Uhlume.

De maan rees boven een heuvel.

Azhrarn verdween als een zwarte vogel met brede vleugels.

De Dood verdween ook.

Een laatste nachtmerrie, gemorst uit het onwezenlijke gevolg van de Dood, zonk neer om uit de rivier te drinken, zag zichzelf, en vluchtte krijsend.

3   Zhirek, de Donkere Magiër

Een

De magiër Zhirek liep door de straten van een rijke stad. Zijn mantel had de kleur van torrenvleugels, zijn handen waren goudgeringd, de scarabee van zwarte edelstenen hing op zijn borst, maar hij liep barrevoets, dat was zijn aanwensel.

Hij was algemeen bekend van uiterlijk, en werd algemeen gevreesd. Zijn donkere haar, zijn donkere schoonheid... Menig blank meisje kwijnde in een raamnis als hij zich vertoonde. Anderen werden bleek om andere redenen. Soms ging Zhirek op jacht. Dat hield in dat hij recht naar een man toeliep, hem in de ogen keek, en hem aldus boeide. De man liet dan ogenblikkelijk alles waarmee hij bezig was liggen en volgde Zhirek zonder een enkele gedachte. Op deze wijze hadden timmerlieden, metselaars, kantoorbedienden, kooplui en vissers hun werk verlaten, hun waren achtergelaten ten prooi aan dieven, en ook hun echtgenotes en kinderen in de steek gelaten. Zelfs slaven waren bij hun baas weggehaald. Geen van deze mannen zag men ooit weerom. Er was een klacht ingediend bij de koning van de stad. Bevend had hij de klacht gelezen. 'Ik zal mij niet inlaten met Zhirek,' zei hij schor. De waarheid was dat Zhirek zich reeds met deze koning had ingelaten, door onaangekondigd binnen te vallen op het hoogtepunt van een of ander feest en hem te bespotten. De koning had Zhirek willen laten grijpen en in de ketenen slaan, maar Zhirek haalde iets vreemds uit met de gedachten van de vorst. Deze was van het ene ogenblik op het andere de overtuiging toegedaan dat hij een hond was. Hij was met driftige sprongen de kennels binnengerend en op botten gaan kluiven en zelfs, beweerden boze tongen, had hij een teef bestegen en naar hartelust met haar gepaard. Toen hij zijn zinnen terugkreeg, had de koning zijn les wel geleerd: Zhirek kon men beter met rust laten. 'Ik zal mij niet inlaten met Zhirek,' herhaalde hij. 'Wij moeten hem beschouwen als onze beproeving, onze vloek. Al wat wij kunnen doen is tot de goden bidden dat wij van hem verlost mogen worden, en dat nog in het geheim.'

Zhirek werd door allen met rust gelaten, behalve door

degenen die verliefd raakten op zijn uiterlijk, en zelfs zij waren wel bang voor hem, want helemaal gek waren ze ook weer niet. Hij bezat een huis op enige afstand van de stad. Het was oud en gedeeltelijk een ruïne en stond op een steile, terugwijkende rotswand boven de zee. 's Nachts speelden bizarre schijnsels door de daken, over de met eendemossels bekorste muren, over de mossige stenen beesten die langs de trap zaten te loeren. Als de magiër van huis was, waren de deuren van het huis nooit gesloten, nee, die stonden wijd open. Slechts één rover was ooit zo onwijs om zich in het huis te wagen, en hij kwam eruit als een schuifelende, kwijlende idioot en was zijn leven lang niet in staat te zeggen wat hem overkomen was. Zhirek had beslist geen bedienden, anders dan degenen die hij betoverde om aan zijn wil te gehoorzamen. Nu en dan stak er een verschrikkelijke storm op uit zee die de groene bastions van het oude huis tierend en razend bestookte. Dan plachten degenen die buitenshuis durfden te zijn Zhirek op een hoge toren te zien staan, vanwaar hij naar de zee keek, en soms gooide hij iets van de toren in de golven onder hem, zoals iemand etensresten aan een uitgehongerd wild dier zou kunnen toewerpen. Niemand twijfelde eraan dat Zhirek een pact had met de zeebewoners, dat volk welks menigvuldige en gevarieerde rijken zich onder de oceaan bevinden, tot lering en verbijstering van de mensen.

De stormwolken balden zich samen boven de stad op deze dag dat Zhirek er liep. De mensen deinsden van hem weg, bogen tot hun voorhoofd de grond raakte. Vrouwen gristen hun kinderen van de straat en holden ermee naar binnen.

De blauwzwarte stormwolken drukten hard op de juwelen torens van de stad. De regen spetterde op de warme straatstenen maar niet op de mantel van Zhirek de magiër. In de muur om het erf van de villa van een rijk man ging een poort open. Een meisje met een wit gezicht glipte eruit en knielde recht voor Zhirek neer.

'Neem mij als uw slavin,' zei het meisje. 'Ziet, ik heb mij behangen met smetteloze edelstenen die ik u als geschenk breng.'

Zhirek reageerde niet, keek niet naar haar.

Maar toen hij langsliep, greep zij zijn enkel.

Toen bleef Zhirek staan en hij keek naar haar. Haar haren veegden over de straat en achter Zhireks ogen roerden

zich talrijke geesten. Maar hij zei alleen rustig tegen haar:
'Moet ik je doden?'

Het meisje hief haar hoofd op.

'Ik zal sterven zonder uw liefde,' bezwoer zij. 'Maar ik
denk dat u de Dood zelve dient, u stuurt hem er zovelen.'

'De Dood,' zei Zhirek. 'Daar zit een grap in die jij nooit
zult kennen.'

Toen sloegen zijn ogen de hare en zij liet zijn voet los en
viel op haar zij. Daar lag zij aanzienlijke tijd in de regen,
totdat haar bedienden naar buiten durfden om haar weg te
halen.

Op het marktplein hingen ze een moordenaar op.

Zhirek bleef staan om het gebeuren gade te slaan, en toen
de misdadiger aan het touw hing te dansen, werd Zhirek
zelf wit, al zag niemand dat, omdat ze te bang waren om
naar zijn gezicht te kijken.

Maar terwijl hij daar stond, sprak iemand achter hem
zijn naam, niet precies zoals die naam was. De magiër
keerde zich snel om, maar er was daar geen mens, niemand
die hem *Zhirem* had kunnen noemen.

Twee

Jaren daarvoor – meer dan vijf, minder dan tien – was
Zhirem ontwaakt in de vallei van de dood onder de boom
met de afgebroken tak, met het touw nog om zijn nek waarmee hij had getracht zich op te hangen toen alle andere methoden mislukt waren. Het regende nog op die plek, maar
het was enkele dagen en nachten geleden, hoeveel wist hij
niet, dat hij daar was aangekomen. Op zijn rug in de regen
liggend herinnerde Zhirem zich vaag een schim die zijn voorhoofd had aangeraakt en hem de verlichting van een soort
schijndood had gebracht, en dichter zou hij de dood in geen
eeuwen kunnen benaderen: bewusteloosheid.

Zhirem had willen sterven, maar de dood was niet te verwerven. Zhirem had de Heerser van de Nacht, Azhrarn, de
Prins der Demonen, willen dienen, maar zijn diensten werden niet aanvaard. Als een wassende vloed van melancholie
overspoelde Zhirems natuur hem. Nu was alles hem afgenomen, zijn streven naar het goede, zijn hoop, zijn trots, zelfs
die wraak op het noodlot – het vernietigen van zijn leven – was hem ontzegd, want hij was onkwetsbaar. In een

afschuwelijke situatie verkeerde hij, die niets anders wilde dan zelfmoord plegen, en tegelijk niet in staat was te sterven.

Uiteindelijk kwam hij overeind, zonder enig doel voor ogen en ging op een steen bij de giftige rivier zitten. Na geruime tijd herinnerde hij zich terwijl hij hier zat dat hij een metgezel had gehad. Simmu, die voor hem een vrouw was geworden. Hij herinnerde zich hoe Simmu hem gevolgd was, hem achtervolgd had, hoe zij gedanst had, de eenhoorns had geboeid met haar Eshva toverij en seks en ook Zhirem had geketend. Ze had Zhirems schande vergroot en ook zijn gevoel van waardeloosheid en wanhoop, door het genot dat zij hem gaf. En nu begon hij weer te verlangen naar haar, het onuitroeibare verlangen.

Maar Simmu het meisje kwam niet bij hem. En toen Zhirem na een hele tijd zich uit het dal naar de rand ervan sleepte en kroop, en vandaar weer de wetteloze zwarte landen in strompelde, en helemaal naar het zoute meertje waar hij en Simmu hadden gewoond met hun groene vuur en hun groene en felle begeerte, toen vond hij haar ook daar niet, noch een spoor van haar.

De vaas van de regen was leeg en de hemel klaarde op. Het was toen al schemertijd en het zoutmeer lichtte griezelig op in het halfdonker. Zhirem dwaalde er een tijd rond, denkend aan de oude man, de tovenaar, die Zhirems aanbod uit naam van Azhrarn had afgewezen, maar die wel steeds dichter en dichter tot het meisje met de glanzende haren was gegaan, Simmu, terwijl zij leek te smelten tot een mate van vrouwelijkheid die veel zoeter en diepgaander en wilder was dan die welke zij voor Zhirem had aangenomen.

De heilige mannen van de woestijn hadden Zhirem geleerd zichzelf en zijn plezier te vrezen; de heilige priesters van de gele tempel hadden hem onbedoeld geleerd de goden te verachten. De mensheid bewees hem zijn ontrouw. Azhrarn wees hem af, de Dood meed hem. Achtergebleven met minder dan niets, maar Simmu had hem opnieuw liefde kunnen geven. En in deze toestand, op dit uur, was liefde misschien toch genoeg geweest, of genoeg om het bloeden van zijn ziel te stelpen. Maar Simmu was verdwenen, als jongen en als meisje, hij of zij had Zhirem verstoten. Daar zag het tenminste naar uit. (Hoe kon Zhirem raden naar die dag-en-nacht van allesomvattende Eshva smart die Simmu had verscheurd? Of naar de duisternis en Azhrarn die uit deze duisternis te voorschijn trad en een demonische spreuk van vergetelheid uitsprak? Of dat Simmu die spreuk ten spijt zich nog steeds het beeld van een metgezel, een tweede zelf, half herinnerde?)

Voor Zhirem spreidde de nacht zijn duisternis uit als de duisternis in hem. Hij liep door de wetteloze landen, zonder in een bepaalde richting te gaan, en zijn geest was als een berg stof.

Maandenlang was hij onderweg. Hij leefde waar mogelijk van het land, leed honger waar dat niet kon, en was voor beide onverschillig, zodat hij wortels uit de grond trok en bessen plukte uit macht der gewoonte en meer niet. Hier en daar poogde een wild dier hem te verslinden, en sloop verslagen weg als het niet lukte. Hier en daar kwam hij mannen tegen, of vrouwen. In een dorp op honderd mijl van de wetteloze landen werd hij aangezien voor wat hij eens geweest was, een priester. Een groep vrouwen kwam naar hem toe en een van hen had een zieke baby, maar hij wendde zich walgend van hen af en toen de moeder hem narende, sloeg hij haar. Het was zijn eerste klare ontmoeting met de wreedheid van zijn innerlijk. Deze wreedheid maakte dat hij zich bijna voelde leven, zoals eens deernis en zachtzinnigheid hem het gevoel hadden gegeven dat hij leefde.

Zhirem merkte niet echt op hoe het land veranderde. Het weer, dag en nacht, bergop en bergaf waren allemaal één zinloze gelijkheid. Hij had net zo goed ergens op de grond kunnen gaan zitten zonder zich ooit nog te verroeren, maar het actieve van zijn jeugd kon hij nog niet afwerpen. Hij liep even instinctief voort als Simmu op de wijze van de Eshva had gedaan. Toen, tijdens een zonsopgang in een bos van enorme, scherpe bladeren werd Zhirem wakker op het bed van varens waarop hij om middernacht op goed geluk en vermoeid was neergevallen, en zag een man die vlak bij hem zat.

Deze man was sober gekleed op een manier die de indruk wekte dat hij een echte priester was. Zijn gezicht was keurig geordend in bijna roerloze plooien die wezen op innerlijke rust, vertrouwen en een onblusbare, bedaarde tevredenheid.

'Goedendag, mijn zoon,' zei hij nu. Zijn volkomen beheerst bewegende roze lippen openden zich precies zo ver als nodig voor deze woorden.

Zhirem zuchtte en ging weer liggen, want hij was uitgeput.

302

De op grotten lijkende gewelven van het woud in de hoogte, met hun ruiten van vroeg morgenlicht, waren een weldaad voor zijn ogen en hart. Niet lang, want de oude man praatte verder.

'Je verkeert in deerniswekkende toestand, mijn zoon. Alhoewel het mij voorkomt, kijkend naar de resten van je kledij, dat dit wellicht eens een gewijde mantel is geweest en dat jij aldus misschien als ik bent, een rondreizend priester. Is dit het geval?'

'Nee,' mompelde Zhirem, en achter zijn oogleden vormden zich tranen, en hij zou niet hebben kunnen zeggen waarom.

De bedaarde priester nam hier geen notitie van.

'Ik geloof, mijn zoon, dat ik jou zal vergezellen, want ik meen dat jij van mijn gezelschap zou kunnen profiteren. Maar eerst moet ik je op de hoogte stellen van één bijzonderheid. Ik ben een zeer vroom man, ja ik heb mijn leven aan de vroomheid gewijd, zowel door de goden te aanbidden als door de mensheid bijstand te verlenen. En hierom, vele jaren her alweer, is mij een zekere zegening geschonken, op aanwijzing van de goden, of door een andere machtige bemiddelaar. De zegening bestaat hieruit: dat alle kwaad waar mogelijk mij zal ontzien. De bliksem zal de plaats niet treffen waar ik mij bevind, de zee zal het vaartuig waarin ik vaar niet overrompelen, het wilde dier zal nalaten mij te verslinden. Is dit nu geen mooie zaak?' Zhirem zei niets en de priester weidde uit. 'Je kunt je wel voorstellen,' zei hij, 'dat ik zeer in trek ben wanneer er ergens een feest wordt gegeven. Herhaaldelijk word ik door vreemden uitgenodigd op feesten, want zij weten dat zolang ik aanwezig ben, het huis veilig is, zelfs in het ruwste klimaat. Om dezelfde reden strijden schepen om het hardst om de eer om mij als passagier te mogen meenemen, gratis, want ieder schip dat mij vervoert, zal niet zinken. Ongelukkigerwijs,' en nu vouwde de priester zijn keurig geordende gezicht nog iets strakker op, 'is er één voorwaarde aan verbonden. Mocht ik in aanwezigheid zijn van slechts één ander, en mocht een gevaar ons bedreigen, dan zal dit gevaar die ander kiezen in stede van mij. Maar ik verzoek je je niet af te laten schrikken door dit feit, want ik weet zeker dat ik je kan bijstaan op je speurtocht naar de ware verlangens van je ziel.'

'Nee, dat kunt u niet,' verklaarde Zhirem. Hij stond op en beende heen.

De priester kwam onmiddellijk overeind en haastte zich achter hem aan.

'Deze houding ben ik niet gewend,' zei de priester tamelijk scherp. 'Veel zou je van mij kunnen leren.'

'Leert u één ding van mij,' zei Zhirem. Hij bleef staan en staarde de oude priester aan. 'Geen enkel soort kwaad kan mij bereiken, en ik heb geen zin in gezelschap.'

'Kom, kom,' riep de oude man, 'dergelijke aanmatiging betaamt iemand van jouw prille leeftijd niet. De goden—'

'De goden zijn dood, of liggen te slapen.'

'De hemel vergeve je!' schreeuwde de priester ontsteld. De keurige vouwen van zijn gezicht veranderden in een warboel. 'Maar wee en ach, helaas, O misleide, ik zie al dat de hemel je niet vergeeft.'

Dit laatste was een verwijzing naar een reusachtige tijger met zinderende ogen die net op dat moment uit de bomen voor hen kwam wandelen.

'Ik zal voor je bidden, mijn zoon,' beloofde de priester, 'terwijl jij je doodsstrijd doormaakt.'

Nu had Zhirem al een hele tijd geen blijdschap meer gekend, en al bijna even lang verkeerde hij zonder dadendrang. Plots in een vlaag van pret die zijn lichaam deed schudden, verliet zijn lethargie hem en hij lachte luidkeels.

'U kunt beter hard weglopen, beste priester,' zei Zhirem.

Tegelijk spande de tijger zijn spieren en besprong hem. Vlak voor Zhirems borst gaf iets de tijger een mep opzij, zodat hij spuwend en snauwend in de varens rolde.

De mond van de priester viel open.

De tijger raapte zijn zinnen bijeen en begon om Zhirem heen te sloffen terwijl hij vruchteloos naar de lucht krabde. Ten slotte ging hij een eindje opzij en nam de priester eens in ogenschouw. Het dier was kennelijk vastbesloten om een van de twee mannen te verslinden, en al werd de priester dan beschermd door een zegening van hemelgeesten, of wie hem die ook geschonken mochten hebben, hij was de enige bron van vlees. Dit zo zijnde, besloot de tijger de zegening eenvoudig te negeren.

'Ik zal mijn noodlot stil aanvaarden,' verklaarde de priester toen de tijger op hem toe stoof. Helaas, dat lukte niet helemaal en Zhirem draafde gauw het bos in terwijl hij zijn oren dichtdrukte om de ellendige kreten niet te horen. Wat later zonk hij neer onder een boom, bevend van afgrijzen en met een verschrikkelijk dollemansgelach dat hem overviel in plaats van tranen of medelijden.

De avond was gevallen toen hij uit het bos kwam aan de rand van een welvarende stad. Hij had slechts enkele stappen op de weg gezet toen de mensen zich naar hem toe haastten met lampen en guirlandes om hem welkom te heten.

'Kom naar ons feest!' riepen zij. 'De dochter van de wijnkoper gaat trouwen, maar vorig jaar was er hier een aardbeving. Kom mee, ga in het huis zitten en bewaar ons voor een ramp.'

Zhirem begreep dat ze gehoord hadden dat de priester met de zegening in aantocht was en dat zij hem voor die priester aanzagen. Hij probeerde de menigte duidelijk te maken dat ze zich vergisten, en terwijl zij redekavelden, kwam er een tweede menigte aanzetten.

'Kom naar ons feest!' riepen zij. 'De zoon van de graankoopman is teruggekeerd van overzee maar zoals gewoonlijk is men bang voor een aardbeving en u kunt maken dat we veilig zijn.'

Toen begonnen de twee groepen met elkaar te ruziën over wie de bescherming van de priester verdiende en al gauw vielen er slagen. Zhirem ontweek allen en liep de stad in, en erdoor naar het nachtland erachter.

Tegen middernacht hoorde hij de zee, wiens stem onmiskenbaar is, en hij rook het zilte parfum van de zee. Op een kaap beland tuurde hij omlaag en daar zag hij weer een stad die baadde in het licht van vele lampen, en een haven waar schepen lagen te slapen, leek het, onder een magere blauwe maan. Voorbij de haven lag de oceaan, een geplooid, rusteloos donker.

Voor Zhirem was de schoonheid van de wereld nieuw. Hij had deze schoonheid ontdekt door pijn en de eenzaamheid van de balling, het was de enige troost die hij bezat toen alle plezier afgelopen scheen. Daarom ging hij hoog boven de stad op de rand van het land zitten om naar de zee te kijken, die altijd veranderde en altijd onveranderd bleef. En er daalde een diepe rust over hem neer, zodat toen een mannenhand ruw op zijn schouder viel, Zhirem een schreeuw gaf en overeind sprong, bijna gereed om te doden wie hem had laten schrikken.

'Ik had geen kwaad in de zin, Vader,' zei de man, met een even ruwe stem als zijn hand ruw was geweest. Hij deinsde achteruit. 'Verstond u zich met de goden? Ik smeek vergiffenis, ik dacht dat u zat te doezelen en ik zei bij mezelf, zei ik: Deze eerbiedwaardige heiligman zou hier niet op de koude rotsen bij nachte moeten zitten slapen als wij al een fraaie hut voor hem gereed hebben gemaakt aan boord van ons schip.'

Zhirem besefte dat hij wederom werd aangezien voor de gelukkige priester.

'Ik ben niet degeen die u zoekt,' zei hij.

'Ja, die bent u wel,' hield de man koppig vol. 'Ik begrijp uw onwil. U hebt gehoord dat wij een bende piraten zijn, maar dat is niet terecht. Wellicht staan wij iets te snel klaar met onze messen en wellicht hebben wij hier en daar een slechte reputatie gekregen. Des te meer behoefte hebben wij aan uw deugdzame aanwezigheid.'

'De kerel op wiens komst jullie hoopten,' zei Zhirem, 'is in het bos door een tijger verslonden. Dat kan ik zweren, want ik was erbij.'

'Vader, Vader,' zei de man verwijtend, 'het moest beneden uw waardigheid zijn om leugens te vertellen. Misschien heeft u zich al verbonden met een ander schip? Vergeet dan die schurken. Wij varen uit bij het eerste licht en u zult ons vergezellen.'

Zhirem was van plan weg te lopen toen nog zes zeevarenden te voorschijn traden, die zich kennelijk hadden voorbereid op geweld mocht Zhirem verzet bieden. En hoewel zij hem niet in het minst hadden kunnen kwetsen, bewogen hun opzet en hun koortsige vastberadenheid om hem te grijpen – en dat terwijl hij de verkeerde was – hem opnieuw tot die verbitterde, half waanzinnige grappige stemming die de enige reactie op zijn lot scheen te zijn. Hij stemde er dan ook in toe met hen mee te gaan en prompt werd hij in snel tempo in het geniep door de steegjes van de stad naar de kade gevoerd en aan boord van een haveloos schip gebracht.

'Ik zal jullie schuit geen goed doen,' verzekerde Zhirem de zeelieden, 'en ik durf te veronderstellen dat jullie ook niets goeds verdienen, dus ik vind het allang best.'

De matrozen loodsten hem in de kajuit en trokken mompelend af. Weldra kwam er een dronken kapitein binnen, die Zhirem met de grootste hoffelijkheid behandelde, hoewel hij hem opsloot als hij zelf aan dek moest zijn. Ook deze man betitelde hem strijk en zet met 'Vader', al was hij zelf driemaal zo oud als Zhirem.

Het schip voer met het eerste daglicht uit met Zhirem aan boord.

Nu hadden de zeelieden, of ze nu piraten waren of iets anders, een bepaalde reden om oprecht te verlangen naar iedere bescherming waarop ze de hand konden leggen. De zee uit de kust was hier rustig en niet geneigd tot stormen, behalve tijdens de overgang van de seizoenen. Maar twee of drie dagen varens naar het oosten priemde een gordel van scherpe rotsen uit het water en hierop waren heel wat schepen vergaan. Dit was mysterieus, want de rotsen waren duidelijk zichtbaar en makkelijk te omzeilen, behalve wanneer het stormde of mistte. Maar overlevende drenkelingen vertelden altijd bovennatuurlijke verhalen over mist en glanslicht, over bizarre bliksems en onmenselijke stemmen, en over klokken die diep in de holte van de oceaan galmden.

De eerste dag van de zeereis zat Zhirem opgesloten in de kajuit terwijl er daarbuiten op het schip een inefficiënte bedrijvigheid heerste, opgeluisterd door verscheidene ruzies en een geseling. De eerste nacht, in vol vertrouwen op de talisman in de vorm van de priester, zetten de zeelieden het op een onstuimig zuipen, wat gevolgd werd door nieuwe vechtpartijen. De tweede dag heerste er buitensporig gebrek aan discipline en de tweede nacht werd het rumoer hervat. Deze nacht smeekte de kapitein, die nog zatter was dan gewoonlijk, Zhirem om de bemanning te komen zegenen in zijn hoedanigheid van priester.

'O, dat is helemaal niet nodig,' zei Zhirem. 'U bent voldoende zegen voor hen.'

Dit vleide de kapitein en hij begon met Zhirems haar te spelen. Zhirem sloeg zijn hand weg en de kapitein putte zich uit in verontschuldigingen.

'Het is de buitengewoon donkere kleur van uw haar,' zei de kapitein, 'die mij intrigeert.'

Zhirem vloekte hem uit omdat dit hem deed denken aan de associatie tussen donker haar en demonen die hem altijd het leven zuur had gemaakt, die hem, zo leek het hem nu, op de weg naar de hel had doen belanden. Naar een hel die hem had afgewezen.

De kapitein aanvaardde Zhirems krachttermen zonder zich te verbazen over deze vloekende priester. Hij viel al boerend in slaap maar Zhirem kon niet slapen, ondanks dat de muffe kajuit, het rumoerige dek, of wat ook, hem niet bijzonder boeide. Het deinen van het schip maakte hem niet echt misselijk maar het desoriënteerde hem wel en hij raakte er nog dieper gedeprimeerd door dan hij al was.

Het werd licht en de derde dag brak aan.

Tegen de middag werden de scherpe rotsen waargenomen en een uur later begon het schip aan de doortocht. Maar het schip was nog maar net tussen de rotsen gekomen, of de lucht werd vreemd duister, niet bewolkt, maar eer alsof een beroete glasplaat tussen de hemel en de aarde was geplaatst. En terwijl het licht afnam, begon er een lila mist op te stijgen als uit de oceaan zelf. De zon zwom in deze mist als een reusachtige zilveren geest, de zee was gesluierd achter mist, evenals de toppen van de masten; de rotsen verdwenen aan alle kanten. De kapitein gaf bevel het anker uit te gooien totdat de dampen mochten optrekken. Hij bleef optimistisch met zijn gelukspriester aan boord. De zeilen hingen zwaar, zonder een zuchtje wind.

'Wat is dat nu voor geluid?' vroeg de ene matroos aan de andere.

'Het anker is op een rots gestoten.'

'Nee, het is een vis, die om de ketting zwemt.'

Drie van de mannen keken over de reling en binnen een minuut slaakten alle drie een wilde kreet.

Ze vluchtten terug over het dek en schreeuwden tegen hun maten:

'Er zit een monster in de zee!'

'Het is groen, maar heeft de gedaante van een vrouw!'

'Zijn haar is als zeewier en zijn lippen als malachiet. Hij laat de ketting ratelen en grijnst tegen ons!'

'En in het water slaat het monster met zijn onderste helft, die als een gladde grijze walvis is.'

De kapitein werd uit zijn hut geroepen. Hij smeekte Zhirem ditmaal om mee aan dek te gaan en hij nam hem bij de arm.

'Ziet, niets kwaads kan ons overkomen, want de priester is aan boord.' De zeelieden grepen Zhirem bij zijn vodden en kusten zijn voeten.

Zhirem staarde langs allen heen, de mist in, zonder te spreken, hun doem en de zijne afwachtend, voor beide onverschillig.

De lila mist had het schip nu van voor- tot achtersteven ingekapseld. En door deze mist begonnen bleke lichten te schijnen. Als fosfor waren deze, maar her en der glijdend werden zij bekleed met het aspect van booswillend leven. Toen steeg er een vaag gebulder op uit zee.

'Het is de hel,' wanhoopten de zeelieden.

'Wat het ook is,' zei de stevig uit een lederen fles drinkende kapitein, 'ons kan geen kwaad overkomen.' Pal hierna sloeg de bliksem in een ra, die bovenaan versplinterde tot een krans van vuur. 'Nee!' riep de kapitein, zwaaiend naar omhoog om Zhirem aan de onzichtbare hemel te tonen. 'Aanschouwt, grote goden, wij zijn beschermd – jullie mogen ons geen kwaad doen–'

De tweede blikseminslag koos de kapitein zelf als doelwit, alsof het een antwoord was. Zhirem gebeurde natuurlijk niets.

De zeelieden schreeuwden van ontzetting. In de zee galmde de kerkklok en de lichten kwamen en gingen energiek.

'Red ons!' smeekte de bemanning Zhirem.

'Red jezelf maar,' antwoordde Zhirem. (Dit was zijn tweede klare ontmoeting met zijn eigen wreedheid, zijn fundamentele afkeer van de mensheid.)

In paniek besloten de opvarenden vervolgens het anker op te halen en om te keren, om uit deze streek te ontsnappen, die duidelijk vervloekt was.

Zhirem stond bij de stuurboordreling, zwijgend, donker en even ontdaan van emotie als een symbool van het lot zelf.

Het anker werd binnenboord gehesen. Het schip keerde, of probeerde dat. Als ten dode opgeschreven wezens, volvoerden de mannen en het schip de handelingen die hun ondergang ten gevolge hadden. Het duurde niet lang of met een verschrikkelijk geluid spietste het schip zich op een rots en spleet open.

Het zeewater stormde omhoog, nu niet langer onzichtbaar, en het schuimde alsof er een duivels vat was aangeboord. Hevig sidderend zakte het schip langzaam naar zijn dood. De planken begaven het, de balken braken. Overal lag de oceaan klaar om de gaten tussen hout en ijzer te vullen, en ook de schreeuwende monden van de matrozen.

Plotseling brak de ruggegraat van het schip met een ijselijke knal doormidden. De masten stortten neer. Het dek en het ruim veranderden in een spiraal van ziedend schuim dat hongerig zoog en slikte.

'En ben ik voor jullie ook onkwetsbaar?' vroeg Zhirem zacht aan de opspringende golfkammen die zijn lichaam streelden. Hij was ontzet, en tegelijk gefascineerd. Opnieuw

werd hij overspoeld door afschuw en hoop bij het vooruit-
zicht dat hij misschien zou sterven en toen klauwde de zee
hem in zijn muil.

Met de rest werd hij naar beneden gezogen.

Een ontzettende nachtmerrie – stikken, verstrikking,
blindheid.

Het water nam hem in een lasso, liet hem rond zwaaien.
Glinsterend zwart schroeide en sloot zijn ogen, worgde hem
met zijn lange haar, steeds strakker, het boeide zijn armen en
benen met zijn lompen, met wier en kolking zelf. Zijn longen
zwoegden naar adem en werden gevuld met zout water. Ja,
de zee, onverschillig voor de toverijen van het land, zou hem
inderdaad doden.

Zhirem draaide tollend naar de bodem van de oceaan
zonder pijn te voelen, terwijl zijn gezichtsvermogen het begaf
en met een ellendig genoegen in zijn hart, terwijl zijn gedachten weggevaagd waren. Vagelijk slechts nam hij in zich
op dat andere mannen langs hem heen cirkelden, alsof ze
allemaal door groene lucht vielen. Mannen die spartelden
en geluidloos krijsten, wier ogen uitpuilden, wier gezichten
zwart werden terwijl de oceaan hen worgde, terwijl achter
hen de belletjes van hun laatste ademtochten elkaar verdrongen op weg terug naar het oppervlak.

Zhirem keek loom naar boven toen de draaikolk minder
hevig werd om de edelstenen van zijn eigen laatste adem op
te zien stijgen. Maar het water in zijn zog was vrij van belletjes.

Hij viel nog steeds, nog steeds bij kennis. En nu zag hij
dat alleen hij nog levend viel, want overal rondom vielen de
dode zeelieden met afschuwelijk grote bolle ogen en opge-
blazen wangen. De zee kwam en ging in Zhirems longen, dat
wel, maar uit dit vloeibare element maakten zijn longen
blijkbaar voldoende gasvormige adem om hem in leven te
houden. Hij ademde als een vis, en even makkelijk. Zhirem
kon niet verdrinken, zelfs dat niet. Zelfs tegen de oceaan
was hij bestand.

Toen veegde zijn oude angst hem mee, en gepaard daarmee, de angst voor dat waar hij zo hulpeloos naar toe ging.
En dit gebied waarin hij gestort was, en nog steeds dieper
viel, was bepaald angstaanjagend.

Als een steen die in een afgrond wordt geworpen, zo
daalde hij, maar zijn vaart werd allengs minder in plaats
van groter. Het was meer als een val omhoog, de ruimte in.

Maar alles was groen, groener dan groen, hoewel troebel en vol inktzwarte suggesties, half geziene vormen, met ogenblikken van schrik door de plotselinge flitsen van een miljoen felle kleine vissen, een explosie voor zijn ogen als vonken uit een smidsvuur of zijn eigen haperende hersens...

Maar na verloop van tijd ging het licht van de hemel teloor in de diepte van het water. Daarna viel Zhirem door vloeibaar pek en hij nam slechts waar met zijn huid en zenuwen als de glibberige bewoners van dit element passeerden, soms met een vurige streep van hun ogen, hem ziend maar zelf ongezien blijvend. Dan loste deze duisternis op in een nevelig licht uit onvindbare bron. Het kwam bij Zhirem op dat hij al een enorme afstand moest hebben afgelegd en dat hij nu een ander fantastisch domein bereikte. Zuilen van rots reikten langs hem naar de hoogte en omlaag naar waar hij moest gaan. Aanvankelijk kaal en slechts met hier en daar een korst van eendemossels, werden ze vriendelijker van uiterlijk naarmate Zhirem verder zonk. Hier groeiden er bossen van reuzenvarens op en ze schitterden van mineralen of onbekende, niet edele stenen. Tussen deze torens en altaren van verdronken kliffen lagen de overblijfselen van de verdronken steden van oeroude landen, pilaren en muren, waar de zwarte geestverschijningen van reuzenweekdieren prijkten die elkaar mooi maakten, als grote kraaien op een ruïne.

Zhirem voelde een koude die verder ging dan de verstijvende koude van de zee. De wouden van de oceaan liefkoosden hem met veelvingerige handen terwijl hij langzaam tussen hen door zakte, maar de gevallen muren van de mens bespotten hem: zij hadden stand gehouden in deze gevangenis, zoals ook hij nu zou moeten doen.

De varens wikkelden de dode zeelieden in hun ranken.

Een zijden sjaal met ogen als loden vlammen sloop het bos in. Hij kuste de doden met zijn zilveren mond en zoog een ervan in zijn geheel in zijn buik.

Nog steeds gleed Zhirem, de geworpen steen, dieper.

Hij raakte voorbij het niveau van de varens, de ruïnes en de grote weekdieren. Hij ging nu binnen in een domein waar de bron van het zwakke schijnsel duidelijker werd. Ver, ver in de diepte, even ver van hem als de aarde ver zou lijken voor een vogel in de vlucht, ontwaarde hij een stralende kern van koel licht die gevangen was tussen de verstrengelde wortels van de kliffen.

Zacht verspreidde het licht zich rond Zhirem en veranderde de gemene drakenblos van de zee via vloeiende fasen in het zuiverste, dunste jade, terwijl het licht zelf overging van koel tot warm en een tint die bijna roze was, maar dan groen roze.

Er was een schelp in de rots ingelaten, een waaier als geribbeld porselein, groter dan een paleisdeur, en dit was wat straalde, alsof er aan de andere kant een enorme lamp stond.

Zhirems langdurige val naderde zijn eind. Tussen de laatste rotslagen zonk hij neer, naar de magische schelp en de straling. Met een lusteloze, dromerige verwondering verbaasde hij zich over de schoonheid en de afmetingen van de schelp. Negenmaal zijn eigen lengte mat het laatste stuk van zijn afdaling van de top van de schelp naar de vloer van de zee. Het zand wolkte op en omhulde hem.

En daar lag hij op die vloer van zand.

Het geheel van de oceaan bevond zich boven hem, en leek op zijn botten neer te drukken, alsof hij hem tegen de rots wilde fijndrukken. Plots kwamen Zhirems zinnen totaal in opstand en in een vlucht van doodsangst hielden ze er helemaal mee op.

Zelfs nadat hij bezwijmd was bleef hij het water ademen, terwijl zijn rustende lichaam bezocht werd door kleine dieren die de resten van zijn kleren opaten, omdat ze niet aan zijn vlees konden komen.

Drie

Hij werd gewekt door een verrukkelijke doch ook angstaanjagende gewaarwording, dat hij overal werd aangeraakt, gestreeld, gekieteld, omhelsd, geaaid, onderzocht. Toen hij nog sliep, had deze aandacht voor zijn persoon hem zinnelijk geplezierd, maar zodra hij ontwaakte beet zijn instinct hem toe dat hij wild om zich heen moest meppen. Toch bleef hij passief, hij opende alleen zijn ogen, waarop hij een eigenaardige vibratie in het water achter zich hoorde, bijna een geluid, niet helemaal een geluid.

Hij was bang voor wat hij zag, want dit waren als bewaarheid geworden roesdromen, en hij amuseerde zich ook, op zijn dollemansmanier, zijn geest stroomde vol tot hij in lachen uitbarstte, op de wijze waarop hij nu moest lachen onder de zee, geluidloos en pijnlijk.

Een paar van de zeediertjes kusten hem nog met hun vriendelijke, tandeloze mondjes. Ze hadden hem helemaal uitgekleed, weerloos, en toch niet weerloos want zijn schoonheid pantserde hem zoals kleren nooit hadden vermogen. De wezens die om hem heen dromden, die met zijn lichaam hadden gespeeld en hem hadden geknuffeld, waren even goed in staat om hem te verscheuren, en als dat niet lukte om hem te haten, en die haat had hem slinkser kunnen kwetsen dan hun klauwen en scherpe tanden.

Het waren er tien en het waren vrouwen of in ieder geval vrouwelijke wezens. Kleine, volmaakte borsten bloeiden op hun tengere tors, maar deze borsten waren groen en de tepels donkergroen, en hun monden zó donkergroen dat ze wel zwart leken. Tussen deze lippen was het witte tandivoor te zien, niet in aparte tanden verdeeld maar een enkele band van porselein. Hun neus was bijna plat, hun neusgaten breed; opzij van hun teergevormde kaken hadden ze de blaadjes van kieuwen die voortdurend uitzetten en samentrokken. Hun ogen hadden een enkele kleur, zonder wit, als emeralden, terwijl de pupil een smal horizontaal spleetje was. Hun haar was het zure groen van kweeperen. Benen hadden zij niet, wel een staart als van een haai of een walvis met daarin als geheime grijze bloemen hun verticale geslachtsdelen. Deze maagden waren het die hem gestreeld hadden, met hun lippen en tong bewerkt hadden, in wellust of slechts nieuwsgierigheid, dat kon hij niet uitmaken. Ze hadden een onschuldige en genadeloze blik, maar ze lachten met hun gezicht.

Zijn blik dwaalde voorbij deze vrouwen en daar zag hij anderen die een amberkleurige huid hadden en wier staarten, die langzaam het zand van de oceaanbodem omwoelden, zwart waren. Dezen hadden geen borsten en waren mannelijk. In hun handen hadden zij lange lemmeten van geslepen metaal, hoewel de lemmeten van hun mannelijkheid in een inwendige schede opgeborgen waren zoals bij de vissen. Sommige van deze mannelijke wezens hielden lampen omhoog die gemaakt waren van doorzichtig materiaal waarin tegen water bestendig heksenvuur brandde. Het licht vormde een gelige ring die zich vanaf de grote schelp uitspreidde en Zhirem omvatte en degenen die hem omringden.

Hij hief langzaam een hand op om te zien wat ze zouden doen.

Opnieuw hoorde – of voelde – hij de sonore vibratie in

het water. Hij besefte dat het een vorm van spraak was, dat zijn bezoekers verrassing toonden. Ten eerste vermoedelijk om zijn afdaling naar hun land, ten tweede dat hij nog leefde en zich kon bewegen.

Toen kwam er een vlaag van opwolkend zand, dat langzaam terugzonk. Nu zat er een ander wezen naast hem.

Ze knielde bij hem neer, en zij kon knielen omdat zij benen en voeten had. Naakt was zij niet. Ze was gekleed in een golvend kledingstuk dat om haar middel werd vastgehouden door een brede gordel van koude edelstenen terwijl haar armen beringd waren met banden van bleek en fosforescerend electrum. Haar huid was blank, witter dan mensenhuid maar gloeide en was smetteloos en mocht deze huid de allerlichtste zweem van groen hebben, dan verdween die bij haar lippen, die roosrood waren, bij de roosroze randen van haar ronde nagels, op de roosroze versieringen van haar twee ronde borsten die door de stof van haar japon glansden. Haar ogen waren menselijk genoeg, vreemd menselijk naast de rest van haar lichaam, en ze waren groot en blauw en de oogleden waren verguld. Alleen haar haren erkenden haar afkomst uit de zee. Die waren blauw vermengd met groen. Precies de kleuren van Zhirems ogen.

Een tijd lang keek zij hem aan. Hij keek terug, verbouwereerd, verbaasd en eigenlijk achtte hij haar niet helemaal sterfelijk. Toen legde zij zonder aarzeling of kuisheid haar hand op zijn kruis en ze staarde hem zonder wroeging aan, afwachtend wat hij zou doen.

Op dit moment voelde zijn lichaam geen zinnelijkheid meer en bovendien was haar aanraking als die van de zee zelf, onpersoonlijk en hem vreemd.

Hij ging zitten en tilde haar hand weg.

Meteen knikte zij. Ze bracht haar hand naar haar linkeroor en liet Zhirem een glinsterende droppel zien, een parel. Voordat hij kon nadenken over haar bedoeling, had zij zich naar hem toe gebogen en deze parel in de holte van zijn linkeroor gestopt. Tegelijkertijd begonnen haar lippen te bewegen, zij sprak, en hij hoorde haar – niet via het water, maar zacht in zijn oor waar de paarlen droppel zat. Maar wat zij zei, had geen betekenis voor hem. Het was een taal, maar geen taal van de mensen.

Toen hield zij op met spreken, boog zich weer naar hem toe en klopte licht op zijn mond. Blijkbaar moest hij nu spreken. Hij zei: 'Jouw spraak en de mijne, vrouw, kunnen zich niet mengen.'

Hij hoorde zijn eigen stem net als de hare in zijn hoofd. Zij hoorde hem ook en luisterde, en daarna knielde zij zwijgend naast hem alsof ze nadacht. Toen sprak zij ten slotte weer en nu verstond hij haar, want zij sprak in zijn eigen taal.

'Wees niet onhoffelijk tegen mij,' zei zij. 'Mijn vader is hier koning.'

'Ik ben minder onhoffelijk tegen jou geweest dan jij tegen mij,' antwoordde hij.

'Als je bedoelt dat ik mijn hand op je fallus legde, dat was geen onwellevendheid doch slechts om vast te stellen of je een mens bent. Gewoonlijk vallen drenkelingen niet zo ver en ze zijn altijd levenloos. Maar jij leeft en lijkt een mens te zijn. Omdat er anderen in de zee wonen die sterfelijk lijken maar behoorlijk minder zijn, heb ik je getest. Want niemand is zo behoedzaam met zijn organen als de mensheid.'

'Nu dat bewezen is, hoe horen en begrijpen wij elkaar?'

'Door de magie van de parel. Wat de taal betreft, er zijn vele verschillende volkeren die in de zee wonen. Uit noodzaak leren wij elkanders taal, en ook om ons te verstrooien de talen van de mens, want wij zijn daarin heel handig, en magiërs bovendien.'

'Dat heb ik gehoord.'

'En dat geloofde je niet,' zei zij, 'totdat je het nu wel moet geloven.'

'Ik vraag slechts één ding,' zei Zhirem. 'De mogelijkheid om weer naar het oppervlak van de oceaan terug te gaan.'

'Wat wil je daar doen, dat je er zo naar verlangt om terug te keren?'

Zhirem keek een andere kant uit. Zijn hart werd een steen. Het zeemeisje zei tegen hem: 'De keuze is niet aan jou. Jij bevindt je in het koninkrijk van mijn vader. Hij zal over jouw lot beslissen.' En op een zielige manier was Zhirem bijna blij dat hij de hoop moest opgeven om te kunnen ontsnappen naar het niets dat hem boven wachtte. 'Welke naam draag jij?' vroeg zij hem.

'Zhirem,' zei hij.

'En ik,' zei zij op haar beurt, 'ben de Prinses Hhabaid, dochter van Hhabhezur de Koning van Sabhel.'

Toen zei ze dat zij niet wilde dat hij als mens naakt als een haaimaagd of een walvisman, die beesten waren, naar de stad werd gedragen. In de buurt stond een merkwaardig voertuig dat Zhirem nu voor het eerst zag en hieruit werd een mantel gehaald, als fluweel, maar geen fluweel, en daarin werd Zhirem gekleed.

'En waarom, prinses, doe je zoveel moeite voor een mens?' vroeg hij haar. 'Ik ben niet van jullie volk.'

'De zeevolkeren zijn van menselijke oorsprong,' merkte Hhabaid op. 'In de meeste opzichten, zoals je kunt zien, zijn wij menselijk. Maar scherpzinniger.'

Ze beval hem in het voertuig te stappen, dat de vorm had van een dof-groengouden vis. Hhabaid ging in de mond ervan zitten en hij naast haar. De walvismannen tilden een schimmige sluier op en nu werd het span dat de koets moest trekken zichtbaar. Deze dieren schrokken wakker: het was een school minuscule goudkleurige kleine vissen, elk voorzien van een zijden bit en gevangen in een zijden net waarmee ze tussen de bomen van de gouden vissekoets waren gespannen. Hhabaid mende hen met rukjes aan het net maar om snelheid te maken was het gouden monster met zijn open kaken achter hen voldoende: ze waanden het een vijand die hen najoeg om hen op te eten. Ze waren er voortdurend voor op de vlucht en het monster volgde hen onophoudelijk, totdat de sluier over de school werd geworpen, waarna de visjes zich veilig waanden en neerzonken om te eten en te slapen – totdat de sluier weer werd weggenomen en de achtervolging hervat werd. Meer dan van iets anders, leerde Zhirem hieruit dat de mensen van de zee wreed en hardvochtig waren, zowel met dieren als met mensen.

Nu beval Hhabaid de walvismannen de hogere waterlagen uit te kammen naar schatten uit het vergane schip. Dat was het doel van de betovering van mist en bliksem: om schepen op de rotsen aan het oppervlak schipbreuk te laten lijden, en om deze reden, het zoeken naar schatten uit het wrak, was de prinses met haar gevolg uit de stad gekomen, denkend dat dergelijke activiteiten sportief waren. In plaats daarvan had zij Zhirem gevonden. Een leuker soort sport?

Een van Hhabaids bedienden raakte de schelp aan met een gouden staf. Geluidloos vouwde de schelp zich over al zijn ribben open als een reuzenwaaier. Toen de doorgang door de rots vrij was, mochten de goudkleurige trekvisjes vooruit schieten.

Vier

De bewoners van de zee waren tovenaars. Dat had de prinses Zhirem gezegd. En het was waar.

Een kunstmatige zon brandde boven de stad Sabhel en gaf warmte, licht en kleur. Het was een bol van tovenaarsglas met daarin levendig brandende wonderlijke vuren. Dertig zilveren kettingen hielden hem op zijn plaats tussen de kliffen die de stad ommuurden en in het felle schijnsel ervan had het water het zonnige geelgroen van kanaries.

Vissen als robijnen, opalen en jade zwermden door de zeehemel van Sabhel om zich te koesteren in de straling van de glazen zon. Ongewone planten die onderwaterpalmen leken, reuzentamarisken en met wolken gekroonde ceders rezen op naar de warmte en het licht, de stammen omkranst met klimranken, zeewieren en gapende exotische bloemen. Rode orchideeën staken de vlam in het zand en verslonden de vissen die erop kwamen uitrusten.

De stad Sabhel had wel iets weg van de steden van het land, maar op een heel bizarre manier. De kolossale torens, pagodes en koepels van roodglanzend koraal waren vijftig verdiepingen hoog of meer en doorzeefd met duizend poorten en bogen en openingen als ramen met kozijnen van turkoois. Maar er waren geen trappen in Sabhel, want niemand had die van node, daar iedereen naar wens op of neer kon zwemmen door de waterlucht.

De koets van Prinses Hhabaid stoof door het water halverwege tussen de torenspitsen en de met bloemen bedekte vloer, of straat, van de stad. Op andere niveaus boven en onder hen snelden soortgelijke voertuigen achter hun eeuwig doodsbange spannen.

Het paleis van Hhabhezur was ook vervaardigd van rood gepolijst koraal maar versierd met gouden schubben die, zo ging het verhaal, omgesmolten waren uit het goud dat tienduizend verdronken schepen hadden afgestaan. De galerij van het paleis steunde op een reeks kristallen zuilen en bevond zich zeventig voet boven de 'straat'. In elk van deze zuilen waren de fossiele schimmen van de oceaan ingebed, prachtige schelpen, zeedraken, surrealistische planten.

Hhabaids koets voer het paleis in. Hier maakte zij een eind aan de snelle rit met behulp van bit en net en met een gebaar beval zij haar bedienden het span trekvisjes te sluieren en op stal te zetten. Daarna leidde zij Zhirem naar een enorme kamer zonder plafond. Rondom zonden gouden buizen een voortdurende stroom van welriekende kleurstof van verschillende tinten het water in, waardoor de zee binnen de kamer subtiel kleurde en geurde. Aan de overkant van de zaal bevond zich een reusachtige, afgesloten kristallen bak die bevestigd was op de ruggen van vier bronzen schildpadden. Tot zijn verbazing zag Zhirem vogels rondvliegen in deze bak tussen de bloemen en de planten van het droge land. Een stroom van bellen op de vier hoeken van de bak en het sissen in en uit de muilen van de vier schildpadden suggereerden de aanwezigheid van een apparaat dat lucht aan het water onttrok, zoals ook zijn longen en die van zijn gastvrouw-cipier deden. Hij nam aan dat de afgesloten bak gevuld was met de gassen van de aarde en dat de vogels daarin vlogen zoals in de wereld van het land, vissen in een vijver zwommen.

De koning trad binnen, Hhabhezur. Hij was een nieuw bewijs dat hoewel ze mensen plunderden, zijn volk van menselijke afstamming was, want hij vertoonde tekenen van ouderdom en zijn slechtheid had plooien om zijn mond geschetst. Hij had niet precies dezelfde kleur als zijn dochter maar was iets donkerder, en zijn haar was blauw met zwart, en zijn hele persoon was zwaar van zijn gestolen goud, evenals zijn mantel. Hij werd gevolgd door hovelingen, met blauwe haren en blauwe ogen en twee of drie van hen hadden hun jachthonden bij zich en dit waren slanke blauwe zwaardvissen aan de lijn.

Hhabaid sprak tot haar vader in de taal van Sabhel. Het was duidelijk dat zij bericht over de mysterieuze vreemdeling vooruit had gestuurd.

'Ik heb mijn vader om clementie voor jou gesmeekt,' zei zij tegen Zhirem middels de parel in zijn oor.

'Dat is vriendelijk van u, vrouwe. Waar gaf ik aanstoot?'

'Door hier te komen!' antwoordde zij alsof dit vanzelf sprak.

'Welaan, laat mij mijn vergrijp dan uitwissen door te vertrekken.'

'Wees stil,' zei zij. 'Ik zeg hem dat jij een broeder van ons bent omdat jij op jouw manier onder water kan ademen. Anders zouden ze je doden.'

'Laat ze het maar proberen.'

Anders dan een menselijke vrouw zou hebben gedaan, deed zij dit niet af als grootspraak. Ze sprak tegen haar vader en het was duidelijk dat zij hem over Zhirems uitdaging vertelde. De koning antwoordde en hierop trok Hhabaid uit haar juwelen gordel een kleine dolk. Ze nam Zhirems arm en trachtte het lemmet in zijn huid te jagen, met de trage beweging die iedere gewelddaad onder water beschoren was – maar de dolk brak in twee stukken. Wat Zhirem aangaat, die voelde voor het eerst en onverwacht, macht en een arrogant plezier om dat wat hem beschermde. Hij grijnsde tegen de bejaarde koning en zei tegen Hhabaid: 'Leg je vader uit dat ik ook magiër ben.'

'Dat weet hij al.'

Toen sprak de koning in Zhirems eigen taal, daarmee te kennen gevend dat hij alles verstaan had.

'Hoewel jij slechts de woorden van het land spreekt, meen ik toch dat jij afkomstig bent van een ander rijk onder de zee. Daar je het tegendeel voorwendt, concluderen wij dat je gezonden bent door iemand die geen vriend van ons is. En blijkbaar kunnen wij jou niet doden. Maar reken er niet op dat wij je zullen laten gaan.'

'Laat hem dan mijn gevangene zijn, vader,' zei Hhabaid. 'Ik heb hem gevangen en rechtens komt hij mij toe. Laten wij daarna losgeld vragen aan onze buren om aldus te weten te komen van welk volk hij is. Ondertussen moet hij mij dienen.'

De koning lachte, kort, want lachen onder water was pijnlijk en stom en men gaf er zelden aan toe.

'Wat je hem ook wilt laten doen,' zei de koning in Zhirems taal zodat hij er geen woord van zou missen, 'laat hem hard zwoegen, hetzij rechtop, hetzij op zijn buik.'

De hovelingen lachten, om de grap of om de koning te behagen met hun gêne. Hhabaid bloosde, een blos als roze rook die door haar wangen en keel trok en verdween. Desondanks zei zij koel: 'Ik gehoorzaam je niet in alles, vader mijn.'

Ze woonde in een aantal kamers van turkoois. In het midden ervan was een binnenplaats met een tuin erin. Levende heggen van getuide vissen zwermden bezadigd door elkaar. Hoog zeewier beschaduwde de zon en als de zon schemerde (om de nacht na te bootsen), tot hij de bleke tint van een gouden maan had, werden er schelpenlampen aangestoken.

Een van de groenharige vissemeisjes was bezig deze lampen aan te steken toen Hhabaid Zhirem de tuin binnentrok.

Op de zandpaden stonden harpen, waarop de getijden tijdens hun stromende passage konden tokkelen. Een octopus in een kooi van orichalchum keek hen woedend aan maar omdat zijn inktblazen geamputeerd waren, kon hij zijn onverzoenlijke haat niet uiten.

'Stoor je niet aan die scherts van mijn vader,' zei Hhabaid. 'Jij bent mijn gijzelaar en ik hou je hier voor het losgeld. Maar als je wilt kun je plezier maken met deze slavinnen. Ik heb horen zeggen dat mannen sterke begeerte voor hen voelen, dat ze opgewonden raken door de staarten. Maar het is een gedegenereerd ras,' ging zij verder, 'stom en hersenloos. Onze voorouders kweekten hen om zich te vermaken, door hun eigen vrouwen te laten paren met de beesten van de zee, met haaien, walvissen, dolfijnen, serpenten en de grote vissen van de diepte.'

'Ik wil deze halfvrouwen niet,' zei Zhirem. 'Maar jullie technologie verbaast mij. Als ik hier iets wil, dan is het jullie magie leren.'

'Leer jij mij dan die kunst van jou?' vroeg ze. 'Zodat messen ook op mijn huid breken?'

'Natuurlijk,' zei Zhirem.

'Je liegt.'

'Net als jij,' zei hij, 'maar laat voorlopig maar rusten.'

Ze staarde hem hooghartig aan. Omdat lachen voor hen niet zo prettig was, waren ze geen mensen met gevoel voor humor, deze zee-lieden.

'Hier aan het binnenhof is een kamer waar je kunt slapen,' zei zij.

'Stop je me dan niet in een kooi?' vroeg hij met een blik op de octopus.

'Als ik het kon, zou ik het doen. Maar jij kunt niet geboeid worden, omdat er tegen jou geen geweld kan worden gebruikt.'

Ze ging weg, gevolgd door haar slaven.

Alle bewegingen onder de oceaan waren sierlijk, maar die van haar wel bijzonder sierlijk. Hij was al gewend aan het nieuwe element, aan het voortdurende wassen van zijn huid; zijn angst was verdwenen en de nieuwsgierigheid bleef. Eerst zonder doel, had hij nu een doel gevonden, en geen klein: het bemachtigen van de magie van Sabhel. Hhabaid zou hem helpen dat doel te bereiken. Hij had in haar ogen gezien. Haar ogen hielden gevangen wat de ogen van Simmu zonder voorbehoud hadden gegeven. Denken aan haar lieftalligheid, die amper schuilging onder haar drijvende japon, wekte een begeerte bij hem op die hem verwarmde, die hem bedwelmde en gulzig maakte. Oude schuldgevoelens, oude angsten hadden geen plaats in deze diepe wereld. Zhirem had zichzelf achtergelaten tussen de gespleten balken van het gebroken schip. Zo kwam het hem voor. En in zekere mate was dat ook zo.

Er gingen een paar dagen voorbij, die te tellen waren aan het opgloeien en verdonkeren van de zon van glas. Zhirem liep over het binnenhof, of door die gangen van het paleis van de prinses die niet op slot waren gedaan om hem de toegang te beletten. Het hof had een dak van kristallen ruiten en die werden gesloten om te voorkomen dat hij de stad in vluchtte.

Er werden Zhirem weelderige kleren gebracht. En ook vreemd voedsel, griezelig van uiterlijk, met een bizarre smaak en altijd opgediend aan pennen of in afgesloten kruiken zodat het niet weg zou drijven. Hij wende eraan de eigenaardige wijnen van Sabhel te drinken door rietjes van holle jade, en hij wende aan het wegvliegen van geroosterde vis wanneer hij zijn eten niet vasthield.

Soms galmde er een koperen klok in een koepel van de stad. Naar het doel hiervan kon hij niet raden, behalve dat de schepelingen van de koopvaart er bang van werden. Hij vroeg niets aan de slaven met hun staart die hem bedienden, want zij schenen spraak noch hersens te bezitten en deden alleen wat hun meesteres hun opdroeg. En haar instructies leken dikwijls excentriek. De slaven brachten hem voedsel dat nog minder smakelijk was dan anders, of zelfs giftige dranken – hij herkende deze laatste makkelijk, het was eraan te zien, maar hij dronk alles bedaard op en werd er niet ziek van. Hij moest tenslotte ook voortdurend de zoute zee drinken en ook dat deerde hem niet. Bij een bepaalde gelegenheid stormden enkele staartslaven naar binnen en trachtten hem te grijpen, wat mislukte. Een andere keer werd de woedende octopus losgelaten uit zijn kooi en toen deze merkte dat Zhirem niet ontvankelijk was voor zijn razende aanvallen, doodde hij verscheidene van de ongelukkige slaven, wier lijken urenlang in Zhirems directe omgeving bleven, al rottend, voordat anderen de octopus in bedwang kregen en de gruwelijke resten konden verwijderen. En weer een andere keer, tijdens de zonneverdonkering, of nacht, werd Zhirem wakker op het bed dat Hhabaid hem had gegeven en waarop hij zich altijd moest vastbinden met wijde zijden banden omdat hij na de minste beweging weg zou kunnen drijven. Toen hij nu wakker werd, bleken drie van de vissemaagden tegelijk met hem vastgebonden te zijn. De maagden begonnen op zodanige wijze met hem te spelen dat zijn begeerte ondraaglijk en smartelijk werd, want hij kon zich er niet toe brengen gebruik te maken van hun openingen, al waren dit dan de voor zoogdieren gebruikelijke. Uit deze en andere voorvallen concludeerde Zhirem dat hij op proef werd gesteld en voortdurend gadegeslagen, waarschijnlijk alleen door zijn cipier.

Op een ochtend, of zonneverheldering, vond hij een tafel met boeken voor hem klaarstaan. De bladzijden waren van wit haaievel en niet geschreven zoals de boeken van het droge land. De woorden waren geborduurd in zwarte zijde en vervolgens was elke bladzijde gevernist met blanke lak om hem tegen het water te beschermen. Van deze boeiende banden waren er slechts twee in land-talen, welke Zhirem herkende van het onderwijs dat hij als kind in de gele tempel had genoten. Deze twee begon hij dan ook te lezen. Beide behelsden legenden van de oceaanrijken en hij kwam tot de slotsom dat allebei gekopieerd waren vanaf mensenboeken en in de oorspronkelijke talen, om de zeemensen met al hun talenkennis te amuseren. Niets beters te doen hebbende, vond Zhirem verstrooiing in het lezen. Begrijpelijk is dan ook zijn ergernis toen de volgende zonnehelder beide boeken weggehaald waren, zodat slechts de onontcijferbare overbleven.

Later, enige tijd nadat de koperen klok geluid had, trad er een gedaante binnen die tot aan de enkels in een zwarte sluier gekleed ging, want enkels had ze inderdaad, en ook voeten daaronder.

'De prinses heeft mij gezonden om je de taal van Sabhel te leren,' verklaarde deze duistere verschijning. Aan de stem kon Zhirem niets horen, want de magische parels die het horen onder de zee mogelijk maakten (en des te beter nu hij er in elk oor een had), vervormden alle timbre en nuance. Maar de zoom van de sluier was met goudklompjes verzwaard om te voorkomen dat hij omhoog dreef en de nagels van de witte voeten waren roze en de tenen omcirkeld met juwelen. Hieruit leidde hij af dat het geen ander was dan Hhabaid die op deze vermomming vertrouwde.

Ze bespioneerde hem al een hele tijd, door gaten in de muren en vergrootglazen in de omringende torens. Hij nam geen aanstoot aan dit spelletje van haar en liet ook nu niets blijken.

Zo begon de taalles en toen zij merkte dat hij vlug van begrip was, scheen ze de les niet graag te eindigen en zo gingen ze door tot de volgende galm van de klok. Toen vroeg hij wat de betekenis van dit gebeier was.

'Het is het Gebed van Sabhel,' antwoordde de gesluierde Hhabaid.

'Een oproep tot het gebed?'

'Allesbehalve. Wij verlagen onszelf niet door zelf te bidden tot de goden, die ons volk lang geleden uit hun gedachten hebben gezet. Maar uit eerbied voor de goden, zoniet uit liefde, luiden wij de klok. De boodschap van die klok is: Wij vergeten de hemel niet, al heeft de hemel ons vergeten.'

'En hoe hebben de goden jullie woede opgewekt?'

'Ik zie dat je niet eens gelooft dat de goden bestaan. Dat is niet verstandig. Eeuwen geleden, en eeuwen daarvoor, woonde mijn volk op het land en ze vergaten de goden boven hen. Toen werden de goden gemelijk en ze openden de enorme sluizen die de regen tegenhouden. Een jaar lang viel de regen op aarde. De rivieren en de zeeën stroomden over. De hele wereld was tot aan zijn vier hoeken één grote watermassa en bijna alle mensen stierven – op de magiërs na. Enkelen overleefden het in eigenaardige boten, maar anderen ontdekten methoden om onder water te leven. En dit waren de eersten van mijn volk, die na een verloop van tijd zo welvarend en tevreden raakten in hun onderzeese steden dat zij deze niet meer wilden verlaten, zelfs niet toen de grote overstroming na tientallen jaren in de grond gezonken was. Wat moeten de goden zich toen niet idioot hebben gevoeld. Wij zijn de zeebewoners wie de landmensen vrezen. Wij heersen over het water en geen enkele tovenaar, hoe wijs ook, heeft jurisdictie in ons land. Zelfs de Prins der Demonen moet hoffelijk tegen ons zijn.'

'Moet hij dat echt?' verwonderde Zhirem zich.

'Dat moet hij.'

Hierna kwam de gesluierde 'onbekende' vrouw regelmatig op bezoek. Hij daagde haar nimmer uit door haar met haar identiteit te confronteren en zij werd allengs vrijer in zijn gezelschap en ze gaf hem goed les, en nu en dan veroorloofde zij zich kleine vrijheden, ze streelde bij voorbeeld zijn haar of drukte op zijn hand. Verder was het testen afgelopen. Al spoedig kon hij vloeiend met haar spreken in haar eigen taal, waarop zij hem een serie boeken van haar volk bracht en die nam zij pas terug als hij ze uitgelezen had. Maar hoewel het fascinerende werken waren, leerden ze hem geen magie.

'Ik zie dat jouw geest hongert naar kennis,' zei de gesluierde Hhabaid op een vroege zonnehelder. 'Ja, het lijkt wel of je geest altijd uitgehongerd is. Geef nu toe, Zhirem, ben je niet van mijn ras? Jij bent even intelligent als wij en je kunt onder water leven. Is er nog meer bewijs nodig?'

'Misschien,' loog Zhirem behoedzaam, 'ben ik een vondeling van jullie ras?' De gewoonte om te lachen was hij hier heel verstandig kwijtgeraakt, maar anders had hij nu gelachen, terwijl hij dacht aan de woestijn waarin hij was geboren op vele mijlen van de zee.

'Dat is mogelijk. Dan heb je het recht om onze gebruiken te leren.'

'En jullie toverij ook. Ik herinner mij dat ik de wens uitsprak om deze kunsten te leren. Maar dat heb ik natuurlijk aan je meesteres gevraagd, Hhabaid.'

'O, dat weet ze vast niet meer,' zei de gesluierde vrouw, 'want zij is zo stom als een platvis en een geheugen heeft ze al helemaal niet.'

De val die zij opende door zichzelf met hoon te overladen zou irritant geweest kunnen zijn als zij een ander was geweest, maar nu had het een maffe charme, alsof zij zichzelf bespotte. Terwijl zij uitweidde over Hhabaids gebreken, begon hij te geloven dat zij inderdaad zichzelf bespotte en zekere van de opgesomde feilen zouden heel goed fouten kunnen zijn die zij in zichzelf erkende.

'Ik kreeg een andere opinie van haar,' zei Zhirem schijnheilig.

'Ja? Ik zal openhartig zijn. Zij geeft om niets dan haar eigen pleziertjes.'

'Ik dacht dat zij wel enig plezier in mij had.'

De gesluierde Hhabaid was niet zo'n leugenaarster dat ze dit ontkende.

'Dat geloof ik ook wel. Maar ze is wispelturig, impulsief en onbezonnen. En jij zou er niets aan hebben als ze jou haar aandacht schonk. Ze is zo saai en lelijk.'

'In dat geval moet ik mijn onwijsheid bekennen, want ik vond haar heel schoon.'

Pauze. Toen: 'Werkelijk? Met haar haar als een ragebol, haar bolle ogen, haar korte lijfje? Nee, ze is het aankijken niet waard.'

'Ik zou het moeilijk vinden om naar iets anders te kijken als zij bij mij was. Trouwens, ik snak naar het moment dat ik haar weer mag zien.'

Deze onweerstaanbare claus kon Hhabaid niet laten liggen.

'Je mag haar meteen zien,' sprak zij. 'En hier is ze dan!' Ze hees de sluier op en gooide hem weg zodat hij door de tuin wapperde en de heggevissen verschrikte.

Ze zag er heel lieftallig, kwetsbaar, trots en aanlokkelijk uit. Hij was niet zo'n zeurkous dat hij haar uit de droom hielp. Net als veel intelligente en scherpzinnige vrouwen, was zij in sommige opzichten een totale idioot. En in zijn begeerte en pret vond hij dat verrukkelijk.

'Maar vrouwe!' zei hij vriendelijk. 'U verbaast mij. Was dat nu wel rechtvaardig, om mij zo te bedriegen?'

'Nee,' zei Hhabaid, 'maar ik ben ook niet rechtvaardig. Mijn gebreken beslaan een lange lijst, zoals ik gezegd heb.'

Toen kuste Zhirem haar voorhoofd, haar lippen, haar keel en hij zou zijn doorgegaan met deze opwindende afdaling als zij hem niet met beide handen had tegengehouden.

'De beloning voor je leergierigheid is niet Hhabaid,' zei zij streng, al riepen haar ogen luidkeels dat zij zich overgaf.

'Welke andere beloning is verder nog iets waard?'

'Toverles.'

'Waardeloos is dat niet,' gaf hij toe.

'En ook niet veilig,' zei zij. 'De oude wetten van de steden van de zee verbieden dat een landman in onze toverij wordt onderricht. Maar voor jou maak ik een uitzondering, omdat ik ervan uitga dat jij een zijdelingse verwant van ons bent. En ook omdat mijn vader, die teleurgesteld is dat niemand losgeld voor jou wil betalen, het nu vervelend begint te vinden dat ik jou hier hou als mijn gast. Hij beveelt mij om op te schieten en met jou af te rekenen. Hij wil van jou af.'

'Ik kan niet gevangen of gedood worden,' zei Zhirem, haar tot een gevangene makend met haar blauwgroene haar, die kleur van zijn eigen ogen, en hij kuste haar nog een keer.

'O, misschien ben je niet te doden, maar Sabhel bevat een miljoen vallen en strikken, allemaal onschadelijk maar ook onoverwinlijk, en daar zou jij nietsvermoedend in kunnen lopen of trappen. Daarna kan hij jou voor eeuwig opgesloten houden op een of andere donkere plek zonder voedsel of plezier van welke aard ook, en ik zal je niet durven bevrijden, want Hhabhezurs toorn is verschrikkelijk.'

'Dan ben jij je vader geen liefde verschuldigd maar vrees.'

'Mijn plicht ben ik hem verschuldigd,' antwoordde Hhabaid, maar Zhirem dacht toch dat hij gelijk had. 'Laat me nu los, dan breng ik je naar die akelige plek waar je de magerij van Sabhel zult leren.'

Vijf

Een geheime gang onder een verborgen deur in een stiekem kamertje van Hhabaids vertrekken. Omlaag, een inktzwarte duisternis in, Hhabaid voor hem uit zwemmend zonder dat hun voeten een vloer raakten, door de inkt, en toen naar een bleek schijnsel. Uiteindelijk twee deuren van zwaar goud verlicht door heksenvuurlampen, die dof in het donker glansden. Een grendel bezaten deze deuren niet maar erdoorheen gevlochten en beide deuren op hun plaats houdend, was een oliezwart serpent met een grote platte kop waarop in de taal van Sabhel deze woorden geschilderd waren: *Wie wil mij passeren?*

Hhabaid zwom regelrecht naar het serpent toe en stak haar vingers tussen zijn gekartelde kaken. Op haar aanraking – of smaak – gleed het ondier meteen opzij en een van de deuren zwaaide open.

'Ga mij voor,' zei Hhabaid tegen Zhirem en hij zwom als eerste door de poort; daarna nam zij haar vingers uit de slangemuil en volgde hem.

De poort sloeg uit eigen beweging dicht en het serpent slingerde zich er weer omheen.

Achter de poorten van goud strekte zich een laan van granieten zuilen uit die ringen van goud droegen en waar hoge lampen van neerhingen die een griezelig koud licht afgaven. Hhabaid leidde Zhirem tussen de zuilen en ze kwamen in een reusachtige zaal. Ook hier hingen koud stralende lampen die genoeg licht gaven om alles in de zaal duidelijk te kunnen zien.

Het was een zaal van de dood. Honderd koningen zaten er op zetels van groen brons. Gouden bankjes ondersteunden hun voeten en hun schouders en armen waren zwaar bedekt met goud. Hun vlees had hen allang verlaten maar skeletten waren ze niet geworden, want de zee en zijn organismen

326

hadden hen veranderd in beelden van koraal in rood en roze en wit.

'Wij leven lang, maar na hun overlijden worden onze koningen naar deze zaal gebracht. Alle heersers van Sabhel zijn hier gezeten en zullen hier gezeten worden,' zei Hhabaid terwijl zij en Zhirem tussen de zetels door zweefden. 'Dit is onze meest heilige traditie, want daardoor zullen onze koningen nooit helemaal sterven. Ze worden één met het wezen van de stad. Dit is de enige lijkstaatsie die onze koningen krijgen, want wij doen weinig aan godsdienst sinds wij de bescherming der goden hebben afgewezen.'

Aan het eind van de zaal was een tweede hindernis, een massieve stenen deur. Deze bezat geen zichtbare bewaker, maar toen Hhabaid hem naderde, begon hij te rommelen als verre donder.

Toen kuste zij de deur, en hij opende zich langzaam, wat nieuwe duisternis onthulde.

Ze waren net binnen toen de toegang zich weer sloot, met een vibratie waarvan het water begon te gonzen.

'Wat er verder ook gebeurt,' zei Hhabaid nu nadrukkelijk tegen Zhirem, 'versaag niet maar volg mij op de voet.'

'Dat zal ik,' zei Zhirem.

Een ogenblik later bevonden ze zich in een oerwoud van zwoegend, glibberig reuzenwier dat zich om hen heen wikkelde, pijnloos maar vast van plan hun aandacht af te leiden. En achter deze wieren, recht voor hen, verscheen een enorm gloeiend gezicht, even groot als de deur was geweest, dat grimassen maakte en snauwde en de scherpe tanden dropen van kwijl. Hhabaid snelde recht op dit gezicht af en verdween in de afzichtelijke muil. Zhirem volgde haar op de hielen en schrok van de stank van die opening, die hem plotseling omhulde en dreigde hem te laten bezwijmen. Maar Hhabaid zwom snel verder een hij hield haar bij.

Ze schenen door de grot van de walgelijke mond van het monster te zwemmen en daarna werd het nog erger, zijn keel in, een lichtloze stinkende duik naar een borrelende poel – de maag – waaruit gassen opstegen die men onmogelijk kon inademen. Maar net toen Zhirem zich verstikt voelde, verdunde de walm en verdween de hele gruwel. Hhabaid en Zhirem waren doorgedrongen in een zilveren gewelf van zwak lichtend water. Hier was niets behalve helemaal achterin, waar een mansgroot beeld van rood me-

327

taal stond dat inmiddels bijna helemaal gekristalliseerd was tot groen koperroest.

Hhabaid ging naar dit beeld toe, ze plaatste haar handen op de schouders ervan, hief zich op tot de hoogte van de mond van het beeld en blies daarin.

Ogenblikkelijk reageerde het beeld door zelf adem binnen te zuigen. Belletjes stormden uit zijn neusgaten en oren. Zijn kopergroene ogen draaiden langzaam terwijl het beeld om zich heen keek en toen sprak het.

'Aanschouw mij, ik ben je leermeester,' zei het beeld. 'Wie van mij wil leren, die betrede mij.'

Waarop het beeld van boven tot onder openspleet. Het inwendige was een mensvormige, mensgrote holte.

'Geen angst,' zei Hhabaid. 'Gehoorzaam, en word wijs. Of als je laf bent kunnen we ook gewoon teruggaan.'

Maar Zhirem ging naar het open beeld toe en stapte erin, zeker niet doodkalm, maar hij liet zich niet afschrikken. Daarna sloot het beeld zich weer en toen zat hij opgesloten in het donker in dat mansgrote gat in de zee.

Een ogenblik of twee, daarbinnen in die man van koper, had Zhirem de tijd voor verwondering en angst. Toen werd zijn geest schoongeveegd. Want in de schedelpan van het beeld waren de kunst en de wetenschap van duizend magiërs opgeslagen, meer misschien, het genie van Sabhel.

Een jaar werd een seconde in dat beeld. Toch bleef het ook een jaar.

Het leek of Zhirem scheen te kijken naar een jongere wereld welks bergen de hemel raakten. Hij scheen te zien dat de zondvloed alles wegvaagde, de bergen en de hemel wegspoelde, en tegelijk ook de mensheid. Toen kwam de droom van magie, waarin hij leek te bewegen en te leven in het lichaam van anderen, waarin hij hun pijn en triomfen voelde, en hun smart en ambitie kende.

Hun wreedheid en hun trots etsten diepe geulen in zijn eigen latente wreedheid en zijn slapende trots. Zijn schedel gonsde. Hij oefende zich in thaumaturgie, necromantie, sprak bezweringen en uitbanningen, begoochelingen en fascinaties, formuleerde bekoringen, riep elementalen op en joeg ze weg. Zijn vingers knetterden. Hij borduurde perkament in grootse boeken, hij beitelde in marmer en in zand de runen van macht en de wiskunde van het lot. Het kwam even onverbiddelijk over hem als een vuur dat smolt en een mal die zich opnieuw vormde, een wijziging van zijn geest en zijn hart, of misschien deed hij slechts een vondst. En wat hij vond was zijn eigen verdorvenheid, het duister van zijn ziel, wat alle zielen bezitten. En hij klampte zich daaraan vast, omhelsde het, als de ene nog overeind staande zuil in een ingestort huis, terwijl de drijfveren van de verdorvenen die hem voorgegaan waren, en hun vaardigheden, hem vulden. Hij werd volgepropt met hun kennis, die buitenissig en wonderbaarlijk was. De brouwsels mengden zich onder zijn handen, de stenen sprongen op voor zijn wil. Duizend of meer waren er vóór hem geweest en die stonden nu alles wat ze bezaten hadden af aan hem.

Van sommigen die het beeld hadden betreden waren de hersens gebroken en zij waren als gekken eruit gekomen, of er dood uitgezakt. Maar toen de twee helften van roodkoper zich openden om hem te laten gaan, kwam Zhirem eruit als magiër.

Hhabaid verbleekte toen zij hem zag. Ze had niet verwacht dat het beeld Zhirem zou vernietigen, maar evenmin had ze gerekend op wat zij nu in hem zag. Iets achter zijn gezicht, iets dat niet gezien kon worden, gaf nieuwe accenten aan zijn uitdrukking. Zij had gehoopt op zijn liefde. Zijn uiterlijk waarschuwde haar die hoop te laten varen, maar zij sloeg de waarschuwing in de wind.

'Wat ben je veranderd,' zei zij.

'Wat ben ik veranderd. Jouw volk is verstandig dat het zulke kennis voor zichzelf houdt.'

'Vele uren zijn verstreken,' zei Hhabaid.

'Jij hebt je stad verraden,' zei Zhirem, 'want ik zou hem nu kunnen veroveren, als ik dat wilde.'

'Nee,' antwoordde zij, 'want jij bent niet de enige magiër in Sabhel.' Maar zij zwom weg uit de grot en spoedig volgde hij. Hij lachte niet. Hij keek naar binnen bij zichzelf, somber nadenkend, koud en scherp levend.

Ditmaal rees er geen illusoire bewaker op toen zij deze ruimte verlieten. De hoge wieren deinsden opzij, de stenen deur ging vlot open. In de zaal van de dode koningen zaten de koralen onbewogen op hun tronen.

'Ik zou ze kunnen verbrijzelen, deze relikwieën van Sabhel die zo'n waarde hebben.'

Hhabaid zei niets, maar zwom sneller.

Ze gingen terug door de zuilenlaan naar de poort van

goud. Hier hing het vervlochten serpent, de eerste en laatste wachter die nog de uitgang versperde.

'Jij hebt gekeken, en nu mag jij hetzelfde doen wat ik deed om hem in bedwang te houden,' zei Hhabaid.

Maar Zhirem ging naar de deuren en scheurde het dier ervan los. Meteen zwol het serpent op en werd veel groter, het verhief zich in het troebele water met zijn vlijmscherpe kaken klappend en zijn ogen in brand. Maar Zhirem sprak één woord van de magiërs van Sabhel dat te maken had met dit soort omstandigheden en het serpent brak in stukken als ronde zwarte munten, die op hun beurt wegspatten in alle richtingen voorbij het schijnsel van de lampen. Alleen zijn ogen bleven intact, maar die doofden spoedig uit in de dood.

De gouden deuren zwaaiden zacht heen en weer. Hhabaid zei: 'Met deze daad heb je de haat van Sabhel op je schouders geladen. Waarom heb je dat gedaan, terwijl het zo eenvoudig was om zonder geweld te passeren?'

'Om mijzelf te kennen,' zei Zhirem, 'zoals ik nu ben.'

'Toverij is een koppige wijn, en jij bent er dronken van.'

'Reken er niet op dat ik weer nuchter word.'

Eenmaal voorbij het inktzwarte water kwamen ze door de geheime toegang weer in Hhabaids vertrekken uit.

Hhabaid verliet hem zonder omhaal en hij deed geen poging om haar te weerhouden. In plaats daarvan zocht hij de vertrouwde kamer naast de binnenplaats weer op en legde zich neder alsof hij wilde gaan slapen, maar slapen deed hij niet. Het effect van zijn les spetterde en glinsterde, schitterde en stormde nog door zijn gedachten.

De stad schemerde in het zonnedonker, de zon verbleekte tot een maan. Zhirem stond op en dronk de viskleurige wijn van Sabhel. Daarna ging hij naar de bibliotheek van de prinses en pakte daar verscheidene boeken van de schappen en bladerde die door. Zo deed hij de ontdekking dat hij meer talen kon lezen dan vroeger, en niet alleen die van Sabhel. Van sommige bladzijden had hij zelfs een schemerige herinnering dat hij ze zelf had gedicteerd – of liever een van de vroegere magiërs, wiens herinneringen hij gestolen had in het beeld. Maar dergelijke intieme associaties raakte hij al kwijt. Wat bleef was hun arrogantie, de inspiratie van de zijne, de wrede ongevoeligheid van de zeemensen.

Hij wist dat Hhabaid op hem wachtte en dat ditmaal weinig sloten hem tegen konden houden. En toen hij haar deur probeerde, had zij die niet eens op slot gedaan, zelfs niet die van de slaapkamer, deels uit liefde, deels uit trots, wetend dat hij binnen kon vallen.

Maar ze staarde hem aan en haar vingers speelden nerveus met een lange gouden sluier.

Toen hij naderbij kwam, zei zij: 'Ik was verliefd op je vanaf het eerste gezicht. Maar ik wilde niet bij je liggen. Je bent nu in staat om uit de stad weg te komen. En ik raad je aan, Zhirem, om te verdwijnen.'

'Weer een sluier?' zei hij en hij plukte het gouden rag uit haar handen. 'In de zwarte herkende ik je meteen. Je gesluierde woorden zijn al even duidelijk. Ben je bang voor mij?'

'Je bent nu als mijn vader,' zei zij, 'zoals alle mannen die als magiërs uit het beeldenbeeld komen. Ik had niet verwacht dat die verandering ook over jou zou komen, maar in jou is het juist nog sterker en schrikwekkender geworden. Ja, ik ben bang voor je, maar het is uit liefde dat ik je smeek Sabhel te ontvluchten.'

'Laat je liefde mij om andere dingen smeken,' zei hij.

En toen trok hij haar tegen zich aan en wikkelde de sluier twee of drie keer om hun beider middel en legde er een knoop in, elkaar aldus samenbindend, zodat zelfs de stromingen van het water hen niet zouden scheiden. Toen bond hij haar met één arm en hand nog verder en met de andere plukte hij van haar borsten het juwelen lijfje, en de ragdunne zijde die haar heupen bewolkte scheurde hij met handenvol weg.

Zij sloot haar ogen maar al spoedig overviel haar een wilde hartstocht en feller nog dan hij klauwde zij de kleren van zijn schouders en klemde zich tegen hem aan en huilde zacht van liefde voor hem en begroef later haar tanden in zijn huid, woest alsof ze hem wilde verscheuren, haar angst en alles behalve zijn lichaam vergetend.

Zo draaiden zij om en om, om elkaar, in de groene oceaanlucht van de kamer, met langzame wentelende bewegingen die bijna toevallig leken, totdat zij met haar handen de juwelen stijl van het bed boven zich vastgreep en nu Zhirem boeide met haar benen, en haar smalle voeten over zijn rug liet glijden. Hij stootte door de ring tot in haar diepten en het licht werd iets roods en de stilte een geluid. Lachen onder de zee betekende pijn en barstende longen; minnen onder de zee, erger dan alle gelach, betekende een strop die zich sloot om hun keel en die desondanks tegelijk het genot verhevigde.

Hun harten daverden, galoppeerden, hun ogen werden zwart en zilveren sterren stortten voor hun ogen langs alsof er melkwegen geboren werden uit de bewegingen van hun lendenen, die zo leken op het malen van de vijzel in de kom, wat vuur kan opleveren. En terwijl zij door golven van warmte en sensatie naar een nog heviger verstikte blindheid stegen, leek een nog schitterender vuur, de dood, hen te verpletteren, hen vast te grijpen en over elkander tot gruis te vermalen. Plotseling laaide het vuur hoog op. Het lichaam van de vrouw werd een snelle draaikolk, haar nagels sneden groeven in de broze mineralen in de beddestijl. Zhirem schudde met zijn hoofd zodat uit zijn ogen een deel van de bloedduisternis verdween en hij de vrouw weer kon zien, met haar gezicht even mooi, krankzinnig en vreselijk als een spreuk, als een gemene daad, maar toch niet helemaal, voordat het laaiende vuur oversprong van haar lichaam naar het zijne. Het plafond leek neer te storten en hen te bedelven. Hun vuur werd gedoofd in een duisternis die op een bezwijming leek.

In het duister kon hij, als dat nog nodig was, zich een andere keer herinneren toen hij geweten had dat liefde niet genoeg was, zoals hij dat nu weer wist.

Zwak op de achtergrond terwijl zij leeg van elkaar losdreven, voelden zij de trillingen van deuren die werden opengeworpen en het stromen en gutsen van het water dat hiervan het gevolg was.

Koning Hhabhezur had schertsend bevolen dat zijn dochter Zhirem in haar bed moest gebruiken en dat hij 'hard moest zwoegen'. Maar blijkbaar had Hhabhezur er niet op gerekend dat ze dit ook echt zouden doen, of hij was zich gaan afvragen of ze hem misschien wél serieus zouden nemen, want nu kwam hij toornig binnen met hun paring als excuus.

'Dat een koningsdochter zulke spelletjes moet spelen met een ongelikte drenkeling die niet eens van onze soort is, een lage bastaard van een of ander naamloos en onrein ras–'

Terwijl zij Zhirem losliet en zelf losgelaten werd, hulde Hhabaid zich in de gouden sluier die hen verbonden had, verschool zich woedend en beschaamd voor de starende blikken van de koning, van zijn gevolg van soldaten met haaiestaarten en van twee of drie hovelingen in de achterhoede.

'Ik heb niet meer gedaan dan je mij opdroeg.'

'Je hebt buitensporig veel meer gedaan, brutale kat. Want deze man—'

'Deze man,' viel zij hem in de rede, 'is een man om voor op te passen. Niet alleen meer is hij onkwetsbaar. Hij bezit een vaardigheid gelijk aan de jouwe.'

Nu werd het gelaat van de koning verschrikkelijk om aan te zien. Zijn boze natuur rees als bloed naar zijn huid.

'Wat heb jij gedaan, slet van een dochter?'

'Zij heeft mij meegenomen naar de kopergroene man,' zei Zhirem. 'Hij heeft mij les gegeven.'

Ogenblikkelijk hief de koning zijn hand op en daaruit schoot een draaiend vlas dat zich om Zhirem heen vlocht, zover weg van zijn lichaam dat zijn onkwetsbaarheid niet in opstand kwam, dichtbij genoeg om hem te binden – maar slechts een ogenblik. Ook Zhirem had de hand geheven. Het vlas rafelde uiteen, smolt en daaruit schoot een staalglanzende pijl. De koning gaf een schreeuw. Voor hem verscheen een bronzen schild dat de pijl afweerde maar de haaimannen begonnen allemaal te knetteren en grotesk te kronkelen, en toen dreven ze kalm en levenloos in het water. (Ongedeerd maar ontsteld vluchtten de hovelingen.)

En nu beefde het bronzen schild en veranderde in een koperen vaas, even lang als de gestalte van Hhabhezur de koning, die nu opeens in deze vaas stond.

'Jij zou mij gedood hebben als je dat had gekund,' sprak Zhirem. 'Nu zal je dochter over Sabhel heersen.' Hij sprak drie woorden.

In de koperen vaas begon Hhabhezur te krijsen. Uit de opening van de vaas stormden bellen en toen een rode vloeistof. Ten slotte steeg er een bloedrode speer op uit de vaas, maar die verdween snel.

'Jij zult niet wenen, Hhabaid,' zei Zhirem. 'Jij was hem je plicht verschuldigd maar geen liefde.'

'Ik zal niet wenen,' zei zij met een klein stemmetje, het gezicht afgewend, 'omdat de zeebewoners, wier ogen eeuwig volstaan met zout water, geen eigen tranen bezitten om te vergieten. Maar je had hem niet hoeven doden. Wil jij koning van Sabhel zijn?'

'Jullie koraalstad betekent niets voor mij,' antwoordde Zhirem.

'En ik beteken niets voor jou, want jij wilt mij hier achterlaten.'

'Onze omgang is afgelopen,' zei Zhirem. 'Meer verwachtten wij er geen van beiden van.'

'Dat geldt dan voor jou. Niet voor mij.'

Ze zagen elkander zonder genegenheid aan. Zij had zijn begeerte bevredigd, de hare was slechts toegenomen. Misschien zou hun romance niet zo vlug al zuur geworden zijn als geweld en schrik de zaak niet hadden geforceerd. Zonder bemoeienis van buitenaf, had de liefde nog enkele uren kunnen dralen.

'Ik wil geen vrouw bij mij hebben,' zei Zhirem, 'maar ik dank je dat je mij de macht van een magiër hebt geschonken, waarvan ik in de wereld hierboven gebruik zal maken.'

'Reken daarboven niet op blijdschap. Ik vervloek je. En heel Sabhel zal jou vervloeken wegens de moord op mijn vader, de koning.'

'O, het zal niet bij de moord blijven, het wordt nog erger.'

'Wat zul je dan doen?'

'Hij vormt mijn vrijgeleide door jouw stad vol vallen. Je hebt mij uitstekende raad gegeven, Hhabaid.'

De koperen urn was nu een kooi geworden. Zhirem bewoog zich eromheen. Hij verzegelde de kooi met magie. Hij verzekerde zich ervan dat geen dan hij Hhabhezur eruit kon nemen. Ten slotte trok hij het haar van de koning buiten de tralies van de kooi en knoopte de uiteinden om zijn pols.

'In deze toestand verkeert hij. Zo zal ik hem dragen.'

'Wij zijn geen teerhartig volk,' zei zij, 'maar naast jou zijn wij pasgeboren baby's.'

'Ik verras mezelf ook,' zei hij. 'Maar lang geleden al ben ik aan het kwade beloofd. De honden hebben me eindelijk ingehaald, de honden der demonen.'

'Waarlijk zal ik je vervloeken, als je dit doet.'

'Vervloek me dan. Ik op mijn beurt zal mij slechts je lieftalligheid en je geschenken herinneren.'

Hhabhezur in zijn kooi van koper voorttrekkend verliet hij haar.

Hhabaid scheurde haar sluier in stukken, zij die niet wenen kon, en toen trok zij zich de haren uit, en haar hart was al gebroken.

Zes

Er lag een onheilspellende stilte over de stad toen Zhirem, de kooi aan het haar van de koning door het water trekkend, tussen de hoogste torens van het paleis in het weelderige kanariegele water van de late zonnehelder kwam. Als een gepolijste rode praalvertoning zonken de daken en koepels en minaretten gevat in hun zeewiertuinen weg in de diepte. Burger noch slaaf zwom tussen de fantastische bogen, geen koets stoof hoog door de straten. Alles was zo stil als een kat die zijn sprong gaat maken – Sabhel was in allerijl op de hoogte gebracht, zoals Zhirem wel had verwacht. Dat moest Hhabaid hebben gedaan, of de vluchtende edelen van Hhabhezurs hofhouding.

Toen Zhirem nog hoger was gekomen, hoger dan de hoge koepel waarin de hooghartige gebedsklok van de stad hing, trok een donkere wolk die achter hem omhoogkwam als rook zijn aandacht. Het waren een honderdtal van de haaiman-soldaten, die netten bij zich hadden om Zhirem in te vangen en ook speren voorzien van de witte angels van zeedieren om vergeefs naar hem toe te slingeren. Achter hen reden de blauwharige edellieden op gouden zadels die bevestigd waren op de harde ruggen van reuzenschildpadden met naargeestige ogen.

Geschreeuw en uitdagingen klonken wazig in de gehoorparels in Zhirems oren. De staartslaven rukten op, wierpen hun netten, staken met hun speren – de speren braken in stukken en de netten smolten.

Zhirem wachtte even. Hij toonde de edelen zijn trofee in de koperen kooi.

'Hebben jullie nog niet geleerd dat ik onkwetsbaar ben? En nu ik ook jullie magie bezit, hebben jullie kunsten toch geen enkel nut meer?'

De edelen fronsten. De schildpadden grijnsden rond hun gouden bit zonder dat ze plezier hadden.

'Geef ons dan onze koning, die je gedood hebt.'

'Nee. Hij is mijn laatste vrijgeleide.'

'Wij moeten zijn lijk hebben – hij moet in de stenen zaal zitten waar de zee de mannen tot koraal maakt. Het is onze enige godsdienst, een verbond met de eeuwigheid.'

En een die minder arrogant was dan de anderen, zei bedaard: 'Je hebt Hhabhezurs lijk niet nodig. Als het moet, geven we je een vrijgeleide. Wat heb je trouwens van ons te vrezen, jij die op alle manieren beschermd bent? Ik smeek je, laat de kooi hier.'

Maar Zhirem vertrouwde hen nauwelijks. Toch ging hij vooral uit leedvermaak om hun wanhoop niet op de smeekbede in.

Zij achtervolgden hem over grote afstand. Tot voorbij de stad en tussen het bos van op slangen lijkende palmen waar de orchideeën op het zand bloedden en de vissen opslokten die erop landden. Maar hoewel de edellieden Zhirem achtervolgden, wisten ze dat ze machteloos waren.

Ze kwamen bij de grote schelp die de poort tot Sabhel vormde.

Hier hield Zhirem weer even halt. Hij zei schertsend tegen de edelen van Sabhel dat het water voorbij de poort te vreugdeloos voor hen was en dat zij hem dus maar niet moesten volgen.

'Ik zal dit pact met jullie sluiten,' zei Zhirem. 'Wanneer ik veilig op droog land ben, zal ik het lijk van Hhabhezur naar jullie terugzenden. Maar als jullie mij nog lastig vallen, zal ik het vernietigen. Als teken van jullie goede wil zal ik Hhabhezurs losgeld nu reeds aanvaarden.'

Toen grijnsde hij om hun verbeten gezichten en hij vroeg hun om hun ringen van goud, hun juwelen halsbanden, hun armbanden van orichalchum en hun electrumdolken die bezet waren met smaragden en in scheden van indigo haaievel staken. Deze voorwerpen wikkelde hij in zijn mantel en door deze handeling roerde zijn geheugen zich als water en bracht oude beelden boven waarvan de ironie hem plots plezier deed – een jonge priester in een geel gewaad die de zieken genas en hun munten weigerde, die de zilveren band die zijn tempel hem gaf, wegschonk aan een verminkte boer. Een knaap die niet veel later valselijk beschuldigd werd van de diefstal van een zilveren beker om een hoer mee te betalen...

Zhirem sloeg op de schelp en sprak er magie tegen.

De schelp vouwde zich open langs zijn ribben. Het ijzige duister van de oceaan, buiten het bereik van de glazen zon, kwam bloot te liggen.

Zhirem ging door de poort met zijn zware mantel en de zware kooi en sloot de poort achter zich met een verzegelingsspreuk die de heren van Sabhel wel enkele dagen werk zou geven.

Toen in het absolute duister, drie of vier mijlen van de

poort, liet Zhirem een licht schijnen, het heksenvuur dat hij had leren oproepen. En bij dit licht ontbood hij nog andere dingen.

De zwarte weekdieren kwamen op zijn bevel en droegen hem omhoog tussen de rotspilaren, door de wouden met hun rubberen vingers, langs de verdronken citadels van de mens die hij nu op zijn beurt bespotte: *Jullie moeten het hier volhouden, maar ik ga naar boven.* En in een zuil van verbrokkeld marmer brandde hij met zwartekunst zijn naam om zijn teken hier in de zee achter te laten, iets wat een kind zou doen, maar toen hij het deed was het toch een beetje anders. En de letters van zijn naam waren veranderd: het laatste teken veranderde in dat wat toen de menselijke magiërs kozen, zodat hij niet langer Zhirem was, doch Zhirek.

Hoger, waar de zee de tint van een groene schaduw aannam, riep hij haaien tot zich en zij droegen hem en zijn lasten naar het oppervlak van de zee en daarna naar de kust van het droge land.

Zeven

Hij sliep die nacht op de koude kust maar voor hem was het niet koud. Hij kon ook de aardse vuren ontbieden en daarvan liet hij er een komen voor licht en om hem te verwarmen. Hij maakte een tent van de nachtlucht leek het, zwart fluweel. Vlak achter de ingang stond Hhabhezur te kijken met zijn dode ogen vanuit zijn koperen kooi. De vissekoning stonk reeds, of zou hebben gestonken als de kunsten van Zhirek de magiër de stank niet heengezonden hadden met geurige donkere gom die hij in het vuur verbrandde. Al deze luxe lag voor het grijpen voor een magiër want in die dagen was er weinig dat de ware magiër niet kon.

Zhirek staarde naar Hhabhezur.

'Jij bezit wat ik niet hebben mag,' zei Zhirek, 'de dood. Maar nu wil ik de dood niet.'

De gestolde ogen van Hhabhezur konden niet antwoorden en toch leken ze te zeggen: *Deze deur kun je niet openbreken, deze luxe kun je niet ontbieden. De Dood gehoorzaamt Zhirek niet. Hoe vermoeid Zhirek ook moge raken van de woestijn van het leven, deze koele dronk zal de zijne niet zijn, in eeuwen niet, of langer.*

'Je staat te rotten, koning,' zei Zhirek tegen de dode.

De dode ogen gloeiden met weerkaatst vuurlicht: *Jij moet je ogen afwenden voor ik dat doe.*

Zhirek legde zich te ruste op fluweel. Ten tijde van zijn priesterschap zou hij deze weelderige legerstede versmaad hebben. Hij droomde van vrouwen, alle verboden vrouwen die hem ontzegd waren en waarvan hij niet mocht genieten. Goudkleurig en blank en kaneel en amber. Ze lagen met hem, maar op het toppunt van zijn extase klonk een fluistering in zijn geest: *Liefde is niet genoeg.* En als hij zich rusteloos omdraaide hoorde hij een ander gefluister: *Het leven ook niet.* En tegen het aanbreken van de dag de derde fluistering: *Noch magie.* Maar omdat hij nu wijs en goed onderricht was, vergat hij dit.

Toen hij wakker werd, stond de zon hoog. Het vlees viel van het lijk als azuurblauwe bladeren. Met een dolk uit Sabhel hakte Zhirek de linker grote teen van de koning af, die nu een bot was.

Buiten ziedde de zee over het strand, doorschoten met doorschijnende kleuren, stormachtig terwijl de lucht toch helder was.

Zhirek waadde een eindje het water in. Hij gooide het botje in de zee.

'Ik heb jullie zijn terugkeer beloofd,' mompelde hij. 'Ik heb er niet bij gezegd hoe hij terug zou keren.'

Hij liep enkele dagen langs de kust. Dit was niet het land waaruit hij vertrokken was op het piratenschip. Hij liep op blote voeten. Sinds hij een kind was had hij nooit schoenen gedragen. (Spoedig zou men het een hebbelijkheid van hem wanen; als Zhirek zo machtig was, hoefde hij het toch niet zonder schoenen te stellen.) De kooi van koper met de rottende koning erin zeulde hij niet meer mee. Hij had de kooi van benen voorzien en deze liepen voort.

Op de vijfde dag kwam Zhirek langs drie gehuchten op de rand van de zee waar de smalle vissersboten op het land getrokken waren, want de zee was ruw en onberekenbaar en de vissen waren schuw geworden.

In het eerste gehucht stonden de mannen die op het kiezelstenen strand zaten ijlings op en renden hard weg voor de donkere man met de koperen doodskooi die achter hem aan liep. In het tweede gehucht smeekte een man hem: 'U bent zichtbaar een tovenaar. Zeg ons hoe lang dit weer ons van de zee weg zal houden, want onze vrouwen en kinderen lijden honger–'

'Ik zal jullie vis brengen,' zei Zhirek. Hij sprak tegen de zee en meteen rolde een brede golf op het strand en deponeerde daar twintig naar lucht happende en spartelende vissen. De vissers waren verbijsterd, want geen enkele landmagiër van wie zij ooit hadden gehoord bezat macht over de zee of diens bewoners. Maar Zhirek, die zoveel van de magie van de zeeheren had geleerd, wilde de vissers alleen treiteren, en toen zij deze onverwachte vangst wilden oppakken, sloeg er een tweede golf stuk op de kust en deze doorweekte de mannen, hun netten en hun boten en plukte uit hun vingers en van de stenen al de vissen die de eerste golf had aangevoerd. Zhirek zag het aan met een uitdrukkingloos gezicht.

De vissers verwensten hem woedend en bevreesd. Een van hen, die bozer was dan de anderen, smeet een steen, die natuurlijk onschadelijk op de kiezels bij Zhireks voeten neerkletterde. Maar Zhirek sprak tegen de ziedende oceaan en toen zei hij tegen de man: 'De volgende keer dat jij je op zee waagt, zal je boot zinken met jou erin.'

Geen van de vissers zei iets, want allen geloofden hem.

Het derde dorp was welvarender. De avond daalde als een breedgevleugelde vogel op het water. Een kroeg met gele lampen, uit welks deuren luid gezang klonk, stond aan het pad over de rots dat naar de kust voerde. Zhirek ging erbinnen met de kooi achter zich aan en er viel een stilte. Zelfs de lampen flakkerden als van angst.

'Breng mij wijn en vlees,' zei Zhirek en toen het opgediend was, ging hij op zijn bekende lusteloze manier zitten eten en drinken. De gruwelijke kooi hurkte in de schaduw, maar de geur van ontbinding – niet sterk meer, want er was weinig over van Hhabhezurs vlees – sloop door de gelagkamer en maakte de feestvierenden bleek en misselijk.

'Het moet een vijand zijn die hem onrecht heeft gedaan, en hij moet een machtig tovenaar zijn,' deduceerden zij, maar ze namen met enige spoed afscheid en toen bleven slechts Zhirek, de kroegbaas en zijn gezin over.

In het zwakke, sputterende schijnsel van de visolielampen zat Zhirek met zijn kin op zijn handen. Tegen middernacht zwol de storm op en de zee beukte de kust. Zhirek pakte het mes van zijn bord en hakte het kale botje van Hhabhezurs linker wijsvinger af, ging naar buiten en wierp dit in de zee.

De kroegbaas, die naar buiten tuurde, meende heel wazig glanzende gedaanten te zien, ver weg op de golfkammen van de oceaan, mannen met vliegend haar en vreemde koetsen en de lichtende glans van haaieruggen. De wind voerde een gehuil aan als van een vrouwenstem.

Zhirek kwam weer binnen.

'Geef me je bed om in te slapen,' zei hij tegen de eigenaar van de kroeg, 'en je knapste dochter om mee te slapen.'

De man gehoorzaamde doodsbang. De dochter, die vol weerzin naar Zhirek toeging, begon alras te kreunen van verliefdheid en 's ochtends was ze zo vermetel dat ze hem smeekte bij haar te blijven. Toen, stom genoeg overtuigd van het feit dat zij hem als een man kon manipuleren omdat zij had gemerkt dat hij in bed een man was, schreeuwde zij hem schril na totdat Zhirek abrupt een woord sprak en toen hield haar lawaai op. Vanaf die dag bleef ze sprakeloos.

Hij kwam bij een stad aan zee. De torens strekten zich omhoog naar de morgen en de vogels vlogen over de bleke rode schijf van de zon. Zhirek werd overrompeld door zijn speciale vermoeidheid, die met rust nooit te verhelpen was. Hij kreeg zelfs al genoeg van haat en slechtheid en onrecht, zo vlug al. Maar dat erkende hij niet. Toen hij mensen tegenkwam op de hoge kustweg langs de oceaan, had hij hun gezicht de kleur van olijven gegeven – toen ze elkaar zagen, begonnen ze te gillen – een kinderlijke gemeenheid. En verderop, toen hij langs een put kwam, had hij het water het aanzien en de geur en de smaak van bloed gegeven, wat een van de oudste en smerigste toverkunstjes was. Toen hij later in de ommuurde stad kwam, met zijn torens, zijn vogels, het grote marktplein in het centrum, de terrasvormige citadel, toen kwam het hem voor dat hij al duizend steden had gezien, al had hij er in werkelijkheid pas enkele gezien. Vermoeid van geest als hij was, kreeg hij eindelijk de drang om op één plek te blijven, zonder zich te bewegen. De drang uit zijn jeugd die hem voortgedreven had, was ten leste opgebrand, want in zijn ziel was hij niet jong meer.

Hij ging langs de stad, speurde in de buitenwijken. Hier en daar pleegde hij een of andere kleine onplezierigheid – dit werkte als een brandstof, iets om hem op gang te houden, want anders, kwam het bij hem op, zou hij misschien eenvoudig blijven staan waar hij stond, veranderd in levende steen.

(Hij was blij geweest dat hij Sabhel verliet, zelfs dat land vermoeide hem al. Magie en liefde waren te makkelijk te krijgen geweest. En alles wat niet makkelijk was geweest, was onbereikbaar.)

De kooi liep mee. Hhabhezur, minus teen en vinger, bestond nu geheel uit rammelend bot.

In korrelig groen en grijs doemde er een vervallen huis op. Zhirek klom de rottende trap op, door een verwilderde tuin waar de kale rots van de klif doorheen kwam. Krakende deuren hingen nog net aan hun scharnieren. De mozaïekvloeren binnen waren door dieven van ieder bruikbaar voorwerp ontdaan. Door de gebroken ramen woeien schuim en rauw weer binnen, want de storm, die Zhirek langs de kust was gevolgd, zwol aan. Het zoute water klotste in de kelders waar gebroken kruiken nu met zeewier pronkten.

De melancholie en het verval van het huis appelleerden aan Zhireks lugubere verbeelding. Misschien zag hij in het huis een fantoom van de ruïne van het fort in de woestijn waar de waanzinnige oude priesters hem vroom misbruikt en geliefkoosd hadden toen hij Zhirem was en tien jaar oud, tijdens hun overdreven inspanning om zijn 'duivel' uit te bannen. 'Bouw geen paleis in de wereld...' Wat een ironie als, nadat hij bezweken was voor alle vallen waarvoor zij hem hadden gewaarschuwd, die hang naar armoede van hen nog stand hield.

Met zijn kunsten en door gebruik van mensen die hij in trance uit de stad haalde of weg liet slepen door degenen die hij al had, werd het huis enigermate op orde gebracht. Op de vloeren lagen dikke kleden, gestolen of met minder vriendelijke middelen verkregen koopwaar, en voor de ramen hingen zware gordijnen te wapperen. Soms kwamen er vrouwen als slaapwandelaars over de kustweg naar het huis zwalken, de trap op waarnaast de stenen beesten afschuwelijk grijnsden, door de onkruidtuin, door het huis naar het zwarte hemelbed van Zhirek. Het bed met zijn stijlen en zijn beeldhouwwerk en zijn donkere kleur dat bij toeval of met sombere opzet op niets zozeer leek als op een graftombe. Bij andere gelegenheden stierven er mannen voor het vermaak van de magiër – hoewel hun smeekbeden, hun pijn en hun dood hem nauwelijks amuseerden. Hij was jaloers op hun dood, of anders spande hij zich hevig in om wat dan ook te voelen – jaloezie, pijn, woede, want alle emotie in hem lag te smeulen en uit te doven. Zelfs wreedheid werd niet meer dan een gewoonte.

Eens waagden de belastinginners van de koning zich hier, hoewel het huis walmde van toverij. Zhirek rekende met deze bezoekers af en bracht toen een bezoek aan de koning. Dat was de dag dat de koning zeker wist dat hij een hond was, een teef besteeg, botten knauwde.

Op zijn eigen voorraadje botten was Zhirek heel gierig. Hij verdeelde Hhabhezur in stukjes en wachtte iedere keer tot de storm de oceaan ranselde voor hij de edelen van Sabhel een brokje toewierp. En naarmate de maanden verstreken, en daarna de jaren, kwamen de stormen minder vaak. Alsof de zeemensen van Sabhel eveneens de hartstocht en het conflict moe werden.

Wat duurde de tijd lang, eindeloos. Tijd zonder betekenis, waarvoor Zhireks moeder gewaarschuwd was toen zij voor hem het verschrikkelijke vuur van de onkwetsbaarheid had opgeëist. 'Er bestaat geen weldaad die geen zuster in het ongeluk heeft.' Daar mijmerde hij over, tijdens de lange stille avonden wanneer, terwijl het hele land en de hemel gekleurd leken door het glazuur van de zee, die zilveren rust zelfs, korte tijd, in Zhirek doordrong. Hoe kwam het dat hij, die zoveel had gekregen, het slechts kon misbruiken en eronder kon lijden? Terwijl hij als hij kwetsbaar en onwetend was gebleven, blijdschap en comfort in zijn leven zou hebben kunnen brengen, zowel voor hemzelf als voor anderen. Hij was in de richting van het kwaad gedwongen, maar het kwaad had hem afgewezen; Azhrarn, bij volmacht of in vermomming, had hem afgewezen. Waarom was Zhirek dan niet teruggekeerd tot zijn bedorven onschuld, waarom had hij niet geprobeerd het gescheurde kledingstuk te herstellen? Omdat hij nooit iets goeds had gedaan anders dan uit angst om iets slechts te doen. Toen het kwade niet langer een gevaar vormde, was het kwade het enige waar hij zichzelf nog toe kon brengen.

Op een dag deed hij een experiment. Lopend door de stad, terwijl de deuren zoals altijd haastig dichtsloegen, en de op straat gebleven mensen als altijd diep bogen en verbleekten, zag hij een klein, vergeten jongetje dat in de goot speelde. Iets in het kind ontroerde Zhirek bijna, de roodgele tint van zijn haar, misschien, hoewel zijn ogen niet groen waren. Uit het niets wrochtte Zhirek de schijn van een onschuldig snoepje en bood dit aan het jochie aan, dat het cadeautje vol vertrouwen aannam. Op dat ogenblik kwam de moeder van het kind aansnellen. Ze griste het kind van de straat en tilde het op en staarde Zhirek ineenkrimpend van angst aan. Zhirek zei aarzelend, pogend vriendelijk te zijn: 'Vraag me om iets.'

'Red dan mijn kind, dat u vergiftigd hebt,' schreeuwde de vrouw plots.

'Nee, dat heb ik niet gedaan,' ontkende Zhirek, en hij stak zijn hand uit.

Daarop schoot de vrouw achteruit, ze struikelde over een steen en het kind viel uit haar armen en het brak de schedel op de rand van de goot.

Hoewel hij wist dat dit voorval het gevolg was van de reputatie die hij zelf had verwekt, aanvaardde Zhirek het toch als een teken dat hij door het kwade vergezeld zou blijven, zoals de kraai rond de galg cirkelt.

Maar nog enkele jaren later, toen hij voor de galg stond waaronder de moordenaar hing te dansen, sprak er achter Zhirek iemand die zijn naam zei, hoewel niet precies zoals zijn naam luidde.

Toen hij deze naam hoorde, daalde er een zachte, maar bittere koude over Zhirek. Hij begreep dat een enkel ogenblik de Heer van de Dood bij zijn schouder had gestaan.

Acht

De zon ging onder en de nacht rees op uit zee. Bij het licht van een albasten lamp, door mannen onder Zhireks invloed gestolen uit een koninklijk mausoleum, zat de magiër te lezen in een zwart en zilveren perkament dat uit dit zelfde mausoleum geroofd was. Het boek bevatte zekere kennis en richtlijnen betreffende de gevaarlijkste soort van magie, het laten verrijzen van de doden en soortgelijke ondernemingen. Zhirek nam het terloops door, totdat een geluid in het huis hem aanleiding gaf om het perkament terzijde te leggen.

Niemand kwam nu nog zijn huis binnen tenzij hij of zij geroepen was. Het was goed bekend dat vreselijke dingen het gebouw bewaakten. Toch kwam het weer, een vreemd geluid, als metaal dat op de galmende stenen vloer sloeg, beneden – er was iemand binnengekomen, iemand die bestand was tegen Zhireks beveiligingen, en blijkbaar ook tegen de angst.

Zhirek verlichtte zijn pad met eng gloeiend heksenvuur terwijl hij afdaalde naar de zaal met de stenen vloer en daar om zich heen keek.

De gordijnen wapperden voor de ramen en eigenaardige schaduwen huppelden buigend rond. Een reusachtige kandelaar straalde met een dof licht in een kantwerk van geel kaarsvet. Een rat die van het vet had gesnoept, schoot over de plavuizen. Op een gouden standaard rustte de laatste rest van Hhabhezur – alleen zijn schedel, die Zhirek in een laatste vervelende boosaardigheid had bewaard. Direct achter het licht had een hoge zetel van bewerkt ebbehout een bijzondere glans gekregen. Zhirek liep erheen en ontdekte dat er een gestalte in een mantel in zat wiens hoofd bedekt was door een bleke kap. In de witte rechter handschoen hield de gedaante een ijzeren staf met gouden banden, waarmee hij op de vloer had gebonsd om Zhireks aandacht te trekken.

Toen werd Zhirek overspoeld door het soort bange opwinding dat een jongen of een vrouw voelt wanneer hij of zij onverwacht iemand ontmoet die zo goed als een vreemde is maar op wie hij of zij hevig verliefd is. Zhirek beefde, en dat verbaasde hem.

Heel langzaam hief de gestalte zijn hoofd op. Binnen de witte omlijsting van de kap bevond zich slechts zwart, en twee kleurloze branden – ogen.

'Vraag mij niet wie ik ben,' zei de gestalte tegen Zhirek. 'Je kent mij. Wij hebben elkaar eerder ontmoet.'

Zhirek herinnerde zich – alsof het een droom was die weer in zijn geheugen kwam – een schim die lang geleden zijn voorhoofd had aangeraakt en hem voor korte tijd verlost had van wanhoop en onblusbare ellende, met de gift van de bewusteloosheid. Nu maakte deze herinnering hem zwak.

'U bent de Dood,' zei hij. 'Mag ik met u meegaan?'

'Nee,' zei de Dood. 'Het vuur heeft jou buiten mijn bereik gebracht, nog minstens voor eeuwen.'

'Maar u bent hier,' zei Zhirek.

De linkerhand van de Dood rustte op de armleuning van de ebbehouten zetel, even zwart, zonder handschoen. Plotseling viel Zhirek half voorover en hij greep deze hand beet, de blote huid van de Dood.

De Dood aanraken betekende letterlijk de aanraking van de Dood voelen. Voor sommigen verlossing, voor de meesten een gruwel. Maar voor Zhirek, die niet kon sterven totdat zijn duurzame vlees versleten was, betekende die aanraking een zegen en een troost. Het kwam over hem als een droge, verdoofde hem bijna – het enige geschenk dat de Dood hem kon geven, de halfdood van de bewusteloosheid, de belofte van een uiteindelijke verlossing van twijfel aan zichzelf en de zinloze slechtheid van zijn bestaan. Maar de zwarte hand werd weggenomen en maar half bij zinnen zonk Zhirek tegen de knieën van de Dood in zijn witte mantel. In zekere zin was Zhirek inderdaad verliefd op deze vreemde.

'Verlaat–' Zhireks stem haperde. 'Verlaat mij niet. Laat mij u dienen.'

'Je wilde een ander dienen,' zei de Dood.

'Anderen hebben voor mij die dienst bedacht, maar een demon weigerde mij.'

'Ik weet er alles van,' zei de Dood. Dat was waar. Hij had de kwestie bestudeerd, Zhireks leven en de paden die hij gegaan was.

'U,' zei Zhirek, 'u wil ik dienen.'

'Tot nadeel van anderen, wil je mij aldus dienen?'

Zhirek glimlachte, met zijn ogen stijf dicht als een kind dat bijna slaapt.

'U heeft gezien hoeveel liefde ik voor anderen voel, Heer van de Dood.'

'Eén is er die jou tegen zou kunnen houden.'

'Geen dan u.'

'Simmu,' zei de Dood, 'in jouw jeugd genoemd Schelp. Simmu de jongen, het meisje. Zul je mij dienen tegen het belang van Simmu in?'

Achter Zhireks oogleden een allerlichtste beweging.

'De demonen hebben Simmu opgevoed, die mij verried en me in de steek liet. Simmu was de trap die ik koos naar de hel. Simmu was de slang onder de steen. Zonder Simmu had ik misschien goed kunnen leven op aarde, als genezer, een man zonder lusten of daar anders blind voor. En op het eind, toen ik niets meer had behalve Simmu, was Simmu toen te vinden? Ziet u, ik ben alleen, Heer der Heren.'

'In dit ene opzicht ben je bitter.'

'O, ik ben in veel opzichten bitter. Ik vervloek de moeder die mij tot dit lot heeft veroordeeld. Ik vervloek Simmu die

345

mij verleidde zodat ik de wormen in mijn eigen ziel kon zien kruipen. Ik vervloek Azhrarn en ik ben misschien de enige sterveling die zulks ongestraft kan doen. Ik vervloek de vrouw in de zee, Hhabaid, die mij tot deze betekenisloze macht over de magie heeft geleid die ik alleen weet te misbruiken. Ik vervloek de hele wereld die mij vreest en zich voor mij gewonnen geeft, en niet tegen mij wil vechten, en mij niet kan vernietigen zoals ik vernietigd zou moeten worden, ik die een kanker in de wereld ben. Alleen u, Heer der Heren, brengt de balsem waarnaar ik smacht. De dood is alles wat ik vraag, en alles wat ik niet mag hebben.'

'Sterven is niet zoals jij gelooft,' zei de Dood. Maar meer hierover zei hij niet want dat strookte niet met zijn plannen. In plaats daarvan gaf Uhlume, de Meester van de Dood, bepaalde inlichtingen en hij deed bizarre geloften aan de man die tegen hem aan zat alsof deze een genadeloos afbeulende taak achter de rug had. De overeenkomst die ze sloten was er niet een zoals vroeger, waaraan vingerkootjes te pas kwamen... maar Uhlume was ook niet meer als vroeger, sedert Simmurad, die wond op zijn hiel, hem bij iedere stap plaagde.

Zhirek werd de gezworen bediende van Heer Uhlume.

De volgende ochtend was het oude huis al verlaten, hoewel het nog een half jaar zou duren voordat iemand deze verlatenheid durfde onderzoeken.

In de zee dobberde lui de schedel van Hhabhezur, die eindelijk in de golven was geworpen, zonder dat iemand hem opeiste. Hhabaid lag met een edelman met blauwe haren, haar echtgenoot en de nieuwe koning van Sabhel, en Zhirek was slechts een litteken op haar hart. Haar vader (hoofdloos woekerend koraal in de stenen zaal) was nog minder.

Uiteindelijk belandde de schedel op de vloer van een ondiep rif. Daar kwamen er vissen in huizen en hij raakte bedekt met eendemossels. Na menig seizoen werd de schedel gevangen door een sleepnet en te midden van de visvangst in de boot van een visser gehesen.

'Waarachtig,' zei deze, 'hier heb ik het hoofd, wat ervan over is, van mijn arme vader die door piraten is onthoofd en overboord gegooid, dertig jaar geleden op precies deze plek. Voorzeker is hij nu naar mij toegekomen om begraven te worden.'

En omdat hij een plichtsgetrouwe zoon was, nam hij de

schedel mee naar huis en stelde het zo lang zonder voedsel tot hij voldoende had gespaard om een dure graftombe voor de schedel te laten bouwen vlak buiten het dorp. Deze crypte werd het plaatselijk wonder en de ouders van de streek maakten hun kinderen opmerkzaam op deze daad van een goede zoon.

Toen op een ochtend wilde het toeval dat de echte schedel van de vader in de baai onderaan het dorp aanspoelde. Maar, deze schedel niet herkennend en het aanspoelen ervan als een teken van ongeluk opvattend, gooiden de vissersslieden hem in een drooggevallen put en schepten er aarde achteraan, waarna ze de plek voortaan meden.

4   In Simmurad

Een

Yolsippa de schurk, de poortwachter van Simmurad, ontwaakte uit een droom van schele maagden door het bekende, doch betrekkelijk zelden gehoorde geroffel op de bronzen poort.

Hij opende het verborgen luikje en gluurde met halfdichte ogen naar buiten.

'Wie is daar?' schreeuwde hij. Sedert enige tijd liet hij de rest van de formule achterwege.

Buiten de poort was het nog niet helemaal licht. De duisternis sloop heimelijk weg van de bergen, de hemel werd hoger maar nog niet echt licht.

'Opnieuw zeg ik, wie is daar?'

Uit de schaduw onder hem riep een stem: 'Iemand die binnen wil.'

Met een zucht pakte Yolsippa de wijn en schonk een beker in.

'Jan en alleman en zijn maat komen hier niet zomaar in. Dit is Simmurad, de Stad van de Onsterfelijken. Wat kun jij doen? Waarin ben je goed? Hebben wij jouw talenten nodig, moeten we je binnenlaten?'

'Ik ben de magiër Zhirek,' zei de stem, 'en dit kan ik doen—' waarop een bliksemschicht door de schaduwen scheurde en de poort beukte. In dit licht zag Yolsippa een knappe man met zwarte haren en zwarte baard in een gele mantel, met gouden ringen om zijn handen en een zwarte juwelen scarabee op zijn borst. 'Nog zo'n schicht,' zei hij nu, 'en je poortdeuren vallen aan duigen.'

'Beheers u,' zei Yolsippa. 'U moogt binnenkomen.'

Hij zette het mechanisme van de deuren in werking en Zhirek ging door de poort. Hij was barrevoets. Haastig de trappen afdalend om hem te onderscheppen, ontdekte Yolsippa dat de mantel van de magiër zwaar was van het goud en zijn armen van banden van electrum en orichalchum. Een gouden kraag bezet met zeekleurige stenen plooide over zijn schouders en over zijn borst onder de scarabee.

'Helaas, geëerde en luisterrijke excellentie,' zei Yolsippa, 'de heer van Simmurad, Simmu (die als een zoon voor mij

348

is), staat man noch vrouw toe om goud in de stad binnen te brengen, uit eerbied voor een zekere prins van wie wij hier verwachten dat hij ons zou kunnen bezoeken en die dit metaal niet bemint.'

'Dan moet Azhrarn mij maar mijden,' zei de magiër. 'Mijn goud gaat tegelijk met mij naar binnen.'

Yolsippa achtte het wijs niet verder te protesteren.

Samen waren ze nu op het binnenplein achter de muur aangeland, waar hoge bomen stonden die de stad gedeeltelijk aan het oog onttrokken.

'Aanschouwt,' zei Yolsippa trots en wat angstig terwijl hij Zhirek door de bomen leidde, zodat hij Simmurad voor zich zag liggen, het roosrode en melkblanke marmer dat nu net kleur uit de hemel begon te ontvangen, hoewel hier en daar nog lampen brandden in de torens en zuilengangen. 'Ik zal u persoonlijk naar het hof van Simmu geleiden.'

Prachtig was Simmurad beslist. Prachtig maar vreemd. Zhirek werd er even door ontroerd, zoals in het algemeen slechts dingen van de natuur nog vermochten hem te ontroeren. Met Yolsippa bij zijn elleboog in de frisse glans van vlak voor het aanbreken van de dag liep hij hoog en laag over de verschillende niveaus van de stad. En zelfs Yolsippa, lomp stommelend, boerend, dik en opzichtig in zijn vettige, met juwelen overladen kleren, deed geen afbreuk aan de aura van Simmurad.

Vele paleizen stonden er, en alle leken verlaten. Slechts hier en daar knipoogde een enkel gekleurd venster met lamplicht erachter. De gazons waren glad van gras dat nimmer doodging – en nimmer zaad vormde. De bomen rinkelden met bladeren die nooit vielen – of vervangen werden. Deze eeuwige, statische manifestaties waren het werk van reeds in de stad aanwezige magiërs of dateerden van de bemoeienis van de demonen enige jaren her. De natuur werd gedwongen de onsterfelijke mensen te imiteren.

De dieren in de stad waren jong, maar ook zij waren onsterfelijk, allemaal geïnfecteerd met een droppel van de Drank des Levens. De luipaarden die uit een vijver dronken, zagen er vreemd uit als poppen; zelfs als ze zich bewogen, leken ze onbeweeglijk. Ook Yolsippa had iets van deze hoedanigheid. En toen ze door een tuin liepen die door de eerste zonnestralen werd beroerd, waren daar mannen en vrouwen die onder de bomen wandelden en ook zij wekten de indruk dat ze marionetten of elegante wassen beelden waren. Ze staarden Zhirek na en bespotten Yolsippa, maar hun ogen hadden van glas gemaakt kunnen zijn. Het was of zij, zonder het te weten of zonder zich erom te bekommeren, geleidelijk verkalkten, te beginnen met de bovenste huidlaag, en daarna drong de verkalking allengs naar binnen in de richting van de organen en de geest.

De citadel rees op in de morgenhemel. Yolsippa bleef staan voor de obelisk van groen marmer, opdat Zhirek de inscriptie kon lezen.

IK BEN DE STAD VAN SIMMU, SIMMURAD,
EN HIERIN ZULLEN MENSEN LEVEN DIE EEUWIG LEVEN...

'Is deze stad dan een gevangenis voor onsterfelijken?' vroeg Zhirek.

'Het is een geschenk,' zei Yolsippa. 'Ik was erbij toen de obelisk onthuld werd. Een luisterrijke prins–'

'Azhrarn.'

'Ik zou mij niet durven verstouten–'

Zhirek was al weggeschreden naar de deuren van het paleis en liep erdoor.

De dageraad begon over de rand van de citadel te stromen en kleurde alles via rijen en rijen kristallen ramen.

'U wilt hier wachten, heer. Zo is nu eenmaal het gebruik,' probeerde Yolsippa. Tot zijn opluchting gehoorzaamde Zhirek.

Ze stonden in een zaal met een koepelvormig plafond dat zich hoog boven hen verhief. De vloer was ingelegd met zilveren schijven. Geen bedienden en geen wachters verstoorden de luister en ook geen slaven, en toch was alles schoon en verzorgd – door de spreuken van de genieën die hier mochten wonen. Maar het was er zo onbewoond dat het een ruïne had kunnen zijn die men onverwacht in de woestijn of middenin de zee ontdekt.

Zhirek ging zitten. Hij leek volkomen kalm, en verschrikkelijk als je zo dichtbij mocht komen dat je de wrede plooien rond zijn ogen kon zien. Maar inwendig was hij begonnen te gisten, en dat was iets dat hij koel, ontledend observeerde, bijna gefascineerd. Alleen zijn hartslag en zijn buik werden getroffen door een herinnering. Zijn hersens waren koel. Hij wachtte op Simmu alsof hij wachtte op de komst van een wijn waar hij eens dronken van was geworden, die hem ziek had gemaakt, en die hij nu alleen van zins was even te proeven en dan op de grond te gieten, en daarna zou hij de wijnstok uit de grond rukken en verbranden.

Hij wachtte een uur. De langdurende dageraad bestraalde nog steeds de zaal. Toen kwam Simmu, maar niet alleen.

Als een koning, want hier was hij koning, liep Simmu de zaal in met zijn gevolg, of een deel ervan. De vrouwen met eeuwigbloeiende bloemen in het haar gevlochten, en exotische kleren in de stijl van talrijke landen; de mannen, soldaten, tovenaars, wijzen, oud en jong en nu allemaal leeftijdloos. Elk leek op de ander, op degenen die Zhirek al gezien had – beelden van was.

En Simmu zelf was ook aangetast. Maar het was Simmu, tot in het laatste en kleinste detail, het lynxgroen van de ogen, het amberkleurige haar, de smalle baard, eveneens van amber; de alerte, katachtige, sierlijke houding – hij had veel van een meisje, maar was beslist een man. Hij leek niet ouder dan in het verleden, en lichamelijk was hij dan ook niet ouder geworden, of ternauwernood. Zijn periode als held had zekere veranderingen teweeggebracht, maar aan deze ging Zhirek voorbij. Het was de andere verandering die hem trof. Dat wat deze Simmu, hoewel in alle opzichten herkenbaar, totaal onherkenbaar maakte – een ander. Zhirek was niet zeker hoe deze openbaring hem precies beïnvloedde, maar die invloed stond vast. Al zijn emoties, die hem verlaten hadden toen hij uit zee kwam, leken zich hier in Simmurad verzameld te hebben om zijn longen en zijn hart te bestoken. (Zhirek toonde niets van zijn overpeinzingen en het inwendige tumult dat hij voelde.)

Aan Simmu's zijde, als laatste wanklank, ontwaarde Zhirek een stuurs, beeldschoon meisje met glinsterend licht haar.

Yolsippa kwam weer te voorschijn. Hij boog lachwekkend voor Simmu en Zhirek.

Zhirek rees overeind. Hij had al gezien dat ook Simmu's gelaat geen spoor van zijn gedachten verried. Simmu staarde hem zonder herkenning aan.

Veinst hij het, of is hij mij echt vergeten? Waar heeft het meisje zich verstopt, het meisje dat mij omhelsde bij het meer van zout? Simmu het meisje ...Schelp. Toen zag hij dat Simmu stond te fronsen, op een bijna dwaze manier, alsof zijn geheugen net een steek had gegeven.

Zal hij mij nu nog dieper beledigen, vroeg Zhirek zich af, *door voor te wenden dat hij mij nu pas heeft herkend?*

Maar Simmu sprak niet. Het was Yolsippa die op zijn

351

standwerkersmanier trompetterde: 'Zhirek, die zich een magiër noemt, waarvan ik een bewijs heb aanschouwd, presenteert zich als smekeling tegenover Simmurads heer.'

Hoe vaak was dit tafereel al opgevoerd? Even vaak als Simmu onderdanen telde in zijn koninkrijk. Als nog iemand belangstelling voor het ritueel had overgehouden, viel dit niet op. Maar ze verzamelden zich in de zaal om degenen die om onsterfelijkheid kwamen smeken te keuren, alsof het een belangrijke zaak was.

Toen sprak Simmu. Nog steeds licht fronsend zei hij tegen Zhirek: 'U bent magiër? We hebben al meer dan genoeg magiërs.'

'Wees dan maar blij,' antwoordde Zhirek. Hij merkte dat hij er niet toe kon komen de naam Simmu te gebruiken – de naam die hij voor het eerst had gehoord toen Simmu's vrouwelijke stem hem uitsprak naast het zoutmeer. 'Ik ben niet van zins mij aan jóuw volk toe te voegen. Deze schreeuwlelijk begrijpt mijn doel verkeerd.'

Simmu's hof roezemoesde, wat meer belangstellend nu.

'Wat is dan uw doel?' vroeg Simmu.

'Het bezichtigen van deze stad die door sterfelijke mensen de Stad van de Levende Doden wordt genoemd.'

Het rumoer zwol aan en bluste zichzelf.

'U schertst–' begon Simmu.

'Het is geen scherts om eeuwig te leven, een waardeloos leven, doorgebracht in doelloze atrofie. De rat in de kooi, die van de ene hoek naar de andere rent, heeft een beter leven.'

Simmu was bleek geworden, bleek onder zijn al bleke huid.

'Nu begrijp jij ons doel verkeerd, magiër. Wij beiden onze tijd voordat wij onze plannen in werking stellen – en wij hebben voldoende tijd om te beiden.'

Een van Simmu's hovelingen riep: 'Laat deze heer zijn toverkunst bewijzen. Ik voor mij acht hem een onnozele bloed.'

Zhirek keek de man vluchtig aan. 'U zou moeten oppassen met mij,' zei hij, 'want wat ik ook met u zou willen doen, u zou er tot het eind van de tijd mee moeten leven.'

'Pas jij maar op voor mij,' riep de ander. 'Ook ik ben magiër.' En hij wees naar Zhirek en zijn wijzende vinger schoot een tong van vuur af. Zhirek negeerde het vuur dat hem toch niet kon treffen. In het midden ervan staand zei hij: 'Vuur is gevaarlijk speelgoed voor u.' Meteen doofden de vlammen. Simmu's hof fluisterde. Toen trad de vaardige chirurg naar voren die zijn eeuwigheid in Simmurad verdiend had met zijn medische kunsten.

'U moet niet denken, meneer,' zei hij, 'dat wij vernietigd kunnen worden omdat wij kwetsbaar zijn. Zeker, vuur zou ons verminken, maar het zou ons niet helemaal verbranden. Ik heb een zilveren voet gemaakt voor een vrouw die zich gebrand had – de voet maskeert haar eigen beschadigde voet, maar zij ondervindt er geen last van. Ja, ik zal nog verder gaan, want ik beschuldig u van pogingen om onze geestkracht te ondermijnen. Ik heb een medische studie gemaakt van het verschijnsel onsterfelijkheid. Dit zal ik u zeggen: zelfs als u het hart van een inwoner van Simmurad zou uitsnijden, zou u hem daarmee niet doden. Hij zou als slapende zijn, en ik zou hem terstond te hulp komen en een hart van zilver voor hem vervaardigen. Dit zou werken volgens het beginsel van het uurwerk, want ik heb vele occulte vaardigheden opgedaan tijdens mijn omgang met de dwergen van de Onderaarde. En mijn knappe zilveren hart zou even goed werken, en beter nog. Nog iets – ik heb al een beschadigd oog verwijderd en gerepareerd en het weer in het hoofd van de eigenaar bevestigd, waar het ogenblikkelijk wederom aan het werk toog alsof het niets overkomen was.'

'Vertel mij nu eens,' zei Zhirek, 'hoeveel kinderen er geboren zijn in Simmurad.'

De chirurg vouwde de handen voor de borst.

'Ik heb opgemerkt dat voortteling en geboorte spontane gevolgen zijn van de angst voor de dood. Een soldaat kan op de vooravond van een veldslag verscheidene vrouwen bezwangeren. Tijdens een hongersnood worden er gewoonlijk vele kinderen geboren. Daar wij in Simmurad geen angst voor de dood hebben, zijn wij minder bevattelijk voor de voortplantingsdrift, en misschien zelfs onvruchtbaar. Dat is niet noodzakelijk een ongeluk, aangezien wij aldus meer tijd hebben voor andere doeleinden.'

'Welke doeleinden?' vroeg Zhirek.

Ditmaal antwoordde Simmu. 'Ik heb een bescheiden plan om de aarde te veroveren, vervolgens degenen van grote waarde uit te kiezen en hun de onsterfelijkheid te verlenen.'

'Een plan dat je meester, Azhrarn, hogelijk zal boeien,' zei Zhirek, 'overal oorlog en bloeddorst. Maar na de verovering, wat gebeurt er dan? Een gezapige wereld van uurwerkonsterfelijken. Ik denk niet dat hij daar voor te porren is, jouw zwarte jakhals van Druhim Vanashta.'

Simmu werd rood, een eigenaardig bloedeloze storm van bloed naar zijn gezicht, de blos van een wassen beeld. Maar hij ging naar Zhirek toe en hief zijn hand op om de magiër te slaan. Zhirek greep die hand en toen hielden beiden zich in.

'Ik ben onkwetsbaar. Sla mij niet, want je zult jezelf verwonden,' waarschuwde Zhirek.

Simmu leek in de war. Zijn ogen keken speurend in het gezicht van Zhirek, op zoek naar een aanwijzing welk gevoel het was dat hem doorstroomde. Maar zijn geheugen lag bedolven onder een zware steen van demonische toverij, de omstandigheden en de jaren zelf. De aanraking van Zhireks vingers op zijn pols was als een slag, een dodelijke.

'Wie ben jij? vroeg hij.

'Je hebt mijn naam gehoord.'

'Wij hebben eerder gesproken. Ik herinner mij niet wanneer.'

Zhirek liet hem los. Ironisch dacht hij terug aan de geluidloze Eshva manier waarop Schelp gecommuniceerd had. De magie van Simmu, levendig waarneembaar en aantrekkelijk voor allen die hem voor het eerst ontmoetten in Simmurad, was verspild aan Zhirek, die gestrikt was door de actieve on-menselijke, totale magie van Simmu's kinderjaren en jeugd.

Het hof werd rusteloos. Het meisje met het lichte haar staarde Zhirek aan met ogen die van kleur veranderd leken.

'Het doet er niet toe,' zei Simmu nu. 'Jij begrijpt ons niet, Zhirek. Kom, ik zal je de schatten van de stad laten zien. Ik zal je mijn plannen uitleggen zodat je mijn streven in het juiste licht kunt zien.'

Simmu leidde Zhirek door het paleis. Alsof hij nadrukkelijk een contrast wilde aanleggen met hoe hij vroeger geweest was, ging Simmu uitvoerig in op alles wat Zhirek had gezegd. Soms, in de hoek van een trap of als hij even pauzeerde om een versiering van metaal of steen aan te wijzen, waarbij zonlicht of schaduw hem in een nieuw perspectief plaatsten, openbaarde Simmu zich als Schelp. Deze toch zelden voorvallende beelden grepen Zhirek hevig aan maar, hoog boven zijn eigen verwarring tronend, afzijdig, raakte hij niets van zijn evenwicht kwijt. Simmu daarentegen werd steeds verwarder en hulpelozer. Hij had zijn hovelingen weggestuurd, en Yolsippa, en het starende meisje dat zijn vrouw was. Met bevende handen opende hij de deuren van Simmurad. Hij begon er langzamerhand uit te zien als een dier in een val.

Na verloop van tijd kwamen ze in een zaal waarvan het gehele middendeel in beslag genomen werd door een marmeren verhoging en daarop bevond zich een bijzonder uitgebreid oorlogsspel, geschikt als speelgoed voor een keizer. Het enorme speelveld bootste de aarde na, met zeeën van blauwglazen schubben, landmassa's gesneden uit het glanzend opgewreven hout van allerlei bomen, met oprijzende bergen die hier en daar met kristalsneeuw bekroond waren. Er lagen ook modelsteden op het veld, in miniatuur maar prachtig gedetailleerd, terwijl schepen zo klein als torren over de glazen oceanen voeren. En er waren legers, de soldaten vervaardigd van ivoor en geraffineerd geschilderd, hun zwaarden stalen splinters, en hun oorlogsmachinerieën reden op minuscule geoliede wielen. Het was strijdlustig speelgoed, maar niet meer dan speelgoed.

'Ik heb veel geleerd in deze kamer,' zei Simmu. 'Mijn bibliotheek is goed voorzien van allerhande soorten boeken – ik lees over strijd en hier oefen ik. Als het leger van Simmurad op de been is gebracht, zal geen legioen van de aarde het kunnen weerstaan, zo subliem geoefend en uitstekend bewapend zal het zijn.'

Maar toen hij dit gezegd had, werd zijn gezicht een roerloos masker.

Hij leunde op het spelveld zodat de legers verstrooid werden waar hij zijn handen plaatste.

'Maar ik kamp met een struikelblok dat ik moet opruimen, Zhirek. Ik moet deze oorlog voeren, want als held ben ik dat wel verplicht – toch mag er niemand gedood worden, want ik wil de Heer Dood geen geschenken geven. Hoe moet ik dit doen?'

Zhirek antwoordde niet. Hij stond opzij van en iets achter Simmu en hij werd bekropen door de opwelling om zijn hand op het vurige haar van Simmu te leggen, om hem te troosten, of getroost te worden. Maar de magiër gaf geen gevolg aan zijn opwelling.

'De Dood,' zei Simmu toen, terwijl hij met behendige, boosaardige tikken van zijn hand de speelgoedlegers nog verder uit elkaar sloeg. 'De Dood kwam naar Simmurad. Ik daagde hem uit – of heb ik dat alleen gedroomd, zoals ik het allemaal heb gedroomd, mijn leven, de demonen– Nee,' glimlachte hij, zich half naar Zhirek toe draaiend zodat deze zag dat hij het groene juweel vanonder zijn mantel had gehaald en er nu mee speelde. 'Nee, elk van de wonderen is echt. Maar als de Dood razend op mij was, waarom komt hij dan niet terug? Ik heb hem de strijd aangeboden, maar zijn verweer was zwak en kinderlijk. Inmiddels zou hij toch wel een bres hebben moeten ontdekken om door binnen te komen.'

'Dat heeft hij,' zei Zhirek.

Toen, een ogenblik alleen, maar totaal, kwam Simmu tot leven. Slechts met zijn ogen stelde hij de vraag, en wachtte toen, als een luipaard voor de sprong, tot de vraag beantwoord werd.

'Ja,' bevestigde Zhirek, 'ik ben de afgezant van de Meester van de Dood.'

Simmu lachte. Zhirek kende die lach goed, niet van de lippen van Simmu maar van zijn eigen lippen, het krankzinnige onverzoenlijke geluid dat ontsproot aan walging of verwarring maar nooit aan plezier.

'Dan moet dát zijn waarom ik dacht dat ik je eerder had ontmoet. Ik had je meester voor mijn poort ontmoet. Wat komt er nu? Wat is de taak waarmee hij jou gezonden heeft?'

'Ik moet je aderen vullen met wanhoop en ellende en je gedachten met afschuw. Wat anders?'

Simmu leunde opnieuw op het platform.

'Wanhoop, ellende en afschuw zijn vreemden voor hen die eeuwig leven. Je meester zal een andere methode moeten vinden. Maar ik heet je welkom als afgezant. Waarom heeft hij jou voor dit werk uitgekozen?'

'Omdat ik begrijp hoe ongelukkig jij je voelt, Simmu, welke straf het leven jou oplegt in ruil voor het behoud van dat leven.'

'Simmurad is een stad van verrukkingen, wonderen en intellect. Wij zijn de goden van de oostelijke hoek van de wereld.'

Zhirek keek hem aan. Hij was gaan inzien dat de herinnering aan hemzelf volkomen uit Simmu's gedachten was weggevaagd – door pijn, of door de demonen die zo vaak aanwezig waren geweest tijdens Simmu's bestaan. Zhirek zag ook de ketenen van de verantwoordelijkheid die Simmu torste, de ketenen waartegen hij zich eerst had verzet maar die hij nu amper meer voelde terwijl hij rondkroop onder hun gewicht. Simmu's ogen waren hol geworden. Ze haatten en smeekten. Zoals Zhirek eens vergeefs om een reden voor zijn bestaan had gesmeekt tot de Prins der Demonen, zo smeekte Simmu nu Zhirek, en ook tevergeefs.

De deuren van de zaal van het oorlogsspel zwaaiden wijd open en de vrouw van Simmu met haar lichte haar kwam binnen.

'Beminde,' zei zij koud tegen hem, 'moet je mij buitensluiten bij alles wat je doet? Ik ben Kassafeh,' zei ze tegen Zhirek, 'en als Simmu de koning van deze stad is, dan ben ik, als zijn vrouw, de koningin ervan. En jij bent Zhirek de magiër.'

'En bovendien de dienaar van de Heer Dood,' zei Simmu haar.

Kassafeh haalde haar schouders op zodat de edelstenen op haar schouder flitsten. 'Ik kan niet geloven dat de dood de gestalte van een mens aanneemt.' Haar stem werd grover, een verwijzing naar haar koopliedenafkomst. 'En ik geloof evenmin dat wij onherroepelijk onsterfelijk zijn. Volgens mij is het een kunstje van de demonen, die ons willen laten geloven dat we het zijn. De laatste jaren kloppen slechts weinigen op onze poort,' zei zij tegen Zhirek. 'Waarom willen maar zo weinigen de eeuwigheid verwerven als die echt bestaat? Is het zoals jij zei, dat ze ons "levende doden" noemen?'

'In werkelijkheid,' zei Zhirek, 'denkt men in de wereld zelden aan Simmurad. Het is al een mythe geworden. Alleen wanhopige mensen geloven erin.'

'Ik zal ze oorlog brengen,' fluisterde Simmu, 'dan geloven ze het wel.'

'Nee,' riep Kassafeh. 'Jij blijft hier suffen, magere kat van een echtgenoot, suffen en slapen zonder kracht en zonder liefde. Jij, een held zoals ik eens dacht. Ik zou je je ontrouw kunnen vergeven, je onverschilligheid, maar niet je apathie.' Dit loog ze, maar de woorden sprongen haar naar de lippen en verrasten haar met hun valse heftigheid. Ze was niet vaak tegen Simmu uitgevaren. Het was de aanwezigheid van Zhirek die haar tot woede aanzette en haar dwong naar zichzelf te kijken. En plotseling vroeg ze zich af: *Deze knappe vreemdeling – begin ik hem lief te hebben in plaats van Simmu? Als dat het geval is, zal ik het innerlijk zwaar te verduren krijgen. Ik heb altijd maar één minnaar gehad.* En dat was maar al te waar. Het somber peinzen en het weven en het eten van zoete gelei had haar jarenlang op de been gehouden, maar het was niet genoeg, voor haar die haar zelfrespect bewaard had middels woede en uitdagendheid in de Tuin van de Gouden Dochters, en dat was een minder verwoestende gevangenis geweest dan dit verstijfde paradijs Simmurad. *Ja, wanneer ik naar deze donkere man kijk, maakt mijn hart een sprongetje en mijn longen knellen. Ik voel mijn leven, hoe lang het ook mag duren. Zhirek zal ik beminnen.*

Twee

Ze hadden een feest in Simmurad. Met spijzen die door toverij geconstrueerd waren, of met toverij van de tafels van koningen waren aangevoerd, vervolgens bewaard met toverij en weer met toverij nieuw leven ingeblazen en gloeiendheet en geurig en ogenblikkelijk ter tafel gebracht. In een park van golvende grasvelden en bepluimde bossen in het midden van Simmurad joegen ze op leeuwen en reeën die neervielen met een speer in hun hart, een poos stil bleven liggen en dan als de wond geheeld was opsprongen en wegrenden. Bomen die zwaar van het fruit waren, bogen bijna door tot de grond. Maar de vruchten hadden geen smaak, geen geur, tenzij er een heks langs was gekomen die met een spreuk de boom geur had gegeven. De bladeren van de bomen en de kelkblaadjes van de bloemen die nooit verwelkten, voelden allemaal hetzelfde aan – als geolied papier.

Er werd muziek gemaakt door ongeziene vingers. Er werden oefeningen gedaan met schaakstukken door de burgers van Simmurad, en oefeningen met damstenen en jaden plakken, en ze oefenden zich in het gooien naar of schieten op een doelwit. In de zaal van het oorlogsspel veroverden Simmu en zijn hof de wereld driemaal op een middag.

Met toverij werden er drogen gehaald uit de wereld zover voorbij de poort en geproefd. Wijn en snoepgoed en kleren arriveerden op dezelfde manier en zeldzame en buitengewone boeken en eigenaardige planten en verbijsterende dieren, en edelstenen en wapens en kosmetica. De geïmporteerde planten werden betoverd om er nog meer geolied papier van te maken en de dieren kregen een droppel grijze vloeistof om er nieuwe speelgoedbeesten van te maken. Simmu was scheutig met de vloeistof van de eeuwigheid; op de een of andere manier raakte het niet op, het verdampte helemaal niet, het kleine beetje duurde eindeloos alsof de kruik van klei waarin het bewaard werd nooit leeg zou kunnen raken, zoals de adder nooit leeg raakt van gif.

Veel deden ze daar in Simmurad om Zhirek te imponeren met de glorie van hun leven en de luister van hun toekomst. Maar hij was als een schaduw in hun midden, en in zijn schaduw, alsof het een sterk licht was, zagen zij hun eigen verveling en zinloosheid die hen aanstaarden. Ze hadden zoveel kunnen bereiken maar – hoewel ze voortdurend op het punt stonden het te doen – het kwam er nooit van. De geborgenheid had het merg uit hun botten geweekt. Zhirek begreep in welke onmogelijke situatie zij zich bevonden, zoals hij hun had gezegd. Hoewel hijzelf, zoals hij hun verzekerde, tenminste op het eind van zijn menselijk bestaan en een verandering kon hopen.

's Nachts, toen het jagen en de oefeningen en de feestmaaltijden afgelopen waren, lag Kassafeh alleen in haar fantastische slaapkamer en beleefde in gedachten opnieuw alles wat Zhirek had gezegd en alles wat hij had gedaan, al zijn gelaatsuitdrukkingen en al zijn gebaren. De hele nacht bleef haar kamer verlicht, niet omdat zij het donker vreesde maar om zich niet alleen te voelen en om haar op te monteren. Eens hadden zij en Simmu een bed gedeeld. Niet lang geleden had ze gespeeld met het idee om een andere man naar dit bed van haar te brengen, want er woonden in Simmurad heel wat knappe mannen. Maar haar vuur brandde laag en hun vuur nog lager. De wijze chirurg had gelijk. Ze had geen minnaars genomen, maar die deugdzaamheid was te danken aan luiheid en tegenzin. Doch toen verscheen Zhirek die haar apathie liet verdwijnen en haar stimuleerde.

Menige nacht lag zij wakend onder de gele lampen (die nimmer muggen of nachtvlinders aantrokken, want geen insekten en weinig vogels kwamen ooit naar Simmurad – of ze een haard van ziekte meden). Menige nacht alleen. Achter de opengewerkte luiken zag ze het uitzicht op de stad onder de ver uiteenliggende sterren van het verre, verre oosten van de aarde, twee of drie ramen die licht uitstraalden zoals het hare, het ijskoude geluid van de fonteinen, de bladeren die elkaar sloegen, zwaar als waaiers van lakwerk. Ten langen leste stond Kassafeh op, haalde uit de kisten de kettingen van kostbare juwelen, de geborduurde zijden stoffen, en ontdekte dat ze de waarde ervan stond te schatten.

'Ik ben de enige koopmansdochter in een stad vol tovenaars,' gaf ze toe. Ze wierp de opschik terug in de kisten en ging de kamer uit.

Nu begaf ze zich naar de grote bibliotheek, sluipend door de onverlichte gangen en over brede trappen die slechts door de sterren verlicht werden. Ze bewoog zich heimelijk, als een dief in de nacht, door het paleis en toen ze bij de deur van de bibliotheek kwam, bleek die als altijd op slot te zijn om haar te weren. Simmu was binnen; het schijnsel van een lamp morste onder de deur en ze dacht dat ze hem in zichzelf hoorde mompelen als een oude man. Ze had geraden dat hij hier zou zijn, want hier was hij vaker te vinden dan waar ook.

Ze had Yolsippa de sloten van talrijke deuren zien openen zonder de sleutel. Ze nam een zilveren speld uit haar jurk en bracht haar kennis in praktijk.

Simmu lag te slapen op een smalle bank te midden van een warboel van boeken en perkamenten op de vloer. De lamp was bijna uit, maar hij liet Kassafeh precies zien wat zij wenste, er was genoeg licht om hem te verachten. Ze was speciaal daarvoor gekomen, hem verachten om genoeg moed op te doen voor wat hierna zou komen. Voor Simmu's knappe verschijning evenwel was ze niet blind en zonder het te willen sloop ze dicht naar hem toe en tuurde hem in het gezicht, en zo hoorde zij hoe hij al dromend lag te kreunen.

'Zhirem,' zei Simmu, 'de Dood is overal. Ik zag jou dood liggen, onder de dode boom, met het touw om je nek en de regen die in je ogen viel.'

Geïntrigeerd door de bekende klank van de naam 'Zhirem', boog Kassafeh zich nog dichter naar hem toe.

Op dat ogenblik kromde Simmu's lichaam zich, omhoog op de bank, hij werd grijs en hij gilde alsof er een mes in zijn lichaam was gestoken. De tranen stroomden uit zijn ooghoeken, het zweet sijpelde de tranen achterna, en zijn baard begon van zijn kaken los te laten. Kassafeh verstijfde van schrik; en nu was ze getuige van nog andere gebeurtenissen: de contouren van Simmu's gezicht en lichaam veranderden, zelfs zijn huid en zijn geur veranderden – het bloesemen in zijn hemd, niet mis te verstaan en toch onmogelijk, zelfs het in de nek geworpen hoofd, onbenoembaar veranderd, de verwrongen trekken – een vrouw.

Het was verschrikkelijk, deze gedaanteverwisseling. Simmu had hem al zo lang niet ondergaan, hield zichzelf al zo lang in zijn mannelijke staat. En het was angstaanjagend om de metamorfose mee te maken, en de stuiptrekkingen van pijn en iets dat het genot benaderde, gevolgd door heviger en nog verscheurender pijn, die allemaal van Simmu's gezicht te lezen waren – nu man, dan vrouw.

Kassafeh was wat zij had aangezien voor de demonische illusie van vrouwelijkheid, die Simmu in de Tuin van de Gouden Dochters had aangenomen, niet vergeten. Maar ze had dit verschijnsel nimmer goed geobserveerd, het nooit goed begrepen – zoals zij haar echtgenoot nimmer goed had begrepen. Nu zij getuige was van de gedaanteverwisseling, werd ze er niet alleen bang door, maar ze voelde zich ook verschrikkelijk beledigd. Want ze begreep dat Zhirek de magiër de uitgebluste begeerte van Simmu had geprikkeld, wat haar niet was gelukt. En kon zij over het hoofd zien dat Simmu als vrouw schoner, vitaler was dan Kassafeh? De echtgenoot die haar niet beminde zou ook nog haar rivale kunnen worden.

Kassafeh vluchtte heen. IJlings maar toch nog heimelijk, koortsig stil, sloot zij de deur van de bibliotheek achter zich. Simmu was haar vijand. Ze haatte hem. De haat ontstond heel abrupt, want ze leed al evenzeer gebrek aan drama als aan liefde.

Ze schichtte over de doodstille trappen van het paleis naar de kamers die Zhirek waren toegewezen. Ze was werkelijk bezig aan een race om sneller bij Zhirek te arriveren dan de vrouw die nog slapend op de bank beneden lag.

Drie

De kamers van Zhirek waren schitterend, ook een poging om indruk op hem te maken. Overdag keken de ramen uit op het grasveld waar de slang van het verderf die de Dood had gezonden machteloos en nors om de fruitboom lag geslingerd.

Kassafeh aarzelde bij de deur, hoewel ze merkte dat deze niet op slot was. Zelfs in Simmurad, nu al, was Zhireks reputatie niet geruststellend. Maar de liefde, of de vorm van liefde die haar dreef, vond behoedzaamheid onzin en het duurde dan ook maar kort voor zij binnensloop. Haar vreemde ogen gloeiden in het onverlichte duister. In alleen het sterrenlicht keek zij naar de slaapkamer, het bed met de gordijnen, en de man die daarin lag uitgestrekt.

Anders dan haar echtgenoot lag Zhirek stil als een beeldhouwwerk. Opmerkelijk stil zelfs. Zijn oogleden waren roerloos, zijn handen ook, zijn mond was gesloten. Zelfs niet de minste adem leek zijn neusvleugels te passeren. Het rijzen en dalen van zijn borstkas was zo gering dat Kassafeh heel even dacht dat de dienaar van de Dood gestorven was, ondanks zijn koele verzekering dat hij onkwetsbaar was en heel lang zou leven. Maar toen zij zich ervan vergewist had dat hij ademde, hoe oppervlakkig ook, ging ze naar hem toe en omhelsde hem.

Hij was koud als een steen en werd niet wakker. Ze wilde nog niet toegeven dat hij in de ban van een betovering verkeerde. Aangevuurd door deze tweedegraads aanraking met de Dood ontdeed zij zich bevend van haar klederen, maakte die van Zhirek open en ging naast hem op het bed liggen en daar liefkoosde zij lange tijd alles van hem waar ze bij kon, met haar handen en haar mond. Zij stond in brand, maar hij bleef ijskoud slapen. Niets aan hem reageerde. Eindelijk, rillend en uitgeput door de teleurstelling, begon zij te schreien. Maar zelfs zijn nabijheid, al wist ze er geen enkele reactie aan te ontlokken, was een troost voor haar en ten slotte viel ze in slaap.

De dageraad schrok haar wakker. Toen ze haar ogen opende, schrok ze nog een keer. De blauwgroene ogen van Zhirek keken in de hare, dichterbij dan het kussen.

'Ik ben vannacht bij je gekomen, ja,' zei zij uitdagend, 'maar jij had geen zin in mij. Jij waant mij brutaal, maar ik ken geen enkele man behalve mijn echtgenoot die mij in ieder geval in het begin, gedwongen heeft.' Deze leugen beviel haar wel en ze klaarde op. 'Ik ben kuis,' fluisterde zij, zich graag overgevend aan haar hartstocht, 'maar jou kon ik niet weerstaan.'

'Ik heb jou niet het hof gemaakt,' zei hij.

'Maak mij niet te schande,' smeekte zij, deels in ernst, zedig de blik neerslaand.

'Ik ben niet naar Simmurad gegaan om te paren,' zei hij.

'Misschien ben je impotent,' opperde Kassafeh, 'zoals de wijze arts verklaart dat het lot van onsterfelijken is.'

'Ik zal nog sterven,' zei Zhirek.

'Meer hoef ik niet te weten, en ik dorst naar liefde.'

En zij begon hem te kussen en ze klemde zich tegen hem aan en het kwam bij hem op dat Simmu, als man, met deze vrouw had geslapen en deze gedachte wekte een verraderlijke begeerte in hem op die heviger was dan alles wat Kassafeh had kunnen verwekken. Ook was daar de griezelige slaap waaruit hij ontwaakt was, de slaap die Uhlume, Heer Dood zelf hem had geschonken. Deze slaap was niet minder dan een kopie van de dood zoals Zhirek zich die voorstelde. De vitale organen leken hun arbeid te staken en de zintuigen schakelden zich tussen twee ademteugen op slag uit. Geen dromen stoorden de slaper, of anders herinnerde hij zich daar niets van. Als een koude crypte was het slapen van Zhirek, maar hij was nu zo vreemd geworden dat het voor hem een belofte en een verkwikking was. En als hij ontwaakte, tijdelijk schoongewassen van het stigma van de onkwetsbaarheid, voelde Zhirek zich bonzen van leven.

Hij schonk Kassafeh dan ook wat zij verlangde terwijl de slaapkamer zich tooide met het karmozijn van het ochtendgloren.

Later vroeg zij hem: 'Zul je Simmurad even listig vernietigen als je mijn deugdzaamheid vernietigd hebt?'

'Simmurad is ook makkelijk te nemen. De verwoesting is al begonnen, en dat is niet mijn werk.'

'En dien jij echt de Dood, of is dat alleen een verhaaltje dat je vertelt om mijn man in verwarring te brengen, die in de waan is dat hij zich tot des Doods Vijand heeft gemaakt?'

'Ik dien de Dood.'

'Ik zal jou dienen,' zei Kassafeh. De afvalligheid joeg haar bloed rond, precies zoals haar verliefdheid had gedaan. 'Ik zal je helpen op alle manieren die je voorstelt. Ik voel geen trouw aan Simmu, want hij bekommert zich helemaal niet om mij. Niemand hier geeft trouwens iets om een ander, het is zelfs lastig om iemand te haten sinds wij onsterfelijk zijn geworden – als we dat echt zijn. Maar voor jou zal ik Simmu haten. Bovendien is hij een idioot. Hij haalde mij weg uit een oord van leugens en ik geloofde dat wij beroemd zouden worden in de wereld, hij als held en koning en ik als zijn vrouw, maar hier zijn we doodgelopen, en nu vind ik het hier erger dan in het oord van leugens waaruit hij mij weghaalde. En wij zijn vergeten en niemand noemt nog onze namen. Niets is echt, behalve jij, beminde. Zeg mij hoe ik jou mag dienen.'

Raadselachtig zag hij haar aan. Hij had haar diensten of hulp niet echt nodig, voor niets, maar haar verraad was een symbool van magische waarde.

'Breng mij,' zei hij effen, 'de kruik waarin de drank van de onsterfelijkheid wordt bewaard.'

'Ik weet niet precies waar die staat,' zei zij, 'maar toch zal ik hem vinden en bij jou brengen.'

Hij zag de wreedheid opvlammen in haar ogen, de kortstondige vonk van schurende hitte die haar verwarmde zoals hij verwarmd was door zijn eigen wreedheid.

Simmu werd alleen wakker, en zijn lichaam leek geradbraakt. Hij was in zijn slaap een vrouw geworden, en weer veranderd in een man toen de dageraad terugkwam en hem onvermijdelijk weer aan de stad herinnerde. Simmu wist heel goed wat hem overkomen was en ook de reden. Hij wist niets meer van zijn vroegere samenzijn met Zhirem, hun jeugd of hun paring, en dat zou ook niet meer terugkomen omdat Azhrarn deze herinnering uit zijn geheugen had gelicht. Alleen schimmige resten, geesten, flarden van emotie die door zijn dromen dreven, had Simmu nog overgehouden van die liefde, genoeg om hem te verwarren, niet voldoende om de greep die Zhirek op hem had, op zijn gedachten en zijn lichaam, te verklaren. En plotseling was Simmu niet meer opgetogen maar bang voor de arm van de Dood die zich naar hem uitstrekte. En dus bang voor Zhirek. Bang voor zijn eigen lichaam, dat kon smelten en vrouwelijk worden en hem zo verraden aan Zhirek.

Simmu liep de bibliotheek uit.

Hij ging naar zijn eigen kamers, passeerde alle fraaie perspectieven zonder iets te zien, opende een zilveren kist, haalde er een zilveren doos uit en staarde neer op de verzegelde kruik van klei in de doos.

Het was geen groot geheim waar de drank der onsterfelijkheid bewaard werd. Een kort doch grondig onderzoek en iedereen had de kruik kunnen vinden. Nu kwam het bij Simmu op dat de plaats van de drank geheim moest zijn. Langzaam, en tegelijk koortsig, inspecteerde hij zijn kamers.

Op welke nieuwe plek kon hij zijn schat verbergen? Als een vrek die zijn geldzak probeert te verstoppen, zo zocht Simmu. En Simmu, die zonder leeftijd en altijd jong was, voelde nu een gewicht van jaren op hem neerdrukken, alle jaren die hij nog moest leven – de eeuwigheid, op hetzelfde moment dat de schaduw van de Dood over zijn toekomst viel.

Deze paradox en zijn lichamelijke onbehagen putten hem uit. Uiteindelijk verstopte hij de kruik maar niet op een moeilijk vindbare plek. Hij zette hem neer onder een hoog raam en drukte zijn voorhoofd tegen het kristal. Zo kwam het dat hij Kassafeh en Zhirek samen op het balkon van een toren zag staan, alsof ze beslist wilden worden gezien.

Simmu voelde aan wat er tussen hen was, meer dan dat hij het zag: een samenzwering. Een ontwrichte steek van woede of afgunst, afgestompt en ver weg, ging door hem heen en toen weer weg. Nu voelde hij alleen verdriet en een bang voorgevoel. Wat was hij menselijk geworden, met alle zorgelijke misère en lompe verwarring van de mens.

Hij raakte het groene juweel bij zijn keel aan, het geschenk van de Eshva; hij dacht aan de gelofte van Azhrarn, die deze al eenmaal nagekomen was, om Simmu zijn aandacht te schenken als de steen in een vuur werd verbrand. Maar Simmu voelde wel dat Azhrarn zijn belangstelling voor hem kwijt was, dat Simmurad een proef was geweest die hij niet doorstaan had. Het juweel nu in een vuur werpen zou niemand naar hem toe brengen, zelfs niet degenen die de vorige keer waren gekomen, Azhrarns dienaars.

Op het balkon omhelsde Kassafeh Zhirek en hij weerde haar kussen niet af.

Alleen de Dood en het leven bleven Simmu nu nog over. En hoewel Zhirek, de afgezant van de Dood, in Simmurad was, kon de Dood zelf niet door de poort gaan omdat niets hier ooit was gestorven, of ooit zou sterven.

Simmu tilde de kruik in zijn zilveren kistje op en plotseling viel het hem in dat zijn vrouw het instrument zou zijn waarmee hem de drank zou worden afgenomen. Waar hij de drank ook verstopte, de vrouw zou hem vinden. En toen liet Simmu het kistje rinkelend op de vloer vallen en trok de stop uit de kruik die hij in zijn hand had gehouden. Eens had hij deze vloeistof met tegenzin geproefd. Nu zette hij de kruik aan zijn mond en met zijn hoofd in zijn nek dronk hij die laatste onuitputtelijke droppels eeuwig leven uit. Hij bleef zo een poos staan, in deze houding, tot hij zeker wist dat er geen enkele zweem van vloeistof in de kruik achterbleef. Toen smeet hij de kruik tegen de muur, zodat hij in stukken brak.

Precies op dat ogenblik kwam Kassafeh de kamer in.

Haar ogen hadden de kleur van de schemer, de kleur van haar liefde, maar haar voet kwam knarsend neer op een scherf van de verpletterde kruik en toen zij naar de vloer keek, veranderden haar ogen in een knetterend geel.

'Wat heb je gedaan?' riep ze uit.

'Meer onsterfelijken zullen er niet zijn,' antwoordde Simmu, 'en evenmin kun jij Zhirek nu een liefdesgeschenk brengen, behalve jezelf.'

Nu waren Kassafehs ogen de kleur van groen ijzer.

'Ik zag je toen je sliep,' zei zij. 'Je was jezelf niet. Het was een vrouw die ik op jouw bed ontdekte. Je moet je demonen maar roepen om je te komen redden.'

'In ieder geval,' zei Simmu op zijn beurt, 'moet je van Zhirek geen zachtzinnigheid verwachten, wat je hem ook brengt of hem vertelt. En ook hij is niet de held waarmee jij je wenst te verbinden.'

Kassafehs kin schoot woedend omhoog. 'Mèhèhè!' schreeuwde ze tegen hem. 'Jij bent een schaap precies als alle anderen!' En met bange boosheid in haar borst holde ze weg.

Vier

De lange dageraad verdampte, de dag trok door Simmurad heen. Later ging de zon onder, een kortstondige rode poederlaag op de muren, snel zoals de zonsopgang nooit snel was. Het schemerlicht vulde de tuinen en de gaanderijen als blauwe sneeuw en de vreemde oostelijke sterren straalden neer.

De lampen werden aangestoken voor het feestmaal dat iedere nacht in Simmurad werd aangericht. Daar Zhirek bij elk zulk feestmaal zijn opwachting maakte, bleven weinig inwoners weg. Ze werden erheen getrokken om zijn doemvolle gedrag te vervloeken en om wilde uitspattingen van pret-maken voor hem op te voeren. Alleen Yolsippa was steevast afwezig. Omdat hij een bijzonder hevige afkeer van Zhirek had, wijdde hij zich met hart en ziel aan zijn taak als poortwachter en hij bleef bij de poort, waar hij troost zocht in vette spijzen, rode wijnen en orgiastische dromen, die een heks in Simmurad voor hem bereidde, over schele mensen met een wulpse natuur.

In de helder verlichte feestzaal speelden fonteinen en magische uurwerkvogels zaten in zilveren kooien te tierelieren. Zhirek kwam altijd na de anderen en tegelijk met hem kwam zijn schaduw binnen, die de onsterfelijken koud maakte en prikkelde. Maar vannacht was deze schaduw dieper en nog kouder dan gewoonlijk. Het Noodlot leek Zhirek op de voet te volgen, gehuld in een koud zwijgen.

Zhirek droeg zwart en een gouden kraag die hij de edelen van Hhabhezurs hofhouding had afgenomen en daarop de scarabee van inktzwarte edelstenen die hij uit de graftombe van een keizer had verkregen. In zijn ene hand hield hij een scherf van klei en daarmee liep hij naar Simmu's zilveren zetel, terwijl Simmu roerloos keek hoe hij naderde.

'Je hebt me wat werk bespaard,' zei Zhirek, tegen Simmu, maar allen die daar waren hoorden hem. 'Ik had al zitten denken hoe ik de drank des levens moest laten verdwijnen, maar jij hebt dit probleem zelf opgelost, door alles zelf op te drinken. De kruik is gebroken en de scherven zijn opgedroogd.'

Er ontstond een heftig rumoer in de zaal. Sommigen schreeuwden dat Zhirek loog en vroegen Simmu het te ontkennen. Anderen, die wel heel makkelijk vergaten dat zij Simmu als hun koning hadden aanvaard, scholden hem uit. Er werd op boze toon gevraagd wat nu nog het doel was van hun grootse plan om de wereld te veroveren als niemand er meer van kon profiteren.

Simmu rees overeind. De aanwezigen zwegen, benieuwd naar zijn verontschuldiging of zijn ontkenning.

'Er zullen geen nieuwe onsterfelijken meer zijn,' zei hij, zoals hij tegen Kassafeh had gezegd. 'Wij zijn de eersten, en de laatsten. Het is waar, het elixir is tot en met de laatste droppel opgedronken.' Ditmaal stak er geen storm van verontwaardiging op. Het besef van de waarheid benauwde de aanwezigen. Bitter bekende Simmu: 'Het is deze man, deze Zhirek, die zulke twijfel, zulke afschuw in mijn hart heeft gezaaid dat ik mijzelf niet langer kon verblinden. Ons leven is zonder waarde. Wij zijn als vogels die niet kunnen vliegen, als wegen die nergens heen leiden, behalve naar een woestijn.' Geen weersprak hem; het was duidelijk dat hij er half op had gerekend dat dit wél zou gebeuren, misschien had hij hier zelfs vast op vertrouwd, gedacht dat er argumenten tegen zijn moedeloze verklaring zouden worden ingebracht. Alleen de vaardige chirurg hoorde men mompelen dat zijn leven verre van waardeloos was, dat hij nog veel te bestuderen had tot heil van de mensheid. Maar zijn stem was nauwelijks te horen en al zijn zinnen bleven onafgemaakt, zoals ook al zijn studies. 'Nee,' zei Simmu. 'Deze toestand waarin wij gekomen zijn is onherroepelijk. Ik begrijp niet hoe het komt dat de veiligheid van het leven ons moest beroven van onze beste kwaliteiten. Maar zo is de zaak. Zhirek heeft mijn blindheid opengescheurd. Ik weet niet welk pad nu te kiezen. Ik ben bang, maar zelfs mijn angst is log en inspireert mij niet.'

Toen begon er wel een debat, zoals direct na Zhireks beschuldiging en dankwoord.

'Wie wil er doodgaan?'

'Leven voor slechts klein plezier is beter dan het leven verliezen.'

Simmu was weer gaan zitten en antwoordde niet, noch Zhirek, die donker als de samenballende nacht voor Simmu's zetel stond. Kassafeh staarde alleen naar Zhirek, met haar ogen een eigenaardig complementair donkerend purper. Ze had haar oogleden verguld en voor Zhirek bloemen en saffieren in haar haren gedaan, maar hij scheen haar niet op te merken. Toen zij hem had verteld dat Simmu de laatste slok van het elixir had opgedronken, had hij slechts geknikt. Nu werd Kassafeh overvallen door zorgen voor zichzelf. Zoals ieder daar aanwezig, scheen zij plotseling te voelen dat de vernietiging in haar nek ademde – een ontkenning van hun leven, zij het niet de dood. En met haar starende blik smeekte zij Zhirek: *Beminde, ik zal je slavin zijn. Veroordeel mij niet ook.*

Toen sprak Zhirek.

'Geen van jullie hoeft ergens voor te beven,' zei hij, 'want de Dood kan Simmurad niet betreden. Niets is hier ooit gestorven, noch kan er iets sterven, daar alles onsterfelijk is, tot en met het gras van jullie grasvelden en de leeuwen in jullie jachtpark toe. En Uhlume, de Meester van de Dood, kan slechts daar gaan waar de conditie van de dood hem is voorgegaan.'

En hij glimlachte in het rond, en zij deinsden van hem weg, zelfs de magiërs en de wijze mannen. Hun gelaat kreeg de starre vorm van de gezichten van de mannen die in Zhireks huis gif aangeboden kregen. Op een of andere wijze was er niemand onder de aanwezigen die niet ried wat Zhirek van plan was en toch kon niemand het verijdelen. Het was iets symbolisch, maar ook totaal verwoestend, zoals zulke sympathetische magie nu eenmaal moet zijn.

Hij begon.

Hij tilde de scarabee van zijn borst en zette hem op de vloer. Zacht sprak hij de formule uit; in die zaal vol magiërs moesten er zeker enkelen zijn die deze formule ook kenden. De edelstenen huiverden – Zhirek spuwde erop – hun glinsterende facetten veranderden in een dof obsidiaan en begonnen met een klikkend geluid over de vloer te rennen. De scarabee was een levend schepsel geworden.

'Nee,' zei Zhirek, 'de Dood kan Simmurad niet betreden tot er iets gestorven is – een uitstekend motief, veronderstel ik, waarom jullie nooit buiten deze muren zijn gegaan. Hoewel jullie zeggen de Dood niet te hoeven mijden, mijden jullie hem toch.'

Zhirek schreed langzaam achter de voorthollende kever aan. Hij liet hem tussen de tafelpoten cirkelen, onder de zijden grotten van de draperieën, maar steeds volgde hij het dier. Middenin de zaal bleef de scarabee even staan om een rode bloem te onderzoeken die uit de hand van een vrouw was gevallen. Op dit moment liet Zhirek zijn blote voet hard op de rug van de kever neerkomen. Het was zo stil in de zaal dat allen het rugschild hoorden barsten. Zhirek haalde zijn voet weg. De aanwezigen rekten hun nek om de verpletterde kever op de blaadjes van de bloem te zien en toen ging er een gesmoord gekreun op. Het sterven had de muren van Simmurad doorbroken. De Dood zelf kon nu volgen zoals hij wenste.

Een enorme wind brulde door het paleis, als een heraut die de komst van de Dood aankondigde.

Zhireks toverij had allen in zijn greep. In dezelfde seconde dat de paniek door hen heen waarde en hun aanspoorde te vluchten, kon geen van hen meer een spier verroeren. Zelfs hun ogen verstijfden, bleven gehecht aan het minuscule dode diertje middenin de zaal. Alleen Zhirek keek op, naar Simmu, die even roerloos was als de anderen, maar niet zo uitdrukkingloos. Simmu die de Dood geconfronteerd had, hem geslagen had, uitgedaagd, Simmu grijnsde met een angst die veel erger was dan die van de anderen. Nu genoot hij niet van de strijd. Zhirek had hem naakt uitgekleed en de waarheid sloeg hem als een zwaard.

De wind beukte de ramen van de citadel kapot. Deze storm leefde. Hij beende over de vloer, hij kolkte rond en bedaarde en nam vaste vorm aan en Uhlume, de Meester van de Dood, stond in het hart van Simmurad, de stad der Onsterfelijken.

'Welkom, Heer der Heren,' begroette Zhirek hem. 'Deze mensen kunnen niet voor u buigen want zij kunnen helemaal niets doen. Ik heb de methode van hun eigen geestelijke atrofie tegen henzelf gebruikt. Ze leken van was, nu zijn ze als steen, niet in staat voor u weg te rennen of u beleefd te groeten. Ze voelen niets, maar ze zien en ze horen. Wijs vonnis, mijn heer.'

Op dit uur van zijn triomf was Uhlume gevoelloos. Maar hij keek om zich heen, staarde lang naar alles. Zijn lege witte ogen verrieden een soort honger, zelfs gulzigheid, terwijl zij rustten op het gezicht van ieder die hem uitgedaagd had.

Na verloop van enkele minuten sprak Uhlume: 'In de parken zijn dieren, doch deze mogen gespaard blijven. Het zijn de mensen die een schuld aan mij hebben, die deze oorlog begonnen zijn, wel wetend wat zij deden. In deze zaal evenwel ontbreekt er een.'

Zhirek keek opzij. Kassafeh was verdwenen.

'Zij ontglipte aan mijn betovering op een mij onbekende manier, maar ze is toch gevangen in Simmurad. Wat de dieren aangaat, die zal ik de stad uit sturen, als u dat wenst.'

'Zij zullen in de Binnenaarde leven,' zei Uhlume. 'Er is daar een vrouw die wellicht prijs op hen stelt, misschien voor de jacht.'

'Dan wil ik u één verzoek doen, mijn heer,' zei Zhirek, 'voordat ik mijn dienst aan u hier voltooi.'

'Spreek.'

'Simmu, die zich uw vijand noemt, heeft ook een schuld aan mij. Ik beoog voor hem een ander lot dan voor deze overigen. Een erger lot.'

'Wreedheid,' zei de Dood onbewogen, 'is jouw voedsel, niet het mijne. Zelfs nu is het niet het mijne.'

'Geeft u mij dan toestemming? Ja, mijn heer, ik ben van plan zo'n brute daad te verrichten dat deze alle verwenste eeuwen lang dat ik nog moet leven aan mijn ziel en hersens zal knagen en scheuren. Het is het enige wat mij ervan zal weerhouden waanzinnig te worden – razend tieren, lijden en treuren. Terwijl mijn hart slaat, moet het bloeden, anders kan ik niet verdragen wat verdragen moet worden, die verdoving in mij die slechts door pijn verlicht kan worden. Geef mij Simmu, mijn heer, samen met uw andere geschenken.'

'Neem hem,' zei de Dood. 'En geef mij dan Simmurad totaal.'

Kassafeh holde door de nachtelijke lanen en tuinen van Simmurad. De schaduwen waren gul voor haar, wikkelden haar in duister, verborgen haar voor ieder scherp en bovennatuurlijk oog. Maar de sterren schenen genadeloos op de marmeren straten en toen de maan opkwam als een appel van groene jaspis, begon ze te wanhopen. Toen niemand haar tegenhield, leek dit een wonder. Ze wist niet dat ze in een val zat, dat ze kon rennen waar ze wilde maar nooit zou ontsnappen.

Ze had de zaal verlaten op het moment dat de ruiten braken. Ze deed het niet met voorbedachten rade. Haar snelle aftocht was instinctief. Dat zij los kon breken uit de hypnotische kooi was een andere zaak. Wijze mannen en magiërs zonder onderscheid stonden als aan de grond genageld en in trance. Maar zij, hoewel ze het gewicht van de betovering voelde, kon hem ontwijken toen ze eenmaal gedwongen werd door waanzinnige angst. Natuurlijk was zij niet alleen maar de dochter van een koopman. Zhireks toverij had haar niet geraakt om dezelfde reden dat de illusie van de Tuin van de Tweede Put geen vat op haar kreeg, evenmin de Eshva bekoring die Simmu daar had gebruikt. Het bloed van haar andere vader had Kassafeh immuun gemaakt voor aardse magie – het dunne blauwige sap van de elementaal uit de hemel dat door haar bloed was gemengd.

Uhlume had zij niet gezien. Maar het was voldoende geweest om zijn komst te voelen naderen. Zoals heel Simmurad die nacht kromp zij ineen voor de Dood, al was ze onsterfelijk.

Ze was op weg naar de poort, zowel om erdoor naar buiten te stormen als om de hulp van Yolsippa in te roepen, die de enige vrije man in de stad was door zijn afwezigheid van het feestmaal. In werkelijkheid had zij meer behoefte aan zijn gezelschap dan aan zijn twijfelachtige vernuft. Ook zij was verraden. Ze had de tijd nog niet gehad om te treuren.

In de buurt van de poort stoven drie gevlekte luipaarden langs haar heen, een andere richting uit. De gouden ringen van hun ogen joegen haar de stuipen op het lijf. Ze raadde dat de dieren een uitweg hadden gevonden – of gekregen – die voor haar niet openstond.

Toen zwenkte de weg omhoog naar de gebeeldhouwde berg met de koperen poortdeuren die gesloten stonden te glanzen in het maanlicht.

Vliegensvlug klauterde ze de trap op die tegen de bergwand op voerde en ging door de smalle deur van het poorthuis.

'Yolsippa!' riep zij. 'Simmurad is verloren!'

Maar Yolsippa lag afwisselend boerend en snurkend op zijn bed.

Kassafeh greep de wijnkruik en keerde die om boven zijn hoofd – zonder resultaat, want hij had de kruik al leeggedronken. Daarom sloeg ze hem een flink aantal keren en onderwijl hoorde zij ver af een onheilspellend gedonder, en de steen onder haar en boven haar leek licht te trillen.

'Yolsippa, word wakker en wees vervloekt! Simmurad is verloren – kom, open de poort want wij moeten hier vandaan!'

Yolsippa ontwaakte en vroeg voorzichtig: 'Wie heeft de stad ingenomen?'

'De Dood, met Zhireks hulp. Het noodlot hangt boven ons hoofd – welke vorm het precies heeft weet ik niet, maar ik ben zo bang.'

Yolsippa wankelde zwetend naar de hefbomen die de poort konden openen.

'En wat doet Simmu? Strijdt hij niet heroïsch tegen de Dood?'

Kassafeh gaf een gillende schreeuw die zichzelf voor een lach zou hebben kunnen aanzien. Ze barstte in huilen uit, om wie wist ze niet, maar ze krijste Yolsippa toe dat hij zich moest haasten.

Maar Yolsippa wierp een argwanende blik in het rond.

'De goden, die mij verafschuwen, hebben hun waakzaamheid hervat. De deuren reageren niet op het mechanisme.'

'O, ook dat heeft Zhirek op zijn geweten!' jammerde Kassafeh.

Yolsippa spande zich in en Kassafeh voegde haar kracht toe. Haar tranen en haar zweet druppelden op de hefbomen. De deuren weigerden uiteen te gaan.

'Zullen we uit het luik naar buiten klimmen?' vroeg Kassafeh dringend.

'De afstand is te groot en de wand te steil, vervloekt zij de idioot die het ontworpen heeft.' Maar gedwongen om te zien wat hen bedreigde, openden zij het luikje en keken naar buiten.

De groene maan wierp vrijgevig zijn licht over alles.

Eerst leek de nacht onschuldig, de hemel en de bergen rondom, en voor hen en in de diepte de glans van die reusachtige horizon van de zee. Maar spoedig rommelde de donder opnieuw en het licht van de maan op de watereinder rimpelde en brak als een versplinterende spiegel.

'De zee,' kreunde Kassafeh.

'Zeker, die is onrustig,' gaf Yolsippa toe.

'En veel dichterbij,' meldde Kassafeh, 'dan eerst.'

Yolsippa rekte zijn nek en tuurde en gluurde, maar hij wilde geen bevestiging horen van wat zijn ogen hem meedeelden. Want de oceaan, grijs en koud alsof hij omhoog gestuwd werd uit een innerlijke diepte waar kleuren onbekend waren en warmte iets ongehoords, klotste ziedend en kolkend aan de voet van de bergen. En af en toe kamde een reuzengolf hem tegen de flanken van de rots, en voortdurend leek de zee langzaam te stijgen om de holle kom van de nacht te vullen.

Zhirek, die in een mensvormige kast van kopergroen de kennis en de magerij van de zeebewoners had geleerd, ontbood nu de wateren van een ijskoude oeroceaan en alles wat deze bevatten.

De golven wijzigden hun normale koers. De vloed breidde zich uit, onttrok zich aan de roep van de maan die zelfs in de dagen dat de aarde plat was een stem had in de bewegingen van de aardse zoute wateren, zowel groene als rode. Uit een of andere onderzeese schoot stormde een bonzende stuwing omhoog. Een klep gleed open, of werd verbrijzeld. Uit de diepten, uit troggen ontploften de golven. De zee joeg landinwaarts, rees, dronk de oostelijke kust op, de stranden en de kliffen, maar bovenal dorstte de zee naar Simmurad.

Zhirek wachtte op een hoog, heel hoog dak met zijn trofee – Simmu – als bevroren aan zijn voeten uitgestrekt. Zhirek spoorde de zee aan met de woorden van een oeroude en onvertaalbare oceanische hekserij. Hij voelde niets, of niet veel, alleen zijn onmenselijke macht, een dronkenschap die hem allang zuur in de keel lag. De Dood was vertrokken toen zijn zucht naar wraak bevredigd was, als die zucht ooit echt had bestaan, of als wraak ooit werkelijk zijn doel was geweest. Maar de zee antwoordde Zhirek.

Hij vulde de lagere dalen van Simmurad met een uitbundig gutsen, tuimelde over de hoge borstweringen en stortte neer, zodat het rumoer van watervallen en regenstormen het donderen van de hoge golven die op de berg roffelden opluisterde.

Geleidelijk onderwierpen de tuinen en de paden, de prachtige gaanderijen en de pleinen en de gangen van de stad zich. De zee gleed over de trappen, over de kruinen van de bomen.

Het water sijpelde bijna op de tenen zo bedeesd de feestzaal van de citadel in. De groene obelisk voor de deuren was al half verzwolgen; het water had de woorden IK BEN bereikt en kuste die liefdevol.

Toen de zee als een tapijt op de vloer van de zaal lag, en de slanke enkels van de onsterfelijke vrouwen en de wijze, lelijke voeten van de wijze mannen en de laarzen van de soldaten likte, verroerden deze mensen zich niet. Toen de zee stoutmoedig werd, tegen hun benen opklom, hen streelde en intiem werd, ook toen verroerden zij zich niet. Gevangen in de val, gehypnotiseerd, voelden zij het water niet, al begrepen ze alles. En toen het water tegen hun kin kabbelde, over hun mond en in hun neusgaten, keel en longen, stikten zij niet en verzetten zij zich niet, en hun ogen waren als steentjes. Kwetsbaar, verdronken zij; onsterfelijk, leefden zij voort terwijl ze verdronken, maar leven had voor hen geen nut.

Zelfs in die eerste seconden werden ze omstuwd door oneindig kleine wezentjes, de architecten van de oceaan. Het koraal van deze zee was wit. Zijn palissaden zouden jaren van bouwen vergen. Maar op verzoek van Zhirek waren de koraalbouwers gekomen en ze zouden zich hier verzamelen totdat iedere onsterfelijke van de stad ingesloten was in zijn eigen gevangenis van stekelige witte kalk.

Wat Zhirek in de Simmuriërs had gezien, hun verstening, had hij bewaarheid laten worden. Ze waren wassen beelden geweest. Nu waren ze pilaren van kalksteen. Ze zouden niet sterven. Maar de Dood had getriomfeerd.

Weldra spoelde de zee tegen het dak van de zaal en de primitieve vissen die erin rondzwommen flitsten in en uit de gebroken ruiten.

Maar de zee moest nog een eindweegs stijgen voordat hij de hoogste torens van de stad had verzwolgen en nu was zijn tumult vriendelijk en verleidelijk geworden. Hij kuste voor hij verslond.

Zoveel begreep Kassafeh, want terwijl het water stiekem over de trap naar haar toekroop, zong en neuriede het zacht, probeerde haar te kalmeren zodat zij zich zou onderwerpen.

'Wij zijn verloren,' concludeerde zij treurig.

'Dat is een raadsel dat ik niet kan oplossen,' beaamde Yolsippa zwaar. 'Want wij kunnen niet verdrinken, en toch moeten wij dat. En hoewel dit stadsleven soms knellend is, toch wil ik mijn zinnen niet laten verduisteren. Wees echter zo goed het waterpeil niet te verhogen met je tranen.'

'En wees jij dan zo goed mij niet te bevelen,' snauwde Kassafeh. 'Jij bent te stom om een uitweg voor ons te vinden, en ik heb nooit iets nuttigs geleerd en kan het ook niet.' Ze stond bij de deur van het poorthuis op de bovenste trede met het water twee of drie treden lager en de onverschillige hemel met zijn meedogenloos toekijkende sterren en maan boven haar. 'En jullie willen me ook niet helpen,' zei zij beschuldigend tegen deze hemellichamen.

En toen zag ze een meeuw met lichte vleugels die tussen haar en de sterren kruiste.

Het tumult dat deze zee op een verre kust aanrichtte had deze meeuw in verwarring gebracht. In een onnatuurlijke wereld van rijzende getijden en waterverplaatsing, voelde hij zich ook geroepen tot het onnatuurlijke en vloog nu 's nachts. Dat er glinsterende vissen in de zee sprongen trok hem ook aan en misschien ook wel de aura van oceanische toverij. Nu voelde hij zich verlokt door een nieuwe kracht.

Kassafeh staarde naar de meeuw en met de Eshva bekoring die ze van Simmu had geleerd, trok ze de meeuw naar zich toe. Maar toen zij eenmaal zijn dik bevederde zijden in haar handen had, staarde ze naar het gemene profiel van de vogel en vroeg zich af: *Wat nu?* Haar sprakeloze smeekbede drong door tot de hersens van de vogel, maar waarheen kon zij hem om hulp zenden en wie zou trouwens een boodschap van schorre kreten en slaande vleugels begrijpen? Toen de meeuw zichzelf weer meester werd omdat Kassafehs greep op zijn wil verslapte, hakte hij naar haar hand en schoot steil de lucht in. Maar haar kreet om hulp straalde van de meeuw alsof ze hem er met lichtgevende verf op had geschreven, voor iedereen die psychisch of onaards genoeg was om het te lezen.

Kassafeh wist niets van haar erfgoed, de kus van het hemelwezen die haar oorsprong had gelegd in het lichaam van haar moeder. De boze meeuw wist hier ook niets van toen hij ontsnapte. Terwijl voor de dwalende elementalen van de lagere Opperaarde de mensheid een soort van beweeglijke klei was die slechts uiterst zelden, en dan meestal bij toeval, interessant werd.

Zekere van deze hemelpersonen baadden in een maanlichtplas op een vlakte in de aether die voor mensen onzichtbaar was, toen de meeuw dwars door hun midden brak. En met schemerende, slaperige verrassing ontdekten zij op de flanken van de meeuw Kassafehs schreeuw om hulp. Zij zouden deze schreeuw met een bleekgouden zucht van zich afgezet hebben, maar er viel een droppel bloed van de scherpe snavel van de meeuw op de doorschijnende huid van een van de baders. Hij – want hoewel ze geslachtsloos waren, leken ze eerder mannelijk dan vrouwelijk – keek naar deze droppel en zei: 'Deze levensvloeistof is van een onsterfelijke afkomstig. En al is hij eer rood dan violet, het bloed van onze soort is erin vermengd.'

Dat wekte hun nieuwsgierigheid en als een ijle flikkerende zwerm neerdalend, ontwaarden zij al spoedig de tumultueuze zee en Kassafeh die nu tot haar knieën in het water stond, terwijl ze de hemel verwenste, en Yolsippa op zijn beurt berispte de meesters van de Opperaarde.

De elementalen gleden dichterbij. Ze leunden opzij uit hun wapperende mantels.

'Laster niet,' zeiden zij vermanend, want zij waren altijd verkikkerd geweest op de goden.

'Red ons dan!' riep Kassafeh en ze greep twee broze voeten beet, totaal onverschillig waar deze voeten aan vast mochten zitten.

De elementalen zagen haar bloedende vingers en haar buitengewone schoonheid en herkenden haar als een arme verwant van henzelf.

'Mogelijk zullen wij jou redden.' Vaag liefkoosden ze haar haren. 'Maar wij voelen geen drang om iets voor die andere te doen.'

De andere, Yolsippa, boog diep in het water.

'Nu al vormt het koraal zich om mijn voeten,' zei hij. 'Ik berust in de levende dood. Ik zou u slechts willen mededelen dat dit maagdje zwaar op mij leunt en onder een scheiding zou lijden.'

En toen Yolsippa dit zei, herinnerde Kassafeh zich opeens hoe zij gescheiden was van Simmu en nu stroomden haar langzame tranen even snel alsof zij de zee zelf was geworden, en eindelijk begreep ze dat ze steeds om Simmu geweend had zonder het te willen weten.

'U ziet wel,' zei Yolsippa bescheiden, 'hoe de maagd de ontsteltenis ten prooi raakt als er zelfs maar over een scheiding gesproken wordt.'

Twee elementalen zakten abrupt lager en hesen Kassafeh op aan haar middel. Ondanks haar banketten van bonbons en snoepgoed was ze nog steeds tenger en makkelijk te dragen, bijna alsof haar botten even hol waren als die van haar aetherische verwanten. Zij rees op in hun tere greep en met hun vrije handen veegden zij haar tranen van haar wangen.

'Ween niet. Je weerzinwekkend dikke gezelschap wordt ook gered.'

Maar zij dacht aan Simmu die in de ban van Uhlume verkeerde en ze hield niet op met schreien terwijl ze haar wegdroegen.

Het water had Yolsippa's omvangrijke borst omsloten en de vissen knabbelden aan hem en het koraal, gehoorzaam aan Zhireks bevelen, vormde korsten op zijn voeten en hielen, zoals hij al had gemeld, en dit was een pijnlijk proces.

De elementalen zwierden om hem heen want ze voelden er niets voor om hem aan te raken tot het allerlaatste moment. Toen de zee zijn klagende mond vulde, sleurden ze hem omhoog aan zijn kledij, haar en baard. Ze waren veel sterker dan ze eruitzagen, hoewel er tien of twaalf nodig waren voor deze verheffing. En zo, ondersteboven hangend, zijn redders beurtelings zegenend en uitscheldend en dwaas van schrik en angst, werd ook Yolsippa uit Simmurad weggevoerd.

Op deze wijze ontliepen Kassafeh en Yolsippa het lot van de stad. Of ze ook Uhlume ontliepen, is een andere zaak.

Hoe Zhirek Simmurad verliet is niet bekend. Door de lucht of door de zee, in ieder geval reisde hij snel en Simmu droeg hij mee. Verstijfd als hij in zijn trance was, kon Simmu nog wel zien, zodat het laatste wat zijn niet knipperende ogen van Simmurad zagen, het beeld was van glanzende torens onder niet minder glanzend water. Of hij hier blij of treurig om was, of hij wel een emotie overhad voor de verdrinking van de stad, valt moeilijk te zeggen.

De dageraad gloorde achter hen en het vervoermiddel dat Zhirek had gebruikt zette hen neer in een dal ver naar het westen van de overstroomde stad. Hier was geen spoor van water in enige vorm te bekennen. Het was een kom van rots, verguld door de zon, rood gemaakt door de schaduw en van stem voorzien door de winden, en niets dan zon en schaduw en wind waren er tot dan ooit binnengedrongen.

Zhirek raakte Simmu's voorhoofd aan met een ring van electrum en zijn lippen met een ring van groene steen.

Simmu's verlamming verdween. Hij sloot zijn ogen tegen het licht.

Stil zei Zhirek: 'Al heb jij je hofhouding overleefd, verwacht geen erbarmen van mij. Ik ben van plan jou te vernietigen en dat moet ik doen. Je hebt mij hierover horen spreken. Niets is veranderd, of zal ooit veranderen.'

Simmu's gezicht was bleek en zijn gebaren waren zwak.

'Als je wilt weten of ik je vrees,' zei hij, 'dan is het antwoord ja. Maar deze vrees is gekoppeld aan een gevoel of jouw gezelschap mij vertrouwd is. Omdat jij mijn noodlot zult zijn, is het dat misschien. Hoe zul je mij vernietigen?'

'Dat ontdek je spoedig.'

'In Simmurad eiste je mij op wegens een schuld die ik aan jou heb.'

'Het is zinloos om je daaraan te herinneren. Wees gerust, betalen zul je.'

'Ik zou je kunnen ontsnappen.'

'Nooit.'

Zhirek liet Simmu achter in de schaduw van de rots en verwijderde zich honderd passen.

Simmu bleef daar liggen, gehoorzaam door zwakte en verbijstering en zijn instinct tot zelfbehoud was allang weg. Hij keek naar Zhirek, die alras door rook omwolkt werd. Er was een betovering aan de gang. Zhirek hield zijn gevangene niet in het oog, maar Simmu rekende erop dat een soort onzichtbaar koord hem gebonden hield, of zou binden als hij een vluchtpoging ondernam.

De zon werd een gouden oven boven het dal. De hitte en het licht putten Simmu uit totdat hij in een misselijke, koortsige slaap viel.

Hij droomde dat hij op een heuvel fluit zat te spelen. De fluit was gemaakt van een riet. De zoete, ijle klanken lokten allerlei dieren naar hem toe, maar na verloop van tijd kwam er ook een jongeman, een jonge priester in een gele mantel, barrevoets en met donker haar. Zhirem, in de droom herinnerd zoals hij bij het ontwaken vergeten zou worden. Hij ging naast Simmu op de heuvel zitten en in de droom voelde Simmu dat hij ogenblikkelijk en pijnloos in een vrouw veranderde.

Maar het slapende lichaam van de dromende Simmu veranderde niet en probeerde het zelfs niet. Hij bezat het vermogen niet meer voor deze verandering. Hij was eindelijk in de steek gelaten door die ene bizarre toverij van zijn eigen lichaam die op dit late uur misschien nog zijn redding had kunnen zijn. Misschien had Zhireks onverbiddelijke stemming hem beroofd, misschien zijn terugkerende angst voor de Dood. Wie de dief ook was, hij had Simmu totaal bestolen.

Slapend en met een flauwe glimlach om de liefde die hij zich niet herinnerde, wist Simmu niets van zijn verlies.

5 Brandend

Een

Het was een soort van tuin. De hoge stenen muren lieten niets zien dan de hemel, die duister was van een sterloos zwart. Fijn groen zand vormde de bodem en vier koperen lampen brandden op de vier hoeken van de tuin en vertekenden het beeld van de zwarte bomen met oranje fruit en de struiken die een vreemde geur afgaven, en de lampen concentreerden hun schijnsel op een stenen put in het midden van de tuin, in de diepte waarvan eer vuur dan water leek te gloeien.

Onder een van de lampen zat een vrouw. Haar gezicht was niet knap, maar het was jong en glad en het bezat twee verbazend glansrijke ogen en smettelloze tanden die witter waren dan zout, terwijl haar hoofd bekroond was met lang bruin haar, dat haar pronkstuk had kunnen zijn, als het niet verslonsd was en niet verknoopt met metalen ringen en stukjes bot. Dit waren echter niet de enige vreemde aspecten aan deze vrouw want haar handen waren buitengewoon mager en gerimpeld en hadden de kleur van gelooid leer, evenals haar voeten, waar die uit haar van gore pelzen gemaakte kledingstuk staken. Bovendien melkte ze het gif van een gouden slang die op haar schoot lag en terwijl de gifkruik volliep, kakelde zij in zichzelf en dat deed ze met de stem van een oud wijf.

Er leek niets te gebeuren in de tuin of in het zwart erbuiten, maar plotseling hief de heks het hoofd en keek priemend om zich heen.

'Wie staat er voor mijn deur?' vroeg zij met haar krassende oudewijvenstem.

'Iemand die hem in het verleden gebruikt heeft,' klonk het uit de lucht. Waarna er een rokerige wolk tegen het zand verscheen die zich ontplooide en de gestalte van een man aannam. Hij had een donkere mantel en donker haar, zijn armen waren voor zijn borst gevouwen die glinsterde van het goud, en hij zag haar aan met de koudste ogen die deze heks ooit had gezien.

Maar zij zei: 'Wel, wel,' en toen dapper en scherp: 'Jij moet de grootvader van alle magiërs zijn dat je de toegang

tot mijn tuin kunt forceren, want hier zijn beveiligingen die
geen ander ooit heeft verbroken, tenzij met mijn instemming.
Ja, jij moet wijzer zijn dan de nacht zwart is, en jouw vermogens moeten buitengewoon zijn.'

'Ik ontken het niet,' zei Zhirek de magiër.

'Wat verlangt de machtige heer van mij?'

'Ik wil de kracht van de put beproeven, voor de tweede
maal.'

'Ah!' riep zij uit, 'nu gedenk ik mij een kind van vier of
vijf, met schaduwhaar en heel mooi, en zijn ogen waren als
koel water – welke ogen nu lijken op twee ijssplinters van
de winter van de wereld.'

'Ik herinner het mij ook,' zei Zhirek. 'Het is mij eenmaal
verteld en het is redelijk gedetailleerd teruggekomen.'

'Welnu,' zei de heks, 'geef mij niet de schuld van je on-
tevredenheid. Ik heb je moeder gewaarschuwd toen zij mij
smeekte jou onkwetsbaar te maken, maar zij wilde het nu
eenmaal beslist.'

'En zij verkocht jou haar witte tanden in ruil,' zei
Zhirek.

'Mijn honorarium bestaat immer uit zulke zaken. In de
loop der jaren heb ik verscheidene prijzenswaardige bezit-
tingen verworven – dit haar van het hoofd van een prins,
maar liefst, en de huid van een knappe maagd en de gelaatstrekken van een andere die niet zo knap was maar wel jong.
En als jij vriendelijker van aard was, zou ik je een verborgen onderdeel kunnen onthullen dat ik gekocht heb van
iemand die de liefde afgezworen had, ofschoon zij er uitstekend voor toegerust was. Op deze wijze houd ik mijzelf
onsterfelijk, door mijn handeltje in onderdelen, en ik hoef
dan ook geen pand te betalen aan de wet van het evenwicht
van de goden. Hoewel jij heel wijs bent met betrekking tot
dat evenwicht, mijn heer, ben ik in dat opzicht wellicht
wijzer.'

'Jij bent een oude heks,' zei hij, maar niet heftig. 'Brandt
het vuur in de put nog heet?'

'Zolang de aarde plat is, zal dat vuur branden. Het is een
oud vuur, maar duurzaam. Herinner je je alles nog? Dat
alleen een kind die vlammen kan overleven en zo tegen gevaar bestand gemaakt wordt, wijl de vlammen zich voeden
met verdorvenheid en kennis. Heb je zo'n klein kind dat je
in het vuur wilt baden?'

'Eerst wil ik dit weten,' zei Zhirek. 'Als iemand die reeds

onkwetsbaar is gemaakt door het vuur, zich opnieuw in de put zou storten, wat gebeurt er dan?'

'Aha,' zei de heks genietend. Haar gezicht werd leep. 'Dat was je plannetje, hè? Het antwoord is eenvoudig. Spring in het vuur en je komt er ongedeerd uit. Het vuur zal je zelfs in een oogwenk weer uitbraken en zonder dat er een haartje verschroeid is. Zelfs zulke verwoesting kan jou, die er eenmaal in gebaad is, geen kwaad doen. Je levensspanne is een pantser dat je niet kunt afleggen, geëerde magiër; aan je kluisters kun je niet ontglippen.' En ze grijnsde een heksengrijns met de tanden van zijn eigen dode moeder.

Zhireks gezicht verried niets.

'Zoals ik al dacht,' zei hij. 'En hoeveel anderen heb je op deze manier in de hel laten zakken?'

'Genoeg,' zei zij, 'maar nooit een die terugkwam om mij uit te kafferen. Ik zal nog zeggen dat als je van plan was mij te vermoorden, spaar je de moeite dan. Het vuur verleent verscheidene vormen van bescherming aan degenen die zijn beheerders zijn.'

'Dan ben jij ook onkwetsbaar?'

'Door mijn ambt van beheerster, ja. Het overleven heeft zijn regels, teneinde de balans van leven en dood, goed en slecht, niet naar de ene of de andere kant te laten doorslaan. En ik weet hoe ik dat moet doen.'

Zhirek wendde zich af. Hij maakte een teken van macht en sprak woorden zonder geluid. Nu begon zich in de lucht een tweede gedaante te vormen. De heks staarde met grote ogen. Weldra zag zij een jongeman in haar tuin staan. Hij was slank en knap, en had eigenaardig haar, een ogen van hetzelfde groen als het juweel om zijn nek. Hij droeg de mantel van een koning maar zijn gezicht was kleurloos en zijn uitdrukking was er een van hopeloze angst. Hij verroerde zich niet, noch sprak hij of richtte hij zijn aandacht op Zhirek of de heks.

'Let nu goed op mijn woorden,' zei de heks. 'Als dit degeen is die je in het vuur wilt hangen, dan zal het hem spoorloos verteren.'

'Het is denkbaar,' zei Zhirek. 'Toch slaagt het vuur er misschien niet in hem volledig te verteren, want hij heeft gedronken van een zekere drank die mensen het eeuwige leven geeft.'

De heks ging een pas achteruit.

'Je doet het niet,' zei zij.

'Toch wel,' antwoordde Zhirek. 'En al doende maak ik een eind aan dit handeltje van jou. Tot het einde der tijden zal Simmu krijsend in het Vuur van Onkwetsbaarheid liggen, eeuwig brandend maar nimmer opgebrand. En dan zal niemand zich meer aan jouw vuur durven overgeven, oude vrouw, zelfs niet als je het ze smeekt.'

'Je moet deze heer grotelijks haten,' zei de heks. 'Welke afschuwelijke daad heeft hij gepleegd tegen jou dat hij in jou zulke haat opwekt?'

'Het is geen haat,' zei Zhirek. 'Het is liefde. Dat is mijn lot, goedertierenheid maken uit haat, kwaad uit liefde.' Toen ging Zhirek naar Simmu toe en kuste zijn voorhoofd, maar Simmu bewoog zich niet, sprak niet, keek nergens naar. 'Jij bent de enige wond die ik mijzelf kan toebrengen,' sprak Zhirek tot Simmu. 'Jouw verschrikkelijke angst en jouw doodspijn zullen mij alle jaren die nog komen bijblijven. Ik zal van hier wegrennen. Ik zal mijn oren verzegelen tegen de herinnering aan jouw kreten, ik zal zweten van afschuw en geen rustig moment meer kennen om wat ik jou zal hebben aangedaan. Zo zal ik leven.'

Toen hij uitgesproken was legde Zhirek zijn arm over Simmu's schouders en leidde hem zachtzinnig naar voren.

'Wederom zeg ik–' begon de heks.

'En wederom zeg *ik*,' viel Zhirek haar in de rede, 'dat ik dit zal volvoeren. Houd rekening met mijn macht. En zwijg.'

Daarop trok de heks zich terug in een hoek van de tuin. Ze doofde de lamp daar en wikkelde de gouden slang om haar middel. En ze drukte beide handen tegen haar mond om zichzelf eraan te herinneren dat ze Zhirek niet moest uitdagen, want zij wist hoe verschrikkelijk hij was, zoals iemand die dikwijls een bepaald huis heeft gezien, de vorm ervan zelfs 's nachts herkent.

Ze stonden aan de rand van de put, Zhirek en Simmu.

Ver onder de stenen rand rees en daalde een enorme golf van licht. Hier was het kind Zhirem ingevallen, slechts vastgehouden door het touw dat in zijn haar was geknoopt. Diep in deze onvoorstelbare verzengenis had hij gehangen, tot alle kans op gevaar en alle plezier uit hem weggebrand waren.

Toen wendde Simmu eindelijk het hoofd opzij en hij keek in de ogen van Zhirek. Het vermogen van de menselijke spraak had Simmu opnieuw afgezworen, of hij was het tijdelijk kwijt. En ondanks zijn doodsbange uitdrukking, smeekten zijn ogen niet, noch betwistten of ontkenden ze wat hem te wachten stond. Zhireks ogen lieten evenmin ruimte voor twijfel. Het was hun laatste samenspraak, en er leek inderdaad iets tussen hen uitgewisseld te worden, maar het had geen naam en evenmin hadden zij het een naam kunnen geven. Voor de weggekropen heks waren zij een symbool, donker en licht, de kaars en de schaduw, twee aspecten van één geheel. Tussen haar verstrakte handpalmen mompelde zij haar eigen magie om zichzelf te vrijwaren van de aanblik van hun noodlottige disintegratie.

Zhirek beduidde nu dat Simmu op de rand van de put moest stappen en Simmu gehoorzaamde hem. De gloed diep onderin de put flakkerde op als van verwachting. De put was niet zo hoog als in Zhireks herinnering – de vorige keer was hij tenslotte een klein kind geweest.

'Simmu,' zei Zhirek, 'als je ooit de mogelijkheid krijgt, straf mij dan voor dit en neem wraak op mij.'

Simmu sidderde en hij stond te wankelen boven het vuur alsof hij zich er zelf in wilde werpen.

Toen duwde Zhirek hem er meteen in.

Ogenblikkelijk stortte Simmu voorover. Hij verdween in de put.

De vlammengloed laaide verblindend op. De hele tuin werd gevangen in een enkele schitterende lichtvloed, die weer wegzonk. Maar uit de put klonk geen enkele kreet.

'Wat nu?' zei Zhirek verbaasd. 'Ik hoor mijn eigen stem nog brullen uit die put, toch komt er nu geen geluid uit.'

De heks nam haar handen van haar mond.

'Het vuur heeft zijn tong en keel meteen verwoest,' zei zij. 'Hij zou gillen als hij kon. Je moet niet teveel verlangen.'

Zhirek zei: 'Ik ben nu niet zeker van zijn onsterfelijke pijn.'

'Kijk dan in de put, als je dat beslist moet weten.'

Zhirek boog zich voorover en deed wat zij voorstelde. De minuten sleepten voorbij. Maar toen hij zich eindelijk oprichtte en omdraaide, stond op zijn gelaat en in zijn ogen het beeld gestempeld dat de put hem had laten zien.

Zoals hij had voorspeld vluchtte hij weg uit de tuin, zij het gewikkeld in de magiërswolk die hem er had gebracht.

De heks onder haar gedoofde lamp kraste met haar klauw runen in het zand om zichzelf gerust te stellen. Vrees en waanzin hingen nog giechelend en fluisterend in de sterloze hemel. Het fruit van de bomen geurde bitter.

Er was een plek in de woestijn waar zelfs het poeder en het stof vermalen waren tot niets. Dit was de plek die Zhirek koos voor zichzelf, voor zijn ballingschap.

Beenwitte pilaren van steen verhieven zich met tussenruimten en in sommige daarvan zaten gaten. Zhirek beklom een van deze stenen en koos een hol om in te wonen. Hij zat neer op de hete kale botvloer en hij neeg het hoofd en zo bleef hij vele jaren zitten.

Overdag sloeg de zon door het gat, 's nachts de blauwe wind. Hij at alleen wat tot hem kwam, dat was de lucht, en hij dronk de dauw en de zeldzame regen. Hij bleef in leven doordat ontberingen hem niet konden doden, evenmin als een speer of een zee of een vlam. Maar hij werd een uitgedroogde, verschrompelde zwarte bonestaak en zijn schoonheid verliet hem.

Soms werd hij bezocht door roofvogels. Ze naderden omdat ze hem een lijk waanden, een kant en klaar banket. Hij bewoog zich niet en joeg ze niet weg, en zij stieten met hun snavel tegen de muur van zijn onkwetsbaarheid en klapwiekten dan weeklagend weg.

Hij sliep vaak, die geduchte slaap die de Dood hem verleend had. En beetje bij beetje begon deze slaap zijn hersens schoon te wissen van alles wat zij bevatten. Zhireks intellect, dat hem zo'n smart had gebracht, begon terwijl het voortdurend opnieuw opgesloten werd in deze kluis, zich langzamerhand los te maken van de rede en zo van zichzelf. Hoewel af en toe, terwijl hij zwom in een vijver van halfbewuste duisternis, Zhirek zich tegen de herinnering aan Simmu die voor eeuwig in de put van vuur lag te branden placht te smijten. De monsterlijke pijn hiervan was hem dierbaar en deed hem goed; hij putte de pijn niet snel uit maar perste de sappen er droppel na droppel uit. Het was alles wat hij had, of alles wat hij voor zichzelf bewaard had. Maar uiteindelijk raakte zelfs deze smaak afgestompt.

In het begin kwamen er zelden mensen naar de plek toe, maar er gingen tientallen jaren voorbij en mensen waren stoutmoedig. In een bepaald jaar begonnen er karavanen te komen die het bottenkerkhof van de woestijn overstaken, en hoewel hun weg op enige afstand van de stenen zuil lag, ontdekte ten slotte iemand dat er iets in het gat zat.

In de stad achter de woestijn, zetten de mensen hun theorieën uiteen:

'Het is een bizar beest.'

'Het is een gek.'

'Nee, het is een kluizenaar, een heiligman. Wij hebben de gieren naar zijn grot zien vliegen waar zij hem op aanwijzingen van de goden voedsel brengen.'

Van die waarneming was het een kleine stap naar de veronderstelling dat hij begaafd was met bruikbare vermogens. Het was dan ook onvermijdelijk dat men in groepen van vijf of tien of meer over het stenen land naar hem toe ging, op de pilaar klauterde, en met nieuwsgierige ogen naar binnen tuurde.

Zhirek of wat nog van hem restte keek terug met een totaal gebrek aan belangstelling dat ze interpreteerden als blindheid of een innerlijk zicht. Hij antwoordde met geen lettergreep op hun smeekbeden en hun aanbidding, wat zij interpreteerden als een zwijggelofte die hij zichzelf had opgelegd. Ze brachten hem honingkoeken, wijn, krenten en koud vlees. Het onaangeraakte voedsel lag op de rand van de grot voor hem te rotten tot anderen het weghaalden.

Toen er enkele vruchteloze maanden voorbij waren, hielden de mensen op met komen maar ze verspreidden zijn faam, zijn curieuze aanblik en zijn heiligheid en zijn verwilderde verschijning; en ze bedachten wonderen die hij niet had verricht om hun verhalen boeiender te maken. Op een dag arriveerde er een prins uit een ver land. Hij had de mare van de kluizenaar gehoord.

Hij reisde in een vergulde koets, deze prins, onder een baldakijn van rode zijde. Dertig slaven draafden aan weerskanten mee en jonge meisjes gooiden zijden lappen voor hem neer op de woestijn, helemaal tot aan de stenen zuil – tot waar allang een pad was uitgesleten – zodat de in sloffen gestoken voeten van de prins de ordinaire grond niet hoefden aan te raken.

De prins knikte tegen Zhirek.

'Ik heb een droom gehad,' zei de prins, 'die over het eind van de wereld ging. De zon wordt zwart en er komt een nieuwe zon op; de bergen smelten en de zeeën stromen leeg. Wat betekent dit?'

Maar Zhirek antwoordde deze prins van de mensen niet, en Zhireks verglaasde ogen, die eens de kleur van groen water dat een blauwe hemel weerkaatste hadden gehad, sloten zich tegen hem als poorten.

Daarna ging de prins onverrichterzake terug over de stenen.

Maar roem is roem. Na honderd jaar kregen de demonen zelf bericht van de heilige asceet in de woestijn, die niet wilde praten, of zich bewegen, of eten, noch beminnen.

Toen de maan opkwam, slopen drie van de Eshva naar de zuil en zij begonnen aan de voet ervan te dansen. Ook zij spraken niet, omdat ze dat niet nodig hadden. Iedere golvende stap sprak voor hen. En hun dans voerde hen over het pad tegen de zuil op naar de opening van de grot waar Zhirek gebogen zat in zijn doodsslaap.

Geen sterveling kon die slaap tenietdoen, maar de Eshva bliezen hun welriekende adem op Zhireks oogleden en hun lange zwarte haar streek over zijn lichaam, en weldra ontwaakte hij. Toen lachten ze tegen hem met hun ogen, en ze tekenden hem na met wulpse vingers die glad waren als de pootjes van zwarte katten. Twee vrouwen waren het, en een man, en even schoon als alle demonen, maar Zhirek schonk niet speciaal aandacht aan ze, omdat inmiddels zijn hersens en zinnen vrijwel weggesleten waren.

Toen, ontvlammend door het maanlicht, straalde er een groene lichtbundel van de keel van de mannelijke Eshva. In Zhirek ontwaakte een laatste rest bewustzijn en de weggeteerde, stokoude staak die er nog van hem over was, stak één hand uit om de edelsteen te pakken die om de hals van de Eshva hing. Maar alle drie de Eshva deinsden lenig weg van hem en zagen met een onschuldige, kinderlijke wreedheid toe terwijl hij begon te huilen.

En ook hij als een kind begon zich te wiegen, met zijn knokkels tegen zijn ogen gedrukt en zo huilde hij en de roestige geluiden van zijn smart schuurden door zijn borst tot de Eshva hun plezier in het schouwspel kwijtraakten en als rook verdwenen. Nog lang daarna huilde hij en wiegde zichzelf, tot de maan onderging en de sterren verbleekten en in het oosten een rode roos opbloeide.

Toen de morgen rijp was, passeerden er ruiters op weg naar de stad.

'Wat is dat voor weeklacht?' vroegen ze elkander.

'Het is de heiligman in de grot,' zei een van hen die het verhaal kende. 'Normaal reageert hij nergens op.'

Nu reed er ook een priester met deze ruiters mee en hij verklaarde gewichtig: 'Zonder twijfel weent de kluizenaar om de zonden van de wereld.'

Maar Zhirek weende, in woede of blijdschap, dat wist hij niet, omdat hij volmaakt bedrogen was.

Twee

Het vuur.

Simmu, erin gestoten, hing nog een seconde in de lucht en toen stortte hij voorbij alle dingen.

De foltering was onmetelijk, het lijden zo hevig dat het ogenblikkelijk alle grenzen van pijn overschreed, ophield pijn te zijn, een andere toestand werd die niet minder ontstellend was maar onuitsprekelijk en onbepaald.

Meteen na zijn vlees brandden zijn gedachten weg. Zijn onsterfelijke kern bleef, die schakel die de ziel in de structuur van een man gevangen hield, net genoeg van het lichaam om hem in het vuur intact te houden hoewel hij vrijwel geheel vernietigd was.

Maar er brandde nog iets tegelijk met zijn haar en huid en beenderen en hersens. Het groene Eshva juweel om zijn nek.

Hoe lang kauwde het vuur op hem? Men zei dat het negen jaar duurde. En toen terwijl hij geen gezichtsvermogen en geen gehoor meer had, verscheen er een suggestie voor zijn oogkassen en er schalden ritmische geluiden in de holten van zijn oren, een gesprek als muziek, reeksen mijlen beneden hem.

'Kijk, daar is het juweel, brandend, precies zoals ik je zei.'

'Het is de derde verbranding. Iedere keer dat de hitte het treft, zendt het een harde groene toon uit. Maar onze prins zal zijn gelofte aan de sterveling niet nakomen?'

'Ja, hij zal hem nakomen.'

Dit waren de Vazdru die zo melodieus in de diepte spraken. En ergens trok een dwerg van een Drin aan zijn gitzwarte lokken en kreunde terwijl zijn kostelijke schepping, de gefacetteerde steen, in de vlammen spetterde. Het waren de Eshva, de demonische koeriers, die plots als zwarte duiven omhoog vlogen in de put van vuur. Hun waterkoele handen grepen Simmu beet, alles wat er van hem nog was, hun haar waaierde hem koelte toe. Ze droegen hem naar omlaag.

Hij wist niet waarheen hij ging. Vormen flitsten langs voor zijn zichtloosheid. De fluisteringen van hun zilveren geesten klonken in zijn oren die niet meer hoorden. Zijn lijden was verschrikkelijk. Hij was de demonen vergeten, hoewel zij altijd een troost waren geweest. Hij passeerde drie poorten, en zag er geen van, naar een glanzende omberkleurige stad onder de aarde.

Hoe hij eruitzag, zijn geblakerde huls, is niet opgetekend. Het is mogelijk het zich voor te stellen, onverstandig om het neer te schrijven. Zijn lijden zal verder niet beschreven worden.

Toen voelde hij – hij voelde het duidelijk, hoewel hem geen enkel gevoel dan zijn pijn gelaten was – de afdruk van een hand op zijn borst. Als door de vorst vernielde bladeren verschrompelde hij, maar hij wist er niets van, want de hand bracht hem de balsem van de vergetelheid.

Azhrarn keek naar wat op de vloer van zijn zaal lag, onder de ramen van wijnrood korund. Het juweel dat zijn gelofte symboliseerde, had hij met een simpel gebaar verwijderd. Het was als een dode kool. Zelfs het handwerk van de Drin kon de brand in de put niet weerstaan.

De drijfveren van de demonen waren tegelijk gecompliceerd en eenvoudig. Wat hun intrigeerde, stonden zij vrijheden en verrukking toe. Wat vruchteloos of onbeschaamd of onvoorzichtig was, vaagden zij weg. Wat hun verveelde, daar keken ze langs. Desondanks bleven ze soepel van geest en hun keus stond niet altijd van tevoren vast.

Simmu had Azhrarn teleurgesteld. Nadat hij de onsterfelijkheid en bovendien nog Simmurad had gekregen, was zijn ongekunsteldheid een vernietigend gebrek gebleken. Maar toen Azhrarn die nacht de Dood op de rivieroever ontmoette, en hem attendeerde op het enige wapen waarmee de Dood een bres in de stad zou kunnen slaan – Zhirek – was het niet ondenkbaar dat Azhrarn toen meer dobbelstenen had geworpen dan alleen die van Uhlume. Zhirek was de pion van de Dood, maar was ook een lepel geweest om de pot van Simmurad om te roeren.

De aanwezigheid van de demon waar Simmu in zijn citadel dikwijls naar had verlangd, en die hem daar nooit had begroet – wellicht was die demon tijdens de laatste dagen van de stad dichterbij geweest dan men toen had kunnen raden. Had Azhrarn toegekeken vanuit de beschutting van een maanloze nacht, of via een magische kijker van de Onderaarde, of door de ogen van een panter op het grasveld? En wat had hij dan gezien? Misschien had de demon wel willen straffen wie hem teleurgesteld en vermoeid had. Maar de straf werd toegemeten door een ander. En de straf was voltooid. Het vuur was vreselijker dan ieder plannetje dat Azhrarn de deernisloze op dat moment wist te bedenken. Als hij Simmu kwaad had wensen te doen, had Azhrarn niet meer kunnen doen dan het vuur had gedaan. Het was zover gekomen dat de enige manier waarop Azhrarn nu nog zijn omnipotentie kon tonen, en zijn ijdelheid kon bevredigen, een vertoon van genade was. Bovendien werden de demonen gefascineerd door rechtvaardigheid, door wat tegengesteld was, hoe gruwelijk of onwaarschijnlijk dat ook mocht uitpakken.

Azhrarn ontbood de Drin en vertelde hun wat hij verlangde. Ze sprongen van het ene beentje op het andere, zo gelukkig waren ze met zijn aandacht, en ze krompen ineen voor het geval ze het verkeerd begrepen. Toen namen ze de bladeren van Simmu met zich mee, die verschrompelde bladeren waaruit heel zwak het geruis kwam van een ademhaling, of een minieme spiertrekking als van een slapende.

Naast een meer als van zwarte siroop walmden de smidsen van de Drin in de sterrenlucht van de Onderaarde. De kleine lieden van Druhim Vanashta waren vermaard om hun weerzinwekkende lusten en om hun geniale aanpak van metaal, mineraal en alle mechanische voorwerpen.

Ze sloofden zich uit om een gecompliceerd beeld te bouwen. Het had de hoogte van een man en de gedaante van een man. Het werd als volgt vervaardigd. Om te beginnen werd er een skelet van beenderen gesneden uit het fijnste witte ivoor, en hieraan ontbrak geen rib, geen vingerkootje. De schedel werd gepolijst en opgeluisterd met de allerfraaiste tanden, die gebeiteld waren uit het allerwitste witte ivoor. Toen werd om het skelet een anatomie geweven van zijde en zilveren draden die een verbazende lust voor het oog was, en te midden van dit wonderbaarlijke schouwspel werden prachtige organen van brons en vezel geplaatst die weldra door een knap uurwerk in ritmische werking werden gesteld – zodat het hart ging slaan, de longen inhaleerden. Vervolgens werd er over de gesneden beenderen en het zijden vlees een enkele huid aangebracht, even nauwsluitend als een handschoen, van het blankste en onvergelijkelijkste velijn en op de nerven werden voorzichtig zwak geurende sappen gesprenkeld om ze van binnenuit te kleuren. Het afgietsel was onmiskenbaar dat van een demon. Zijn haar was zwart, maar de zwarte varens van de Onderaarde hadden het geleverd en de zwarte oogharen waren ebbezwarte grassen van de velden van Druhim Vanashta. Voor de ogen zelf werden glanzend gepolijste zwarte agaten gebruikt en de nagels van handen en voeten waren van gepolijst parelmoer.

Toen het klaar was, was het een verrukkelijk gezicht, dit beeld. Het leek te leven, maar ook te volmaakt om te leven, zelfs te volmaakt om een levende demon te zijn, misschien... De Drin verbaasden zich over hun eigen knappe prestatie. Ze streelden het beeld en keken er dromerig en weemoedig naar, vol bewondering en verliefdheid. Maar zij hadden er geen aanspraken op, niet op wat het was en evenmin op wat het zou zijn. Ten slotte maakten ze een kistje open waarin een bergje verkoolde bladeren verspreid lag. Deze bladeren goten zij in hun beeld via een spleet die ze voor dit doel in de schedel hadden uitgespaard, waarna ze de spleet afsloten en het beeld ruw en grof door elkaar rammelden, eer alsof ze het vuilnis in een zak gelijkmatig wilden verdelen dan de stervensloze resten van een mens in hun laatste rustplaats. Toen dit lugubere ritueel voltooid was, sprongen de Drin ijlings weg alsof hun schepping hun plots de stuipen op het lijf joeg.

Een ogenblik gebeurde er niets. Meteen begonnen de Drin elkander verschrikkelijk uit te kafferen en stuk voor stuk zwoeren ze dat een ander een vitaal onderdeel van het werk of een onmisbare magie achterwege had gelaten. Ze waren al zover dat ze elkaars paars aangelopen gezichten stompten, en beten en schopten, toen het beeld, dat plat op de bank lag waar zij het hadden neergelegd, een zucht slaakte en al slapend het hoofd afwendde om van hun rumoer verlost te raken.

Toen betrad Azhrarn de werkplaats en de Drin haastten zich halsoverkop en piepend om zich in het stof te buigen. Azhrarn ging naar de bank toe. Hij bestudeerde het beeld dat nu het onsterfelijke, overlevende deel van Simmu bevatte dat noch ziel noch geest was, doch bladeren van verkoold vlees.

'Kleine slimmeriken,' zei Azhrarn zacht, 'jullie hebben goed gewerkt.'

De Drin kwijlden van geluk en kusten de zoom van Azhrarns mantel.

Azhrarn legde zijn hand licht op Simmu's schouder – het afgietsel van de Eshva dat Simmu's leven herbergde, had recht op deze benaming – en Simmu's oogleden gingen omhoog. Hij knipperde met de wimpers van zwart gras en met zijn stralende ogen van agaat fixeerde hij de Prins der Demonen.

Zijn leed was van hem weggenomen en al het andere was

hem teruggegeven – bijna alles. Zijn zintuigen en de zinne-lijke eigenschappen van smaak en reuk en tast en gehoor en gezicht waren er allemaal; maar hij was stom, want de Eshva konden niet, of wilden niet, spreken. Nog één ding was uit hem verbannen – zijn geheugen. Zonder zijn geheugen begon hij te functioneren bij de oneindig lichte aanraking van Azhrarns vingers en in dit ogenblik werd Simmu geboren.

Hij was volkomen ongerept. Geen kleinste schim van het verleden, van liefde of pijn kleefde hem nog aan. Dit was het eerste ontwaken, de allereerste indruk. En Azhrarn de Schone was het eerste wat hij zag in zijn nieuwe, nimmer eerder beleefde wereld.

Het was Azhrarn die hem vroeg: 'Zeg wie je bent.'

De vraag gaf Simmu les. Hij vulde de zilveren hersens binnenin de ivoren schedel. De agaten ogen spraken hun stemloze antwoord: *Een demon, en uw onderdaan. Meer ben ik niet, maar wie zou meer verlangen?* En Simmu zonk voor Azhrarn neer en zijn lichaam was zo geraffineerd gemaakt dat het precies even sierlijk was als het lichaam van de wezens die model hadden gestaan.

Azhrarn zag hem peinzend aan. De voltooiing van de betovering was aan hem, en alleen aan hem. Hij tilde Simmu overeind en nam hem met zich mee.

Eens had Azhrarn tegen Simmu gezegd: 'De tijd kies ik, en die is niet nu.' En nu, zonder dat iemand erop had gerekend, was de tijd aangebroken. Dat het een ritueel en magisch moment was, maakte geen verschil. Een cirkel werd gesloten, een kwetsuur geheeld. Want demonen konden niet iets beloven en de belofte onvervuld laten; zelfs hun fluisteringen deden de zeilen van de aarde draaien en hun duisternis, als een schaduw achter glas, scheen de mensen een spiegel aan te bieden om in te kijken.

Toen Azhrarn het varenhaar van Simmu streelde, werd het echt haar, en de graswimpers die over Azhrarns wang streken, deze halmen werden ook haar. En de ogen vulden zich met tranen en hoewel ze prachtig waren, waren het ogen en geen agaten meer. En toen Azhrarn Simmu's mond kuste, werd het een levende mond, en het lichaam van Simmu werd vlees en bloed, dat zuivere en prachtige vlees en bloed van de demonen – on-menselijk en beter. En toen Azhrarn Simmu bezat, en hem nog een keer vernietigde en nog een keer reïncarneerde door middel van de op een doodsstrijd lijkende extase, toen werd Simmu, in alle aderen en zenuwen en slagaderen en spieren, in ieder innerlijk stofje en uitwendige eigenschap, bezield, vleselijk en echt. Deze laatste toverij was te danken aan Azhrarn, want zelfs onder stervelingen, toen en nu, is liefde een katalysator, en hoeveel meer kon de Prins der Demonen niet met liefde doen, hij die de liefde misschien wel had uitgevonden. Maar Azhrarn was Simmu's heer en koning, niet zijn minnaar, want voor slechts heel weinigen was Azhrarn alleen de minnaar, en dat waren onsterfelijken.

Hierna leefde Simmu onder de demonen en zwierf samen met hen. Als Eshva woonde hij in de schemeringen van de Onderaarde en de melkwitte maannachten van de aarde. Wat Simmu in het begin bijna was geweest, was hij nu helemaal. En over de dansvloeren van middernachtelijke wouden draafde hij, hij riep de dieren woordeloos toe hem te volgen, hij joeg op de dwaasheden van de mens, rommelde in hun zaken, volkomen op zijn gemak in de brandende Eshva droom van degenen die aan het begin van zijn leven hem geadopteerd en gekoesterd hadden. En wellicht dwaalde hij zelfs met die twee, de Eshva vrouwen die hem in het begin gewiegd hadden in hun bekoring, wellicht dwaalde hij af en toe samen met hen her en der, waarschijnlijk alle drie zonder te beseffen dat zij eens eerder zo gedwaald hadden.

Simmu had nu niet langer abrikooskleurig haar en groene ogen maar was donker als alle demonen. Niet langer schommelde hij lichamelijk heen en weer tussen mannelijk en vrouwelijk, want hoewel hij mannelijk was in zijn Eshva gedaante, was voor de demonen en vooral voor de Eshva iedere liefde toelaatbaar en hun aard was vloeibaar en zonder belemmeringen.

Maar wel droeg Simmu om zijn nek een groen juweel, een nabootsing van het andere. Het was een geschenk van Azhrarn, die zo dikwijls zijn onderdanen een geschenk gaf als zij hem genoegen deden. Begeerd door zijn broeders flitste en vlamde deze schat van Simmu door vele vele schaduwen. Generatie na generatie van moordenaars die door wouden beenden, van meisjes die amuletten en bloemenslingers maakten, van magiërs bezig met ingewikkelde magerijen, keken op in die scherpe duizeling van groen, op heterdaad betrapt door de demonensoort in de persoon van Simmu.

Want natuurlijk dwaalde Simmu door de eindeloze millennia heen, maar de onsterfelijkheid stelde hem niet langer voor onoplosbare problemen, want nu was hij een Eshva. De ware onsterfelijken hadden nimmer hun toestand gevreesd, demonen noch goden noch de anderen van die overvloed van eeuwig bestaande schepselen; het was slechts een bijkomstig aspect van hun mystieke toestand.

Op een nacht, is het mogelijk, stuurde Azhrarn Simmu als Eshva koerier naar de waanzinnige kluizenaar op zijn stenen zuil? Wellicht had de Prins een volmaakte grap in gedachten waarom alleen hij zou mogen lachen. Maar misschien was het wel een andere Eshva die voor de opening van de grot danste en boog, met een ander juweel om zijn nek en ander kattekwaad in gedachten. Dat Zhirek iets van het voorval leerde, was misschien alleen te wijten aan zijn verstand voor zover nog aanwezig. Zeker is dat hij weende. En zeker is het dat Simmu niet weende, behalve soms om zich te vermaken, op de heerlijke, ongeremde en betekenisloze manier van de Eshva. In het algemeen brandde Simmu in plaats dat hij weende, in de brandende Eshva droom en alle andere vuur vergeten. Zo was het in de Onderaarde, die eindelijk zijn thuis was – zoals het immer voorbestemd moet zijn geweest.

Naschrift

Het reizende huis

Over de vlakte, uit de zonsondergang, kwam een ongelooflijk schouwspel. De mannen op de velden lieten hun zeis zakken en staarden met open mond, de vrouwen bij de putten zetten hun emmers en scheplepels verrast neer. De honden in de dorpen blaften en de vogels stegen steil op zodat hun vleugels de laatste zon vingen. Zo'n spektakel hadden ze daar in dertig jaar niet meegemaakt, niet meer sinds de koning voorbijgekomen was, en zelfs die praalvertoning verbleekte naast dit onwaarschijnlijke gebeuren.

Een span olifanten van reusachtige afmetingen en met koolzwarte huid liep voorop. Hun zadeldek en leidsels waren goud en vuurrood, bestrooid met schitteringen en belletjes. Op de rug van het voorste dier aan de linkerkant zat op een gouden zadel een forse man lui onder een zonnebaldakijn en hij leidde de dieren blijkbaar. Achter de olifanten, door hen voortgetrokken door middel van geschilderde bomen en bronzen kettingen, rolde een soort mobiele villa met wanden van bewerkt hout, deuren van rood lakwerk, gekleurde ramen, een dak van zwart porselein en zes hoge torens met kristallen koepeltjes bekroond. Het hele bouwwerk was bevestigd op een geelkoperen onderstel dat uitgerust was met een twintigtal reusachtige vergulde wielen. Om te voorkomen dat zelfs deze onderdelen er normaal uitzagen, bestonden de spaken van deze wielen uit koperen drakekoppen die bij iedere dreunende omwenteling geurige rook uitbliezen.

De man die het bevel voerde over de olifanten schonk schijnbaar geen enkele aandacht aan het rumoer en de gapende mensen aan alle kanten, en ook niet aan de keffende honden en gillende kinderen die hier en daar het monsterlijk grote huis op wielen achterna renden.

Maar op een plek waar een herberg in een bosje van groene populieren langs de kant van de weg stond, riepen enkele kooplieden, die daar zaten te drinken, de man op de olifant aan.

'Kom, neem een beker wijn van ons. Je bent een interessante verschijning. Wat verkoop je?'

De man op de olifant vroeg het span trekdieren halt te houden.

'Ik verkoop niets,' zei hij met schallende stem. 'Ik ben de beschermer en ik mag wel zeggen, de geadopteerde oom of vader van degeen die de waar verhandelt.'

'Het wordt steeds interessanter,' zei de koopman die hem had uitgenodigd. 'Dat klinkt alsof het een vrouw is. Klopt dat?'

'Ik zie dat uw gedachten het verkeerde pad inslaan. De vrouwe, als het ware mijn nicht en dochter, die in deze unieke koets reist, is de vertegenwoordigster van een machtig heer, zij is zijn tussenpersoon, en de waren zijn van hem.'

'Verkoopt zij dan niet zichzelf?' informeerde de handelsman.

'Kom,' riep de berijder van de olifant, 'hebben jullie nooit gehoord van het Huis met de Rode Deuren?'

Daarop viel er een vreemde stilte over de kooplieden en trouwens over het hele erf van de pleisterplaats. De zonsondergang vervaagde tot een roze naschijnsel, en de schaduwen, die zich de hele dag aan de populieren hadden geklampt, spreidden nu hun rokken over de grond, want de lampen in dit wegrestaurant waren nog niet aangestoken. In de hoogte ritselden de bladeren als dorre groene papieren. Ja, ja, leken de bladeren te antwoorden, wij hebben gehoord van het Huis met de Rode Deuren, en wie niet? En de kooplui keken schuins en behoedzaam door de schemer naar het bonte huis op wielen, dat nu mysterieus en naargeestig was geworden.

'Een gerucht is een gerucht,' zei de woordvoerder van de kooplieden. 'En ik geloof niet dat ik het geloof.'

'Zoals je wilt,' zei de olifantruiter. 'Maar als je je mening mocht herzien, kun je mijn meesteres een bezoek brengen, want hedennacht zullen wij doorbrengen op gindse aanpalende heuvel. En nu,' voegde hij eraan toe, 'kan iemand mij mededelen of er hier in de buurt hooi te bekomen is voor deze olifanten? Of of er ook personen van losse zeden en met schele ogen aanwezig zijn?'

Een uur lang debatteerden de kooplui met elkander. Hun verblijf in de herberg langs de weg, die slechts verveling had lijken te beloven, scheen plotsklaps maar al te sensationeel te worden.

'Ik hecht geen geloof aan de geruchten,' zei er een.

'Maar het huis reist rond en bezit wielen, als in de geruchten. Bovendien komt die heel dikke man overeen met de verhalen – Yolsippa de schurk, de standwerker, de onsterfelijke listige Yolsippa, wiens paard steigert op het zien van strabismus.'

'En wie is dan zij in de woonwagen?'

'Wel, als de rest ook waar is, dan moet zij Kassafeh zijn, en zij is de dienstmaagd van–'

'Stil! Stil, of wees vervloekt.'

Ondertussen zat het rijdende huis op de heuvel een kwart mijl van de herberg en de plaats ervan was duidelijk aangegeven met twee flakkerende flambouwen in de grond voor het huis. En terwijl de kooplieden kibbelden en rumoer maakten, verviel een van hen tot zwijgen. Toen de anderen naar binnen gingen voor het avondeten, begaf deze zich met nerveuze, gehaaste pas naar de heuvel.

Hij was van middelbare leeftijd, een plechtig man, mager van gestel en in sobere kleren gestoken. Terwijl hij in de zwarte nacht tegen de heuvel opliep, kwam hij eerst bij de olifanten, die aan paaltjes in het gras stonden en deze beesten begonnen luidkeels en schel te trompetteren bij zijn nadering. Toen hij bij de flambouwen kwam, zat Yolsippa – als die het werkelijk was – voor de rode lakdeuren, geduldig op hem te wachten.

'Wat moet het gaan worden?' riep Yolsippa. 'Een of andere overleden magiër, wiens gebeente je wenst uit te vragen? Of een rijk, geheim mausoleum dat je wilt vinden en plunderen? Of kan het zijn dat je een minnares, onlangs gestorven, nog een keer wilt omhelzen? Of wens je een op de dood gelijkende trance waarin je tijdelijk wenst weg te glijden, een trance die zelfs de scherpzinnigste arts zal bedriegen – misschien om de belastinginner te ontlopen?'

De sobere koopman verbleekte.

'Hoe kun je nog schertsen, als jij waarlijk de meester dient die jij dient?'

'Ik dien de vrouwe,' zei Yolsippa – het moest hem zijn – 'en zij dient het personage over wie wij spreken, Uhlume, de Heer Dood.' De koopman ging bijna door zijn knikkende knieën. 'Evenwel,' vervolgde Yolsippa. 'Een waarschuwing is op zijn plaats. Ofschoon mijn meesteres haar heer kan smeken jou terwille te zijn, is het mogelijk dat hij elders bezig is en niet beschikbaar blijkt te zijn want hij staat natuurlijk niet, zoals je wel begrijpt, op haar wenken klaar om

397

je te bedienen. Maar verklaar wat je wenst. Is het liefde, hebzucht of nieuwsgierigheid die je wenst te bevredigen?'

'Als dit allemaal ongelogen en waar is,' zei de koopman gruwend doch krachtig, 'dan zal ik mijn wensen slechts kenbaar maken aan de heks in het huis – Kassafeh.'

Yolsippa haalde de schouders op. 'Ik heb toch een afspraak, met de dienjongen van de herberg die, al kijkt hij recht voor zich uit, mij verzekerd heeft dat hij voor drie zilverstukken zijn jonge kijkers kan laten kruisen.' Toen roffelde Yolsippa op de deuren van rode lak, die meteen openvlogen. 'Treed nu binnen,' zei hij en zelf wandelde hij de heuvel af zodat de koopman alleen en verbouwereerd achterbleef.

Het duurde wel even voor deze voldoende moed had verzameld om door de deuren te gaan.

Het inwendige was op zichzelf heel uitnodigend ingericht: links en rechts en overal brandden roze lampen die verscheidene wonderen verlichtten. Het meest exotisch was het vertrek in het midden, met zijn zuilen van gebeeldhouwd cederhout en zijn geverfde wanden en lila draperieën, terwijl gouden vazen een overvloed van geurige bloemen torsten. Op de vloer lag een gevaarlijke tijgerhuid, met uurwerkogen die de koopman volgden en uurwerkkaken die grauwden. Daar vlakbij stond een weefgetouw met een half voltooide regenboogkleurige lap erop. Behoedzaam ging de koopman op het getouw af en hij schrok zich wild toen de spoel er dwars overheen schoot.

'Vrees niets,' zei een stem vanachter het getouw, 'hier is slechts een vrouw bezig met haar handwerk.'

Toch kromp de koopman ineen toen zij te voorschijn kwam, want nu stond hij recht tegenover de legendarische dienstmaagd van de Dood.

Zij was niet zoals zijn angsten hem hadden voorgespiegeld, geen oude heks – of erger. Ze was jong en lieflijk, het lichte haar dat over haar schouders stroomde was een paar graden bleker dan haar gouden jurk. Alleen haar ogen waren veranderlijk en boezemden angst in, en ondanks haar woorden keek zij hem hooghartig aan met die ogen, zodat het hem raadzaam leek om driemaal te buigen.

'En bent u,' vroeg hij zacht, 'Kassafeh?'

'Die ben ik,' antwoordde de maagd. 'Ga nu zitten en deel mij uw verlangens mee.'

De koopman nam plaats op een geborduurde zijden bank.

'Wat een luister,' zei hij. 'Kan het allemaal echt zijn?'

'Jazeker is het echt,' zei Kassafeh stijf. 'Illusies, daar doen we hier niet aan.' Het leek een teer punt te zijn, en om haar niet te mishagen begon de koopman gauw uit te leggen waarom hij gekomen was.

'Ik stoor u namens een ander,' zei hij. 'Mijn bejaarde grootvader, die de leeftijd der beresterken heeft bereikt, zweert dat hij in zijn jeugd een koop heeft gesloten met – de meester die u dient. Eerlijk gezegd had ik deze opschepperij van hem altijd aangezien voor een teken van seniliteit, maar ik was wel gedwongen te veinzen dat ik het geloofde, omdat zijn fortuin op mij over zal gaan bij zijn verscheiden, en het komt mij aldus terecht voor om hem naar de mond te spreken. Maar sinds kort nu, zoals u zich wel kunt voorstellen, begint de oude heer genoeg te krijgen van het leven en hij is bezig geweest zich voor te bereiden op zijn afscheid. En heel vrolijk ook, terwijl hij mij verzekerde dat er een plaats voor hem was gereserveerd aan het hof van – iemand met wie u bekend bent. De oude heer heeft mij zelfs verteld wat de bewuste overeenkomst inhield. In ruil voor reusachtige rijkdommen uit een zeer oude sarcofaag, welks fatale bewakers en vervloekingen slechts – eh – een heer als de uwe zou kunnen onderwerpen, kwam mijn grootvader overeen om duizend jaar in de Binnenaarde door te brengen in het gezelschap van – iemand van aanzien. Lichtelijk bovennatuurlijk geneigd zijnde, heeft mijn grootvader middels dromen en trances herhaaldelijk het gebeuren in de Binnenaarde aanschouwd, wat schijnbaar een veelzijdig oord is dat zich leent voor iedere vorm van versiering door middel van illusies.' De koopman zweeg even om zijn voorhoofd te kunnen betten. 'Alles goed en wel, en het graf staat gereed voor mijn grootvader, en zijn fortuin bevindt zich al bijna in mijn kisten, en toen werd de seniele oude baas op een nacht wakker uit een droom en schreeuwde luidkeels dat hij ten slotte toch weigert te sterven.'

Het scheen, vervolgde de koopman zijn relaas, dat zijn grootvader een nieuw beeld van de Binnenaarde geschonken was. Heer Dood had zich een vrouw genomen – een schrikwekkend mens was zij, gifblauw met gele vonken als ogen en haar rechterhand was bot. De bewoners van de Binnenaarde wierpen zich in het stof om bevend eer te betuigen aan deze verschrikking en zij, deze trotse en overheersende feeks, liep over hen heen. Maar dat was nog niet alles. Op een keer had de Dood het nodig gevonden om herhaaldelijk en langdurig uithuizig te zijn en toen hij terugkeerde, ontdekte hij dat deze plaag van een vrouw de teugels van de macht uit zijn handen had gegrist. Zij heette Narasen en was eens een koningin geweest. Nu beweerde zij dat haar koninkrijk haar met list en bedrog ontstolen was en dat zij voortaan samen met de Koning van de Dood over de Binnenaarde zou regeren, en ze kraste ook zeker niet op als haar duizend jaar voorbij waren. En om haar verklaring kracht bij te zetten, had zij reeds een eigen paleis laten bouwen (tweemaal zo groot als dat van de Dood), waarvoor de steen uit het zwarte graniet van de streek was gedolven en vervolgens roofde zij de graven van de helft van de koningen van de wereld leeg om haar paleis te versieren. Onsterfelijke luipaarden dwaalden door de kamers van het paleis en beten onuitgenodigde bezoekers. Deze beesten, verhaalde men, had de Dood zelf haar gegeven, zoals hij in een ondoordacht ogenblik haar zijn magie voor het openen van koningsgraven had laten gebruiken. Sommigen voerden verontschuldigingen voor hem aan, zeggend dat het een beloning was voor een waarschuwing die zij hem had gegeven, betreffende zekere dwazen die zich tot 'des Doods vijanden' hadden uitgeroepen. Het stond vast dat zij misbruik had gemaakt van al haar voorrechten en zelfs lepe overeenkomsten had gesloten met menselijke magiërs zodat er nu op occulte wijze plantaardig materiaal naar de Binnenaarde werd getransporteerd, waarmee zij tuinen en parken wilde laten aanleggen. En de slavenarbeid die voor dit werk benodigd was, zou geleverd worden door dezelfde ongelukkigen die haar paleis hadden gebouwd – de gestorvenen die de Dood zelf voor duizend jaar had opgeëist.

'"En ik ben te oud om me uit te sloven voor zulke onzin," verklaarde mijn grootvader, niet geheel onterecht,' zei de koopman. '"Kom," opperde ik, "misschien is de droom vals." "Zeker niet," schreeuwde hij terwijl hij met zijn staf in het rond mepte, "want de vrouw die aan Narasens zijde liep, steeds Narasens polsen kussend en meesmuilend, is degene die de vertegenwoordiger van Heer Dood was toen ik met hem onderhandelde, honderd en vijftig jaar geleden – Lylas van het Huis van de Blauwe Hond." En zo,' besloot de koopman, 'heeft mijn bejaarde verwant alle gedachten aan het verlaten van het aards tranendal opgegeven en daar hij een ongelooflijk taaie ouwe knar is, zal hij het waarschijnlijk nog vele tientallen jaren volhouden.'

'En wat kan ik nu voor u doen in deze zaak?' vroeg Kassafeh streng. 'Ik ben Lylas niet.'

'Als u dient wie u dient, dan zou u zich wellicht tot mijn grootvader kunnen wenden en hem verzekeren dat er geen Narasen bestaat.'

'Maar die bestaat wel,' zei Kassafeh.

'Kun uw heer deze vrouw dan niet onder de duim krijgen?'

Kassafeh glimlachte. Haar ogen werden donker.

'Uhlume regeert de wereld, niet waar? Waarom zou hij zich erom bekommeren dat een vrouw hem in zijn lagere koninkrijk verdringt, wanneer hij de hele aarde bezit?'

'Maar mijn hele jeugd lang hebben de priesters mij geleerd,' zei de koopman onbehaaglijk, 'dat de Dood de dienaar van de mensen is, niet hun tiran.'

'Maar,' zei Kassafeh, 'alle mensen kennen hem.'

De koopman huiverde. 'Het wordt koud,' zei hij.

'Niet verwonderlijk,' zei Kassafeh. 'Er komt Iemand.'

De koopman sprong op. Hij zag hoe de vlammen in de lampen flikkerden, dat de uurwerkogen van de tijger gesloten waren.

'Geëerde vrouwe,' zei hij schor, 'ik denk dat ik maar eens opstap.'

En dit gezegd hebbende stoof hij de deur uit en de heuvel af, waar zelfs de olifanten zich nu beheersten en niet trompetten.

Jaren tevoren had Uhlume haar gevonden, Kassafeh.

Simmurad was verdronken en de hemelelementalen die haar hadden weggedragen, waren de geschiedenis al gauw beu geworden en lieten haar achter op een of ander hoogland in een troosteloze regen met amper een boom om onder te schuilen. Yolsippa lieten ze bij haar in de buurt neer, maar van een onvriendelijke hoogte.

Hier zaten de twee te wenen en zich te beklagen en louter doordat ze in dezelfde hachelijke toestand verkeerden, waren ze een troost voor elkander. Zelfs de tranen die Kassafeh om Simmu had gelaten, droogden op, of werden verdronken in de nieuwe tranen die ze voor zichzelf schreide.

Toen de regen ophield, sjokten ze de heuvel af en door een land van bossen en rivieren. Maar als ze een dorp of hoeve ontdekten, werd het tweetal weggejaagd met vloeken, stenen en honden. Yolsippa was vroeger volkomen gewend geweest aan dit soort onthaal en hij nam deze last nu weer op met vastberaden klaagzangen. Kassafeh, die slechts korte tijd deze ervaringen had meegemaakt tijdens haar reis met Simmu naar Simmurad, gaf zich over aan huilbuien van wanhoop en toorn.

Zij en Yolsippa vormden een ongunstig ogend paar, wat niet hun schuld was, maar terwijl Yolsippa haar haar haveloze toestand vlot vergaf, nam Kassafeh aanstoot aan de zijne.

'Zwijn! Vlooienjas!' placht zij hem uit te schelden. 'Had je niet een enkele edelsteen uit de stad mee kunnen nemen om onze toekomst veilig te stellen?' (Haar eigen opschik was teloorgegaan tijdens hun vlucht, of gestolen door de elementalen van de hemel.)

Op een schemeravond toen ze bij een beek verwijlden, waar Yolsippa in een miezerig vuurtje zat te blazen en te puffen, onder gevit van Kassafeh, woei er een spookachtige koude wind door de hoge grassen en beider hart maakte een misselijk sprongetje.

'Er loopt iemand langs de rand van de bomen,' hijgde Kassafeh.

'Nee, nee,' bromde Yolsippa onrustig, 'er is niemand. Niet kijken.'

Toen leek een reuzenvogel een sneeuwwitte vleugel te ontvouwen en daar stond de Dood naast hen. De Dood, luisterrijk, alomaanwezig en verschrikkelijk.

Kassafeh viel flauw. In ieder geval liet ze zich op de grond zakken en deed haar best om buiten kennis te raken, maar dat lukte niet echt. De Dood zag zij door een waas van wimpers en schaduwen. Ze zag hem in waanzinnige angst, maar ze zag ook zijn schoonheid. Ze taxeerde hem, zoals ze met alles deed.

Yolsippa lag in het stof. Hij verklaarde tegen de Dood dat hij hem bewonderde en alles zou doen wat de Dood het beste achtte.

De Dood zei: 'Er zijn nu geen menselijke onsterfelijken meer op de aarde, behalve jullie twee. Dacht je dat je mij kon ontlopen? Ik ben hier.'

'Uw komst verrukt ons meer dan die van de zon,' slijmde Yolsippa.

'Ik kan jullie leven niet beëindigen,' zei de Dood, 'en evenmin is dat mijn taak, alhoewel ik niet langer helemaal ben zoals ik was, want nu behaagt de aanblik van de dood mij, verkwikt mij. Maar jullie. Wat moet ik met jullie aanvangen, want ik kan niet rusten tot het probleem is opgelost.'

'De hele mensheid beeft van angst bij het horen van uw voetstap, zelfs bij het horen van uw naam,' zei Yolsippa. 'Doen wij twee er dan nog toe?'

'Ja,' zei Uhlume, de Heer van de Dood.

'Welnu,' stelde Yolsippa voor, terwijl hij heel wellevend zijn rillingen bedwong, 'laat ons dan in uw dienst treden. Zonder twijfel is er een nietige maar nuttige taak die wij voor u kunnen verrichten. En als onze namen geassocieerd worden met de uwe, dan zullen de mensen weten dat wij aan uw machtige arm niet ontkomen zijn, zij zullen aannemen dat wij slechts bestaan dankzij uw goedertierenheid. Voorzeker, wij willen geen strijd met u, buitengewone heer. Wij zijn eenvoudig verstrikt geraakt in de machinaties van anderen. Ik bijvoorbeeld ben er met list en bedrog toe overgehaald het elixir des levens te proeven—'

Nu kwam Kassafeh vlot bij uit haar bezwijming. Ze ging zitten en staarde de Dood bang, vermetel aan. 'Zhirek de magiër was uw afgezant en tussenpersoon. Zo een zal ik ook zijn. Aangezien u zoveel omgang heeft met de mensen van de aarde, heeft u zulke personen nodig. En omdat ik eeuwig zal leven, net als u, is het logisch om mij daarvoor uit te kiezen. Bovendien heb ik al eerder een god gediend en de Dood is op zijn manier een god. Ik heb de nodige ervaring voor deze betrekking.'

Zij wist niet, en hoe kon zij dat ook weten, dat ze aanbood dezelfde 'god' te dienen die zij eenmaal beschimpt had en ontvlucht was, want de zwarte god van Veshums tuin was geen ander dan Uhlume geweest.

Uhlume keek neer op Kassafeh. Misschien zag hij in haar plaats Lylas, die nu achter de blauwe vrouw, Narasen aan sloop. Wat was alles veranderd. Uhlume, de uitdrukkingloze en onverbiddelijke, was van binnen aangetast door sporen van sterfelijkheid.

'Jij zocht,' zei hij tegen Kassafeh, 'een held.'

'Welke held is groter dan de Heer van de Dood?'

Het was waar, en ze meende het. Opeens was het haar ingevallen dat zij hier de onoverwinnelijke en onsterfelijke naam had waaraan ze haar eigen naam wilde verbinden. Wie zou er stenen gooien naar Kassafeh, de Dienstmaagd van de Dood? Nog terwijl ze bevend twijfelde aan zijn antwoord, was ze al van plan hem om een toepasselijke entourage te verzoeken, zodat hij niet te schande zou worden gemaakt. Niemand die niet wist dat de Dood toegang had tot de schatkamers van grafgewelven.

Uhlume stak zijn sierlijk gevormde zwarte hand naar haar uit, omlaag.

Kassafeh staarde ernaar. Toen, met bonzend hart, verglazende ogen, nam ze de hand vast en hij trok haar overeind. Zijn aanraking kon haar niet doden, maar het was ondenkbaar dat hij haar emoties niet beïnvloedde. Ze werd helemaal opgewonden.

'Ik zal je onderrichten,' zei Uhlume, 'in je taken.'

Zijn rookwitte haar streelde langs haar wang toen hij zich naar haar toe boog. Plots nam haar emotie een besluit. Zij schonk hem die immer zoekende liefde van haar die nog steeds geen tehuis had gevonden. Angst kon zij hem niet meer bieden. Kassafeh – en ook Yolsippa – had al veel van de houten, wassen indruk van Simmurad verloren sinds ze gedwongen was ontberingen en onzekerheden te ondergaan. Nu bood Uhlume haar een doel, een reden om te leven, hoe luguber ook. Overspoeld door verering en voldoening richtte zij zich op en kuste de prachtige mond van Uhlume, de Koning van de Dood, wat in de hele lange geschiedenis van de mens nog nooit voorgekomen was. En de Dood, die door de gebeurtenissen in zeker opzicht afgesleten was tot het evenbeeld van een mens, reageerde op haar kus met een duistere intensiteit van zijn blik.

Het tableau aanziend, stoorde Yolsippa met zijn gebruikelijke gebrek aan fijngevoeligheid.

'En ik, verbijsterende heer?'

'En hij?' vroeg Uhlume aan Kassafeh.

Half in de cirkel van zijn arm liggend fluisterde zij: 'O, laat hem met mij meegaan, als hij daartoe in staat is. Hij mag de olifanten besturen – dat wil zeggen, als u mij olifanten wilt toestaan?'

's Nachts schreed de Heer Uhlume over de vlakten en de heuvels van de wereld. Hij was daar nu dikwijls. Hij passeerde als een zwarte toon in de stilte, en de witte tonen van zijn haar en mantel speelden achter zijn rug en soms huppelde er een nachtmerrie met een groen gezicht achter hem aan, hoewel hij gewoonlijk alleen liep.

Natuurlijk had hij Narasen niet gehuwd, maar dat zij in de Binnenaarde de koningin uithing was waar. Haar paleis was gebouwd en volgehangen met gestolen lampen van goudfiligraan. Degenen die in de Binnenaarde afdaalden vergaten soms de Dood en renden naar haar toe om haar gunsten af te smeken, van Koningin Dood. Toen Simmu's zonlicht uitgedoofd was, was haar eigen schittering opgebloeid alsof zij energie geput had uit zijn lichaam, of uit zijn ziel, en ook enigermate uit Uhlume.

Vermoedelijk was het niet zo dat Uhlume geen macht bezat om haar te temmen; hij had zijn macht alleen nooit te dien einde aangewend. Misschien werd hij door haar uitdaging verslagen doordat deze zo onwaarschijnlijk vermetel was, zoals het vanaf het begin had geleken. Of was het alleen dat voor Uhlume, wiens geest de aeonen overspande, haar uitdaging geen blijvende betekenis bezat – de steek van een bij, een paar miljoen jaar – een ogenblik – van wrok.

Wat het ook was, het gebeurde dat hij dat kleine koninkrijk, de Binnenaarde, opgaf in ruil voor de grotere, levende wereld, waar Narasen niet kon gaan. En hier schreed hij heen en weer, op en neer, rond en overal.

En soms, terwijl de zon van de wereld zijn levensbloed liet wegsijpelen, hoorde Heer Uhlume een allerzwakst geluid, dat van een weefgetouw dat ergens in de diepe kruik van de schemer stond te mompelen.

Getekend door het sterrenlicht bezat de vlakte een enorm fijne schemerende zachtheid. Op de heuvel stonden de lakdeuren achter de flambouwen open en het zijden lilarood van de deuropening glimlachte tegen het donker.

Kassafeh stond op achter haar weefgetouw. Ze knielde niet; haar eerbied en haar aanbidding waren alleen in haar ogen, die smolten via amber en hyacintblauw tot het zwartste blauw.

Geen zetel van been was er voor Uhlume in dit huis. Het was Kassafeh die zat en hij, Heer Uhlume, die neerlag en zijn hoofd in haar schoot liet rusten. De vermoeienis van duizend eeuwen had hem weten te vinden. En waarom niet?

En terwijl hij daar in de stilte uitrustte en zij met tedere vingers zijn voorhoofd streelde, wijdde de eigenaardig platte aarde zich aan zijn zaken in het donker.

Tanith Lee
Stormgebieder

Stormgebieder en het vervolg *Anackire*: twee sterke romans in de trant van de Geboortegraf-trilogie, spelend in een volkomen verschillende omgeving. Dit hebben de vijf romans gemeen: de gedreven hoofdrolspelers, die hardnekkig een zwaar leven leiden dat het noodlot trotseert en dat de lezer persoonlijk aangrijpt – de avonturenroman in optima forma.

Stormgebieder is de geschiedenis van Raldnor, verwekt door de Stormgebieder bij een bleke heks op de Schaduwloze Vlakte en verborgen onder vreemden ver van de hoofdstad, gedoemd door het Lot om de verschrikkelijke keus te maken tussen enerzijds zijn verlangens naar liefde, en het besef van zijn onontkoombare bestemming als vorst van de wereld anderzijds. Als zijn liefde een wrede dood sterft, bindt hij de strijd voor zijn geboorterecht aan en rusteloos als de wind, en onverbiddelijk als een orkaan, marcheert hij naar de overwinning op zijn valse halfbroer . . .

Een nieuwe hartstochtelijke heldensage van Tanith Lee, een nieuwe schitterende vertelling vol heroïek en erotiek

MEULENHOFF

Grote Planeet
Een van de zeven gave korte romans van de Meester
Jack Vance   •

Vijfhonderd jaar nadat de reusachtige Grote Planeet –
waar geen metalen te winnen zijn – bevolkt is door honderden buitenissige groepjes Aardbewoners, stuurt de Aarde er
een commissie heen. Deze moet uitzoeken in hoeverre de
Bajarnum van Beaujolais, een van de talrijke plaatselijke
heersers, een gevaar vormt voor het hemelsbrede scala van
kleurrijke levenswijzen die op Grote Planeet welig tieren:
de Bajarnum verovert namelijk het ene buurlandje na het
andere, en dat is nieuw. En aangezien het altijd de bedoeling van Grote Planeet is geweest dat allerlei bijzonder
uiteenlopende groepen er totaal hun gang kunnen gaan –
dat is de reden dat hun voorouders destijds de eenvormige
cultuur van de Aarde ontvluchtten – is bezorgdheid op zijn
plaats. Landveroveraars die met geweld cultuurpolitiek willen bedrijven, ondermijnen de opzet van Grote Planeet.

Maar de commissie stort neer, veertigduizend mijl van
de enige beschaafde plek op de planeet. De officiële Aard-
enclave is ver weg. Er volgt een gigantische trektocht
door onbekende streken, waarbij het kleine gezelschap onaf-
gebroken bedreigd wordt door monsters en verrassende
mensen. Want eeuwen van afzondering, met alle vrijheid
om de eigen denkbeelden in praktijk te brengen, leveren
massa's bizarre samenlevingen op . . .

MEULENHOFF